ВАСИЛИЙ АКСЕНОВ

ВАСИЛИЙ АКСЕНОВ

ТАИНСТВЕННАЯ СТРАСТЬ

роман о шестидесятниках

МОСКВА
2009

УДК 82-31_(470)
ББК 84 (2Рос=Рус)
А 42

Аксенов В.

Таинственная страсть (роман о шестидесятниках)

Печатается в авторской редакции. Журнальный вариант

«Таинственная страсть» — последний роман Василия Аксенова. Его герои — кумиры шестидесятых: Роберт Рождественский, Владимир Высоцкий, Андрей Вознесенский, Андрей Тарковский, Евгений Евтушенко... Аксенов предоставил нам уникальную возможность узнать, как жили эти люди — сопротивлялись власти или поддавались ей, любили, предавали, отбивали чужих жен, во что верили, чем дышали. И продолжали творить, несмотря ни на что. Именно эту жажду творчества, которую невозможно убить никаким режимом, и называет Аксенов таинственной страстью.

ISBN 978-5-88149-375-2

АВТОРСКОЕ ПРЕДИСЛОВИЕ

Булат и Арбат

Сомневаюсь, что прототипы литературных героев романа когда-либо собирались все вместе, как это произошло с героями в главах 1968 года в романическом Коктебеле под эгидой некоего всемирного духа, называющего себя Пролетающим-Мгновенно-Тающим. Не вполне уверен в хронологической точности событий романа, а также в графической схожести портретов и в полной психологической близости героев и прототипов. Я всегда испытывал недоверие к мемуарному жанру. Сорокалетний пласт времени — слишком тяжелая штука. Даже план интерьеров вызывает сомнение, не говоря уже о топографии местности. Неизбежны провалы и неточности, которые в конце концов могут привести — и чаще всего приводят — к вранью. Стремление к хронологической точности часто вызывает путаницу. Желание создать образы реальных людей под реальными именами может вызвать у читателя раздражение и отторжение: они, дескать, были не такими и т а к о г о с ними не могло произойти.

В этой связи вспоминается знаменитая фотография Льва Нисневича, на которой изображены два нерасторжимых образа — Булат и Арбат. Летняя ночь или, скорее, раннее утро. Прозрачный воздух создает глубокую перспективу. Арбат пуст, не видно ни единой человеческой фигуры, полностью отсутствует московская фауна — птицы, коты и собаки. Присутствует один лишь Окуджава, сидящий на переднем плане в середине проезжей части. Он выглядит вполне натурально на крепком стуле. Участвует в мизансцене, задумчив, за спиной — городская пустыня.

Придирчивый зритель скажет: что за вздор? Откуда взялся стул на спящем Арбате? Скорее всего, сам фотограф его и привез для воплощения одиночества. В жизни такой отсебятины не бывает.

Почему же не бывает, если это уже случилось и было запечатлено? Нисневич основательно продумал свою работу, уговорил Булата на съемку, привез стул и сделал портрет, воплощенный шедевр. Значит, искусство дополняет — или даже отчасти заменяет — реальность. Появляется Булат, задумчиво сидящий на стуле посреди летней ночи и, конечно, отличающийся от обычного Булата, который в этот час просто спит. Так возникает художественная метафизика.

Что касается мемуарного романа, то он, несмотря на близость к реальным людям и событиям, создает достаточно условную среду и отчасти условные характеры, то есть художественную правду, которую не опровергнешь. Приступая к работе над «Таинственной страстью», я вспомнил повесть В. П. Катаева «Алмазный мой венец». Мастер нашей прозы, говоря о своих друзьях-писателях, отгородился от мемуарного жанра условными кличками: «Скворец», «Соловей», «Журавль» и т. п. Прототипами этих образов были О. Мандельштам, С. Есенин, В. Маяковский и пр., что подтверждалось цитатами бессмертных стихов.

С предельной щедростью я прибегал к подобному цитированию моих друзей-шестидесятников, однако, создавая их романные образы, я отдавал себе отчет, что возникнут не клоны, не копии, а художественные воплощения, более или менее близкие к оригиналам. В связи с этим возникала потребность создать новые, хоть и созвучные имена.

Вот, например, Роберт Эр. Читатель сразу понимает, что речь идет о Роберте Рождественском, который любил подписываться инициалами «Р.Р.». В то же время становится ясно, что перед нами не фактографическая личность, а романический образ.

Кукуш Октава — это живая маска для Булата Окуджавы. Булат — это сталь, оружие, слово не очень-то соответствующее мягкому, грустному характеру нашего гения. Из его автобиографической книги «Упраздненный театр» мы знаем, что тетки и кузины в детстве звали его «Кукушкой». Отсюда — новое имя Кукуш, странное, но теплое, соответствующее персонажу, построенному на его реальных стихах.

Евтушенко получил имя, возникшее на фонетической близости, — Ян Тушинский. «Ян», с одной стороны, сближает его с прибалтийскими корнями, с другой — напоминает домашнее имя Ивана Бунина.

Девичья фамилия его жены той поры была Сокол; отсюда возникло ее романическое имя — Татьяна Фалькон.

Андрей Андреевич Вознесенский в романной ипостаси стал Антоном Антоновичем Андреотисом, сохранив двойное имя-отчество и не отказавшись от Андрея. В молодости гениальный мастер русских глоссолалий перевернул имя своей подруги, сделав из Зои Озу. В романе писательница Теофилова (прямой перевод Богуславской) превращается из Софки в Фоску.

Гениальная Белла Ахмадулина становится Нэллой, а ее фамилия превращается просто в возглас восторга — Аххо!

Читатель увидит, что на подобных вариациях возникают вольности романа. Автор смеет сказать, что он вовсе не старался прикрыться этими живыми масками от возможных нападок, а только лишь норовил расширить границы жанра. Дать больше воздуха. Прибавить больше прыти в походку. Напомнить нашему Зеленоглазому, какими мы были или могли быть.

Вот так они пусть и пройдут над множественными кризисами прошлого века: держа противовес, срываясь и выкарабкиваясь на пути извечной человеческой судьбы.

КНИГА ПЕРВАЯ

Мы судьбою не заласканы,
Но когда придет гроза,
Мы возьмем судьбу за лацканы
И посмотрим ей в глаза.

РОБЕРТ РОЖДЕСТВЕНСКИЙ

И вот тогда — из слез, из темноты,
Из бедного невежества былого
Друзей моих прекрасные черты
Появятся и растворятся снова.

БЕЛЛА АХМАДУЛИНА

Любая юность — воровство.
И в этом жизни волшебство:
Ничто в ней не уходит,
А просто переходит...

ЕВГЕНИЙ ЕВТУШЕНКО

Но почему ж тогда, заполнив Лужники,
Мы тянемся к стихам, как к травам от цинги?
И радостно и робко в нас души расцветают...
Роботы,
роботы,
роботы
Речь мою прерывают.

АНДРЕЙ ВОЗНЕСЕНСКИЙ

Он переделать мир хотел,
Чтоб был счастливым каждый,
А сам на ниточке висел:
Ведь был солдат бумажный.

БУЛАТ ОКУДЖАВА

1968, конец июля
Львиная

Обитатели Львиной бухты стояли у кромки воды спинами к морю, лица задраны вверх, к отвесам Карадага. Наверху, над отвесами, виднелось несколько фигурок физтехов. Намечался спуск на веревках в бухту. Другого пути сюда не было. Погранохрана запрещала использование какого бы то ни было плавательного средства, ну а пешком вдоль горы сюда было не пройти: отвесы уходили сразу на большую глубину, прерывая связь между маленькими бухточками, населенными дикими людьми потухшего вулкана; Львиная, например, была оторвана от Разбойничьей, а та, в свою очередь, от Сердоликовой. Последняя, впрочем, узкой тропинкой кое-как была связана с Третьей Лягушкой, та — со Второй, Вторая — с Первой; чем дальше к востоку, то есть ближе к Коктебелю, тем тропинки становились надежнее. Львиную же местные обитатели называли Максимальной.

Это был своего рода форпост карадагских насельников-дикарей. Дальше на запад череда бухт обрывалась, и до самой Биостанции тянулись одни отвесы. И вот сегодня в Максимальную пожаловали гости.

Об их прибытии львиных оповестил опущенный сверху камень, к которому была приторочена записка. Она гласила: «Ваше превосходительство господин Президент и вы, достопочтенные члены Парламента СРК, вас приветствуют скалолазы из Курчатовского. Хотим пообщаться. Надеюсь, не возражаете. По поручению отряда, ФУТ». Еще до прибытия этого послания ребята внизу догадались, что там, наверху, появились какие-то свои, по каким-то не вполне ясным приметам — физтехи, ну а прочтя записку, поняли, что там с ними один из львиных, член парламента, вот именно тот самый ФУТ, который здесь прошлым летом обретался. Тут же началась перекличка. Снизу крикнули:

— Вы тут по делам, ребята, или так, погулять-ять-ять-ять? — Эхо усиливало голоса.

Сверху ответили:

— Мы тут Герку из расселины вытаскивали.

— Какого Герку?

— Вы что, не знаете? Весь Коктебель гудит-ит-ит-ит.

— Какой еще Коктебель? У нас тут своя среда.

Сверху: Своя что?

Снизу: Среда-а-а!

Сверху: У всех суббота, а у них среда. В среду-то как раз Герка Грамматиков в расселину сыграл.

Снизу: Это тот Грамматиков, что из Дубны?

Сверху: Тот самый-амый-амый-амый.

Пауза.

Снизу: Спускайтесь, ребята. Помянем Герку.

Сверху: Да мы ж его вытащили.

Снизу: Неужто живым-вым-вым-вым?

Сверху: Он друга узнал-знал-знал. Вот этого друга, Влада-ада-ада-ада.

Стоящий над отвесом небольшой отряд показал на паренька, который сидел, свесив в пропасть ноги в альпинистских ботинках. Тот помахал рукой жителям бухты. Одна девушка внизу почти мгновенно догадалась: «Да ведь это же Влад Вертикалов из «Таганки»!» Все население — а их было не менее тридцати душ к данному моменту — возопило: «Ура! Даешь Вертикалова!» Не прошло и десяти минут, как этот самый ВВ завис над Львиной на спусковом канате. Благодаря некоторому вращению Влада вокруг своей оси было видно, что за плечами у него приторочена гитара в футляре. Чем ниже он спускался, тем отчетливее даже сквозь шорох гальки доносилась песенка, что он напевал, снижаясь:

В тот день шептала мне вода:
Удач! Всегда!
А день, какой был день тогда?
Ах да, среда...

Вскоре вся поисковая группа уселась на гальке крохотного пляжа. Население Львиной собралось вокруг; жаждали новостей. Лидер физтехов, тощеватый экземпляр эдакого вечного студента, а на деле доктор наук, близкий ученик Дау Федор Улялаевич Трубской, то есть ФУТ, в лапидарной форме пересказал событие.

Сообщение о том, что Грамматиков загремел с высокого профиля на Карадаге, пришло в институт позавчера как раз к концу концерта вот этого данного товарища Вертикалова. Замдиректора Франкель зачитал телеграмму: «...Поиски не увенчались... приостановлены... просим прислать профессионалов для выемки тела...» Вертикалов, который и так уже всех взвинтил своим репертуаром, завел песню Кукуша, фактический гимн нашего поколения «Возьмемся за руки, друзья, чтоб не пропасть поодиночке!». Разгорелся фактически стихийный митинг, за который нам еще серьезно вломят на парткоме. Замдиректора Франкель попытался из своего кабинета позвонить в поселковый совет, вернулся в ярости: дозвониться в Коктебель — это все равно что на Папуа — Новую Гвинею! Этот Франкель у нас — ничего себе мужик, просто почти нормальный индивидуум. Он сказал, что лучших профессионалов, чем наша команда скалолазов, в Москве не найдешь. Билетов на самолет мы сейчас, в разгар сезона, не достанем, поэтому давайте, мужики, раз уж веку удалось «нащупать брешь у нас в цепочке», в темпе выезжайте на мотоциклах.

В общем, мы помчались караваном, как какие-нибудь hell's angels. Гнали всю ночь и еще полдня, пытались срезать по карте сотни полторы верст, оказались в диком поле, все тульской грязью заляпались; в общем, все прелести жизни российского путешественника. Пушкин в свое время сказал, что настоящие дороги в России появятся не раньше, чем через триста лет. Этот срок еще не истек, так что правительство может не беспокоиться.

В общем, до Кока мы добрались уже в сумерках пятницы. На террасе литфондовской столовой нам дали остатки ужина, которые были ничем не хуже, а может быть, и лучше самого ужина. Вдруг мы обнаружили, что вокруг нашего стола стали собираться инженеры человечьих огромных душ и члены их семей. Сомнений нет, общее внимание привлек увязавшийся с физтехами их кумир, вот этот данный Влад Вертикалов. С этим нашим товарищем нигде не останешься без остатков ужина.

Признаться, нам тоже было любопытно, кто соберется вокруг нас: ходили слухи, что там сейчас скучковалась вся плеяда «Юности». Отчетливо удалось заметить только какую-то красивую особу, которая довольно грубо, ну просто на грани фола, что-то говорила какому-то мужчине и вроде бы даже пнула его ногой. Вообще-то одного этого было достаточно, чтобы возблагодарить Провидение. Такая женщина в принципе опровергает соцреализм. Не знаю, что она утверждает, но только не «Мать» Горького. В принципе, ее промельк на террасе литфондовской столовой просто подчеркнул какое-то некое завихрение природы: подул очень сильный ветер и погасло электричество. В темноте кто-то вошел на террасу с набережной и сказал знакомым голосом, что на Карадаге еще один интеллектуал гробанулся. В общем, вулкан, еще не проснувшись, начал хавать наших: за неделю трое посыпались. В темноте мерцали сигареты, со всех сторон жужжали голоса. Воцарилось какое-то специфическое состояние, сродни осаде, но мы на это как-то неадекватно реагировали из-за усталости; проще говоря, вырубались один за другим. Лично я еще уловил, как тот знакомый голос, по всей вероятности голос Кукуша, громко спросил: «Это правда, что Вертикалов прибыл? Влад, ты здесь?» Но Влад, вот этот самый, что так бодро сейчас десантировался на почву Свободной Республики Карадаг, не откликнулся: спал без задних ног на полу, подложив под голову футляр с гитарой. Таким образом, концерт двух бардов не состоялся.

На этом ФУТ оборвал свой рассказ, быстро стащил польскую куртку, чешские ботинки, китайские штаны и, оставшись в длинных бельевых трусах, прыгнул в «надлежащую» волну. Думал, пока плыл. Публика, конечно, жаждет узнать подробности спасения Грамматикова, но это, пардон, без меня. Пусть кто-нибудь другой рассказывает, в какой чудовищной окаменевшей позе торчал Герка поперек той гнусной расселины и как кружили над этой щелью стервятники, с большим любопытством приглядываясь к еле живому, полутрупу; это уж пусть кто-нибудь другой пугает девочек.

Между тем девчонки там, в Львиной, собрались далеко не из пугливых. Одетые далеко не по-комсомольски, то есть фактически раздетые, они представляли из себя тщательно просеянных кандидаток на предстоящие выборы Мисс Карадаг. Из них самая-рассамая Милка Колокольцева в своем фирменном бикини, завершив репетицию «горельефа», запросто подсела к молодому барду с его мелькающей детсковатой улыбкой:

— Ну что, Вертикалов, будешь сегодня петь?

— Если только вы пожелаете, мадемуазель Колокольцева.

Они были знакомы: не раз на всяких чердачных или подвальных сидениях обменивались трассирующими взглядами.

— Ну, значит, надо курьеров засылать, — сказала Милка.

— Каких еще курьеров? — удивился Влад. — Куда?

Оказалось, что республика располагает группой пловцов-курьеров, которая осуществляет связь между бухтами, а также с Биостанцией и с заброшенным теплоцехом на окраине Планерского. В ластах и с трубками они передвигаются над пучинами в непосредственной близости к отвесам. Дело в том, что прямо над ними, на вершине над Чертовым Пальцем, располагается станция слежения за подводными лодками. Матросы, что там дежурят, вполне могут от безделья принять наших курьеров за агентуру НАТО и спровоцировать ядерный конфликт. Все граждане СРК без различия пола обязаны некоторое время курьерствовать для общего блага. Милка и сама не раз плавала в бухты, оповещала о мероприятиях, в частности о выборах в парламент и о конкурсе красоты. В этот раз о концерте Великого Вертикала оповестят другие, а сама она займется ужином из скумбрии и мидий. В общем, будет ПП, то есть Пир Посейдона.

— С керосином? — спросил Влад.

— Надеюсь, — засмеялась Милка. — Президент, во всяком случае, дал добро.

— Это что, тоже на курьеров возлагается?

— Нет, это по канатам.

Концерт начался на закате. Влада посадили на плоском камне лицом к заходящему солнцу. Красноватое освещение подчеркивало мужественную конфигурацию его лица. Колокольцева не могла оторвать от него взгляда. «Ну и парень, — думала она, — прямо из «Великолепной семерки». Зря только он улыбается так по-колхозному, сразу теряет фактуру. Впрочем, может быть, он без этой простецкой улыбочки не получил бы ролей?»

Он взял несколько аккордов на гитаре, а потом сообщил со своей вот именно скобарской, как в Питере говорят, улыбочкой: «Тут вот у меня кое-что новенькое появилось, если угодно. Условно называется «Охота на волков»...»

Читатель более-менее продвинутого возраста, конечно, помнит эту песню, которую Вертикал всегда исполнял на пределе своих возможностей, то есть истошным бас-баритоном, хриплым голосом беглого каторжника. Не подозревая еще всей трагичности 1968 года, он сделал ее самым актуальным хитом сезона. Все трудящиеся социализма были потрясены «Волками». Все принимали простую, как кровь, метафору на свой счет: и только что зародившиеся диссиденты, и выслеживающие их чекисты родины; блатной народ и менты; художественная богема и замученные бесконечными требованиями партии идеологические аппаратчики; хоккеисты и фигуристы, от которых ждали золотых медалей на международных аренах; люди армии и флота, от которых добивались стопроцентной готовности к неизбежным победам; специалисты ВПК, покрывающие гектары свободной земли невостребованными танками; рядовой житель, изнемогающий от недоплат и мизерных снабжений; в общем, все твердили одно: да ведь это же про нас поет Вертикал, это нас обложили какие-то жирные, хвостатые и рогатые, не вырваться от них никогда, даже детей не жалеют — «кровь на снегу и пятна красные флажков»... Всем почему-то льстило примкнуть к загнанным волкам, а не к отрыгивающим своей чертовщиной охотникам. Вот чего партия полностью не учла — жажды волчьей воли, вот оттого и покатилась безостановочно вниз. Поневоле приходили к выводу: это Вертикал всю нашу твердыню раскачал — но было уже поздно. Основатель нашей партии однажды высказался, и фраза сия подвешена была во всех почтовых отделениях державы: «Социализм без почт, телеграфа, машин — пустейшая фраза» — однако не упомянул вождь в своей мудрости кассетных магнитофончиков, и вот результат — разгул магнитиздата.

Львиный народ без всяких исповедальных всхлипов понимал, о чем поет Вертикал. Его тут вообще-то давно зачислили в свои, а потому на комплименты не растекались, а просто показывали барду большие пальцы. Девушки племени, конечно, оказались щедрее и потому сгруппировались вокруг хрипатого Орфея, как бы предлагая ему сделать выбор. Была уже полная черных чернил черноморская ночь, когда к нему запросто придвинулась Милка Колокольцева в своем фирменном бикини: «Ты молоток, Влад!» В чернилах этой черноты, конечно, еще роились небольшие источники света: догорающий костер, пламеньки зажигалок и спичек, блуждающие фонарики; что еще забыли — да ну, Луну! Последняя ядреной тыквой стояла в небе и колебалась в воде, снабжая всю эту черноту удивительной прозрачностью.

«Хочешь, покажу тебе наш «тронный зал»? — предложила Милка. — Через неделю там состоится моя коронация».

Он пошел за ней без особой охоты. Ну вот, еще одна жаждет потрахаться с бардом, чтобы в Москве на фрондерских сборищах о ней заговорили. Она вообще-то давно ему нравилась как дерзкой фигурой, так и загадочно посвечивающими глазами. Почему-то он был уверен, что когда-нибудь между ними разыграется настоящий роман, однако сейчас, получив приглашение в «тронный», то есть в какую-то пещеру отвесной скалы, он почувствовал разочарование. Значит, просто о заурядном пистоне идет речь? В этой бухте, очевидно, бытует лозунг «стакана воды», как это было в большевистских ячейках Двадцатых, а сейчас практикуется в левых коммунах Запада. Влад вообще-то не возражал против подобных утех, но все же предпочитал, чтобы они возникали вокруг какого-нибудь романтического сумасбродства. По этому поводу престарелая коллега по театру Раиса Ларская ему однажды сказала: «В тебе, Владка, есть что-то от Маяковского. Тот в любой сикухе искал магнитно-трагические призывы».

«Галерея» действительно напоминала руины античных галерей, тем более что вековая работа камнепадов соорудила тут три подобия арок, из-под которых открывался перехватывающий дыхание, хотя отчасти чрезмерно туристический обзор. Под одной из этих арок они уселись на гладкий, словно отполированный камень. Милкины коленки отсвечивали луну. Белую маечку приподнимали грудки; особенно классно это получалось, когда она чуть-чуть потягивалась, закидывая руку на затылок. «Ну что ж, — подумал Влад, — нельзя же бросить тень на Таганку. Таганка, ты знаешь, что это ради тебя, моя Таганка». И он положил ладонь на Милкино колено. Сладостное чувство, возникшее от этого движения, заставило и его вторую ладонь прикоснуться к девушке, вернее, прилепиться к ее бедру. Жаль, что нет еще одной ладони. Третья ладонь отнюдь не помешала бы в такой ситуации. Увы, такова природа мужиков, а ведь у Милки-то нет третьей грудки. Парные органы соответствуют друг дружке. Они даны нам для пробуждения непарных, что и достигнуто как по заказу.

«Убери лапы, Влад, — сказала она, выбираясь из-под его рук. — Так я и дала тебе с ходу и в темпе, да еще в «тронном зале». Лучше угости меня своей французской сигаретой и расскажи о Париже. Говорят, ты там едва ли не обосновался. Вроде бы покорил кинозвезду, что ли. Какую-то, говорят, мадемуазель Либертэ, верно?»

Он начал что-то говорить о Париже, но получалось как-то нескладно. «Праздник, который всегда с тобой» отъехал в сторону, уступив место очарованию этой ночи, очарованию этой девчонки, которая так классно им командовала: «побереги башку», «убери лапы»... Воображалось, что он будет с ней когда-нибудь танцевать в каком-нибудь паршивом ресторане под провинциальную интерпретацию Strangers In The Night, в каком-нибудь заштатном городке вроде Феодосии, где они укроются от любопытных и ехидных глаз, может быть, во время штормового межсезонья. Наши встречи, наши тайные ошеломляющие встречи всегда будут происходить в каких-нибудь южных захолустьях, где мы будем пить только какое-нибудь коллекционное вино и ни капли водки, так думал он, а сам в это время пережевывал какие-то банальности о Левом береге Сены, о революционных настроениях, о ресторане «Распутин»...

— Ну ладно, хватит о Париже, — сказала она. — Ты здесь побудешь, Вертикал, или опять туда собрался?

Она не спросила, как он умудряется так часто получать выездную визу, но он понял, что она именно это имеет в виду. Он мог бы ей сказать, что у него там великолепная жена, член ЦК соцпартии, но он, конечно, этого не сказал.

— Постараюсь, Колокольцева, к тебе поближе пристроиться. Может быть, дадут мне в Литфонде койку на террасе Дома Волошина. Буду каждое утро бегать на Карадаг и спускаться по веревке прямо в твои объятия. Тогда уж ты не открутишься!

Она начала безудержно хохотать:

— Вот это здорово, ей-ей! Достойно воображения, а также воплощения! Вот тогда ты уж будешь точно соответствовать своей фамилии!

Потом вдруг перестала хохотать и тихо спросила:

— А что там за публика сейчас скучковалась, не знаешь? ФУТ говорил, что одни знаменитости, это верно?

— Похоже на то, — проговорил Влад. То одна его ладонь, то другая норовили совершить путешествие к девушке, но он старался их пресекать, чтобы не впадать в пошлость, и делал вид, что задумано было совсем невинное движение: почесать макушку или нос, хмыкнуть в кулак, подавить мнимую зевоту, вытащить сигарету «Житан». — Я слышал там в темноте голос Кукуша, но сделал вид, что сплю, чтобы не заставили петь.

— Роберт тоже там? — спросила она с мнимым бесстрастием.

Он задержался с ответом, делая вид, что не расслышал.

— Роберт Эр, — уточнила она. — Любимец нашей молодежи. Не заметил?

Он пожал плечами:

— Он мне говорил, что собирается сюда, но когда, не помню. А что?

Теперь она пожала плечами:

— Да ничего, просто так, ну, просто любопытно, вот и все.

Он вдруг разозлился и ее решил разозлить:

— У тебя что-то было с Робертом?

Тут же последовал ответный выпад:

— А как ты думаешь, у нас с тобой что-то было?

Он парировал тремя приемами защиты и даже показал рукой — так, так, так, то ли было, то ли есть, то ли будет. Третий вариант самый предпочтительный.

Неизвестно, как далеко зашел бы этот диалог, если бы над освещенным луной краем их вулканической террасы не появилась лохматая со всех сторон голова вкупе с бульбоватым носом, на котором без дела сидела стрекоза маленьких очочков в железной оправе. «Эй, ребята, вы тут не загремите в порыве страсти?» — гулко, как в опере «Руслан и Людмила», осведомилась она, то есть голова.

— Это еще кто? — спросил Влад.

— Это наш президент, мистер ФИЦ, — ответила Милка. — Теперь спроси: было ли у меня что-то с ним?

— Ну ладно, пошли теперь вниз, дерзновенная Колокольцева, — пробурчал бард.

Они вернулись на пляж. Там уже почти все спали, львиные и гости, кто на убогой ветоши, а кто и прямо на гальке. Милка бросила Владу хоть и прожженный в двух-трех местах, но настоящий плед, а сама разлеглась, словно Клеопатра, на надувном матрасе, который, как впоследствии выяснилось, республика выделила ей для сохранения красоты еще перед конкурсом «Мисс Карадаг». Они лежали в трех шагах друг от друга, однако если бы кому-нибудь из них пришло в голову преодолеть это расстояние, скрип гальки взъерошил бы всю спящую бухту.

— Ты, Милка, учишься еще или уже где-нибудь работаешь? — спросил он.

— В «Декоративном искусстве» работаю, мой дорогой, — ответила она.

— Ты кто по зодиаку?

Она сказала. Он огорчился: они не совпадали.

— Телефончик-то оставишь?

Вместо ответа она довольно громко засвистела носом.

Экий зануда, жалкий крохобор, думал он о себе. Телефончик выпрашиваешь, аванс на будущее. Чушь какая-то! Спуститься на веревке в бездну, влюбиться в дикарскую девушку и не совпасть с ней по зодиаку! «Полночно свечение Бухты-Барахты...» Это чьи стихи? Мои? Нет, это Сережки Чудакова. Львиная бухта, Милка Колокольцева, «Два большие уха / У твоего любовника...» Это уже мои! Она сопит и храпит все громче, словно гвардии танкист Преображенского полка. Я тоже отправляюсь к Морфею; хорошо, что еще не к морфию.

Первое, что он увидел по дороге к Морфею, было геройское противостояние злодейской расселине и самого себя, упирающегося пятками и жопой в базальтовую тесноту. Мимо осторожно, но довольно быстро проскользнул вниз командир ФУТ. Он передал Вертикалу еще один конец — держать. Наверху и внизу ребята уже тянули и держали. Тело понемногу продвигалось. Оно было без сознания и ничуть не похоже на Герку Грамматикова, соседа по Каретному переулку. Ротовое отверстие было разверсто так, что можно было пересчитать все пломбы в зубах тела, что, в общем, не помогало детским воспоминаниям. И только лишь после выноса на горизонталь открылись глаза тела и произошла встреча. «Лейтенант запаса Грамматиков, не так ли?» — поинтересовался Влад. В ответ оскалилось тело и произвело хрип со слюноистечением. Оно, очевидно, за эти дни заточения и ужаса отвыкло от словесного выражения мысли, но Владу все-таки показалось, что это был ответ в стиле их ранней юности: «Сержант в отставке Вертикалов, I suppose?»

Дальше пошла струя малоразличаемых слов, из которой все-таки выяснилось, что спасли Герку только песни Влада, которые он без конца пел до полного опупения, а «На Большом Каретном» двести пять раз... «Я все пел и пел, а она там внизу, подо мной очень долго как-то отзывалась и даже подпевала, пока безвозвратно не замолчала».

Перед погрузкой Грамматикова на вертолет Вертикалов пытается поцеловать его в губы, но губ на голове не обнаруживается, а высохшие десны для поцелуя не приспособлены. А ведь как, наверное, целовался с местной девушкой перед тем, как свалиться вниз! Вот и ее тело поднимается, зацепленное крючком. Хорошо, что он не видит.

Впрочем, может быть, это и не тело, а просто пучок истлевшей одежды? Рюкзак, спальник? Может быть, тело-то, покончив с жизнью, своею сутью прошло сквозь скалы и замешалось в толпе концерта, поближе к Милке? Может, оно-то и потащило Милку дразнить меня любовью?

Проснушись от этой догадки, Влад увидел, что глушь ночи отчасти не совсем глуха. Катер погранохраны, по местным масштабам равный линкору «Тирпиц», покачивался в метре от кромки воды. На откидном с носа трапике сидел босоногий мичман. Рядом с трапиком на гальке в свете фонаря сидел президент СРК мистер ФИЦ, по батюшке Батькович. Он смотрел на мичмана, а тот — на него. С берега возвращались к судну два босых матроса с автоматами без рожков. Они позевывали в надежде еще немного придавить до конца вахты.

— Что это вы, Пахомыч, босиком выступаете? — поинтересовался президент.

— А чтобы начальству напомнить об обувном довольствии, — ответствовал мичман. — А ты вот лучше мне скажи, ФИЦ, что это за сборище тут у вас на закате вакханальствовало?

Президент хохотнул:

— Мне нравятся твои глаголы, Пахомыч, а вообще-то тут Вакх и не ночевал. Просто ребята собрались на вечер советской песни.

Мичман пропустил мимо себя матросов и сам поднялся, чтобы подтянуть трап.

— Пока не поздно, ребята, вы бы мотали отсюда.

— Перестань, Пахомыч, кому мы тут мешаем?

Мичман пожал плечами и одновременно сделал гримасу носом, ушами и губами.

— Просто так говорю тебе, Батькович. Хоть и не должен был говорить. Просто по-человечески. Просто сказал.

После этого он сбросил на берег какой-то тощеватый мешок. Сторожевик ушел в темноту. Президент прилег между Колокольцевой и Вертикаловым. Мешок подсунул себе под голову. Вскоре в ночи остались только крики чаек, аккуратное похрапывание девушки да молчаливая до поры песня барда.

1968, начало августа
Литфонд

Ранним утром августовского дня, пока все еще спали в комнатах и на террасах Дома творчества, поэт Роберт Эр натянул шорты на свой мускулистый зад и отправился к воротам территории. Шел тихим расслабленным шагом, пошлепывал вьетнамками. Чуть появившееся над гребешком Хамелеона солнце создавало длинные тени, пересекающие пустые аллеи парка, с трудом взращенного Литфондом на полупустынной земле Восточного Крыма. Роберт и сам отбрасывал длиннющую тень с парадоксально малой головой, что покачивалась аж в самом конце аллеи.

Будучи основательно с похмелья — вчера порядочно засиделись за амфорой совхозного вина в компании Кукуша Октавы и Нэлки Ахxo, — а стало быть, иронически относясь к собственной персоне, тем более в ее удлиненном варианте, Роберт вовсе не отнекивался от парадоксов раннего восхода; напротив, вроде бы совсем не возражал ходить вот таким среди нормальных: ростом в сто метров, башка лишь отдаленно напоминает свой довольно объемный орган стихов, ручищи покачиваются словно фантастические ласты, и все это в виде плоской тени; ну, словом, сюр.

Еще не дойдя до ворот, он остановился на «звездном перекрестке» этой обители, где по ночам происходили скоропалительные свиданки. Здесь, обозначая центр, зиждился бюст Вечно Живого. Роберт тут покачался, оживляя голеностопы. Потом, опершись на пьедестал, сделал глубокую растяжку, как с левой стороны, так и с правой. В ходе растяжки ног он развивал и свою думу о Ленине. Говорят, что надо покрасить заново, но по мне он и так хорош. Что бы ни говорили, но он мыслитель глобального масштаба. Те, кто хотят его опровергнуть, не читали ничего из его трудов. Я все-таки хоть что-то читал.

Цитата, которую я тут хотел внедрить, исчезла из-за пьяноватого состояния головы. Протрезвев, я ее тут же вспомню. Да вот, собственно, уже и вспомнил: «Творчество человека лежит в коллективном творчестве масс». Он сильно трактует Гегеля. Да и вообще человек грандиозной страсти, поистине таинственной страсти к народу, любви к нему. Сталин ему не чета. Сталин — полувраг народа, почти троцкист. У этого Ленина в районе ушей, конечно, наблюдается некоторая замшелость, зеленоватый нарост мха, но это устранимо, потому что суррогату вождя истинный вождь не чета. Да что это я? Куда меня понесло от этого бюста? Попахивает похмельным зощенкоизмом, нет? Тогда переходим на чистую в стиле Маяковского агитку слов:

Ильич, ты не
кочан капусты!
Ты наш
влиятельный,
живой!
Спросите всех,
спросите Юста,
Меня
и алебастр
бюста,
И вы поймете,
Ленин — свой!

Юст появился в похмельном стихе не случайно. Собственно говоря, именно из-за друга сердешного Юстинаса Юстинаускаса, скульптора, живописца и графика, народного художника Литвы и лауреата премии Ленинского комсомола, вот именно ради этого могучего друга и собутыльника Роберт и встал сегодня ни свет ни заря. Вчера во время обеда этот Справедливец Справедливский (прямой перевод его имени с латыни) позвонил в столовую и сказал, что вылетает ночным рейсом из Вильнюса в Симферополь и планирует появиться у ворот ДТ около семи утра. Попросил встретить и помочь с размещением. Эдакий европеец, усмехнулся Роберт, он думает, что если он заказал такси, так она, тачка, и будет его ждать в ночном сумбурном аэропорте. Так или иначе, друга надо было встречать.

Ворота Дома творчества представляли собой помпезную, хоть и облупившуюся на солнце арку. Под аркой были ворота с висячим амбарным замком. Над аркой и тоже в полукруглом варианте красовался основной лозунг советских писателей, изречение лучшего «беспартийного коммуниста» романиста Леонида Соболева на IV съезде СП СССР в Кремле: «Партия дала советским писателям все права, кроме одного — права писать плохо!» Роберт разбудил кемарившего в будке сторожа Жукова, дал ему трешку и попросил снять замок. За воротами в пыли и в лопухах, под пыльными акациями ночевала в спальниках компания «дикарей». Роберт присел в тени на седло полуразобранного жуковского мотоцикла и стал заниматься привычным делом, рифмовкой: «Акация — Кац и я», «пыль — пол», «дикари — вдугаря»... Стало клонить ко сну. Чтобы взбодриться, он посмотрел на лозунг. Вдруг заметил, что в соболевском изречении чего-то не хватает. Оказалось, что пропало последнее слово — «плохо». Без него возникал не очень-то вдохновляющий смысл: «Партия дала советским писателям все права, кроме одного — права писать!» Он усмехнулся: дожили до прямой идеологической провокации. Он догадывался, чьих это рук дело. Двое мальчишек, Славка и Левка, оставшиеся здесь еще с июльского заезда, постоянно потешались над нищенской наглядной агитацией, не исключая даже центрального бюста. Скорее всего это именно они разобрали слово «плохо», чтобы получилось хорошо. Что же из этого получится? Могут, конечно, не заметить до конца сезона, ведь не заметили же в течение всего лета на феодосийском рынке лозунга «Наша цепь коммунизм!»; ну а если заметят? Колоссальный скандал? Поток доносов? За мальчишек, впрочем, можно не волноваться: у обоих папаши — лауреаты и секретари. Ну а если по сути, получается прямо в глаз. Партия — это директивный орган, никто не спорит. Однако литературу ведь не создашь по директиве; верно? Надо было бы ее отделить от партии, как церковь отделена от государства; так, товарищи?

В этих раздумьях он упустил появление симферопольского такси и дал Юстасу возможность приветствовать его первым: «Мистер Роберт, дорогой товарищ негр, в вашем лице мы приветствуем угнетенные народы Африки!» Роберт, между прочим, под коктебельским солнцем и впрямь демонстрировал едва ли не стопроцентный негритюд: огненно-шоколадная кожа, большие вывернутые губы, яркие белки глаз. Что касается Юстаса, то он являл противоположный тип белокурой бестии и квадратно-челюстного империалиста. К тому же и облачен был в рубашку-хаки с большими карманами и в такого же цвета штаны. Торчащие из карманов разноцветные фломастеры при желании можно было принять за агрессивную амуницию. Мало кто ведь знал, что закуплены по ордеру Союза художников.

Они были ближайшими друзьями и подходили друг другу не только по контрасту, но и по разным физическим и художественным сходствам. Роберт писал стихи лесенкой, а в живописи Юстаса проскальзывали мотивы «Бубнового валета» и, в частности, недавно им открытого Аристарха Лентулова. Оба они были на данный момент молодыми плечистыми мужчинами крупного роста, и если они в обществе появлялись вдвоем, женщины начинали волноваться. Оба, впрочем, слыли почтенными семьянинами, а их жены, Данута и Анна, закадычничали, особенно в области телефонных разговоров, когда дамы по обе стороны провода заваливаются с ногами на тахту в облаках табачного дыма и с неизменной «чашечкой кофе».

Теперь о спорте. В ранней юности оба играли в баскетбол; Юст за «Жальгирис», а Роб за сборную Карело-Финской ССР, поскольку военная семья Эров в те времена сторожила северо-западные рубежи. Интересно отметить, что однажды юнцам пришлось впрямую играть друг против друга в составе молодежных сборных. Мощные прибалты, сохранявшие традиции своего великолепного довоенного баскетбола, в пух и прах разнесли карелофиннов, на которых, кроме неопытности, постоянно еще висело злополучное тире, тем более что единственным представителем угряцкого этноса там считался Роберт Эр, на самом деле представитель русской солдатской фамилии. Счет был что-то вроде 103:56, а мог бы зашкалить и за две сотни, если бы литовцы не крутили разрешенную тогда «восьмерку».

Теперь о родителях. Юстинаускасы были слегка буржуями и, конечно, подверглись бы депортации, если бы папа Юста Густавас сам не занимался депортацией сомнительных элементов. Он был, что называется, «пламенным коммунистом» и добровольцем интербригад в испанской гражданской войне. Во время Второй мировой войны он, разумеется, числился в составе литовской дивизии Красной армии, хотя постоянно из этого состава исчезал, выполняя разнообразные задания за линией фронта. Словом, он был настоящим красным боевиком, и каково же было его удивление, когда в 1949 году за ним пришли его коллеги по «невидимому фронту». Из лагерей он писал бодрые письма, в каждом из которых можно было найти непременную советскую формулу: «Сыт, обут, одет». В 1956-м он был реабилитирован и вернулся из Джезказгана теперь уже стопроцентным коммунистом-ленинцем, правда, без одной почки.

Интересно, что у Роберта даже в самых глубоких недрах семьи не проглядывал ни один, даже самый завалященький зэк, однако и к нему советская жизнь не была особенно ласковой. Отец его, хорват Огненович, не вернулся с войны. Мать, майор медслужбы, всю войну провела в полевых операционных. Мальчик жил у тетки в Сибири. Аттестата не хватало, продовольственные карточки были иждивенческие; в общем, он провел типичное для этого поколения полуголодное детство.

После войны мать Вера Игнатьевна вышла замуж за полковника с простой русской фамилией Эр. Людям вокруг нравилось произносить эту фамилию, особенно в ее падежах. Кто-что? Эр. Кого-чего? Эра. Кем-чем? Эром. Понравилось это и Роберту. В конце концов его переписали Эром, и он не возражал. К тому же отчим ему нравился «по человеческим качествам», как говорила мама. Он преподавал в военной школе науку наук, то есть марксизм-ленинизм, верил во все это свято, а избытки святости обращал на семью, внедрял идеологию, как жрец внедряет могучую суть Зевса.

В юности у Роберта не было никаких сомнений, кроме одного: как можно не верить во все наше свято-советское, иными словами, как можно быть нашим врагом? Иной раз ночью, в тишине, в одиночестве, при созерцании, скажем, Млечного Пути, его посещало что-то непостижимое, какой-то иголочный укол, но до того огромный, что все наше победоносное и эпохальное казалось по сравнению с этим уколом полным нулем. У него дыхание перехватывало, и он ждал у окна, когда мимо пройдет какой-нибудь грузовик или трамвай и сердце снова наполнится лирикой по отношению к миллионным коллективам советских людей и всего прогрессивного человечества. Однажды в вильнюсском кафе «Неринга» за бутылкой коньяку он сказал Юстасу, что испытывает порой подобные удивительные мгновения, а тот ему признался, что и он иногда бывает как бы прихлопнут мигом, как он выразился, «космического ужаса». Сделав большой глоток, он добавлял: «Или восторга». Вот именно подобные откровения и тянули их к интимным, один на один, выпивкам.

«Ну что, рванем, поплаваем?» — спросил Юст. Он с жадностью смотрел на свежий утренний залив, словно жаждал его тут же сожрать. Вода всегда звала его к себе, оттого, может быть, и слыл он эталоном балтийскости. Южные берега Балтики на эту тему предпочитали не распространяться. В бывших «лимитрофах» старались не вспоминать поколение межвоенных, то есть во время короткой арт-деко независимости, атлетов, хотя именно они, баскетболисты и яхтсмены, дали миру знать о существовании трех крохотных республик под боком у неизмеримого чудовища. Юст ту стильную публику помнил по детским впечатлениям и потому старался ее ненавязчиво, но отчетливо напоминать — то сшитыми на заказ костюмами, то оловянным перстнем, то гладко причесанной с пробором головой, ну и, конечно, страстью к воде как к символу чистоты и олимпийской мощи. В юности вдобавок к баскетболу он выигрывал заплывы и сражался в ватерполо. После матчей часто с ребятами задерживались в раздевалке, напрягали мускулы, формировали своего рода барельеф молодых силачей, говорили о Тарзане, то есть о Джонни Вайсмюллере. Тренеры на них орали: что, у нас своих, что ли, в СССР нет эталонов, возьмите Хейно Липпа, возьмите Григория Новака?!

После ухода из высших этажей спорта Юст связи с водой не терял. В Паланге часто народ собирался на дюнах и на пирсе смотреть, как Юстинаускас борется со штормом. Собственно говоря, как раз на одном из таких представлений и состоялась первая встреча наших друзей. Роберт и сам был пловцом не последнего десятка, однако ничего подобного тому, что происходило в море в тот день, то есть ярчайшего солнечного шторма, он не видел. Они с Анной и маленькой Полинкой лежали на дюне, когда заметили, что множество литовцев показывают куда-то в бушующий простор и кричат: «Юст! Юст! Вы видите, это он! Вот он, видите, скатывается с одной волны и ныряет под другую! Где он теперь вынырнет и вынырнет ли вообще?! Он не может не вынырнуть, ведь он герой древних рун! Это наш фольклорный Юстас!» Наконец, достаточно поиграв на нервах публики, герой выходит из волн и запросто присаживается к их пикнику. «Привет! Ты Роберт

Эр? А я Юстас Юстинаускас». Там, на балтийской дюне, они и стали друзьями.

В августе 1968 года Черное море удивляло своим спокойствием. В утренние часы Коктебельский залив лежал огромной кристальной массой.

— Вода, надеюсь, достаточно холодная? — поинтересовался Юст. Он стоял на краешке мостков, облаченный в невероятные шорты по колено. Они напоминали склейку из мировых газет: «Нью-Йорк таймс», «Фигаро», «Руде право».

— Достаточно холодная, чтобы полностью протрезветь, — заверил его Роберт. — Мы тут называем это море Великим Вытрезвителем. А где, старик, ты сфарцевал це пенкне шорти? Я таких еще не видел.

— Да ведь я только что из Праги. Там сейчас масса всего такого.

Роберт рассмеялся:

— Знаешь, Юст, за такие шорты четыре года назад ты бы тут сразу угодил в опорный пункт милиции. — И он рассказал литовцу одну из коктебельских историй, которую мы здесь передаем, как выражались тогда западные радиопровокаторы, «в подробном изложении».

1964, август
Шорты

Сезон 1964 года был довольно накаленным по части шортов. Всех прибывающих сурово оповещали: на набережной никаких шортов, только бруки. Только лонги, что ли? — злился московский народ. Вот именно, как положено. Таково решение поселкового совета, принятое в свете решения Феодосийского горкома. Всякий, кто выйдет с пляжа не как положено, будет осужден за вызывающую форму одежды и весь отпуск проведет на исправительных работах с метлой.

Народ, особенно молодой и столичный, упорно сопротивлялся, потому что заметил в некоторых современных фильмах, что на Западе и по городу ходят в коротких. Одни в коротких, другие в длинных, кто как хочет.

Отдыхавший в Доме творчества мрачневецкий соцреалист Аркадий Близнецов-Первенец решил показать, что он даже и на морском курорте градус своего творчества не опускает. В «Комсомолке», что ли, а то и в самой «Правде» появился его фельетон о нравах Коктебеля, и в частности о бородатых юнцах в шортах. Клокотало в тех строках святое партийное негодование. Пора комсомолу и курортной общественности искоренить пресловутые шорты! Прочитав этот чуть ли не директивный материал в центральной печати, местные ревнители нравов совсем поехали. На набережной патрули стали запихивать бесстыжих в милицейские фургоны, а тех, кого они упускали, подбирали отряды ветеранов-дружинников.

В один из тех тревожных дней компания значительных писателей отправилась к павильону, который под вывеской «Коктейли» только что открылся возле пансионата. Что означал этот либеральный поворот к отдыхающему потребителю в период борьбы с шортами — остается в тумане, однако слухи пошли, что коктейли (не путать с котлетами!) там продают классные.

Возле этой точки стали собираться большущие очереди людей, и многие из них в шортах. Не все в шортах, были и в джинсах. Эти последние, хоть и сомнительные по идеологии, в поселке Планерском не карались; пусть их карают там, откуда они приехали. У нас задача — искоренить шорты. Если же шорты сделаны из джинсов путем обреза выше колен, в этих случаях пусть страдают вдвойне. Ну, в общем, стояла очередь, жаждала коктейлей и пуншей, галдела хохмами. Дружина сама к ним подходить не решалась, ждали «товарищей-красивыхфуражкиных» из Феодосии. Там народ строгий в своей решительности, или наоборот — решительный в своей строгости.

В тот день Роберт с Анной и Полинкой пришли испробовать куртуазных напитков; все трое в шортах. Там они нашли компанию значительных писателей с женами и подругами. Среди них находился даже Семен Кочевой, лауреат Ленинки и Государыни и член Секретариата. Молодежь курорта к нему относилась почтительно, потому что у него была очень красивая жена; конечно, в шортах. Был там также многажды лауреат басенник Хохолков, похожий на высокорослого дятла, в чесучовых брюках и в теннисже, купленной на бельгийском курорте Кнокке-ле-Зут. Он оказывал знаки внимания двум боевым девушкам Москвы, Нинке Стожаровой и Ульянке Лисе; обе в чем? Правильно, в них! Хохолков рассказывал в лицах о международном фестивале антивоенных басенников. Подходит ко мне эмигрантская дама и спрашивает: «Это вы Хохолков?» — «Да», — отвечаю я. «Негодяй!» — восклицает она и падает в обморок; каково? Девушки смеялись, но не слушали. Обе поглядывали на атлетического Роберта Эра. Тот молчал, думая о рифме «визуально — вазелина». Анна молчала, давая понять, что обо всем поговорим дома. Полинка щебетала обо всем вокруг. Семен Кочевой, не отрываясь, читал капитальный труд по ленинизму и делал по-ленински пометки на полях, то есть тоже молчал. Как-то не в унисон с ним молчала и его красавица-жена и вдруг, отмахнув назад свою рыжую гриву, прямо посмотрела на Роберта; знаешь, Юст, просто обожгла!

Ближе к окошку очередь коктейлеманов, конечно, чрезмерно загустела. Иные граждане передавали напитки над головами сограждан, но не отходили. Другие стали брать сразу по шесть напитков и наловчились их нести между пальцами обеих рук. Остальные заволновались, боясь, что им не хватит. Многие стали требовать, чтобы больше двух в одни руки не давали. Некоторые, в частности международник Горовик, прямо-таки полегли от смеха, сравнивая данное волнение с европейскими аренами. В это время подъехал соответствующий фургон, и стали брать.

Брали без церемоний, тянули, пихали при загрузке. Стожарова и Лисе кричали басеннику: «Жорж, где же вы?! Да отгоните же этих!» Хохолков, несмотря на отсутствие присутствия на его тенниске медалей с профилем Ильича, решительно принял сторону девиц: «Прекратите самоуправство! Что за мракобесие?! Многие передовые люди планеты ходят летом в шортах, а у нас тут сущая Тьмутаракань!» Тут его два стража порядка толкнули основательно в холеный бок да еще и наградили «отцом»: «А ты, отец, не базарь!»

Подъехал еще один фургон. Забирали решительно всех, кто в шортах, и по выбору тех, кто защищает. Забрали, в частности, известного поэта, певца своего поколения, «барабанщика ЦК ВЛКСМ», как съязвил недавно дружище-поэт Ян Тушинский, короче — Роберта Эра; самого!!! Будучи взят, он крикнул: «Дикари!», за что получил ответное: «Сами вы дикари, кто с голыми ляжками!» Мест в двух фургонах все-таки не хватило, и многие разбежались и в шортах, и с пуншами.

В накопителе при «опорном пункте» задержанные были подвергнуты унизительной процедуре разделения по половому признаку. При этом разделении Ралисса Кочевая угостила дружинника Гирькина основательным тумаком по загривку. Тот замахнулся было в ответ, но тут классик Ленинианы животом вдавил его в угол. При этом произошел любопытный диалог.

Кочевой: Как ты смеешь замахиваться на мою жену?!

Гирькин: Она меня первая звезданула!

Кочевой: Да ты ее тащил, подлец! Ралисса, тащил он тебя или нет?

Ралисса: (хохочет) Тащил!

Кочевой: Под суд пойдешь за сексуальное домогательство! Ты знаешь, что я лауреат Ленинской премии?

Гирькин: На вас не написано (увял).

Тут в накопитель вошел милицейский чин со звездой меж двух полос на погонах. Хмуро вознамерился пересечь помещение, но на пути у него геройски встал басенник Хохолков:

— Товарищ майор, перед вами трижды лауреат Ленинской премии, секретарь Союза писателей СССР, член Ревизионной комиссии ЦК КПСС, депутат Верховного совета СССР Георгий Хохолков.

Майор мрачновато смотрел на лауреата.

— Располагаете ли вы каким-нибудь подтверждающим документом?

— Вот мой подтверждающий документ! — Хохолков хлопнул себя по лбу почти с той же силой, с какой Ралисса угостила Гирькина. — Советский народ знает этот документ! Он подходит ко мне на улицах и задает вопросы о нашем развитии. Мы строим новый мир, а ваши подчиненные такой чепухой занимаются. Посмотрите, кого они похватали! Перед вами крупный писатель Семен Кочевой, журналист-международник Горовик, талантливейший Роберт Эр, наконец, любимый поэт советской молодежи! — Под взглядами молодых дам он раскалялся все больше и даже дрожал. Дамы, между тем, кисли от смеха и аплодировали смельчаку.

— Товарищ Хохолков, мы вас все очень уважаем, — пробурчал майор. — Прошу подождать мять минут.

И скрылся в смежном помещении. Пяти минут ждать не пришлось. Не прошло и минуты, как выскочил лейтенант, проводивший операцию. Он распахнул дверь во внешний сверкающий мир и по-истукански проорал: «Все свободны!» Можешь не верить, Юст, но я впервые почувствовал сладость свободы.

Весть о неудачном захвате «шортов» пронеслась над Коктебелем быстрее, чем сводка новостей Би-би-си. Столовая Литфонда за ужином стоя аплодировала Хохолкову. Тот до чрезвычайности, с одной стороны, заважничал, с другой же стороны, как-то помолодел на добрый десяток лет, то есть несколько приблизился к тем, кем он тут больше всего интересовался.

В тот же вечер на террасе Дома Волошина поэт-юморист либерального крыла Лодик Ахнов спел только что им самим сочиненную песню с посвящением боевому перу партии Близнецову-Первенцу. Вот эта песня, Юст, в оригинальном варианте, чтоб не забыли, как было:

Ах, что за славная земля
Вокруг залива Коктебля;
Колхозы, бля, совхозы, бля,
Природа!

Но портят эту красоту
Сюда приехавшие ту-
Неядцы, бля, моральные
Уроды.

Спят тунеядцы под кустом,
Не занимаются трудом
И спортом, бля, и спортом, бля,
И спортом.

Не видно даже брюк на них,
Одна девчонка на троих

И шорты, бля, и шорты, бля,
И шорты.

Девчонки вид ужасно гол!
Куда смотрели комсомол
И школа, бля, и школа, бля,
И школа?

Хотя купальник есть на ней,
Но под купальником, ей-ей,
Все голо, бля, все голо, бля,
Все голо.

Сегодня парень виски пьет,
А завтра планы выдает
Завода, бля, родного, бля,
Завода.

Сегодня парень в бороде,
А завтра — где? — в энкавэде!
Свобода, бля, свобода, бля,
Свобода!

Пусть говорят, что я свою
Для денег написал статью,
Не верьте, бля, не верьте, бля,
Не верьте!

Нет, я писал не для рубля,
А потому, что был я бля,
И есть я бля, и буду бля
До смерти!

На террасе в тот вечер набралось народу столько, что она, эта многострадальная литературная терраса, на которой всего лишь три десятилетия назад пикировались Мандельштам с Андреем Белым, нынче под сборищем шестидесятников слегка просела. Роберт с Анной и с Полинкой тоже там были, был и Ваксон с маленьким Дельфом, был и Кукуш Октава с крошкой Кукушонком. Заглянул и постоял у деревянного подпора, чтобы все видели драматическое лицо вернувшегося из дальних стран поэта, сам Ян Тушинский. Потом ушел: он не любил юмора.

Собравшиеся там пили безобразное белое вино, расфасованное в трехлитровые банки; «Билэ мицне» было написано на сморщенных этикетках; другого там в открытой продаже не было. Тем не менее все были счастливы. Сидеть на просевшей террасе, где некогда Максимилиан пил настоящее, из амфор, вино и соблазнял поэтесс поколения Ольги Берггольц! Подпевать Лодику Ахнову! Издеваться над жополизом владык! Хохотать громогласно, как будто мы все свободные люди, Юст! И наконец, отбивать ритм буги-вуги на дощатом столе!

Мы поедем на Луну!
Вспашем землю-целину!
Мир победит, победит войну!

И дальше началось безостановочное выбивание ритма: «Мир пабдит, пабдит войну / Мир пабдит, пабдит войну / Мир пабдит, пабдит войну / Мир пабдит, пабдит, пабдит / Мир пабдит, пабдит, пабдит / Мир пабдит, пабдит, пабдит / Он пабдит, пабдит, пабдит / Он пабдит, пабдит, пабдит / Он пабдит, пабдит, пабдит / Эх, пабдит, пабдит, пабдит/ Ох, пабдит, пабдит, пабдит / Ух, пабдит, пабдит, пабдит / Ух не забздит...» Остановить это было невозможно. Едва одна группа сторонников мира выдыхалась, как другая вступала со свежими глотками. Под террасой собралась публика, и не только литераторы. Децибелы спонтанного изъявления чувств росли. Многие стали отплясывать дикарский бугешник. Любит наш народ дело мира, однако пацифистом никогда не является. Как гласила популярная шутка: «Заставь нас бороться за мир, камня на камне не останется!»

Когда наконец во втором часу ночи стали расходиться, Роберт пробрался к Ваксону.

— Как дела, старик? Где ты шляешься? Почему не позвонишь?

Ваксон в тот год очень коротко стригся и напоминал то ли римлянина, то ли немца из ГДР, Бертольда Брехта. Они дружили, если можно отнести к дружбе три подряд пьяных московских зимы, когда они почти не разлучались. В Коктебеле, однако, «пересеклись» впервые, и оба этому обрадовались.

— Знаешь, Роб, я два месяца в Эстонии сидел, в заброшенном военном городке. Писал рассказы. Полностью овладел жанром, старик. Задвинулся на этом жанре, старик. Один рассказ писал двадцать четыре часа без перерыва, не помню даже, ходил ли в сортир. В конце концов поставил точку и свалился со стула. Вот такой получился рассказ!

Роберт и Анна хохотали, воображая это зрелище: рассказ лежит на столе, автор на полу.

— Да о чем у тебя этот колоссальный рассказ, Вакса? О любви, небось?

Ваксон отмахивался от любви. Никакой любви там нет, ноль любви. Это рассказ о деревенском мужике, который, ну, в общем, изобрел перпетуум-мобиле.

Анка, кроме того что была женой поэта Роберта Эра, также фигурировала как критикесса Анна Фареева. «Юность» и «Смена» заказывали ей обзоры «молодой прозы».

— Ты что же, Вакс, в деревенщики подался? — спросила она.

— Старуха, какие там деревенщики?! — открестился Ваксон. — Это рассказ о плодах одиночества! Это нетленка!

Она тут же каким-то карандашиком черкнула на пачке сигарет — «нетленка». Термин что надо! Хорошо бы этой нетленкой кому-нибудь из чужих дать по башке; своих не бьем.

Они уселись в укромном уголке, на скамейке под развесистым кустом олеандра. Отсюда видна была вся литфондовская часть набережной, включая и популярное место встреч, площадку перед зданием столовой. Странным образом казалось, что мало кто в Доме творчества собирается спать в этот поздний час. Под сильными фонарями все еще шастали возбужденные прошедшим жарким днем коктебельцы с транзисторами. Обрывки музыки, завывания турецких певцов, вдруг выходящее из зоны глушения вещание «Русской службы Би-би-си», наплывающий гул заглушек — все это создавало будоражащий фон вангоговской ночи, как будто эта звуковая мешанина была сродни мешанине красок. На больших скоростях кружили по площадке маленькие дети припозднившихся родителей, среди них четырехлетний сын Ваксона Дельф и семилетняя Полинка Эр.

У балюстрады под фонарем, окруженный толпишкой поклонников, стоял высокий Ян Тушинский в широкой гавайской рубахе. Не исключено, что это была единственная фирменная гавайская рубаха во всем Восточном Крыму. Во всяком случае, Тушинский именно так себя держал: да, я единственный здесь в настоящей гавайской рубахе. Мимо шел легендарный Кукуш, на сутуловатых его плечах — двухлетний бэби-сын, он держался за папины уши. Не исключено, что малец воображал себя водителем автомобиля. Кукуш приблизился к Тушинскому. Они о чем-то оживленно заговорили. Ян вытащил прямо из кармана свою сигаретину, потом вроде бы одумался и извлек всю пачку вожделенного «Мальборо». Предложил Кукушу угоститься этим редкостным, поистине ошеломляющим советского человека табачным сортом. Кукуш помотал лысеющей башкой и показал свой выбор — жалкую бумажную пачечку «Примы»; он другого не курил. Тушинский щелкнул «Ронсоном». Оба задымили. Высокий Ян приобнял Кукуша за плечи и с удивлением обнаружил там детскую попку; похоже было, что до этого движения он не замечал мальца. Так или иначе, он посмотрел вокруг: где, мол, тут фотограф? Фотограф нашелся, стал бегать вокруг и снимать: два знаменитых поэта с любителями поэзии на фоне ярко-черного моря и ярко-белой балюстрады. Позднее эта серия снимков была напечатана под заголовком «Даже ночью».

— Сколько же стран ты посетил, Ян, за полгода-то? — спросил кто-то из братьев-писателей.

— Трудно так сразу подсчитать, — ответил путешественник. — Штаты, Канада, Мексика, Куба, Япония, Вьетнам...

Задумался.

— Ну и прочие по мелочовке, — вставил тут со смешком Кукуш.

Один поклонник, дылда если не баскетбольного, то уж наверняка волейбольного роста, протырившись к поэту, обратился к Яну с некоторой бесцеремонностью:

— А в Париже вам приходилось бывать, товарищ Тушинский?

В ответ он получил почти театральное «ха-ха». Ян обратился к другу:

— Ты слышишь, Кукуш, спрашивают, был ли я в Париже? Молодой человек, я был в этом городе, по крайней мере, одиннадцать раз. И в этот раз, возвращаясь из Океании, не пропустил Парижа. Значит, я был там двенадцать раз.

Девушка, которую оттолкнул не очень вежливый молодой человек, теперь оттолкнула того и пробралась чуть ли не вплотную.

— Ян Александрович, можно мне задать вам один очень важный для меня вопрос? — спросила она срывающимся голосом.

— Ну зачем же вы обращаетесь ко мне по отчеству, моя дорогая? — удивился Тушинский. — Ведь мы, должно быть, не так уж далеки друг от друга по возрасту.

Молодой человек, оттертый маленькой девушкой во второй эшелон, грубовато хохотнул. Ему, должно быть, показалось с его колокольни, что поэт и девушка довольно далеки по возрасту друг от друга.

— Да-да, Ян, — забормотала девушка, — конечно, мы близки по возрасту, Александрович, а все-таки скажите, Ян, вы встречались в Париже с Брижит Бардо?

Все ахнули: вот так вопрос от рядовой советской девушки! Нашлись, впрочем, и такие, что пожимали плечами: почему, дескать, нашему поэту не повстречаться с мадемуазель Бардо? Вот с ней-то, пожалуй, они действительно близки по возрасту.

Поэт, почесав себе затылок, задумчиво заговорил:

— Брижит, Брижит... Конечно, мы знаем друг друга, но... заочно... — он сделал успокаивающий жест ладонью правой руки, — пока заочно... В день отъезда она позвонила мне в отель «Крийон», но, к сожалению, у меня уже не было времени...

Публика еще раз ахнула, на этот раз от изумления: они могли встретиться, но не встретились! Девушка, задавшая вопрос, была на грани обморока. Это немыслимо, вам звонит изумительная «Бабетта, идущая на войну», а вы не можете с ней встретиться! Грубоватый молодой человек поддержал ее своим коленом. Кукуш крякнул: «Ну, Янька, ты даешь!» — и стал со своим сыном не спеша, но решительно удаляться от Тушинского в сторону своей жены Любови, а та, в свою очередь, перенимая Кукушонка, удалялась к своему корпусу вместе с Анной Эр и Миррой Ваксон, которые за ручки тащили сопротивляющееся детство. В толпе поклонников между тем хохотали два сотрудника Института мировой литературы, Галипольский и Харцевич. Они снимали очки и вытирали платками замокревшие от смеха глаза. Ну ты подумай: она ему звонит, да еще куда, в «Крийон», в «Крийон», а у него уже времени нет! Так и вижу эту чувиху, она швыряет телефонную трубку в армуар рококо и падает плашмя вдоль ковра пехлеви! А он в это время все запихивает в портфель: сборники переводов, вырезки из газет — и мчится, мчится на родину, на ненаглядную, и только память о звонке бьется в горле, в горле, рождая — что? — надежду на очную ставку!

Ян Тушинский слышал этот хохот и видел потуги ученых циников, а к тому же еще и мракобесов правого крыла, потуги на иронию, и они ему претили. Но он не уходил. Он ждал, когда все стихнет, и вот все стихло. «Печально, — сказал он печально в тишине, — печально, что среди огромного числа наших любителей поэзии попадаются иногда, и, увы, не так уж редко, некоторые циники и мракобесы. Как им хочется все запятнать своими потными лапами. Как им хочется представить наших молодых поэтов, бороздящих мировые пространства в полном смысле с риском для жизни, представить их в роли каких-то дешевых бонвиванов, искателей сомнительных удовольствий в мире капитализма! Поверьте, друзья, я говорю это не голословно, я располагаю вопиющими фактами угроз нашим молодым поэтам. Вот, например, в Канаде во время моего выступления на сцену полезли украинские националисты. Они собирались меня избить, а может быть, и убить! К счастью, одна девушка, вот такая же трепещущая, как вы, моя дорогая, помогла мне бежать. В Мехико-Сити мы попали с одной моей спутницей в гущу антивоенной манифестации как раз в момент нападения реакционных наймитов. Узнав меня, эти звери бросились на наш «фольксваген», и если бы Эстрелита не оказалась на редкость ловким шофером... если бы не... ну, в общем, мне не хочется вас ужасать на сон грядущий... но вы, конечно, догадываетесь, что могло бы произойти». Он приложил пальцы ко лбу и так, с пальцами на лбу, постоял молча несколько секунд, пока пальцы не упали. «Самая удивительная история, однако, произошла со мной в джунглях Вьетнама. Я посещал там базы партизан, и вот на одной из этих баз мне показали карту сбитого американского летчика. На ней пунктиром был отмечен мой — вы представляете, друзья, мой, мой! — маршрут, и вдоль пунктира было написано: «Не бомбить: Ян Тушинский!»

Потрясенная аудитория молча стояла вокруг поэта. Трепетная девушка даже перестала трепетать. Грубоватый молодой человек стоял с открытым ртом. Даже циники из Института мировой литературы некоторое время не могли прийти в себя. Масса всевозможных сомнений пересекала их мозги. Откуда эти летчики с авианосца узнали маршрут советского поэта? Почему они решили сохранить ему жизнь? Неужели они понимали величие этой молодой фигуры? Наконец один из циников, кажется Харцевич, спросил:

— А что, Ян, это опять была она?

— Кто она? — недоуменно спросил Тушинский.

— Ну, почерк-то, наверное, был женский?

— Откуда я знаю? Впрочем, почему бы и нет? Какая-нибудь девушка из штаба. Не исключено.

— Словом, опять она, твоя лирическая героиня, не так ли? — Галипольский тут гулко и довольно обидно захохотал. Грубоватый молодой человек, не понимая в чем дело, тоже как-то неприятно захрюкал и забормотал «ну и ну», «вот это да». Остальные участники ночной беседы, а их было не меньше двух-трех дюжин, неопределенно заволновались. Одна только трепетная девушка оказалась полностью в контексте беседы или, вернее, зондажа общественного мнения. Она повернулась к публике и раскрыла свои руки, как бы защищая его, Поэта, и от националистов, и от наймитов, и от циников:

— Как вам не стыдно, товарищи! Наш поэт вернулся с передовой линии борьбы за мир, он открыл нам, случайным прохожим, свою душу, а вы ехидничаете!

Ян взял ее одной рукой под руку, а другой стал раздвигать своих конфидентов.

— Пойдемте, пойдемте отсюда, моя дорогая. Увы, далеко не все обладают такой чуткой и трепетной сутью, как ваша. — Он приостановился возле Матвея Харцевича и сказал тому прямо в лицо: — Эх, Мэтью, какая же в тебе сидит противная лисица!

Они с девушкой стали удаляться по набережной из освещенного пространства в темноту и, надо сказать, выглядели довольно ладно друг с другом.

— Как вас зовут, моя дорогая? — спросил он.

Она ответила смущенно:

— Меня зовут Заря.

— Заря! — вскричал Ян Тушинский тем самым голосом, которым он до своего дальнобойного турне покорял «Лужники». — Наконец-то надо мной занялась Заря!

Они все глубже уходили в темноту и вскоре почти слились с нею; светилась только гавайская рубашка поэта.

Для завершения этой маленькой новеллы мы должны добавить, что на следующее утро в Коктебеле появилась девушка в настоящей гавайской рубашке.

Площадка под тремя яркими фонарями вскоре полностью опустела. Остались поблизости только двое на скамейке под олеандром, Роберт и Ваксон. Перед ними стояла трехлитровая банка местного крепленого вина, которую им на бегу оставил спешащий куда-то с четырьмя банками вина коктебельский завсегдатай молодой известинец Авдей Сашин.

— Чертово пойло, — сказал Роберт, — горечь и мерзкая слащавость, а все-таки как-то расслабляет, отгоняет гнусные мысли...

Он посмотрел на Ваксона, и тот сразу понял, что он хочет поговорить про прошлогодние кремлевские страсти. Всякий раз, когда они оставались вдвоем, эта тема так или иначе всплывала. Ему, однако, не хотелось снова влезать в то студеное мартовское болото, тем более сейчас, в коктебельскую ночь нового сезона.

— Тебе не кажется, Роб, что Кукуш у нас становится королем поэтов, вытесняет Яна? — спросил он. Нарочно заострил: Кукуш, дескать, с Яном Тушинским борются за первое место, а Роберт Эр, мол, остается в стороне, ну, где-то в десятке.

Роберт пожал плечами:

— Ну, разве что в области пения.

Ваксон тоже пожал плечами. Он часто ловил себя на том, что начинает повторять манеру говорить и даже мимику собеседника.

— Я в данном случае не о «гамбургском счете» говорю, а о влиянии на публику или даже о градусе популярности. Вот, скажем, Тушинский ошарашивает всю страну «Наследниками Сталина» или «Бабьим Яром», а Кукуш где-нибудь в застолье под магнитофончик поет «Простите пехоте, что так неразумна бывает она», и через неделю опять же вся страна начинает распевать эту новую песню. К манифестам Тушинского все уже привыкли, а Кукуш всякий раз выдает что-то непредсказуемое. Его песни, знаешь ли, это совершенно невероятный феномен.

Просто уникальный какой-то сплав лирики словесной и музыкальной. А магнитиздат все-таки не поддается контролю, распространяется миллионами копий, только денег не дает.

— Ты не прав, Вакса, — вяловато, возможно под влиянием баночного вина, пробормотал Роберт. — Янька тоже, знаешь ли, не лишен уникальности. Он вообще-то новую рифму нам принес: «высокомерно и судебно / там разглагольствует студентка», это вам не сладкий перец, милостивый государь. Да чего там спорить, оба они хорошие ребята. По большому счету просто классные ребята.

Ваксону вообще-то претила манера Роберта и его друга Юстаса выделять в какую-то свою особую касту так называемых «хороших, классных ребят». Нюансов в таких случаях не требовалось. Хороший парень, полезай в наш мешок хороших ребят! Поэта вообще-то трудно туда запихать, вечно будет выпирать из мешковины. Блок не был хорошим парнем. Лермонтова ненавидели хорошие ребята того времени. «Хорошим ребятам» впору в ЦК ВЛКСМ сидеть, а вот Кукуша, весьма замкнутого псевдоскромнягу, туда не засунешь. Да и Тушинскому, между прочим, такая наклейка вряд ли годится, нет-нет, Ян вовсе не из разряда классных ребят... Он хотел было выложить Роберту эти соображения, но тот его опередил:

— Вакса, ты помнишь недавние строчки Нэлки?

Когда моих товарищей корят,
Я понимаю строк закономерность,
Но нежности моей закаменелость (чувствуешь новую рифму, старик?)
Мешает слушать мне, как их корят.

Мне кажется, что только эта «закаменелая нежность» и может сплотить наше поколение. Согласен?

Ваксон несколько минут молчал, глядя в чернильный мрак моря, где не было видно ни единого огонька, если не считать толстенного прожекторного луча, который время от времени поднимался из-за мыса Хамелеон, озаряя его костяной допотопный хребет, чтобы потом очертить южный свод неба, а вслед за этим возле твердынь Карадага лечь на поверхность вод и прогуляться в обратном направлении туда, где он (луч) был рожден, то есть на погранзаставу. Наконец он встряхнулся (не луч, а Ваксон) и заговорил:

— Я недавно слышал, как Нэлка читала в Зале Чайковского. Это было нечто, знаешь! Она витала в своем волшебстве! Ты знаешь, я как-то странно воспринимаю стихи в декламации авторов. Слышу только музыку, тащусь вслед за ритмом и рифмой и очень редко улавливаю смысл. Особенно это относится к стихам Нэлки. Так и тогда было: все повскакали, орали восторги, и я вместе со всеми орал восторг. И вдруг меня обожгло, я понял, что она прочла в одном стихе не совсем ту версию, что была напечатана в «Юности». Вот как звучала последняя строфа:

Ну, вот и все, да не разбудит власть
Вас, беззащитных, среди мрачной ночи;
К предательству таинственная страсть,
Друзья мои, туманит ваши очи.

Мне иногда кажется, что призрак предательства за ней, а стало быть, и за всеми, волочится еще со времен Бориса.

Ты, конечно, знаешь, что я в декабре 62-го ездил по Японии с маленькой делегацией: Валдис Луке, старый поэт из Риги, переводчица Ирина Львовна Иоффе, которая, между прочим, сидела в одном лагере с моей мамой, и я. Однажды в Киото я весь вечер таскался по городу с двумя новыми друзьями, переводчиками наших опусов, Хироси Кимура, то есть Сережей, как он обычно представлялся русским, и Такуя Егава, то есть Женей. Киото — это средневековый город с разными чайными домиками, гейшами, а также с уличными гадальщиками. На одной темной улице эти гадальщики, в основном старики, сидели вдоль стен на своих шатких стульчиках. Рядом с каждым на не менее шатком столике трепетала свечка. Сережа и Женя предложили мне погадать у одного старика. Тот взял мою руку и повернул ладонью вверх...

При этих словах Роберт встал со скамьи и как-то неестественно зевнул:

— Слушай, старик, на ночь глядя не надо бы о ворожбе. Пошли спать.

Оставив недопитой банку «Билэ мицне», они медленно пошли в сторону жилых строений Дома творчества. Бурный день завершился. Издалека еще доносилась песня какой-то подгулявшей компании «По обычаю старорусскому и по новому, петербуржскому, мы не можем жить без шампанского», но в аллеях парка было настолько тихо, что слышны были коготки перебегающих гравийные дорожки ежиков. Возле 19-го корпуса, в котором жил Ваксон, Роберт приостановился.

— Что касается Нэлкиных стихов, Вакса, ты же ее знаешь: сегодня она читает один вариант, завтра другой. На самом деле никаких предательств не было и не предвидится. Вокруг нас вполне достойные ребята, да что там, просто классные талантливые парни, включая девочек. Прежние времена не вернутся, поверь мне.

Ваксону хотелось поскорей закончить этот разговор. Он хлопнул Роберта по плечу:

— Спок-ночь, старик. Что касается «закаменелой нежности», я бы с удовольствием проверил ее с ней в постели.

Роберт, стараясь не расхохотаться в полный голос, фыркнул в ладонь.

— Да, так чем там все это кончилось в Киото?

Ваксон вспомнил, как гадальщик держал его ладонь рядом со своей свечой и водил над ней каким-то стеклышком. «Сережа» и «Женя» переводили на русский бормотания старика. Ему кажется, что ты писатель. Ваксон расхохотался. Вы все придумываете; как я могу проверить? Теперь расхохотались оба японца. Клянемся, что не выдумываем. Теперь он говорит, что видит, как ты со своими друзьями идете ночью по тропе в лесу. И лунные цветы «хаши» трепещут на ваших одеждах. Он говорит, что пока вы идете вместе, все будет в порядке. Вам надо быть вместе, иначе все рассыплется в прах; вот что он сказал. Дай ему тысячу иен, он заслужил.

Роберт хмыкнул:

— Эти самураи тебя наверняка разыгрывали. Старик, небось, бормотал какой-нибудь вздор, а они переводили это на язык нашей литературной борьбы. Ты просто стал жертвой литературоведческого розыгрыша.

Ваксон хмыкнул в том же духе:

— Может быть, однако они были не очень-то в курсе наших дел. Интересно, что через неделю японские газеты сообщили о хрущевских бесчинствах в Манеже.

Роберт постонал, как будто от какой-то глубокой досады:

— Послушай, Вакса, я тебя прошу так не говорить: ведь он все-таки глава нашего государства.

Ваксон ударил себя кулаком в ладонь.

— Главе государства не подобает так по-хулигански себя вести с художниками в Манеже, а потом и с нами в Свердловском зале!

Несколько минут они стояли молча, глядя на вылезшего из кустов ежика. Зверек затеял было пересечь аллею, однако, просеменив полпути, остановился и уставился на них своими крошечными глазками. Ваксон и Роберт в эти минуты продумывали одну и ту же мысль. Ну, вот мы и дошли до нашего позора, до публичного унижения всей послесталинской литературы. Весь вечер бродили вокруг да около, решили в конце концов не открывать эту тему и все-таки уперлись в то, что мучает уже полтора года. Продолжать или нет? Ежик повернулся и шмыгнул назад, в свои кусты.

— Спок-ночь, старик, — сказал Роберт.

— Спок-ночь, старик, — сказал Ваксон.

И они разошлись.

Перед сном и тому, и другому припомнились сцены проклятого марта проклятого года.

1963, март
Кремль

— Ну, что ты все сидишь, как «Меншиков в ссылке»? — спросила Анна, шумно спустившись в подвал.

Роберт в ответ ничего не сказал. Он сидел в продавленном кресле тестя, качал ногой. Изредка что-то записывал в блокнот. Пил чай. Съедал с подноса разные бутерброды. Сидел очень закутанный: свитер, шарф, меховая ушанка, на коленях толстое шерстяное одеяло. Хотелось это одеяло распространить на плечи, а то и накрыться с головой, иными словами — соорудить своего рода одеяльную пещерку, однако он подавлял это желание, чтобы вместо обычного гриппа не получился гротеск. Температура зашкаливала к тридцати восьми. Ознобец шалил по коже. Саднило горло. И это у него, у следопыта карело-финской тайги, вообще у парня с крепкой русской фамилией Эр! Нечего было вчера под крепкой банкой ввязываться в какой-то дурацкий уличный хоккей, а потом еще тащиться за румяной девчонкой, выпрашивать «телефончик». Вообще надо дать себе зарок никогда не переходить поллитровой отметки.

— Ты что, забыл? — спросила Анка, подруга постели, любимое тело, мать общего ребенка.

Он погрозил ей пальцем:

— Нээт, я не забыл! — и тем же пальцем подцепил «Литгазету», «ЛитРоссию», «Комсомолку» и, наконец, собственный блокнот, в который весь день сквозь миазмы гриппа вписывал тезисы полемической статьи. — Видишь, готовлю ответ Грибочуеву; пусть знает!

В недавнем номере «Юности» был напечатан публицистический стих Роберта, явственно показывающий, что именно на молодых и бескомпромиссных должна опираться наша партия, а вовсе не на заматерелых сталинистов и исторических приспособленцев. Вскоре после этого в «ЛитРоссии» появилась статья Грибочуева о молодой советской поэзии. Вслед за статьей явился и стих «Нет, мальчики!». Этот узкогубый и вечно до чрезвычайности суровый поэт и публицист, считавший себя самым верным «солдатом партии», для левого крыла литературы был живым жупелом всего отжившего, то есть отринутого послесталинской молодежью. В таких обзорных опусах правого крыла чаще всего долбали всяких богемщиков, модников, авангардистов вроде Яна Тушинского и Антона Андреотиса, однако на сей раз «солдат партии» сосредоточился не на них, а на устойчивом и целеустремленном кумире молодежи Роберте Эре. Нужно еще проверить, поглубже вникнуть, какая у этого стихотворца цель и куда он с ней устремляется. Кем являются его излюбленные герои, эти пресловутые «парни с поднятыми воротниками», пилоты, монтажники, геологи, физтехи? Имеет ли он моральное право ставить на них, якобы жестких, якобы дерзновенных, якобы настоящих патриотов, отвергающих трескучие высокопарные лозунги и без лишних слов идущих туда, где они нужны, где без них, понимаете ли, не справятся?

Грибочуев почти впрямую заострялся на идеологической попытке отсечения современной молодежи от героического поколения, к которому он и сам принадлежал наряду с двумя другими китами сталинизма, Суфроньевым и Кычетовым. В молодой литературной среде, намекал он, возникла опасная группа фрондеров, и если одни из них не скрывают своего восхищения буржуазным образом жизни, другие, и впереди всех Роберт Эр, под флагом патриотизма и комсомольской уникальности несут идею раздора.

Вот на этот подкоп Роберт, весь в соплях, с температурой, с кашлем, вел встречную траншею, когда позвонили от секретаря ЦК КПСС и спросили, придет ли он на встречу руководителей партии и правительства с представителями творческой интеллигенции седьмого и восьмого марта в Свердловском зале Кремля.

— Собирался, да вот гриппом заболел, — пробурчал Роберт.

На проводе ждали, что он еще добавит, но он не добавил. Молчание как-то странно затянулось. Наконец человек на проводе спросил:

— Так что же?

— Простите, в каком смысле? — спросил Роберт и зашелся в кашле. При желании этот массированный ответ можно было расценить как притворство, однако желания такого на другом конце провода, очевидно, не было; им просто нужен был Эр.

— Товарищ Эр, вы, конечно, понимаете, что предстоит важнейшее совещание. Участвует полный состав Политбюро во главе с Никитой Сергеевичем, хотя ему тоже немного нездоровится. Товарищи очень хотят, чтобы вы выступили с трибуны этого, знаете ли, поистине исторического форума. Кто лучше вас может представить молодое поколение?

Даже сквозь миазмы гриппа до Роберта дошло, что кремлевская трибуна — это неплохое место, чтобы уязвить Грибочуева.

— Да-да, конечно… ну, за три дня я, надеюсь, одолею… — пробормотал он.

— Вы о чем? — суховато спросил его собеседник.

— О гриппе.

— Значит, вы согласны выступить?

— Ну конечно. Почту за честь.

— В таком случае я вас сейчас соединю с Филиппом Федоровичем.

Прошло несколько довольно длительных минут, прежде чем соединение состоялось. Может быть, он с каким-нибудь важным человеком на далеких меридианах разговаривает: ну, скажем, с Пабло Нерудой, что ли, а может быть, в туалет ушел и там какую-нибудь оперативную сводку просматривает. Роберт как-то в числе других писателей был на приеме у этого товарища Килькичева, секретаря ЦК КПСС по вопросам культуры. Сидел в дальнем конце большого полированного стола для заседаний, смотрел и молчал. В то же время и думал: как-то я не так сижу, не так смотрю, не так молчу. К этому товарищу вроде бы надо было по наследству от матери-партии питать определенное благоговение, а я вместо этого просто отмечаю какие-то объективные данные небольшого человечка с большими залысинами, с пухленькими ручками, с гримаской пренебрежения в адрес подчиненных, то есть писателей, и думаю о нем самым неподобающим образом: откуда, мол, взялся эдакий субчик? Что-то ерническое проглядывает в его мимике, если я не ошибаюсь.

Роберт, между прочим, не ошибался: основной манерой Килькичева в общении с вверенными ему деятелями было ерничанье. Даже его крутящееся на манер фортепианной табуретки седалище было из той же оперы. С секретарями Союза писателей он вел себя вполне беспардонно. Прокрутится вдруг вокруг своей оси и берет кого-нибудь из них на мушку: «Ну-с, Луговой, расскажите-ка нам про недавний вернисаж живописи во вверенном вам журнале! Опять абстрактное искусство поощряете?»

В те дни, начиная с посещения Хрущевым выставки современного советского изобразительного искусства в Манеже, на всем пространстве великого и могучего Советского Союза проходила ведомая Партией борьба против так называемого «абстракционизма». И в центре этой круто задуманной провокации, в полном соответствии с его иерархической позицией, находилась такая мелкая сволочь, как секретарь ЦК Ф. Ф. Килькичев. Именно к нему стекались сводки и доносы от «художников-реалистов», таких крутобоких советских классиков, как Серов, Герасимов, Налбандян и прочих, имя им легион.

Что же все-таки произошло в том уникальном строении, в котором когда-то гарцевали гвардейские кавалеристы Его Величества и куда однажды в мрачневский декабрьский день 1962 года вошла огромная толпа высших руководителей великой пролетарской державы во главе с ее главным плебеем? Плебей, поперек себя шире, с багровой круглой физиономией, с походкой откормленного гуся, был в безобразном настроении. Прошло меньше двух месяцев с того дня, когда плебей просрал противостояние президенту, заокеанскому денди, известному в его стране под именем Камелот. У энтого буржу́я нервишки-то оказались покрепче, чем у большевичка. Да и разведка у него оказалась похитрее: убедительно показала, что у нас еще кишка тонка шельмовать мирового жандарма.

Плебей спросил у своего министра обороны (тот, кстати, тоже был в толпе знатоков изобразительного искусства): «Сколько времени понадобится гадам, то есть американской военной машине, чтобы уничтожить прогрессивный режим Кастро?» Министр обороны с готовностью ответил: «По нашим расчетам, не более пятнадцати минут, Никита Сергеевич». Сергеевич, хоть и взбесился, тут же отдал приказ всем кораблям и самолетам развернуться назад и вернуться на свои базы. Так закончился пресловутый Карибский кризис. Естественно, плебейское сердце долго еще, а именно целый год, продолжало трепетать от ярости по адресу Камелота. Мальчишка, красавчик, сукин сын бросает вызов научно обоснованным законам истории! Он записал его в свои злейшие враги и задал вопрос своему министру госбезопасности (тот, между прочим, тоже пришел в Манеж в толпе высокопоставленных знатоков искусства): «Можно ли каким-нибудь образом укоротить наглеца?» Министр ответил: «Да, можно, в нашем арсенале есть достаточно эффективные средства, но для того чтобы пустить их в ход, нужен год подготовки». Плебей решил ждать, а пока что заняться внутренними делами.

Итак, приход Хрущева на выставку «формалистов» в Манеже был в некоторой степени ответом на позорный афронт в карибских водах. Дадим отпор их тлетворным влияниям, и пусть знают, что большевики не сдаются! В московской публике, конечно, никто не трактовал события именно в этом ключе. Вообще никто толком не знал, что произошло под историческими сводами прибежища кавалергардов. Газеты, конечно, своим казенным языком долбали каких-то условных «формалистов» и «абстракционистов» и печатали письма трудящихся, дающих отпор молодым пакостникам из «мастерской Белютина», чьих работ никто из трудящихся никогда не видел. В творческих кругах, однако, ходили слухи о безобразном поведении главы государства. Якобы орал на художников, обзывал их на свой манер «пидарасами».

Молодые поэты дружили с художниками. Ян Тушинский вдохновлялся их творчеством. «О, запах туши и гуаши, о, воздух ваших мастерских!» — писал он. Кукуш, закинув свою лермонтовскую голову, пел, обращаясь к ним: «Живописцы, окуните ваши кисти!» Роберт с Анной то и дело заваливались в студии, где после полуночи усаживались за стол и расходились под утро, где словно возрождался «Бубновый валет» или «Ослиный хвост», где издевались над Академией и МОСХом и где вот именно кучковались «хорошие ребята» — Юра Васильев и Олег Комов, Паша Никонов, а то и самые что ни на есть «ультралевые» — Борис Жутовский, трио скульпторов Лемпорт, Силис и Сидур, ну и, наконец, гигант и кентавр, скульптор всех времен и народов Генрих Известнов. Никто из них еще за три дня до открытия супервыставки не имел о ней ни малейшего понятия, пока не начался телефонный трезвон и из мастерской в мастерскую не стали бегать какие-то порученцы с сенсационными сообщениями: «Ребята, тащите холсты в Манеж! Супервыставка готовится! Точно известно, что сам Хрущ хочет ознакомиться с постсталинским искусством! Смотрите не упустите шанс! В МОСХе говорят, что договора будут заключать прямо с ходу!» Никто из полуголодных творцов и не помышлял, что их затягивают в суперпровокацию, высиженную вот именно в кабинете Килькичева.

После погрома мрак опустился на их сырые подвалы и продувные чердаки. Народ сидел в сумеречном настроении, даже водка не шла. Говорили мало, но все-таки по каким-то клочкам разговоров можно было себе представить атмосферу словесной расправы.

Началось все с того момента, когда Хрущев после довольно долгого молчаливого шествия остановился перед большой картиной Фалька «Обнаженная». «Это где же вы такую женщину видели?! — взвизгнул он. — Товарищи, посмотрите на эту зеленую бабу! Где художник? Ага, вот он! Не стыдно вам так уродовать нашу советскую женщину? Вы же немолодой уже человек! Вы что, голых баб никогда не видели? Где вы такую зеленую бабу нашли? Уродуете нашу действительность?!» Никто так и не понял, к кому персонально обращается вождь, но все стояли вокруг драматическими истуканами. С этого и пошло. Он останавливался почти у каждой большой картины и распалялся все больше и больше: «Килькичев, куда вы меня привели? Это же психиатричка! Только дегенераты такие картины рисуют! Ненормальные! Пидарасы! Пидарасы! Пидарасы!» По всей вероятности, он не знал слова «педерасты», а в «пидарасов» своих не вкладывал гомосексуальный смысл, а просто употреблял их как народное сквернословие по адресу всех ненормальных, несоветских.

Возле картины Нифонтова «Строители ГЭС» он перестал кричать своих «пидарасов». Довольно долго всматривался в трех суровых парней, изображенных фронтально на вершине дамбы с цепями крепления, переброшенными через плечо. За ними простирался сибирский простор, не менее суровый, чем выражение их лиц. Странным контрастом среди нагромождения темных туч светилась узкая лиловая полоса заката.

— Это что же, заключенные тут, что ли, изображены? — довольно спокойным тоном спросил Хрущев.

Стоящая за ним толпа сподвижников немедленно заволновалась. Он сделал жест рукой: дескать, подать сюда художника. Тот оказался рядом с картиной — молодой человек в свитере грубой вязки, весьма похожий на своих персонажей.

— Заключенные сейчас на таких стройках не работают, — сказал тот и вроде бы пожал плечами.

Глава правительства опять сорвался и едва ли не завизжал:

— Я лучше вас знаю, где кто работает! Работают веселые здоровые люди, а не затаившиеся враги! Наша страна, ведомая партией Ленина, бодро идет вперед, а вы тут такой мрак развесили, как будто конец света приближается!

Он пошел прочь от этой сугубо «производственной» картины, потрясая над головой обеими руками и иногда сжимая ладони в кулаки. Нифонтов остался возле своего творения, не зная, что делать — то ли дрожать от страха, то ли радоваться. По правде говоря, он ждал уничижительной критики со стороны эстетов, как вдруг обнаружил себя всерьез и надолго в рядах крамолы.

Самое серьезное столкновение искусства и партии произошло в конце экспозиции, где на столах были выставлены небольшие версии будущих гигантских фигур, задуманных скульптором Генрихом Известновым. Никита С. уже собирался покинуть мерзейшую антисоветскую выставку, сами ноги гнали его прочь отсюда, быстрее на свежий воздух «столицы щастья», сами эти ноги, не очень-то уклюжие в таких массовых сборищах, двигали его чуть-чуть половчее, пока он на ходу бросал через плечо различные указания о подготовке материалов Килькичеву и прочим тварям, и вдруг он увидел безобразные и бессмысленные уменьшенные версии скульптур. Почти что споткнулся. Остановился.

— А это еще что-о-о такое?!

Килькичев отшатнулся и подтолкнул вперед эксперта из Академии художеств. Долговязый субъект, склонившись к побагровевшему от ярости уху, безучастно заблеял:

— Работы члена МОСХ Генриха Известнова; медь.

— Известного кому? — гавкнул Хрущев.

— Нет, нет, Никита Сергеевич, — заторопился эксперт. — Этот скульптор пока что известен только в узких кругах. В широких кругах он неизвестен. Известнов — это просто его фамилия. Да вот он и сам. Генрих Карлович, прошу вас продвинуться вперед и ответить на вопросы Никиты Сергеевича.

Хрущев недобрым взором смотрел на повисшую над ним голову эксперта, в которой ума, должно быть, было не больше, чем в головенции страуса. Он вообще не любил высоченных, как Кеннеди, субъектов. К чему вот таким образом мерзопакостно выделяться из масс? Почему всем массам не быть вот такого роста, как наш?

Генрих Известнов пробрался среди высокопоставленных и предстал перед вождем. Он приготовился было к рукопожатию, но вождь руки ему не подал. Смотрел на скульптора исподлобья, хотя было видно, что тот ему фактурно понравился. Крепыш «нашего роста», в нормальном человеческом костюме с галстуком, неплохие зенки, живые, едва ль не горячие, как будто готов к бою. Не понравилась только тоненькая полоска усов под бульбоватым носом; что-то не наше в этих усиках просвечивало.

— Ну что, товарищ Известнов, пока что неИзвестнов, как вы мне, невежде, можете объяснить эти ваши кучи... ммм... эти ваши загогулины с крючками? Ну вот про эту, скажем, кучу... ммм... с загогулинами, про эту раздерганную лягушку что вы можете сказать?

— Эта композиция, товарищ Хрущев, называется «Раздавленный взрывом», — с полной уверенностью в своей правоте сказал Генри.

— Что это значит? Я не понимаю! — петухом вскинулся вождь. Самоуверенность так называемого скульптора вдруг взбесила его. От визуальной симпатии не осталось и следа.

Генри усмехнулся. Осмелился усмехнуться прямо в лицо вождю.

— Для того чтобы полностью понять идею композиции, надо самому однажды испытать взрыв, — четко произнес он.

— Что ты хочешь сказать? — Хрущев приблизился вплотную и взял Генриха Известнова за пуговицу. — Ты хочешь сказать, что на себе испытал действие взрыва?

— Так точно, товарищ Хрущев, — весело подтвердил Генри. — Во время боев в Померании в составе Третьего Белорусского фронта я был сам раздавлен взрывом. Практически я был просто-напросто убит, но, к счастью, в армейском госпитале какие-то неизвестные мне хирурги собрали меня по кускам. Что касается всей моей экспозиции, то для глубокого понимания ее идей и средств выражения зритель, конечно, должен обладать определенной художественной подготовкой, товарищ Хрущев.

Вождь молчал, ему не хотелось признаваться в отсутствии художественной подготовки. Он был поражен самообладанием этого скульптора, некогда раздавленного взрывом. Попробовал бы он при Сталине показать хоть десятую долю такой наглости! Как себя дальше вести? Приказать Шешелину изолировать негодяя? Нет, после XX съезда это невозможно. Министр госбезопасности Шешелин, отодвинув пару-другую никчемных идиотов, крепко взял Известнова за локоть и громко шепнул:

— Как ты смеешь так говорить с главой правительства? Я тебя в урановую шахту отправлю!

Еле сдерживая свою ненависть, Генри ответил так, чтобы слышно было окружающим:

— А вы не мешайте нашей беседе с главой правительства! — Шешелин выпустил его локоть. Генри посмотрел на освобожденный локоть, как будто хотел проверить, не осталось ли на нем пятен. Далее произошло нечто странное: второй его локоть, и, собственно говоря, последний, был взят лапой вождя.

— Проводишь меня до выхода?

— С удовольствием, товарищ Хрущев.

— Это почему же такая официальщина?

— Не понял, товарищ Хрущев.

— Все меня Никитой Сергеевичем величают, по-партийному, а вот ты с каким-то ревизионистским уклоном. Тебя-то как по батьке звать?

Генри что-то промычал, но Килькичев тут же подлез с информацией:

— Товарища Известнова зовут Генрихом Карловичем.

Впервые в очах вождя мелькнуло нечто юмористическое.

— Вот скажи мне, Карпович, прости, Карлович, что тебя движет в твоем, так сказать, творчестве?

Они медленно двигались к выходу. Впереди пятками вперед шли советские фотографы: иностранная пресса отсутствовала. Сзади, стараясь не опережать, шествовала толпа в протокольных костюмах. Растерянные, если только не тронувшиеся, «пидарасы»-художники остались у своих работ, до которых, как им казалось, еще вчера никому не было никакого дела.

— В моем творчестве меня движет Революция, Никита Сергеевич.

Вождь хитровато прищурился, как бы стараясь подловить «Карповича» на крючок.

— Это какая же революция? Ведь их много было в истории.

— Наша общая, Никита Сергеевич, Великая Октябрьская социалистическая революция, — категорически заявил Известнов и дальше пошел рубить отдельными, будто отшлифованными фразами: — Дело в том, Никита Сергеевич, что в результате извращений периода культа личности у нас многие забыли, что эта революция родила великое авангардное искусство. Это искусство с его неистребимой тягой к эксперименту выдвинуло нас в Двадцатые годы на позицию мирового лидера. К сожалению, культ личности Сталина отбросил наших художников назад в XIX век. Теперь наше поколение советских художников сознательно или спонтанно тянется к тому, чтобы восстановить революционный пафос. Я много думал о том, что бы я сказал главе правительства, если бы он обратился ко мне с таким вопросом, с каким вы обратились ко мне. Невероятное произошло: я беседую с вами и вы теперь знаете, что движет меня в моем творчестве.

Хрущев остановился и почесал свой затылок, похожий на голенище титовского сапога. Потом вдруг хлопнул Известнова по плечу и хохотнул:

— Много в твоей башке чепухи, однако характером природа не обидела.

На этом они расстались.

Некоторые свидетели рассказывают еще об одном курьезе этого дня. Якобы на выходе процессия вождей едва не столкнулась с донельзя растерянной, словно у нее сумочку украли со всеми документами, женщиной. Это была Екатерина Алексеевна Фурцева, министр культуры СССР. Ее, оказывается, никто и не известил об историческом событии.

Вот так сквозь нещедрые рассказы и беглые реплики очевидцев выглядела зловещая встреча в Манеже. Никто не знал, чего еще ждать от «нашей партии». Кое-кто задавался вопросом: будут ли репрессии? Большинство все-таки склонялось к тому, что обойдется идеологическим зажимом, ну, может быть, обысками, конфискацией картин, широченной, на всю страну, кампанией «писем трудящихся», всенародным позором, карикатурами и прочим свинством. Все это, конечно, разыгралось, но как-то вяловато, не на полных оборотах. Казалось, что власти предержащие ждут чего-то еще.

В литературных кругах либерального крыла гуляли веселенькие разговоры: скоро, мол, братцы, и наша очередь придет на промывку мозгов. Как раз в этот период Ваксон не нашел ничего лучшего, как вылезти со своей повестухой «Цитрусы из Яффы». Номер «Юности» с «Цитрусами» уже был готов к выпуску, когда Килькичев затребовал верстку повести. Выпуск был остановлен. Прошло несколько дней, и Ваксон вместе с главным редактором Луговым были вызваны к идеологическому дуче. В утро встречи Ваксон после большого загула мирно дрых на своем модном спальном приборе под названием «кресло-кровать». Проснулся он ровно в десять часов, то есть как раз в то время, когда должна была начаться аудиенция на Старой площади. Вскочил, натянул джинсы, купленные прошлым летом на варшавской толкучке. Помчался. Над январской Москвой гуляла недобрая низкая туча. Хлестал ледяной дождь. Люди скользили. Таксист матерился.

Позже Ваксон рассказывал Роберту и показывал в лицах, как было дело. Он входит в приемную Килькичева как ни в чем не бывало. Там мечется в отчаянии советский классик Луговой. «Вы с ума сошли, старик: на сорок минут опоздать к секретарю ЦК!» «Боже! — выкликает вошедший совсем неуместный в данном учреждении адрес. — Да у меня часы барахлят!» Помощник бежит через приемную в кабинет. Оттуда выкатывается собственной персоной геноссе Килькичев: «Ага, Ваксон появился! Ну, давайте, заходите все, то есть оба! Да перестань, Луговой, нервничать, мы ведь тоже с тобой были молоды, знаем, как часы барахлят. А вам, Ваксон, я бы все-таки порекомендовал не злоупотреблять напитками. Ладно, не притворяйтесь паинькой, у нас тут информация идет широким потоком». Пока рассаживались и получали по стакану «нашего марксистского чайку», дуче успел прокрутиться на своей табуретке и перебросить через стол верстку «Цитрусов», щедро разукрашенную его красным карандашом. Представляешь, Роба, до чего мы дошли: секретарь ЦК КПСС лично редактирует молодежную повесть начинающего автора! Поистине, нет предела заботе партии о литературе!

«...А особенно, товарищи инженеры человеческих душ, обратите внимание на мои пометки там, где фигурируют неуместные шуточки в адрес Сталина Иосифа Виссарионовича. Ну, вот вам пример: «Я открываю коробку папирос «Герцеговина Флор» и курю, как какой-нибудь Сталин» — ну, что это такое? Нельзя, нельзя, товарищи, смешивать трагедию с фарсом!»

При каждом замечании такого рода Килькичев суровым взглядом своих глазенышей впивался в члена своей номенклатуры Бориса Лугового, а потом, подмаслив этот взгляд, поворачивался к Ваксону, у которого часы барахлят так, что позволяют ему опаздывать к секретарю ЦК на сорок минут.

Встреча продолжалась не меньше часа, после чего Луговой и Ваксон, забрав верстку с пометками, отправились в журнал. Там, в кабинете главного редактора, разгорелся довольно противный спор. Ваксон отказывался править, а Луговой орал на него в духе окопов Великой Отечественной: «Вы все тут повадились прятаться за мою жопу! Хотите, чтобы меня отпиздили, а вас приласкали?» В конце концов автор оттолкнул верстку и отправился в ресторан ЦДЛ, где и напился с Робертом Эром. Ему было жалко себя, а еще жальчее «Цитрусы из Яффы», великолепнейшую повесть, написанную после путешествия на Сахалин и «зарубленную» самим Килькичем. Наконец приехала Нинка Стожарова и стала его утешать в своей манере: «А пошли ты их всех на йух! Пусть загребутся до упора!» Через неделю произошло чудо — Луговой подписал повесть в набор. Только в марте Ваксону стало ясно, чем объяснялось это неожиданно либеральное решение.

Название, впрочем, пришлось изменить, чтобы не было упреков в излишнем сионизме.

Приблизительно за месяц до мартовского завершения зимней кампании стали разных неблагонадежных собирать для встречи на Старой площади. В малом конференц-зале собрание вел сам товарищ Килькичев, а рядом с ним за столом президиума сидел неожиданный гость, главный редактор «Известий» Алексей Аджубей, он же по совместительству зять Хрущева. Этот среднего возраста молодой человек пользовался в Москве репутацией умеренного либерала. О нем, в частности, было известно, что незадолго до исторической встречи в Манеже он открывал выставку молодых «формалистов» в кафе «Молодежное», что на улице Горького. Трудно было понять, что подразумевалось в таком соседстве моложавого журналиста и застарелого проводника линии партии, но что-то подразумевалось: в этом учреждении всегда что-то так или иначе подразумевалось.

В зале находилось несколько художников, подвергшихся в Манеже суровой, но отеческой критике нашего Никиты Сергеевича. Все они были облачены в затертые курточки, обвисшие свитеры и лоснящиеся джинсы. Сосед Роберта, типичный партработник, спросил его, не знает ли он, почему все эти псевдогении так вызывающе одеты. Роберт пожал плечами и сказал, что у них просто больше ничего нет. Что вы имеете в виду, поразился партиец. Ну, у них просто нет другой одежды, а уж костюмов с галстуками и подавно. Просто бедный народ, вот в чем дело. Да перестаньте, возмутился сосед, скажете тоже, нет костюмов, никогда в это не поверю.

Сначала выступали художники в костюмах, члены и даже секретари МОСХа, хотя и не стопроцентные реалисты, ну, что-то вроде Пименова с его импрессионистическим душком или Дейнеки с душком бубновалетовцев. Они благодарили вождя за внимание к советскому художеству и заверяли всех присутствующих, что его замечания будут самым серьезным образом продуманы, что без всякого сомнения приведет к дальнейшему росту. Потом на трибуну пригласили главного закоперщика формализма и абстракционизма Белютина. Тот тоже был в костюме, как и положено преподавателю, однако костюмчик его оставлял желать много лучшего как в смысле качества ткани, так и в смысле покроя. Закоперщик абстракционизма, или, как выражался Никита, «абстрактизма», обруганный уже всеми газетами и, кажется, уволенный с преподавательской должности, был бледен и без всяких преувеличений слегка дрожал. Заикаясь и вытирая лоб платком, он стал признавать свои ошибки и благодарить за критику. Килькичев пару раз удовлетворенно кивнул. Аджубей отвлеченно смотрел в окно, в котором как раз в это время разыгрывалась беспредметная метеоживопись. И вдруг все каким-то странным образом повернулось.

— И все-таки, товарищи, я хотел бы сказать несколько слов в защиту программы моего класса, — сказал Белютин. — Дело в том, что у меня вовсе не было намерений превратить этих юношей в формалистов и абстракционистов. Да, я говорил с ними о разных школах современного западного искусства, но это было направлено только лишь на расширение их кругозора...

— Вы врете, Белютин! — вдруг прогремело в зале. Роберт вздрогнул. Он не сразу сообразил, что гремит его сосед, аккуратно одетый партиец. Встав со своего места, тот тыкал пальцем в оратора.

— Вы — наш враг! Вы — настоящий провокатор! Я берусь доказать, что вы возглавляли заговор! Вы хотели подорвать наше единство!

У Килькичева окаменела физиономия. Окаменело и правое ухо, в которое ему что-то быстро говорил Аджубей. Белютин, опустив голову, молча собирал лежащие перед ним на трибуне бумажки. Собрав бумажки, стоял. Обвинитель тоже стоял и трясся, и что-то еще говорил, но не так громко. «Кто это?» — спросил один художник у другого. «Это Лебёдкин», — сказал тот, другой. «Капитан Лебядкин, что ли?» — спросил третий. Часть зала, включающая Роберта, Ваксона и Кукуша, довольно громко захихикала, и в этом хихиканье прорезалось: «Помощник Хрущева».

— Вы кончили, товарищ Бюлютин? — спросил в микрофон Килькичев. Небольшое коверканье фамилий тоже входило в манеру его руководства.

— Да, — ответил Белютин и пошел на свое место. Лебёдкин, все еще трясясь от своих немалых эмоций, вылетел из зала. Видимо, он был возмущен не только Белютиным, но и кем-то еще из числа президиума собрания.

Теперь решено было проверить настроение писательской среды. Сначала слово было дано первому секретарю Московского отделения СП СССР поэту Петру Щипкову, давно застолбившему нишу ведущего лирика страны. Всем молодоженам были известны его строки:

Любовью дорожить умейте,
С годами дорожить вдвойне:
Любовь — не вздохи на скамейке
И не прогулки при луне.
Все будет, слякоть и пороша:
Ведь вместе надо жизнь прожить!
Любовь с хорошей песней схожа,
А песню нелегко сложить.

Став первым секретарем МО СП, лирик завоевал еще и репутацию либерала. Он покровительствовал молодым писателям и не забыл об этом, выступая перед

Килькичевым и Аджубеем. Слегка позевывая и кивая, товарищи выслушали его доклад о значительном омоложении МО, о творческих мероприятиях, выступлениях перед трудящимися и о командировках на стройки коммунизма, после чего лирик-либерал был отпущен без единого вопроса.

Следующее выступление всех поразило. Слово было дано не кому-нибудь, а самому Кукушу, которого еще совсем недавно честила во все тяжкие комсомольская пресса по всему Союзу, а ленинградская «Смена» откликнулась на его сенсационное выступление в Доме искусств на Невском первостатейным зубодробительным фельетоном под заголовком «Хулиган с гитарой». На трибуну поднялся симпатичный и немного печальный человек лет под сорок с маленькими усиками и порядочной залысинкой. Кашлянув, он произнес первую фразу: «Когда вскоре после войны, будучи еще совсем молодым членом партии, я приехал из Калуги в Москву...» Можно сказать, что все присутствующие, включая и близких друзей Кукуша, были поражены: никто не подозревал, что гитарист и автор «Последнего троллейбуса» и «Товарища Надежды по фамилии Чернова» состоит в партии. Все стали переговариваться, а некоторые заметили, что товарищи Аджубей и Килькичев смотрят друг на друга довольно выпученными глазами. В этой почти гоголевской сцене окончание кукушевской фразы было потеряно; никто так и не уловил, что же произошло, когда товарищ Кукуш Октава приехал из Калуги в Москву еще молодым членом партии.

Между тем он продолжал вполне спокойным голосом. Он был счастлив тогда присоединиться к поэтам своего фронтового поколения, таким выдающимся талантам, как Самойлов, Левитанский, Наровчатов, Гудзенко, Поженян, Луконин, Слуцкий, и одновременно протянуть руку поэтам «новой волны» — Роберту Эру, Антону Андреотису, Яну Тушинскому, Нэлле Аххо, Николаю Гладзастому, Балладе Матвейко, Юнге Гориц... Мы все стали свидетелями удивительного явления литературы, когда вместо возможной конфронтации и конфликта возникло глубокое товарищество и преемственность.

По залу прошел порыв восхищения Кукушем и его умением найти нужные слова. Послышались уверенные аплодисменты. К этим аплодисментам присоединился и Аджубей. Даже и Килькичев несколько раз хлопотнул пухленькими. Кто-то поинтересовался, почему тут нет Яна Тушинского. Кто-то другой авторитетно пояснил, что поэт гастролирует по Франции и Германии. Слово затем было предоставлено Роберту. Тот в своей спокойной манере стал говорить о том, что в стране растет увлечение поэзией. Особенно среди молодежи. Ну, разумеется, среди студенчества, но не только. Иногда поражаешься, как глубоко проникает поэзия даже в среду, которая еще совсем недавно была к ней равнодушна. Он был однажды на дрейфующей льдине. Там всю ночь во времянке под свист норд-оста гидрологи, метеорологи, радисты, авиамеханики читали стихи, то по книжечкам, то из журналов, а то и наизусть. Вырастает новое одухотворенное поколение. «Поэтическая лихорадка» сопрягается с ростом интеллекта. Недавно Слуцкий написал: «Что-то лирики в загоне, что-то физики в почете». Это не совсем верно. Физики проверяют друг друга по знанию стихов. Города науки стали, можно сказать, городами поэзии. Эренбург как-то сказал, что у нас самая читающая публика в мире. К этому можно добавить, что наша публика сейчас настраивается по ритму стихов.

Снова прозвучали аплодисменты. Либералы обменивались понимающими взглядами. На трибуну пригласили Ваксона. Тот сказал, что он недавно побывал в Японии с делегацией Союза писателей. По залу прошел удивленный ропот: «Вот это да, наш-то скандальный-то, автор «Орла и решки»-то, он, оказывается, уже в отдаленной, а главное, в капиталистической американизированной державе представляет советскую литературу!» Килькичев с иронической улыбкой чертил на листке абракадабру, всем своим видом показывая, что он знал это давно; а он и действительно знал это. Что касается первого зятя страны, тот был поражен ваксоновской речью, может быть, еще больше, чем кукушевским членством в авангарде трудящихся. Он ухмылялся и разводил руками: дескать, давно ли я отправлял этого Ваксона на Сахалин от «Известий», чтобы прикрыть от критических избиений, и вот он — в Японии!

Все это время, пока народ удивлялся, Ваксон что-то мямлил о большом интересе, который проявляет японский читатель к молодой послесталинской литературе. Удалось также завязать дружеские связи с японскими авторами нашего поколения, в частности с прозаиками Кэндзабуро Оэ и Хироши Кайко. (Ни слова о виски! Ни слова о джине!) Эти популярные прогрессивные авторы намерены в близкое время совершить ответный визит в Москву. Контакты такого рода помогут развеять дезинформацию реакционных кругов. (Ни слова о водке!)

Ваксон тоже получил некоторые аплодисменты, однако заработаны они были явно не выступлением, а просто тем, что в Японию исхитрился съездить и купил там твидовый пиджак, в котором и стоял.

По прошествии получаса идеологический форум закрылся. Творческая публика пошла к выходу. В либеральном крыле шли негромкие разговоры.

Что все это значит? Можно ли это понять как подведение итогов исторической встречи в Манеже? А нельзя ли это понять как своего рода рекогносцировку или даже некоторую репетицию перед новым, теперь уже литературным «Манежем»? Во всяком случае, сегодняшнему кардиналу доверять нельзя. Кто спорит, как можно доверять таким персонажам?! Я не исключаю, что сейчас плетется паутина для главного события сезона. Как ты считаешь, Роберт? Наш герой молча пожал плечами. Он вообще не любил высказываться вслух на трезвую голову. Вообще-то, если признаться по чести, секретарь ЦК КПСС Килькичев — это не очень-то вдохновляющая личность. Да, к категории «хороших ребят» его не отнесешь. Впрочем, он олицетворяет волю партии, не так ли? Может быть, все они, такие «олицетворители», чураются простых человеческих чувств? А, черт с ними, надо поскорее о них забыть и вернуться к стихам и к своим любимым людишкам — к Анке, Полинке, Ритке и к тестю Султану Борисовичу.

Вот как раз именно тот самый высокопоставленный «выразитель идей» и звонил Роберту Эру перед открытием двухдневной мартовской встречи руководителей партии и правительства с представителями советской художественной интеллигенции. Тенорок его прозвучал в трубке совсем по-свойски:

— Привет, Роберт! Как ваше дорогое нам всем самочувствие?

— Да вот гриппую, Федор Филиппович...

— Наоборот, наоборот, — по-весельчаковски возразил почти всесильный.

— Что наоборот? — удивился Роберт.

— Меня зовут Филипп Федорович, — посуше сказал Филипп Федорович.

— Я знаю, Филипп Федорович, а что же наоборот? — сквозь гриппозный туман промычал Роберт.

Килькичев перешел на полностью официальный тон:

— Итак, мы рассчитываем на ваше присутствие, товарищ Эр. И на ваше участие в совещании. Иными словами, на ваше выступление.

— Да-да, конечно, — пробормотал Роберт. — Хотя, конечно... мм... тут есть... вообще-то... некоторая загвоздка...

— Что еще за загвоздка? Какие у вас сомнения?

— Ну, у нас тут разгорелась полемика с Грибочуевым. Не знаю, вы в курсе дела, Федор Филиппович?

— Конечно, мы в курсе дела. У нас тут информация поступает широким потоком, товарищ Эр. И мы тут ничего не переворачиваем вверх тормашками.

— Вот я просто хотел уточнить... Если эта полемика будет, ну, частично отражена в выступлении... это ничего?

— Говорите о чем угодно, обо всем, что у вас на сердце лежит. Любая полемика в творческой среде интересует нашу партию.

На этом разговор закончился.

Пока Роберт, отвалившись на кресле и отвернувшись лицом к подвальному окошку, в котором иной раз по снежным лужам проходили чьи-либо сапоги, говорил с ЦК КПСС, Анна выносила из смежной комнаты кучи белья, одеял, одежды и увязывала все это добро в свертки и узлы. Теща Ритка с неизменной папиросой во рту освобождала полки от книг и керамических ценностей и укладывала эти предметы в чемоданы. Пятилетняя Полинка тем временем, весело вереща, занималась своим собственным багажом, двумя старинными баулами, куда она складывала игрушки и книжки. Едва Роберт положил телефонную трубку, как тут же получил не вполне шутливый подзатыльник.

— Ах ты, Робот Стиха, ты все-таки все забыл! — с некоторым даже раздражением воскликнула благоверная.

Он мощно чихнул и сразу после этого зашелся сухим кашельком.

— Хотел бы я... все это забыть... да не забывается...

— О чем ты бормочешь, Робка? Неужели забыл, что мы сегодня на новую квартиру переезжаем?

— Ё! — воскликнул он. — Ну хорошо, пусть я это забыл, а вот ты, Анка, полностью забыла, что твой муж болен, у него пожар сердца! А также потоп верхних дыхательных путей. Тебе, я вижу, лишь бы переезжать на новые квартиры. Здоровье мужа для тебя просто апчхи!

— Ну ладно, ребята, — сказала мироносица Ритка. — Давайте сядем, перекурим и продолжим переезд.

Когда Роберт и Анна поженились, он еще жил в общежитии Литинститута и писал об этом жилье хорошо известные стихи — «Ау, общежитье, общага! / Казнило ты нас и прощало...», а она с родителями обитала в их знаменитом литературном подвале, что размещался на нулевом уровне в одном из флигелей «Дома Ростовых». Теща и тесть Роберта всеми фибрами своих душ принадлежали советской литературе, разместившей верховный аппарат в барских покоях, а для Московского отделения оттягавшей по соседству дворец графов Олсуфьевых. Тесть, Султан Борисович Фареев, долгие годы работал одним из замов АХО СП СССР и слыл там незаменимым сотрудником, ну а теща, всем известная в СП «Рита-с-папиросой», принадлежала к избранному кругу осведомленных дам и трудилась в Бюро пропаганды художественной литературы, которое (оно, Бюро) располагалось в соседнем большом флигеле, где когда-то барская челядь клубилась, не помышляя о революции.

В один из послевоенных годов Фареевым от щедрот АХО была выделена в той же усадьбе квартира. В те годы страшных коммуналок обрести такое отдельное (!) жилье, даром что в подвале, было чудом из чудес. Там с ранних, еще балетных лет росла черноволосая, но светлоглазая Анка. Туда она и привела своего великолепного поэта-атлета по фамилии Эр. Почему твоя не очень длинная фамилия начинается с э оборотного, интересовалась она? В этом, знаешь ли, компетентные органы могут увидеть что-то иностранное, ты не находишь? Ты ошибаешься, моя дорогая, возражал ей жених. Компетентные органы прекрасно знают, что мой отец, полковник Эр, происходит от бомбардиров Севастопольской обороны, а э оборотное — это русейшая гласная буква из всего алфавита, потому что ни в одном другом языке такой нет. Анка продолжала его любовно поддевать. В нашем алфавите есть еще одна гласная буква, еще более русская, чем э оборотное. Это — ы. Я уверена, что и в армии нашей, кроме полковника Эра, есть полковник Ыр. А у этого Ыра есть сын Кадыр Ыр, который, ну, скажем, сочиняет музыку и мечтает о светлоокой девушке сомнительного происхождения. После расхристанной общаги с ее вызывающим пердежом и затвердевшими от непромытости носками Роберт почувствовал себя в подвальной кубатуре то ли Оболенским, то ли Олсуфьевым. У них с Анкой была восьмиметровая комната и дверь на крючке, так что можно было, когда нужно, закрываться от всех. Можно было и открываться для всех, что и делалось чуть не каждый вечер для все нарастающего числа полубогемных друзей. Сидели вплотную, как в железнодорожном купе, «и шеями мотали, как будто старые стихи, закрыв глаза, читали». Так в песне у Кукуша поется о петухах, но, перевернув метафору, можно и куриных самцов сравнить с поэтами. Читали они не столько старые стихи, сколько новые, то есть свои. В русских поэтических глоссолалиях поздних Пятидесятых происходила своего рода революция, вызванная открытием новой рифмовки. Отражение этих великих событий можно найти у всех молодых поэтов основного состава. Возьмите, скажем, из Яна Тушинского:

О, нашей молодости споры!
О, эти взбалмошные сборы!
О, эти наши вечера!
О, наше комнатное пекло,
На чайных блюдцах горки пепла,

И сидра пузырьки, и пена,
И баклажанная икра!
Здесь разговоров нет окольных,
Здесь исполнитель арий сольных
И скульптор в кедах баскетбольных
Кричат, махая колбасой,
Высокомерно и судебно
Здесь разглагольствует студентка
С тяжелокованной косой.

Всякий обожатель тогдашней поэзии поймет, что погоду тут делают не детали сборища, а его новые рифмы: «пепла — пена», «судебно — студентка». А вот и из самой высокомерной студентки, Нэллы Аххо:

Жилось мне весело и шибко.
Ты шел в заснеженном плаще,
И вдруг зеленый ветер шипра
Вздувал косынку на плече.

Надо ли говорить о том, что Нэлла и Ян, одержимые, как и все прочие юнцы, таинственной страстью новых стихосложений, на пару лет зарифмовали свои нерифмующиеся имена.

В те времена поэтическая слава возникала по принципу тандемов. Завсегдатаи поэтических вечеров, как под крышей, так и под открытым небом, обычно говорили «Эр-Тушинский», как будто это был один двуглавый поэт. Они и впрямь были тогда неразлучны, и Роберт тоже был искателем новых рифм, основанных на фонетической близости:

Мы судьбою не заласканы,
Но когда придет гроза,

Мы возьмем судьбу за лацканы
И посмотрим ей в глаза.
Скажем: «Загремели выстрелы.
В дом родной вошла беда...
Надо драться? Надо выстоять?»
И судьба ответит: «Да».

Всякому видно, что формальный поиск в этих строфах выгодно приглушает привычную эровскую риторику.

Среди участников подвальных бдений был и еще один тандем, который назывался «Анкратов—Арабаров». Кто-то из этих двух был автором хорошо известной строфы:

Зима была такой молоденькой,
Такой веселой и бедовой!
Она казалась мне молочницей
С эмалированным бидоном.

Двое этих юношей были в буквальном смысле неразлучны. Вдвоем они посещали не только подвал, но и большой переделкинский дом своего кумира Бориса Леонидовича Пастернака. Тот их привечал, как и многих других молодых. Нарастание поэтического жара казалось ему явлением нового Ренессанса. Однажды, уже в разгаре всенародного беснования по поводу «Доктора Живаго», тандем прискакал к опальному классику и встал перед ним на колени: «Борис Леонидович, дорогой, в Литинституте затеяли позорную демонстрацию против вашего «отступничества». Мы любим вас всей душой, однако, если мы не придем, нас отчислят из института. Умоляем, разрешите нам пойти на эту чертову демонстрацию!» Он разрешил.

В подвал нередко залетал и тот, кто ни в какие тандемы не годился, тот, кто в гордом одиночестве описывал поэтические параболы, Антон Андреотис. Позже он напишет: «Нас мало, нас может быть четверо», а в те времена он был уникален, как язык у колокола.

Кока-кола!

Колокола!

Вот нелегкая занесла!

Ведь это именно ему, тощему как Мандельштам и храброму как Гумилев, выкрикивала в сигаретном дыму девушка Нэлла Аххо с ее тяжелокованной, а может быть, и скрученной из темной меди, косой:

Люблю смотреть, как прыгнув на балкон,
Выходит мальчик с резвостью жонглера.
По правилам московского жаргона
Люблю ему сказать «Привет, Антон!»

А он, пролетев через несколько десятилетий, вдруг повернется и ответит:

Я лишь фишка, афишный поэт.
В грязи грезил.
Но на Божьей коровке надет
Красный блейзер.

Так жили поэты, но каждый не встречал другого надменной улыбкой, такого не было, наоборот: каждый друг другу говорил: «Ты гений, старик!»

Теща Ритка хоть и подшучивала над «Роботом стиха», однако души в нем не чаяла. Тесть Султанчик хоть и поучал его доктринерским тоном как себя вести в перипетиях литературной жизни, иной раз посматривал на зятя не без подобострастия. Подумать только, без году неделя в Москве, а уже печатается в ведущих органах! Осторожный и до чрезвычайности тактичный Султан Борисович был вхож в кабинеты аппарата и издательств, знал, кому посылать заявления и как позаботиться, чтобы были доставлены. Именно он и посоветовал молодому поэту послать письмо ответсекретарю Курченко с просьбой о предоставлении отдельной квартиры семье из двух членов СП с ребенком, а также с перспективой дальнейшего семейного расширения. Он сам вместе с Риткой целый день работал над текстом, выверяя каждое придаточное предложение. Весьма обширный и круглый образ еще моложавого Юрия Онуфриевича Юрченко, бывшего секретаря ЦК ВЛКСМ, а впоследствии замзава отделом культуры ЦК КПСС, витал над ними будто в кинохронике. Стараясь учесть все нюансы аппаратной специфики, они, тесть и теща, старались донести до руководителя самую важную ноту: пишут свои.

Роб и Анка вслух прочли бумагу и даже разыграли ее в лицах. Разулыбались: конечно, недурственно было б вылезти из «подполья», получить бы трех(!!!)-комнатную-то, вот бы пиры бы там закатывали, а тебе, Роба, поставили б там рояль, чтобы ты песни для композиторов сочинял, вот и открыли б там своего рода салон, да и вообще приподнялись бы над поверхностью-то, солнце иной раз бы заглядывало, то есть редкое явление природы... Потрепавшись таким образом, подписали письмо, отдали его Султану Борисовичу и забыли.

Прошел вроде бы год, что ли, когда тесть прискакал с выпученными глазами:

— Разведка донесла, что Промыслов подписал ордер!

— Какой еще орден? — спросил Роберт.

— Султанчик, ты о чем? — поинтересовалась Ритка.

— Как-то медленно вы, друзья мои, соображаете, — с мнимой досадой произнес тесть.

— Следствие подвальной жизни, — засмеялась Анка. Она первая сообразила, в чем тут дело.

Короче говоря, они получили трехкомнатную отдельную квартиру в новом доме на Кутузовском проспекте, и хоть тогда и не говорили «престижный район», более престижного во всем городе не было. И вот как раз в тот день, когда Роберт погряз в гриппе, в тяжбе с «солдатом партии», в каких-то бесконечных телефонных разговорах, и должен был произойти триумфальный переезд. «Ёкэлэмэнэ!» — вполне по-детски воскликнул тогда поэт и, сморкаясь в заскорузлости носового платка, потащился собирать свои книги, рукописи, пишмашинку, полдюжины вина, присланного недавно корешем из Тбилиси... Прошло не меньше часа занудной работы, прежде чем Анка спросила: «Роб, с кем это ты так серьезно заикался по телефону?» Он сел в опустевшей комнате прямо на пол и из этой позиции рассказал ей о разговоре с секретарем Президиума ЦК КПСС. «Черт бы их побрал: никак не могут успокоиться», — пробормотала она. И села рядом с ним на пол.

И Роберта вдруг охватило пронзительное чувство протеста. Нет-нет, не против ЦК, чьи люди «никак не могут успокоиться», а против всего вообще, и в первую очередь против переезда из любимого подвала, где происходили эти «взбалмошные сборы», где читали, читали, читали и «шеями мотали» и где «судьбу брали за лацканы», где опьянялись тогдашними портвейнами, «Агдамом» и «Тремя семерками», а главное, таинственной страстью к стихам, к дружбе, которая равнялась гениальности, и наоборот, к гениальности, которая равнялась дружбе, и к юной любви, которая откажется переезжать и повиснет здесь, в воздухе подвала, словно забытое постельное белье; только невидимое. Он не знал, как это все вывалить на любимую, и потому сказал другое:

— Знаешь, Анка, я не пойду в Кремль. Мне нечего там делать. Ведь не читать же им «Да, мальчики!», ведь они этого не поймут, они вообще ничего нашего не понимают.

— Ты с ума сошел, — прошептала она.

— Нет-нет, не уговаривай. Я туда не пойду. Обойдутся без меня.

7 марта 1963 года Москва попала в зону западного циклона. С утра повалил густой мокрый снег. К тому времени галоши почти полностью вышли из моды, и потому по крайней мере половина приглашенных, по крайней мере молодые писатели, киношники, театральные артисты и художники пришли в Кремль с мокрыми ногами. Другая половина, а именно партийная номенклатура, щеголяла сухими подошвами, но не благодаря галошам, а благодаря «Волгам» из цековских гаражей, которые подвозили их прямо к подъезду Свердловского зала.

Ваксон пересекал Красную площадь от Куйбышевой, мимо ГУМа к Спасской башне, то есть по прямому катету. Сквозь снегопад он увидел быстро идущего по гипотенузе от 25 Октября к той же башне приятеля, кинорежиссера Рюрика Турковского. Он прибавил ходу, и в каком-то месте они сошлись, как в геометрической задачке.

— Привет, Рюр!

— Привет, Ваксюша!

Оба убавили шаг, чтобы было время немного поболтать о текучке. Ваксон поинтересовался, как дела со «Страстями по Феодосию». Этот сценарий о художнике средневековой Руси Турковский передал на обсуждение в Госкино. Теперь он махнул рукой от уха вниз. Эти гады не меньше года будут его жевать. Денег нет. Ирка на выкройках какие-то гроши зарабатывает, так и живем. Потом он спросил с неподдельным интересом:

— Ты там был?

— Где? — не понял Ваксон.

— Ну, в крепости? — Рюрик показал на Кремль. — По идее, мне надо бы там присматривать натуру, а не сидеть на их мудацких идеологических толковищах.

Они закончили пересечение Красной площади. Возле стен и башен снег, что лепил по касательной, немного образумился и слегка утихомирился. Башмаки тем не менее отяжелели, а носки в пространстве между башмаками и брюками были попросту мокрыми.

— Скажи, Рюрик, а мумию ты когда-нибудь видел? — спросил Ваксон.

Турковский, быстрый, легкий и одетый, несмотря на бедность, в голливудском профессиональном стиле, саркастически усмехнулся:

— Нет, знаешь ли, не пришлось.

Ваксон вспомнил, как он шестнадцатилетним пацаном стоял в очереди к мумии. Никакого пиетета к ней он, как ни странно, не испытывал, а просто выполнял тогда программу провинциала: раз уж оказался в Москве, значит, надо осмотреть главную, да еще и бесплатную достопримечательность. Что касается Турковского, тот, конечно, как коренной москвич туда не ходил, потому что в любой день мог туда пойти.

В гардеробной Свердловского зала раздевалась большая толпа участников мероприятия. Пахло мокрой одеждой. Раздевшись, народ собирался в кучки, демонстрировал преувеличенную независимость или даже некоторые властные полномочия. Преобладали пожилые фигуры с всевозможными заколками: то с флажками Верховного Совета, то с орденскими планками, а то и с бляхами лауреатов. Дамы были в катастрофическом меньшинстве; малопривлекательные. В несколько большем меньшинстве были молодые фигуры без блях; почти все они знали друг друга.

Все либералы деловито целовались в щеку, как будто перед премьерой в «Современнике». Обменивались короткими фразами. Как дела? Ничего. Что тут будет? Скоро узнаем. Ваксон на минуту задумался о выражении «ничего». Ничего на Руси означает хорошо. В том смысле, что нет ничего плохого. Пока. Если что-нибудь происходит, это всегда плохо. Быстро проходит Антошка Андреотис, вынимает из кармана одну за другой книжечки «Грушевидного треугольника», быстро надписывает фломастером, одаривает людей левого крыла. И не только левого, между прочим. Подписал даже пресловутому бегемоту Суфроньеву. Тот просиял и горделиво огляделся: видели, меня даже передовая молодежь, эти нахальные гаврики, и те уважают! Ваксон подумал, что надо было бы прихватить с собой хотя бы один экземпляр журнала с «Цитрусами». Подарил бы, ну, вот хотя бы Эренбургу. Илья Григорьевич стоял нахохленный и одинокий, посасывал пустую трубку. Надеюсь, вспомнит старый парижский богемщик, как к нему на ночь глядя в Новый Иерусалим вперлась молодая богема: Атаманов, Миш, Подгурский и Ваксон, как полночи сидели и сотрясали устои, пока его чуткий колли не захрапел под столом. Ваксон двинулся было дарить журнал, но тут вспомнил, что журнала он не взял, и славировал в противоположную сторону.

Толпа стала втягиваться в круглый зал с небесно-голубым куполом. Если бы большевики не захватили эту крепость, можно было расписать этот купол чем-нибудь вроде Микеланджело. Вполне возможно, что там прежде уже было что-нибудь священное, да только чекисты затерли.

Справа от входа высился огромный государственный стол из полированного дуба, почти вплотную под ним стояла тяжелая государственная трибуна с микрофоном. Микрофонов и на столе было немало натыкано. Дальше от трибуны расходились дугами ряды государственных кресел, предназначенные сегодня для государственных ягодиц. А также для ягодиц представителей советской творческой интеллигенции. А также для ягодиц не вполне советской творческой интеллигенции, то есть для ягодиц, предназначенных для порки. Возможно, и моим достанется, подумал Ваксон о ягодицах, несколько плетей достанется. Надеюсь меньше, чем другим. Ведь у меня только что вышла бодрая, энергичная повесть с разрешения ЦК КПСС. Ну, может быть, хлестнут разок-другой за «Орла и решку», но ведь не более того. В ораторы-то меня вроде не записали. Надо сесть где-нибудь поближе к нашим, как-то надо держаться вместе, как предсказатель-то из Киото советовал.

В толпе приближались идущие вместе Кукуш и Генрих Известнов, оба в пиджаках с галстуками. Жаль, что я не надел галстука. Ведь собирался же надеть, а вот почему-то не надел, дурак. Как-то не в жилу получается с расстегнутым-то воротником. Вдруг Кукуш и Генри пропали. Куда они делись? Оказывается, приземлились, а мне теперь до них не добраться против движения. Он озирал зал. Никакого Британского парламента тут не получалось: ни «тори», ни «виги» не образовали своих непреклонных позиций, собрание демонстрировало скорее полное отсутствие демонстративности, то есть некоторое подобие единства, консолидацию подчиненности. Кто-то из своих, впрочем, крикнул ему поверх голов «Иди к нам, Вакс!», но в это время в зале стали возникать аплодисменты: из стены за столом президиума стало появляться Его Величество Политбюро. Аплодисменты нарастали и вскоре превратились в ритмическое грохотание с периодическими возгласами «Слава нашей родной Коммунистической партии!», «Да здравствуют члены Президиума ЦК КПСС!», «Да здравствует вождь народов СССР товарищ Хрущев, наш Никита Сергеевич!»

Ваксон, немного похлопав, сосредоточился на физиономистике. Тут были все члены ПБ. Партия подчеркивала огромное значение, которое она придавала диалогу с советской творческой интеллигенцией. Сушеным крокодилом продвигался к своему протокольному месту главный идеолог Суслов. Крупнейшей своей фигурой располагался Фрол Романович Козлов. Товарищ Кириленко величественно поворачивал запеченный мордальончик лица. Некоторой тухловатостью веяло от мизантропической внешности Косыгина. С еле заметной, но все-таки заметной сардонической улыбочкой стоял за спинкой своего кресла похожий на тренера по футболу белорусский товарищ Мазуров. Блестящую иллюстрацию к антропологической теории Ломброзо представлял из себя товарищ Шелест. В этом смысле поспорить с ним мог только товарищ Подгорный, который тоже присутствовал. Фланговые кресла занимали кандидаты в члены и секретари Политбюро Килькичев, Андропов и Демичев, на которых у Ваксона физиогномического любопытства уже не хватило, поскольку пришлось сосредоточиться на Главном.

Никита был в основном бледен, но немножко румян; аплодисменты, очевидно, раззадорили. Круглый, как всегда. Великолепная белая рубашка из чистого нейлона. Говорят, что за этими рубашками в Вену ездит курьер ЦК. Размеры шей у него зашифрованы от S до X, то есть от Суслова до Хрущева. В рукавах изумрудные запонки, подарок Фиделя Кастро (экспроприированы в доме Батисты). Все расступились, и он прошел к своему креслу, поддерживая аплодисменты, то есть аплодируя собравшимся производителям аплодисментов. Затем стал обеими ладонями гасить аплодисменты, потому что если в Кремле их не погасить, они могут продолжаться целый год. Давай, сидайте, хлопцы, и здоровеньки булы.

Нехорошо посмотрел в зал. Усмехнулся в том смысле, что эх, с каким говном приходится разбираться. «Всех шпионов и подзуживателей буржуазной прессы прошу покинуть зал. Ну, шучу, шучу. Сидайте, товарищи».

Ваксон сел туда, куда ему ягодицы указали, то есть где стоял. Слева от него оказался либеральный человек из Московского отделения СП, народный прозаик Елизар Гольцев. Тот называл его Ваксенькой. Слушай, Ваксенька, я тебя выдвинул в депутаты Фрунзенского райсовета, не возражаешь? Вот это да, вот так сюрприз! Ну какой из меня депутат, Елизар, ну что вы, не понимаете? Либерал тогда шепнул ему в ухо: «Чтоб не сожрали». Ваксон махнул в досаде рукой и посмотрел направо. Там рядом с ним сидел какой-то массивный человек ближневосточного склада. Многочисленные награды полностью деформировали левую грудь пиджака. Он тогда еще не знал Налбандяна, но скоро узнает.

Дальше в том же ряду, но с другой стороны сидел Роберт. Ваксон попытался привлечь его внимание, но тот не принимал никаких сигналов, сидел, уставившись в затылок какому-то незнакомому человеку. Был так же бледен, как Хрущев, но только без румянца. Еще дальше, почти у входных дверей, над башками трепетал хохолок Яна Тушинского. Ваксон привстал и рассмотрел острые черты лица, покрытые, ей-ей, высокогорным румянцем. Этот Ян умудряется и глаголом жечь, и загорать — где? — ну, в Альпах, что ли?! Настроение при виде этого глобтроттера, естественно, повысилось. Ничего страшного не случится, когда такие люди в стране советской есть!

Заседание началось. С коротким вступительным словом выступил режиссер всего этого дела Килькичев. Потом с более пространными, но все-таки весьма регламентированными речами стали выступать официальные руководители творческих союзов: от художников, от композиторов, от архитекторов, от журналистов, от кинематографистов... Содержание этих ритуальных речей не доходило до Ваксона. Поймав еще у Килькичева хорошее крепкое слово «отпор», он пытался сосчитать, сколько раз оно промелькнет в подготовленных текстах. Получалось что-то вроде дюжины, по два раза на одного оратора: «отпор клевретам тлетворного», «отпор прислужникам», «отпор иудушкам», ну и так далее.

Завершил выступление этой руководящей плеяды поэт Петр Щипков, первый секретарь Московского отделения СП. Ваксон приготовился было сосчитать и его «отпоры», когда до него дошла некоторая странность. Почему выступает не генеральный секретарь «большого», то есть всесоюзного Союза, а секретарь одного из отделений и почему именно московского отделения? Он посмотрел вокруг и заметил, что некоторые писатели обмениваются многозначительными взглядами. Вот, в частности, и его сосед Елизар Гольцев подталкивает его локтем, явно давая понять, что хочет обменяться с ним многозначительным взглядом.

Щипков между тем симпатичным ласковым голосом рассказывал об успехах МО: о конференциях и семинарах, об агитбригадах, о шефских поездках на стройки коммунизма и т. д. Затем он как-то непринужденно сел на своего конька, то есть на омоложение творческого состава МО. Маститые писатели привлекаются для работы с молодыми. Начала работать соответствующая секция. В ходе этой работы мы открываем новые таланты и направляем их с нашими рекомендациями в издательства и журналы для издания стихов и прозы. Эти издания дают нам возможность организовать прием молодых в состав Союза писателей. Большая группа молодых этой осенью стала членами нашей организации, таким образом освежив наши, признаться, довольно возрастные ряды многообещающей разноголосицей.

Вот в этом месте — надо сказать, в самом подходящем месте — благостная речь знатока любви и семейной гармонии была прервана какими-то грубоватыми звуками, мимолетно напомнившими музыкальную пьесу Прокофьева «Петя и Волк». Никита Сергеевич прокашлялся в микрофон, дав знать залу о существовании тромбона: «Нам не очень-то нравится ваша деятельность, товарищ Щипков».

Оратор запнулся и в дальнейшем не смог произнести ни единой гладкой фразы. Любой уточняющий вопрос ведь мог быть воспринят как вызов, как неслыханная дерзость, как вопиющее нарушение партийной этики!

— Кого это вы там набрали в Союз писателей?

— ...

— Вы уверены, что достойных набрали, горделивых, патриотических, преданных нашему делу?

— ...

— Как коммунист ручаетесь вы партбилетом, что не битников каких-нибудь там набрали, не Кружок Петефи?

— ...

Три вопросительных знака, а он не может ответить ни одним восклицательным, ни одним горделивым, ни одним патриотическим. Да почему же он не может далее соответствовать своему посту, своему партбилету, своей «гордости великоросса»?

Да просто потому, что использовать вопросительный знак на этой трибуне — страшно, а вооружиться восклицательным — стыдно! И Петр Степанович Щипков, опустив голову, спустился с трибуны в залу. Он нес одну-единственную, но весьма вескую мысль: «Все-таки всего лишь десять лет прошло с кончины Огнедышащего».

Вот когда Ваксон и Гольцев действительно обменялись взглядами, так это при упоминании Кружка Петефи. Ни тому, ни другому и в голову не приходило, что вождь все еще помнит антисоветский клуб писателей в Будапеште 1956 года. Сосед справа между тем мощно хлопал в ладоши вместе с другими горделивыми. «Кто этот справа,

Елизар?» — шепотом спросил Ваксон. «Налбандян, народный художник, — в той же манере ответил Гольцев. — Размножал Сталина». Ваксон вспомнил огромную картину над лестницей в казанском Доме ученых. На ней Сталин с его ближайшими сподвижниками спускались к народу по лестнице Большого Кремлевского дворца. Лестница над лестницей, придумано неплохо. Удлиняет великолепное шествие кумиров коммунистической империи. Осенью 1953 года Ваксон с компанией юных друзей двигался по этой лестнице в противоположном направлении, то есть на второй этаж Дома ученых, где тайком играл студенческий джаз. Бросив мимолетный взгляд на картину, он остановился: что-то странное, показалось ему, произошло с этим примелькавшимся творением Налбандяна. Присмотревшись, он понял, в чем дело: пропал Лаврентий Павлович Берия! Пропал из тесно сплоченной группы великих! Все остальные здесь, а он, разоблаченный и уничтоженный агент империализма, пропал с полотна! Да ведь это мистика какая-то, происки Лукавого! И вдруг все стало ясно: Берия был загримирован! Лысина его была теперь украшена темно-каштановой шевелюрой с пробором, пенсне превратилось в большие очки, на верхней губе красовались усы. Среди до боли знакомых вождей за левым плечом товарища Сталина шествовал Простой Советский Человек!

Ваксона стало подмывать желание спросить у художника, сам ли он переписал Берию или кого-нибудь послал, но в это время товарищ Килькичев весьма вальяжным тоном пригласил на трибуну поэта Роберта Эра.

Роберт случайно выбрал место одесную Петра Щипкова, и когда тот вернулся с трибуны, обливаясь потом и дрожа от перенесенного ужаса, ему захотелось немедленно выбраться из зала, выхватить пальто из раздевалки и выскочить на волю, «туда, где тополь удивлен, где даль пугается, где дом упасть боится, где воздух синь, как узелок с бельем у выписавшегося из больницы»... из бедлама! И тут его объявили.

Петр Степанович стал чуть ли не вырывать у него странички со стихотворением «Да, мальчики!». Этого нельзя читать, Роберт! Неужели не понимаешь, этого нельзя ч и т а т ь! Вызванный на трибуну вытащил свои листки из пальцев Там Уже Побывавшего. Пошел туда. Голова подкруживалась. В ней витала неподходящая к обстоятельствам мысль: «Почему никто не учитывает, что я перенес тяжелый грипп?» Высокий и мощный на вид, он двигался к проходу, задевая за колени сидящих в его ряду. Несколько раз пробормотал «извините», выбрался на ковровую дорожку в проходе. Надо дойти до трибуны не качнувшись. Без падений. Нужно улыбаться или не нужно улыбаться? «Не плачь, не морщь опухших губ, / Не собирай их в скадки: / Разбередишь присохший струп / Весенней лихорадки». Будешь улыбаться, тоже разбередишь. Значит, не надо ни плакать, ни улыбаться. Больше деловитости, она принесет самообладание. В конце концов, в «Лужниках» я стоял перед пятнадцатитысячной толпой; и не забздел!

Подойдя к трибуне, он положил руку на ее боковину и бросил взгляд на те лица, что внимательно смотрели на него из-за стола президиума. Внимательно и безучастно. Только у одного в глазах был небольшой намек на теплоту; у Мазурова. Вот этот, с челюстью, вроде бы неплохой парень; остальные никуда не годятся. Хрущев тоже никуда не годится. Вот с Мазуровым еще можно было бы выпить. Втроем: Юстас, я и Мазуров. А вот с Хрущевым так, как с Мазуровым, не выпьешь. Он вождь, он требует поклонения. Трепета и поклонения. С ним по-товарищески не выпьешь.

Вот такие мысли пронеслись у него в голове, а также еще в чем-то, может быть, в бронхах и легких, перед тем как он взошел на трибуну. Теперь несколько слов о самой трибуне. Это был шедевр трибуностроительства. Из отменных сортов дуба. С нее ни разу еще не упал ни один человек. На фронтальной своей панели она несла великолепный образец резьбы по дереву. Правда, не совсем реалистический, немного абстрактный. Что-то вроде краба с двумя лапами, в середине проглоченные трудно опознаваемые предметы; короче говоря, герб СССР. Она располагалась чуть пониже стола президиума, почти вплотную к его середине. Прямо над ней висел Х.Н.С. со своим микрофоном, а когда он вздымался с двумя своими подъятыми кулаками, с некоторых углов зала казалось, что он седлает оратора.

Итак, выступает Роберт Эр: «Дддорогие товарищи... дддорогой НиккДельфа Сссергеевич...»

Молчание; пока оно длится, скажем еще несколько слов о еще одном преимуществе этой трибуны. Оратор не видит ни одной персоны из президиума. Чтобы увидеть кого-нибудь оттуда, надо повернуться спиной к залу, и тогда твой микрофон останется у тебя за спиной. Это вроде бы пустяк, однако такая диспозиция сыграет весьма существенную роль в предстоящих мизансценах. Роберт продолжает свою логопедическую муку: «Мммне кккажется... ччто мммы... весе... тттупаем... ввв новвую эррру... нашшшей иессториии...» Ваксон и Гольцев вытирают пот со лбов. Ну, знаешь, Елизар, это не для слабонервных. Налбандян презрительно хмыкает. Все друзья прекрасно знали, что у Эра бывают периоды мучительного заиканья. Иногда даже в застолье, но редко. На публике часто, однако на поэтических вечерах поклонники восхищались его манерой вести диалог. Заиканье воспринималось ими как своего рода грассированье; ну, вроде как у Симонова. Он слегка даже начал кокетничать на вечерах, как будто речь затруднялась в моменты вдохновения или мысли. На самом деле ему противно было быть «заикой», он предпочел бы соревноваться в цицеронстве с Тушинским. Однажды во время пьянки он признался Ваксону, что не всегда был таким. Заикаться он начал после сильного страха в пятилетнем возрасте. Он не стал уточнять и никогда больше на эту тему не заикался, если можно так скаламбурить. Существовал еще один не вполне объяснимый момент в этом деле: Роб никогда не заикался во время чтения стихов, какая бы огромная аудитория ни давила на него своим восторгом. Страсть, охватывающая его в потоке декламаций, очевидно, подавляла тот детский страх.

Стоя на трибуне перед настороженным залом, две трети которого состояли из идеологических аппаратчиков партии и ее «вооруженного отряда», чувствуя на своем затылке прищуренный взгляд диктатора и безучастное присутствие двух безучастных и всемогущих дюжин, Роберт никак не мог совладать со своим заиканьем. Он пытался донести до высочайшего синедриона свою основную идею: советская молодежь вовсе не старается отколоться от старших поколений, она на самом деле исполнена патриотизма и энтузиазма, одержима романтическими порывами в будущее, в космос, в науку, готова дать отпор империалистам НАТО, защитить героическую Кубу, противостоять клеветникам и демагогам, бросать вызов мещанству, отрицать замшелую позицию людей, отставших от курса XX съезда нашей партии, отстаивать свое достоинство перед людьми, бросающими им в лицо голословные обвинения, угрожающими им своим лозунгом «Нет, мальчики!» ...Он все это был готов сказать и он это говорил, однако из-за ужасного и унизительного волнения все это превратилось в невнятные лозунги посреди болезненного заиканья. Покрываясь потом, пылая ушами, он стоял спиной к вождю и исторгал в микрофон свою речь; одну за другой заготовленные заранее и исковерканные заиканьем фразы. Разумеется, он не видел, как Хрущев перекинул записку Килькичеву и как тот, пройдя за креслами, склонился к уху вождя. И наконец знаменитый и звездный поэт молодежи Роберт Эр достиг своих завершающих страниц, стихотворения «Да, мальчики!»; и заиканье мгновенно прекратилось.

Он преобразился. Голова его была гордо закинута. Обеими руками он держал трибуну; именно он держал ее, а не она его. Качка прекратилась. Впереди возникали высокие берега. Голос его набирал звонкости и поддерживал ее гулкой силой. Он читал:

Мы виноваты!
Виноваты очень!
Не мы с десантом
Падали во мглу,
И в ту,
Войной затоптанную осень
Мы были не на фронте,
А в тылу.
На стук ночной не вздрагивали боязно,
Не видели
Ни плена,
Ни тюрьмы...
Мы виноваты,
Что родились поздно.
Прощенья просим,
Виноваты мы...

Он был теперь в потоке, там, где всегда чувствовал себя хозяином положения. Читая, он видел вместо расплывшейся массы множество человеческих лиц — недоумевающих, злобно-бровастых, просиявших, затерто-смущенных, однако не видел наливающегося свекольным соком булыгообразного вождя; да он и забыл о нем в эти моменты. В отличие от своих друзей Яна Тушинского и Антоши Андреотиса он не любил жестикулировать во время читки, но тут, подходя к финалу, он сильно махнул правой рукой, как делал в волейболе, чтобы погасить спайк:

Да, мальчики!
Веселые искатели,
Отбившиеся
От холодных рук!..
Пусть голосят
О непослушных детях
В клубящемся
Искусственном дыму
Лихие спекулянты на идеях,
Не научившиеся
Ничему!..
Да, мальчики!
Выходим в путь
Негладкий.
Боритесь с ложью,
Стойте на своем!
Ведь вы не ошибетесь
В самом главном —
В том флаге,
Под которым
Мы
Живем!

Хрущев смотрел вниз на ярко-черную шевелюру тридцатилетнего парня, знаменитого, видите ли, поэта. Килькичев сообщал ему, что того назвали Робертом в честь троцкиста Роберта Эйхе, первого секретаря Западно-Сибирского крайкома, ликвидированного в 1940-м и реабилитированного в 1956-м, после XX, вот именно, хрущевского съезда. Там во время войны произошла какая-то путаница с фамилиями. Этот Роберт не совсем Эр. Ну, для нас не секрет, что множество женщин после партийных чисток постарались как-то запутать фамилии своих отпрысков. Чтобы их спасти. Чтобы как-то продвинуть. Бедные женщины. Его пронзила мгновенная жалость к этим «бедным женщинам», но он за долгие годы власти научился подавлять такие мгновенные чувства. Так что же будем делать с этим товарищем Эром?

Зал гудел. Многие аплодировали и улыбались. Многие возмущались — активно, хамовато, моторно. Роберт, не дождавшись реплики со стороны президиума, спускался с трибуны, когда наконец прозвучало на весь зал: «Ишь ты какой!» Он остановился, одной ногой еще на трибуне, и повернулся к вождю. Тот смотрел на него со странной, чуть ли не дворовой, едва ли не хулиганской ухмылкой. «Что же это вы такой высокомерный в своих стихах, товарищ Эр?» Роберт не нашел ничего лучшего, как сделать вопросительную мину: дескать, вы меня имеете в виду, товарищ? Хрущев встал и уперся кулаками в стол. «Я бы вам посоветовал быть поскромнее. Ваши стихи звучат так, как будто вы призываете молодежь встать под ваш собственный флаг. Ничего у вас не выйдет, товарищ Эр!»

Он чуть отстранился от своего микрофона, как бы призывая аплодисменты. И они не заставили себя ждать. В зале немедленно возникли «бурные, переходящие в овацию» и сопровождаемые гулом приветственных возгласов. Ваксон оглянулся и увидел, что многие встают и размахивают руками. Сквозь общий гул прорезались крики: «Правильно, Никита Сергеевич!», «Гнать этих мальчиков!» Вскочил и сидящий рядом Налбандян: «Пора с этим кончать, Никита Сергеевич!»

Хрущев наливался жаром. Свекольные пятна появились на голове и на щеках. Набряк нос. Он чуть пригасил изъявления восторга и разразился пространным параграфом: «Посмотрите, товарищи, на этих вождей и на их окружение, на этих «мальчиков с поднятыми воротниками»! Чего они стоят в мире, где идет историческая борьба? Ноль на палочке они стоят! Эр полемизирует с боевыми стихами Аполлона Грибочуева, с его стихотворением «Нет, мальчики!». Он хочет представить это так, как будто мы, коммунисты, отстали от жизни. Будто только они, новые, понимаете ли, поэты выражают настроение нашей молодежи. Ошибаетесь, Эр, заблуждаетесь! Кто вы такой, чтобы опровергать поэта-солдата, у которого меткий глаз и точный прицел, который без промаха бьет по идейным врагам? Давайте, товарищи, поприветствуем поэта-коммуниста товарища Грибочуева!»

В зале началась сущая истерика. Пароксизмы восторга. Многие даже смахивали слезы, ударяли себя в грудь, поднимали сжатые кулаки, в героическом экстазе выкрикивали «этим мальчикам» — Но пасаран! Над рядами голов приподнялась свежепротертая лысина Грибочуева. Он благодарил товарищей за солидарность.

Хрущев продолжил: «Это, конечно, не совсем так, чтобы все туда поворачивалось как нежелательное. Иногда порою так бывает, что от этих поэтов польза вытекает истории и событиям. Вот наши послы во Франции и Западной Германии сообщают одобрительное про выступления Яна Тушинского. Однако хочется сказать и этому товарищу Тушинскому, чтобы дома-то следует сидеть поскромнее. Майки с его портретами наша молодежь не будет носить Н И К О Г Д А! (В зале опять поднялся рев — Никогда! Никогда! Никогда!) Я бы вот по-прямому бы посоветовал бы товарищу Тушинскому держаться в рамках, не ловить сенсацию-то за мокрую-то юбку нечистоплотного качества, не подлаживаться к обывательскому ширпотребу; воспарять надо, а не по огородам пробираться! А вам, Эр, советую под наше гордое знамя вставать, а не под свое собственное единоличное притираться, не созвучное с эпохой! Все! Идите на место! Садитесь!»

Он опустил и свою задницу в кресло, но вдруг заметил, что Роберт Эр еще стоит и смотрит на него исподлобья, как будто хочет что-то еще сказать неудобоваримое, не созвучное, усугубляющее. Отверг подобное поползновение резким жестом руки. Дескать, идите, товарищ Эр, садитесь. Дескать, молчите в тряпочку! Роберт повел плечами. Протест поднялся в нем и будто бы прокричал: «Как ты смеешь, гад, так хамить, так издеваться? Смотри, аукнется тебе хулиганский нахрап!» — Увы, протест увял. Он опустил голову и пошел на свое место — молчать в тряпочку.

В дальнейшем все пошло удовлетворительным образом. Генеральный секретарь закусил удила и помчался по своим родным ухабам. Поэтам он стал впаривать образец для подражания, застрявший в башке еще со времен шахтерской юности: «Это был настоящий пролетарский поэт, Павел Махиня, не какой-нибудь обывательский, буржуазный. Весь Донбасс вдохновлял своими стихами:

Рабочий класс — большая сила!
Он добывает нам углей.
Когда отчизна попросила,
Трудись для родины смелей.

Вот я делаю тут интересные наблюдения. Вот смотрю в зал и замечаю, что не все аплодируют. Далеко не всем, товарищи, патриотические высказывания нравятся. Вот смотрю и вижу Илью Григорьевича Эренбурга; он не аплодирует. Как же это получается, товарищ Эренбург? Ведь вас Гитлер заочно к смертной казни приговорил, а вы отстраняетесь? Между прочим, спасибо за вашу книгу «Люди, годы, жизнь» с теплой надписью. Однако, должен покаяться, не в коня пошел корм. Как-то вы там все построили не по-нашему. Как-то маловато там у вас социалистического реализма: вспоминаете там людей не всегда безупречных с точки зрения марксистской науки. Как-то кажется, что не советский писатель рассказ ведет, а какая-то старорежимная барыня. Ну что? Хотите с трибуны опровергнуть большевика? Извольте, милостивый государь!»

Эренбург, конечно, понимал, что тут идет игра в кошки-мышки и он не в роли кота. Однако видеть в себе нахохлившегося старого грызуна он принципиально отказывался и потому на каждую оскорбительную фразу генсека отвечал отрицательным жестом ладони; и молчал. Из-под лохматых седых бровей он бросал на генсека острые взгляды и не мог понять, что с тем стало. Что это он так озаботился искусством, чего он так неадекватно бесится, что это за страннейшая кампания в послесталинском обществе разворачивается? Еще в прошлом году на приеме в Кремле Хрущев подошел к нему, и они полчаса беседовали о курьезах «третьего возраста». И вот, пожалуйста, отказываемся от диалога... Молчать, ничего не отвечать, молчать хотя бы в тряпочку!

Хрущев зафиксировал приглашающий жест: извольте, извольте на трибуну — но, не дождавшись ответа на приглашение, продолжил другим, отнюдь не ерническим, а жестким тоном правителя: «Эренбург изображает нашу революцию как катастрофу, а вот для меня и, уверен, для большинства людей в этом зале, для всего великого советского народа революция — это не катастрофа, а грандиозный праздник свободы, товарищи!»

Последовавший за этим выкриком рев можно было бы сравнить с самой революцией, во всяком случае, с фонограммой штурма Зимнего в советском фильме о революции. Триумфатор Хрущев сиял. Если Павел Махиня казался ему лучшим пролетарским поэтом, то самого себя он, конечно, видел как лучшего оратора. Просияв, повернулся и пошел со сцены. Перерыв. Буфет.

Приятно возбужденная публика густо, как стая осетров, продвигалась к буфету, где ждали ее как раз осетры, возможно, те самые, с которыми ее только что сравнили. Роберт двинулся к буфету в числе последних. Почти все уже всосались, но в пустом коридоре у большого кремлевского окна стояла одинокая прямая фигура в великолепном сером костюме. Это был не кто иной, как поэт-солдат Аполлон Грибочуев. Он поджидал своего потерпевшего поражение оппонента. Увидев крупную ссутулившуюся фигуру с сигаретой в полных губах, он четко подошел к нему и примирительно похлопал по плечу: «Ну, ничего-ничего, что делать, если История нас опережает». Не повернув к нему головы, Роберт прошел мимо.

В буфетной зале шел пир. Правительство не поскупилось. Богатство родины было представлено белой рыбой и красной рыбой, горками икр обоего цвета, кулебяками, печеными пирожками, выпечкой с вязигой, венгерскими вольноотпущенными индейками, валдайскими поросятами, напоминающими кое-кого из зала, винами из личного погреба далеко еще не забытого византийца (дали умереть, а «Киндзмараули» утащили), виноградами из его родной Картли; и только цитрусы были привозные — большие поставки из Яффы через Дальний Восток.

Ваксон, войдя в буфет, помахал через головы Яну Тушинскому. Они давно не виделись: в декабре Ваксон сподобился посетить первую в его жизни капстрану, Японию. (Крошечная история в скобках. На пресс-конференции в Токио его спросили: «Вы впервые посещаете западную страну?» Ответ Ваксона: «С каких это пор Япония располагается к Западу от России?» Хохот, аплодисменты. Шепот нашего посла: «Молодец!») Тушинский с его богатым опытом литературного путешественника в январе и феврале в полном одиночестве, то есть без всяких соглядатаев, совершал турне по Франции и Западной Германии. Перефразируя популярную тогда шутку из американского романа в переводе Риты Райт-Ковалевой: «Что говорит одна стенка другой стенке? Встретимся в Кремле!» Тушинский не ответил Ваксону. Сделал вид, что не заметил. Бурно продолжил разговор с одним из трех главных сталинистов Москвы — Евдокимом Суфроньевым. Несмотря на полное идейное несходство, они тяготели друг к другу. Ваксон хотел было крикнуть «Эй ты, коман са ва!», но передумал. Стал искать глазами Роберта, но не нашел. Кто-то окликнул его. Справа от входа, в углу, сидели киношники, трех из них он знал — режиссеров Шахрая, Месхиева и Турковского; они ели сосиски и его к себе приглашали. Он присел. Официантка тут же принесла ему тарелку дымящихся сосисок с зеленым горошком. Месхиев, крошечный кавказец в больших очках, с огромным аппетитом отрезал куски от длинной сосиски, покрывал их толстым слоем горчицы и с наслаждением поглощал. «Слушай, Вакс, это что-то невероятное! — мотал он башкой с закрытыми от смака глазами. — Вот уж не думал, что где-то остались еще сосиски моего детства. Настоящие, сочные, просто, просто, просто, ну, просто оптимистические сосиски!» Ваксон попробовал, и действительно на него дохнуло чем-то очень далеким. За окном в сумерках мелькнула стайка снегирей. Не просто детство, а самое раннее детство, то, что было до. Вот тогда были такие сосиски — до этого.

Энерга Месхиева угораздило закончить свой большой фильм о московской молодежи как раз к началу кампании. Уже три месяца его топтали гуртом критики всех журналов и газет. Наконец положили картину на полку и дали хоть чуть-чуть отдышаться. Вот он и наслаждается высокооптимистической сосиской, эдакий тбилисский эпикуреец с именем, взятым из первой утопии.

К столу присел еще один кавказец, всеми обожаемый бард Кукуш. Ему тоже было доложено о невероятных сосисках. Он взял одну в рот и округлил глаза. «Нет слов!» Шахрай налил всем по стопке водки. Все выпили и стали говорить, как этот разливающий удачно выступил, как с водкой, так и с трибуны. Ему дали слово сразу после того, как Хрущев завершил восхваление поэта Павла Махини.

— Честно говоря, ребята, — сказал широкоплечий и стройный, какой-то по-офицерски молодцеватый Шахрай, руководитель нового объединения режиссеров и писателей на «Мосфильме», — честно говоря, я боялся, что он и меня оборвет, и пойдет писать губерния; объединению тогда конец. К счастью, этого не случилось. Вождь видно устал.

— Ты ему понравился, Саша, — сказал Кукуш. — Так, во всяком случае, мне показалось. Смотрит на тебя и любуется.

Турковский засмеялся:

— Шахрай для него вполне знакомая и понятная фигура. Таким, небось, еще с гражданской войны привык доверять. Комиссар! Командир бронепоезда! Вот, Саша, ты кто — командир бронепоезда. Меня, например, или Энергетика тут на трибуну выпускать нельзя, сразу заподозрят белогвардейца, а вот Александр Шахрай, товарищи, это наш, харный хлопец!

Все сидящие вокруг стола развеселились. Шахрай стучал кулаком на своего друга Турковского, делал вид, что вытаскивает маузер. Потом все решили выпить за «командарма» Шахрая как за спасителя Шестого объединения режиссеров и писателей. Ваксон заметил, что

Тушинский как бы мельком бросил взгляд в сторону их разгулявшегося стола. Небось жалеет, что не с нами сел, а с монстрами. Там встал с бокалом красного вина ужасающий Кычетов. Донесся тост: «За нашу великую родину!» Все там встали, и тут под шумок Ян послал Ваксу какой-то странный сигнал, как будто поймал возле своего острого носа надоедливую муху.

— Между прочим, кто-нибудь видел Роберта? — спросил Месхиев.

Никто, оказывается, не видел основного героя сегодняшнего ристалища. Надо его найти. Скорее всего, он поехал домой. Надо позвонить Анке, чтобы ждала. Если он еще не приехал. Давайте поедем к нему. Надо обязательно к нему поехать. Он, наверное, дико расстроен. Еще бы, будешь расстроен после такой беседы. Да еще и это заиканье, как назло. Ребята, вы не понимаете, заиканье его спасло. Я следил на лицом НиДельфы. Похоже было, что ему хоть на момент стало жалко заикающегося парня. И тут как раз в буфетную одновременно вошли два непримиримых «друга», Эр и Грибочуев. Первый, никого не рассматривая в зале, сразу сел рядом с Ваксоном и Кукушем за стол киношников. Второй зорким «снайперским» взглядом окинул зал и направился к товарищам по оружию, Суфроньеву и Кычетову. Там громогласно стали его величать. Ура Аполлону! Нашему зоркому снайперу! Все снова встали с бокалами. Все, кроме Яна Тушинского. Тот сделал вид, что занят разговором с кем-то за соседним столом.

Месхиев подвинул в сторону Эра тарелку с сосисками:

— Роб, попробуй это чудо! Ты, небось, даже в детстве на своем Алтае не едал таких сосисочек.

Роберт улыбался, глядя на друзей, однако его губы, и без того довольно корпулентные, сейчас выглядели так, как будто он пропустил прямой удар в рот.

— Ну их на фиг, эти сосисочки, — сказал он. — Водка есть?

— Водка здесь на жестком режиме, — усмехнулся Турковский. — Одна бутылка на стол, а нашу уже устаканили. Хочешь пива?

Роберт выпил залпом бокал «Двойного Золотого» и сразу взялся за вторую бутылку. Пиво было довольно крепкое, и он сразу почувствовал облегчение, как будто сбросил с плеч тяжелую шинель. Все с облегчением переглянулись.

— Будет жить, — сказал Кукуш.

Все грохнули в хохоте.

Когда отсмеялись, Шахрай, действительно как-то по-командирски, перегнулся через стол и распорядился:

— Роберт, приходи ко мне в объединение: мне нужно обсудить с тобой один проект.

Ваксон вздохнул:

— Жаль, что на меня тут не орали, а то ты и меня бы пригласил в свое объединение.

Все опять грохнули.

Ваксону очень нравилась киношная среда. Веселые, циничные, они держатся друг за друга, подбрасывают халтурку тем, кто забуксовал. Иной раз он приезжал на «Мосфильм» без всякого дела и шлялся там по бесконечным коридорам, где народ то несся, как угорелый, на съемки, то кучковался вокруг анекдотчиков; там иной раз сталкивались лбами два творческих человека, которые больше нигде бы не столкнулись, и возникал проект; там и девушки красивые и остроумные пересекались с твоим курсом, настоящие героини нашего времени. Может быть, уйти с головой в кино? Пока не поздно, стать профессионалом сценария? Отъехать от «литературного цеха страны», в котором до сих пор процветают стукачи тридцатых годов?

Он не успел сам себе ответить на этот вопрос, когда мизансцена слегка, но существенно изменилась. К столу подсел Ян, совершенно великолепный в своем слегка переливающемся и в то же время весьма строгом костюме; где такие нынче берут, в Париже или в Берлине Западном? Присев, он на мгновение приобнял своего соседа.

— Роб, не тушуйся!

— Да я ведь не Тушинский, — брякнул слегка захмелевший от «Двойного Золотого» Роберт.

Все опять грохнули. Ян усмехнулся с некоторой досадой. Он не любил шуток такого рода. Тем более сопровождаемых грохотом общего смеха. Тем более по соседству с партийной номенклатурой. Могут подумать, что этим хохотом мы бросаем вызов. Вообще-то он шел на это собрание с нехорошими предчувствиями. Ждал атаки прямо на себя, в лоб и по загривку. Чего же еще ждать, если идет массированная атака на послесталинское поколение? Лидер этого поколения, каковым он бесспорно является, не может ждать ничего, кроме удара грязной шваброй. Вместо этого Хрущев его похвалил. Послы, оказывается, не подвели. Похвалил, но тут же и пожурил. По-отечески так пожурил легкомысленного поэта. Роберта отстегал, а Яна похвалил и пожурил. Разделяй и властвуй. Такая тенденция может укорениться — хвалить и слегка журить. На фоне этой колоссальной свинской кампании не так уж плохо. Через два месяца выйдет «Экспресс» с сенсационной «Преждевременной автобиографией». За этим последует массовый тираж в «Галлимаре». Цепные псы могут сорваться и растерзать. Если только их не остановит тенденция хвалить и слегка журить.

Не просидев с друзьями и трех минут, Ян Тушинский встал. Как раз в этот момент объявили, что перерыв окончен и надо пройти в зал заседаний. Все двинулись. Ян на этот раз приобнял Ваксона. «Слушай, Вакс, мне надо тебе кое-что сказать. Зайдем в туалет». Пройдя мимо грандиозного кремлевского туалета, о котором ходили слухи, что там никогда не пахнет застоявшейся мочой, он повлек приятеля дальше и за угол:

— Тут есть еще один гальюнчик, более приватный.

Ваксон искренно удивился:

— Фантастика! Откуда ты знаешь эти кремлевские сортиры?

Тушинский хитровато подмигнул:

— Да я ведь здесь не в первый раз. Орден Трудового Красного Знамени здесь получал.

В «приватном гальюнчике» были две кабинки, два писсуара и два умывальника. Кроме того, его можно было закрыть изнутри, что Ян немедленно и сделал. Затем он пустил воду в обоих умывальниках и сливную воду в писсуарах. На этом он еще не успокоился. Открыл обе кабинки и стал периодически спускать в них воду. Предложил Ваксону последовать его примеру. Тот, конечно, тут же последовал. Вода забурлила, заклокотала и зарычала, ей-ей, на уровне ДнепроГЭСа.

— Так, знаешь ли, в Нью-Йорке все разговаривают, если по душам, — пояснил Тушинский.

— Это надо в театре поставить, — предложил Ваксон.

— В каком еще театре? — удивился Тушинский.

— Во МХАТе, — уточнил Ваксон.

Тушинский отмахнулся и быстро начал излагать свои соображения:

— С вашими бесконечными хохмами так и не заметите, как перните в лужу. Мы приближаемся к очень мрачневецкой поре. Оттепель кончилась. Хрущеву вбивают, что в стране зреет заговор среди молодежи. Ты думаешь, почему я тебя с понтом не заметил в буфете? Чтобы не думали, будто мы только и делаем, что кучкуемся, обсуждаем зловещие планы. Мне один цекист говорил, между прочим, именно в этом приватном гальюнчике, под шум Ниагарского водопада, что можно ждать любого поворота, даже возврата к сталинщине. Нужно быть очень осторожным, не давать себя спровоцировать. Завтра еще один день, черт знает, куда повернет Хрущев. Ты меня понял, Вакса? Понял или нет?

— Да понял, понял, — пробурчал Ваксон. — Давай перекрывать воду, а то прорвет все кингстоны.

К концу этого первого исторического дня в сумерках Роберт сообразил, что он двигается совсем не туда, куда надо. Выйдя из Кремля, он постарался отстать от группы друзей, которая твердыми шагами направлялась туда, где можно было поддать без всякого лимита, а именно в ресторан ВТО, что на углу Пушкинской и Горьковской. Он жаждал выпутаться из этого бешеного дня и погрузиться в родное, простое и любимое, где Анка и Ритка дымят, где Полинка карабкается на колени, где кружится фигурное, усыпляющее пол-Европы катание на коньках. Ни слова о Кремле, ни слова о Хрущеве, ни полслова о Грибочуеве! Обо всем этом постыдном — завтра! А потом улететь в Вильнюс, к Юстасу и Теодорасу.

Он пересек по диагонали Красную площадь, вышел на Манежную, зашел на третий этаж гостиницы «Москва», чтобы опрокинуть там в коктейль-баре узкую рюмку шартреза с яйцом, так называемый «Маяк». Почему-то подумал, что это, очевидно, в честь Маяковского назвали так этот напиток. Покинув «Москву», он перешел на левую сторону улицы Горького, миновал «Националь», чтобы не связываться с иностранцами и не выдавать им секреты Кремля, однако спустился в подвальчик рядом с Театром им. Ермоловой и взял там стакан половинной смеси коньяку и шампанского. Не знаю уж, почему эту улицу называют Горькой, когда она на самом деле в сумерках становится Сладкой, что подтверждает и волшебная встреча возле Центрального телеграфа, где на него буквально-таки налетела девушка-поклонница. Он так как-то рассеянно шлепал по слякоти, слегка непокрытой башкою бодал заряды снега, предвещающего пургу, думал о том, где сделать следующую остановку, в магазине «Армения», где разливают «Ереван», или в шашлычной «Эльбрус», где до сих пор еще жива память литинститутских загулов, как вдруг увидел летящую встречным курсом стайку девиц в шубках и пальтишках поверх спортивных костюмов. Хотел было тормознуть и взять вправо, чтобы пропустить племя-младое-незнакомое, и тут одна из племени сего, взвизгнув, устремилась к нему и, подпрыгнув, повисла на молодецких плечах. Борясь с потерей равновесия, он ухватил ее за талию и равновесие восстановил.

— Девчонки! Девчонки! — закричала почти несовершеннолетняя девушка. — Смотрите, это же Роберт Эр! Мой любимый поэт! Какое счастье, вот так столкнуться! Роберт Эр! Идет, как живой!

— Как почти живой, — поправил Роберт. Он все держал ее за талию, а она все висела на его плечах. Так прошло несколько больших секунд. Она была черт знает, как хороша. Глазища ее сверкали в опасной близости от его рта. Волосы, темно-русые, что ли, или как говорят про такие волосы, выбившиеся из-под вязаной шапочки с оленями, придавали ей сходство со звездами нового кино, двумя Татьянами, Самойловой и Лавровой. А юность всех ее движений будоражила тех, кто видел это странное случайное объятие, как первая поэма Эра «Моя любовь» будоражила молодежь поздних Пятидесятых.

Девушка быстро бормотала:

— Знаешь, я дважды пыталась пробраться к тебе в «Лужниках», увы — без успеха. Я обожаю тебя, Роберт! Мечтаю быть с тобой. Нет, не сейчас: мы бежим на тренировку. Ну, по гимнастике, конечно. Позвони мне по телефону 151-5151; обещаешь?

Подружки уже тянули ее за рукав. Роберт отпустил талию.

— Позвоню обязательно. Как можно не позвонить по такому телефону? Как зовут абонента?

— Милка Колокольцева, — был ответ. И умчались хохоча.

Ё, кто же такую встречу мне послал, чтобы взбодрить поникший дух — ангел или демон?

Он все-таки свернул к «Эльбрусу», что на Тверском бульваре, и выпил там двести граммов под холодец с огурцом. Депрессуха снова оседлала выю. Он сопротивлялся, согреваясь картиной домашнего очага. Домой, домой, быстрей шагай домой, к своим «домашним богиням»! Довольно быстро прошлепал до Никитских ворот, свернул на Герцена, зашел в гастроном, потолкался возле питейного отдела и купил полдюжины «мерзавчиков», один другого краше, водка, зубровка, перцовка, дубняк, ерофеич, кореандровая; рассовал все хозяйство по карманам. Дальше прочапал по переулкам и вышел на Воровскую. Не натолкнулся на вора, ни на единого. Тут когда-то жили повара, так и кишела панель поварьем, потому и звалась Поварская. Теперешнее население, воры, живут поосторожнее, ездят на машинах, ныряют в подъезды. В этих размышлениях добрел до квартала писательских полупалаццо и только перед самой чугунной решеткой ворот, то есть стоя прямо напротив сидящей в сердцевине круглого двора фигуры Льва Николаевича, признался, как на духу, себе и ему, что все время шел по неправильному курсу. Ведь уже три дня как вся мешпуха, включая Эра Роберта Петровича, переехала на Кутузовский, в новую трехкомнатную квартиру. О, черти маразма и духи просветления, взыграйте в борьбе и определите победителя!

Что делать дальше? Куда брести? Может быть, тачку взять и к Барлахскому закатиться? Ведь там у него дверь скрипит и хлопает до самого утра. Он вышел на Восстания и несколько минут смутно созерцал высотный дом, что зиждился над площадью плечистым чертогом. Там друг его жил, живет и будет жить, Толя Королев, заместитель министра иностранных дел СССР, поэт. Роберт заполнил собой телефонную будку, почему-то почувствовал симпатичный уют. Никогда не найдут меня здесь ищейки Хруща!

Трубку взяла Марина, жена дипломата.

— Старуха, ты звучишь как жена дипломата, а на самом деле ты хорошая девка, просто классная девка, — доверительно сообщил ей Роберт.

— Толя, это он! — крикнула Марина в глубину квартиры. Послышались поспешные шаги. Королев взял трубку и сразу же спросил:

— Ты где сейчас находишься?

Роберт хохотнул:

— Мы стоим на площади Восстания. Вихри враждебные веют над нами. Собираемся стреляться. Прошу тебя быть моим секундантом. Понимаешь?

Королев спокойно подтвердил прием:

— Понимаю, понимаю. А с кем ты там... хм... собираешься... ну?..

Роберт охотно пояснил:

— С Аполлоном. Он у нас в секции считается снайпером. Поэтому так важно твое присутствие.

Королев сказал:

— Так, — подумал и добавил: — Жди меня возле третьей скамейки в нашем скверике. Хорошо, что ты позвонил: я как раз собрался прогуляться.

Роберт уселся на этой третьей скамеечке, опустошил очередной «мерзавчик» и неожиданно заснул. Не прошло и десяти минут, как в аллее появился замминистра Анатолий Королев, высокий и тонкий, в парижском пальто и в ондатровой шапке пирожком. Когда он приблизился к спящему, тот улыбался. Анатолий присел рядом и похлопал его по засыпанному снегом колену. Роберт вздрогнул и очнулся. Первые секунды лицо его выражало недоумение.

— Толя, ты откуда взялся?

— Роб, в этом мраке ты похож на посыпающего голову пеплом. Где твоя шапка?

Роб вытащил из кармана вязаную лыжную шапочку и натянул ее на уши, став похожим на огромного ребенка.

— Старик, Анка и Ритка сходят с ума, ищут тебя по всему городу. В общих чертах мы уже знаем, что произошло в Свердловском зале, однако расскажи мне то, что ты запомнил.

Роберт всем корпусом повернулся к нему, обдав ароматом всех упомянутых, то есть употребленных выше напитков:

— Старик, я никогда не думал, что глава нашей страны окажется таким хамом.

Королев вздохнул:

— Ну, ты же знаешь, какие университеты у него за плечами.

Роберт вдруг вскочил, стал нервно ходить вокруг скамейки, дышать на ладони, растирать их, и тут же набирать пригоршни снега и растирать лицо. Королев внимательно смотрел на него. Он понимал, что Роб по дороге из Кремля где-то основательно выпил, впал в размягченное ироническое состояние, однако пытается сейчас собраться, отрезветь, чтобы рассказать обо всем с подробностями. Так и получилось. Роберт, молчаливый Эр, вдруг торопливо заговорил, он говорил без всякой последовательности, все смешивая в кучу, вытаскивая одно за другим какие-то запечатлевшиеся детали позорного сборища:

— Позорного для всех: и для Никиты, и для Политбюро, и для писателей, и для меня, а для меня особенно. Не знал, как себя вести. Ведь я никогда не был в таких переделках. Меня всегда кто-то прикрывал, старик, ведь ты, конечно, знаешь: то мама Вера, то отчим, то друзья, а главным образом — стихи! Черт его знает, может быть, выбросить все эти стихи, наняться в истопники? Знаешь, я никогда уже не отмоюсь от позора. Почему я позволил ему издеваться надо мной, окликать как собачонку? Почему я не ударил кулаком по трибуне? Не одернул невежду и хама? Почему он вытаскивает из своей папки «Малаховскую Беатриче» Антоши Андреотиса и читает ее своим корявым языком, приписывая мне? Ты помнишь этот стих, Толь?

— Конечно, помню, — проговорил дипломат. — «Стоишь, черты спитые, / На блузке видит взгляд / Всю дактилоскопию / Малаховских ребят...» — классные стихи!

Роберт продолжал размышлять вслух:

— Что с ним стало, с этим Хрущом? Если он собирается восстанавливать сталинизм, на кой черт он разоблачал Сталина? Что это за странное предательство? Зачем оно ему? Может быть, у них у всех — ну, ты знаешь, о ком я говорю, — может быть, ими всеми движет какая-то неизученная еще страсть к предательству? К предательству, сопряженному с борьбой за власть? Может быть, они вовсе не о стране пекутся, не о народе измученном, а только лишь о власти своей? А для власти готовы на все: нужна либерализация — дают подышать, нужно закручивание гаек — давят до посинения. Знаешь, старик, в этом ключе я и себя объявляю предателем. Я предаю свои пафосные антипредательские стихи, как будто это просто стая воробьев у меня изо рта вылетела. Вот, ты помнишь мои стихи о вере?

Коктебель был излюбленным местом отдыха героев романа

На коктебельских пляжах собирался весь цвет советской литературы

Роберт Рождественский (Эр) и граждане Свободной Республики Карадаг

Василий Аксенов (Ваксон) и Роберт Рождественский

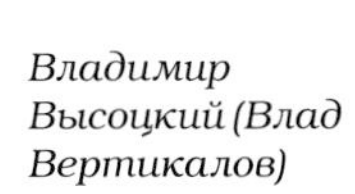

Владимир Высоцкий (Влад Вертикалов)

Рождественский с женой Аллой Киреевой (Анна Фареева)

Роберт в Коктебеле

Бассейн «Москва», 60-е годы

Роберт Рождественский, 60-е годы

Роберт Рождественский в Коктебеле (крайняя слева – Кира Аксенова), 60-е годы

Семьи Рождественского и Булата Окуджавы (Кукуш Октава) часто отдыхали вместе. В центре – Алла Киреева

Василий и Кира Аксеновы (Ваксон и Мирра), Роберт и Алла Киреева, Эдуард Рой (слева направо)

Рождественский с другом, художником Стасисом Красаускасом (Юстинас Юстинаускас)

Белла Ахмадулина (Нэлла Ахха)

В 60-е Аксенов даже не думал, что станет диссидентом и человеком мира

Аксенов с женой Кирой

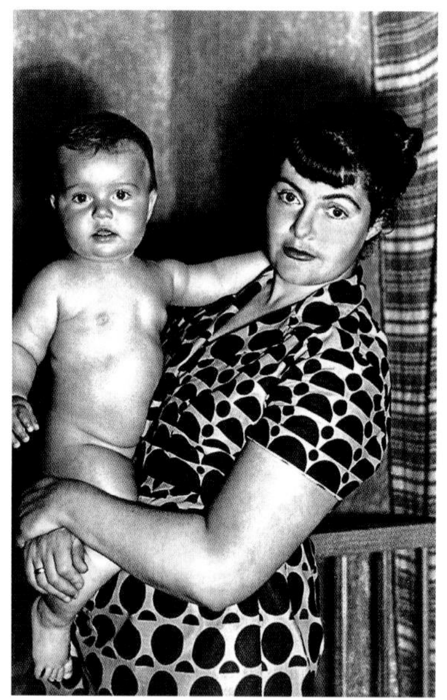

Кира и Василий Аксеновы с сыном Алексеем, которого в романе зовут Дельф

В «Таинственной страсти» у Ваксона и Мирры непростые отношения

Они стали стремительно ухудшаться после знакомства Ваксона с Ралиссой

Майя Кармен (Ралисса Кочевая)

Роберт Рождественский с Аллой Киреевой, Белла Ахмадулина и Андрей Вознесенский (Андреотис)

Василий Аксенов,
60-е годы

Андрей Вознесенский и Зоя Богуславская (Софья Теофилова)

Москва, 60-е годы

Евгений Евтушенко (Ян Тушинский) с женой Галиной Сокол (Татьяна Фалькон)

Роберт Рождественский с Аллой Киреевой

Портреты поэтов-шестидесятников носили на демонстрациях во всех странах соцлагеря

Я —
сын веры в труд человека.
В цветы на земле обгорелой.
Я —
сын веры!
Веры в молчанье
под пыткой.
И в песню перед расстрелом.

Какое право я теперь имею декларировать эту веру, если я испугался какого-то анекдотичного субъекта, воплощения всеобщей тупости, который мной командовал, как хотел: «Идите! Садитесь! Аплодируйте! Молчите в тряпочку!..»

Он замолчал и уставился в сторону Садового кольца, которое излучало неопределенное красновато-матовое свечение и изрыгало грохот бесконечных, неизвестно с какой целью несущихся пустых и грязных самосвалов.

— Послушай, Роб, — проговорил Королев. — Я хочу тебе напомнить еще пару строчек из этого стиха.

Веры не в бога,
не в ангелов,
не в загробные штуки!
Я —
сын веры в солнце...

Знаешь, я хотел бы тебе посоветовать еще раз подумать над этими строчками. Ведь мы все-таки не принадлежим к цивилизации солнцепоклонников. В государстве ацтеков Солнце требовало человеческих жертв. Люди тысячами стояли в очередях на умерщвление. А мы пожертвовали миллионами ради революции. Кажется, хватит. Жертвоприношение не повторится. Солнце — это глаз Бога; поэтому ты и веришь ему. А Бог — это вся Вселенная, в которой есть люди. А ангелы — это и есть те «загробные штуки», в которые ты не веришь. Духи, проникающие к сущим. Знаешь, где я этой премудрости набрался? В разговорах с великим физиком Кристофером Томмом, в Кембридже. Он абсолютно серьезно верит во все, во что ты не веришь, и во все, во что ты веришь. Теперь сравни все это, совершенно безбрежное в своей непостижимости, с воплями осла, которому колючка попала под хвост. Сравнил? Помогает?

Роберт расхохотался и долго не мог остановиться. Анатолий Королев смеялся в унисон, однако прислушивался, не мелькают ли в хохоте Роба нотки истерии. Нет, не мелькали. Обнявшись за плечи, они медленно пошли в сторону подъезда. Королев позвонил из телефонной будки домой. Оказывается Анка и Ритка уже приехали к ним и ждут Роберта, чтобы вернуть его в лоно. И все там хохочут как сумасшедшие: «В лоно! В лоно!»

— Но что же мне делать теперь, Толь? — спросил совсем протрезвевший Роберт. — Как жить в литературе?

— Живи так же, как и жил, — сказал замминистра иностранных дел (в скобках сообщаем, что он вовсе не был вторым номером в этом министерстве; там таких вторых было восемь персон). — Пиши стихи, Роб, и посылай их в журналы. Уверен, что тебя будут печатать. Ведь ты кумир, Роб. Тебя обожают массы.

— Это верно, — он почесал затылок. — Сегодня, не поверишь, на улице Горькой потрясающая девчонка бросилась мне прямо на шею.

— Вот в это я верю, мой друг.

На следующий день, восьмого марта, циклон продолжал бедовать над Москвой. У Антоши Андреотиса ондатровая шапка совсем промокла и стала напоминать усевшегося на великолепную поэтическую голову водяного зверька. К счастью, он уступил настояниям отца и влез в его галоши. Теперь можно было переть напролом через снежные лужи и поднимать буруны.

Пока двигался к Кремлю через Красную площадь, вспоминал недавнюю Америку, ее удивительную зиму в Коннектикуте, где небо отличалось непогрешимой морозноватой голубизной, где на деревьях еще висели желтые и красные листья, оставшиеся от «индейского лета», и где значительная часть населения в цветных шарфах и перчатках, однако в летних курточках и тапочках, с энтузиазмом бежит на площадь в кампусе, где выступает похожий на американского студента поэт, приехавший из страны большевиков.

Мальчик — скажет, —
Ах, какой у вас акцент!
Закажите мне
Мартини и абсент.

Нет, мир все-таки неплох: в нем масса всяческих вещей, вызывающих жгучий интерес, и вместе они составляют колоссальный калейдоскоп, в котором может разобраться только поэт. Быть поэтом — это здорово: все время трясешь эту грандиозную штуку, этот мир, и возникает что-то надмирное, подмирное и замирное. Неплохо также ощущать себя первым мастером вещей, виртуозом слов и глоссолалий. Совсем неплохо быть первым гроссмейстером в цеху, чтобы все оборачивались, когда ты входишь. Ты можешь всякого из мастеров подбодрить. Вчера надо было подбодрить Робку Эра; очень жаль, что ты в толпе проскочил мимо. Сегодня обязательно подойду и положу ему руку на плечо, которому под стать только моя макушка. «Старик, — скажу я ему, — остынь и не вертись среди смятых простынь. А тот, кого зовут Аполлон, это не он, не бог, не слон, а тот, кого не пустят в салон, возникший среди пустынь. Надеюсь, остынет и круглый хрущ, который не так уж могущ».

В прекрасном расположении духа поэт проскользнул мимо могутных стражей из состава Кремлевского полка, дружески им всем подмигнув — если еще не узнаете, ребята, то вскоре узнаете! — и быстро зашагал по священному уже пространству — как все-таки Велимир замечательно сказал: «Эй, молодчики-купчики, ветерок в голове. В пугачевском тулупчике я иду по Москве!» А вот и тот дворец с круглым куполом, над которым вьется, как Роберт говорит, «флаг цвета крови моей». Позвольте, позвольте, любезнейший Роб, ведь кроме этого монохрома у вас в крови немало всевозможных разноцветов: и лейкоциты, и эритроциты, а также и красавцы Эо-Зино-Филы!

В вестибюле он увидел Длинного, то есть Яна Тушинского; опять в новом костюме; у меня такого элегантизма нет и не будет; поэту вовсе не обязательно плодить костюмы; надо просто как-то одеваться по-поэтически; свитер, фуляр или шарф, вот и все, не броско, но; ну, вы понимаете. Издалека они посмотрели друг на друга, но не приблизились, даже не поздоровались. Выполнялась тактика Яна: не кучковаться.

Зато поздоровкались с БольБорМазуром, как литературная молодежь называла Болеслава Борисовича Мазурука, заместителя заведующего отделом культуры ЦК КПСС, то есть как раз по литературному ведомству. Больбор вообще-то тяготел к «почвенникам», «деревенщикам» как истинно русским ревнителям реалистической традиции, однако, постоянно отстраняясь от городских либералов и формалистов, он из них выделял Антошу, хоть и самого авангардного, но зато такого таланта родного языка, такого звонкого сотрясателя пасмурных небес, которого надо беречь и направлять.

— Ну что, Антон, осчастливишь сегодня собой государственную трибуну? — спросил Больбор с кривоватой, нечитаемой улыбочкой, с каковой они все, номенклатурщики, повадились говорить с писателями-западниками.

— Да мне никто ничего подобного не говорил, — с долей некоторого незловредного возмущения, как это было принято среди надзираемых, проговорил поэт. — Неужели трудно было, Больбор, заранее предупредить?

— А неужели трудно было, сэр, пиджачок с галстучком-то надеть, — упрекнул замзав. — Все-таки обстановка-то здесь вполне официальная. Впрочем, не волнуйся: тебя в списках ораторов нет. Спрашиваю на всякий случай. Диалог идет спонтанно. Вдруг попросят ответить на какой-нибудь вопрос.

— Я знаю, что сказать, Больбор, — с минимальным, но все-таки вызовом ответствовал поэт. — Заикаться не буду.

Пока толпа рассаживалась, Антоша высматривал, где кто располагается из своих. Увидел многих, но не всех: Генрих Известнов, Илларион Голенищев, Кукуш, Турковский, Ваксон, Салтыков... Все опускались в кресла в разных местах. Мысль Андреотиса вдруг пошла в совершенно непредвиденном и не очень-то уместном направлении. Почему не видно Нэлки Ахло, подумал он. Почему ее не приглашают мудаки? Хотя бы одно появилось неотразимое женское лицо! Поэтессу мирового первопорядка не приглашают! Если бы она была здесь, вот с ней я бы все-таки обязательно скучковался. Сидели бы рядом, я бы иногда притрагивался к ее незабываемому колену. Ба, да ведь сегодня же 8-8-8 же Марта, Международный же женский день! И как-то получается не по-мужски, не по-джентльменски...

И вот они начинают выплывать, отнюдь не расписные. Ведет их очень малоприятный, лысый и пузатый господин с насупленным и властным пятаком. Ну вот, расселась по-барски диктатура пролетариата, взирает со своего возвышения со скрытым, но очевидным пренебрежением на свое крепостное холуйство. Бровастый Брежнев один пребывает в несколько фривольном расположении духа. Ему и поручено поздравить с праздником присутствующих женщин, которых в этом зале раз-два и обчелся. «Дорохые тоуарыщи жэншыны!» — с добрым некоторым юморком произносит ба-а-альшой любитель женщин, Председатель Президиума Верховного Совета. А почему «товарищи», а не «товарки», думает Антоша Андреотис. Ведь есть же у этого слова женский род; любой товарищ может заглянуть в словарь Даля и убедиться. После Брежнева на трибуну взлетает представительница этих самых женщин, поэтесса, товарка Щавеленкова. Бойко, по-комсомольски она приветствует руководителей партии и правительства, заверяет их в искренности чувств, обещает дальнейшие успехи. Засим начинает читать отрывок из своей эпохальной поэмы «Мой друг». От имени героини звучат стихи вот такого рода:

Когда нежданная беда
Гремит над головою громом,
Как пережить? Бежать куда?
Бегут — к секретарю райкома!
Бегут, распахивая двери
Не в кабинеты, а в сердца.
Здесь успокоят, здесь поверят,
Здесь разберутся до конца.

Антошу тут осеняет: да ведь эту поэму целиком Зинка читала на поэтической секции. Героиня там к концу выходит замуж за секретаря райкома и отправляется вместе с ним возглавлять стройку коммунизма. Читай,

Зинка, читай все целиком, так, глядишь, и до перерыва дотянем, до цековских сосисочек.

Нет, не дотянули. Щавеленкову на трибуне сменила представительница международного отряда передового женщинства, польская поэтесса Бандерра Бригадска. Будучи польской, она была в то же время и советской, поскольку жила в Москве со своим мужем, заядлым сталинистом и лауреатом Корнейчучиным. Эта дама, в отличие от щебетуньи Щавеленковой, была основательным членом Совета Мира, а заодно и Коминформбюро. Серьезным тоном, почти без всякого акцента, равно как и без всякой игривости, она вещала, что мы живем в непростое время, в довольно сложное время, когда подрывные центры империализма только и ждут, чтобы использовать против нас любую нашу ошибку, любую непродуманную оговорку. Она, Бандерра, только что вернулась из Польской Народной Республики, и там наши товарищи, коммунисты-интернационалисты, сетовали на то, что советские молодые писатели мешают Польской Объединенной Рабочей партии строить социализм.

И вдруг в Свердловском зале Кремля то ли потолок обрушился, то ли пол разверзся — нет, подумал Антоша, это зверинец затаившийся проснулся, — в общем, зал взревел: «Позор! Позор! Позор!»

Бандерра Бригадска спокойно ждала, когда товарищи мужчины выревутся. Ждать пришлось не менее пяти минут. Только к концу общего рева до Антоши дошло, что этот хипеж имеет к нему какое-то прямое отношение. Наконец Хрущев буркнул в микрофон: «Товарищ Бригадска, расскажите подробно, на чем такие жалобы основаны, чтобы прояснить».

Рев затих.

— В Варшаве есть журнал «Политика» с весьма сомнительной репутацией. Можно сказать, что с сильным ревизионистским душком. Там были напечатаны, одно за другим, два больших интервью, одно со знаменитым молодым советским поэтом, другое с известным молодым прозаиком. Их классовая позиция оставляет желать много лучшего, а проще говоря — просто отсутствует. Взгляды и мысли этих молодых людей расшатывают наши устои, что особенно опасно в польской обстановке, где снова набирает силы реакционный лагерь, те лица, что жаждут реванша после подавления венгерской контрреволюции...

Из середины зала, где сосредоточено было идеологическое ядро совещания, поднялся басовитый гулкий, едва ли не инфернальный голос:

— Назовите имена!

Зал подхватил взволнованным пылким многоголосием: «Имена! Имена! Имена!»

Бандерра Бригадска (можно наконец перевести этот псевдоним на русский — «Бригадное знамя») в эти моменты полной вроде бы слитности с телом партии позволила себе несколько странное для интернационалистки проявление женственности: положила наманикюренную ладонь себе на средостение.

— Я не уверена, товарищи, что так уж необходимо называть имена этих двух молодых людей.

Зал возмущенно рявкнул, будто лев, у которого пара сорок из клетки похитила кусок мяса. И вновь взлетело взволнованно и пылко: «Имена! Имена! Имена!» Покрывая гул, Хрущев прокашлялся в микрофон:

— Назовите имена, товарищ Бригадска. Миндальничать не будем, чего миндальничать, а чтоб не миндальничать, надо личности иметь, чтоб с именами.

— Ну хорошо, Никита Сергеевич, я назову, — превозмогая мимолетную женственность произнесла Бригадска. — Это поэт Андреотис и прозаик Ваксон.

Зал радостно взвыл: «Андреотис! Ваксон! Позор! Позор! Покарать оных! Совсем не русских! Откуда такие взялись?! Изгнать оных! Изолировать!»

— Так в чем там дело по существу? — еще раз прокашлялся Хрущев.

Антошу от этого неожиданного поворота прямо непосредственно, в сугубо личном плане, к нему, причем в сугубо негативном, едва ли не враждебном сугубо ключе, тогда как раньше-то все и в ЦК лелеяли как шаловливого, но радостного дитятю, от этого всего так его вдруг раскачало, что он схватился руками за подлокотники кресла.

Что касается Ваксона, по тактическому замыслу сидевшего далеко от Антоши, тот испытывал почти противоположные чувства. Его не в высоте качало, а наоборот, неудержимо тащило вниз, как будто на крутом склоне в горах под ногами поехала лавина. Мелькнула мысль: вот поверил этим гадам в 1956-м, после Двадцатого, задвинул идею побега, вот теперь и плати.

Революционная поэтесса вынула из кармана жакетки толстую записную книжку и сразу открыла ее в нужном месте:

— Андреотис в беседе с московским корреспондентом журнала «Политика» Адамом Глотисским проявил себя как аполитичный виршетворец, отвергающий марксистские принципы классовой борьбы. В частности, он заявил, что, цитирую, «миром правит красота», и несколько раз настаивал на этом.

Антошу так бросало, что он никак не мог вспомнить, когда он это говорил, где, кому, почему, куда, откуда, извне ли, изнутри ли, кто такой этот Адам, и вообще.

Поэтесса продолжала:

— Ваксон в беседе с тем же корреспондентом заявил, что в Советском Союзе идет борьба между сталинистами и либералами, к которым он причислял и себя.

«Сталинисты, а имя им легион, — заявил он, — все еще надеются на реванш, но мы их победим».

Ваксон вспомнил Адама. Тихий-тихий интеллектуалец, которому он даже не решился предложить водки. О чем они говорили, он решительно не помнил, вполне возможно, что именно о том, что эта бригадная баба теперь вставляет ему как лыко в строку. Ну, в общем, все, лавина гудит.

«На трибуну Андреотиса! — гудел зал, как закипевшая помойная яма. — На трубуну Ваксона! Пускай ответят! Нечего их слушать! Выслать! Изолировать от общества!»

Мягкий, корректный, вроде бы немножко рассеянный, поскольку академик, секретарь ЦК товарищ Килькичев объявил в микрофон: «Слово имеет товарищ Андреотис».

Антоша пошел, внедряя в себя, как заклинание, одну мысль, которая спасет: я знаю что говорить, я знаю как говорить, я знаю что говорить, я знаю как говорить, я зна... Поход завершился, и он ощутил себя на высококачественной трибуне страшной партии большевиков; бледный мальчик с торчащими ушами и носом, в фирменном свитерке и фулярчике. Он взялся обеими руками за края трибуны, пытаясь умерить качку. Микрофон перед ним как-то странно гудел, фонил: возможно, в него кольцами залетала враждебная турбуленция зала. Наконец более-менее стихло.

— Товарищи! — воскликнул Антоша и в паузе заметил в третьем ряду партера морду матерого партработника, перекошенную ухмылкой: дескать, тамбовский волк тебе товарищ. Я знаю что говорить, я знаю как говорить... Антон начал: — Как и мой великий учитель Владимир Маяковский, я — не коммунист...

И тут же кончил, не произнеся даже и ключевого предлога «но». Сзади и над его беззащитным затылком взревело могучее ретивое:

— И вы гордитесь этим, господин Андреотис? А я вот горжусь тем, что я коммунист!

В ответ на этот дерзновенный и неистовый по своей сокрушительной силе клич взревело все, за исключением мелких вкраплений. «Позор! Долой этих господ! Коммунисты, вперед!»

Внутреннее заклинание Антоши было затоптано паническим взвизгом организма: мне конец, мне конец, мне конец! Больше ни слова сказать не дадут, в железа прямо тут закуют, бросят в подпол под старый редут и кнутами забьют.

Ретивое за спиной продолжало орать:

— Я горжусь быть членом нашей великой и победоносной, доказавшей свою историческую правоту Коммунистической партии Советского Союза! Просчитались, господин Андреотис! Хотели сбить с толку нашу молодежь? Не получится, мы вас сотрем с лица земли! Приходят вот тут такие мальчики, как таковые, в своих свитерках, в Кремль, товарищи, как в детсад, на лыжах, что ли, покататься, мы вас тут так покатаем, что зады задымят, правильно, товарищи коммунисты?

И чуть отодвинулся от микрофона, чтобы аудитория, осклабившись на «зады», могла выразить свои яркие эмоции: «Правильно, НиДельфа Сергеевич! По задам их! По задам! Изгнать! Изолировать!»

Антоша как-то странно дернулся на трибуне, как будто был на грани обморока. Ваксон на своем месте подумал, что друг сейчас загремит с «высокой трибуны» и тогда ему вслед за другом придется туда карабкаться для экзекуции. Пока что он продолжал неумолимое скольжение вниз. Вокруг не было ни одного родственного лица, одни чужие затылки. Нет-нет, Антон все-таки удержался, а дернулся он от того, что в голову пришло последнее средство спасения — стихи!

— Позвольте мне, товарищи, прочесть одно из моих последних стихотворений.

Предложение, или нижайшая просьба, было почти заглушено взволнованным рокотом зала. Никита вдарил кулаком по своему столу:

— Он, видите ли, вообще, этот господин Андреотис, нашел, понимаете ли, рецепт для спасения мира — красота, оказывается, вот как у него, наверно, стишками своими, красотой их вознамерился мир спасать. Вздор порете, господин Андреотис!

В этом месте Илья Эренбург со свойственным ему враждебным партии сарказмом подумал, отчего это вождь так зациклился на слове «господин». Неужели нарочно ярит зал, готовит расправу? Может быть, все-таки комплекс классовой обиды в нем взыграл? Как-никак, Антоша-то у нас профессорский сынок, пастухом в юности не трудился.

НиКита-НиДельфа еще раз вдарил кулаком по столу. Жаль, что ботинком нельзя вдарить: все-таки не ооновская шушера перед нами, а сливки родной коммунистической партии.

— Красоту в наш мир несет великое учение Ленина, товарищи! (Мощный, чуть ли не на разрыв, взрев восторга.) Гордая поступь нашей партии, вот где красота! Вам это, как чуждым, с вашими фокусами и фортелями не постичь, господин Антонов! (Зал, даже и не заметив оговорки вождя, продолжал внедряться в каждую щелку со своим грозным воем: позор! позор! позор! Чей-то возглас дискантом пробился сквозь рев: позор прихлебателям! Недоуменная пауза. Поправка: прихлебателям буржуазии!) Я так понимаю, что вы задыхаетесь среди нашей красоты величия подвига труда, так, что ли? Тогда — убирайтесь! Получайте загранпаспорт и... (чуть удержался от под жопу коленом) убирайтесь вон! (Вон!

Вон! Вон этих господ! Правильно, Никита Сергеевич! Воздух чище будет!)

— Позвольте мне прочесть одно из моих недавних стихотворений, — пробормотал Антоша вроде бы в микрофон, вроде бы в зал, но, сказав это, тут же правым оком повернулся к столу президиума, то есть к самому глушильщику. Тот сидел, как видно, утомившись от криков, ладонью прикрыв красоты лица, но взглядом сверля кого-то глубоко в зале.

— Ну читайте, — буркнул он униженному и оскорбленному Андреотису.

Антоша начал читать «Секвойю Ленина», тот стих, который по его стратегическим соображениям должен был, как паровоз, протащить мимо редактуры всю американскую подборку. Он побывал там в Парке секвой, что в калифорнийских Кордильерах. Там есть гигантские деревья, названные в честь великих американцев: деревья Вашингтона, Линкольна, Рузвельта, Эдисона, генералов Макартура и Шермана... множества других. И вдруг гиды, друзья нашей страны, то есть «прогрессивные американцы», подвели его к великолепному дереву и сказали, что это секвойя Ленина. Секвойя эта была горделива и полна великого коммунистического смысла. Она начала говорить с поэтом, как некогда Эйфелева башня разговаривала с Маяковским. Он ощущал проникновенную причастность к ее мощному стволу и торжественной кроне. Ему грезилось, что это древо может когда-то уйти к неведомым мирам как космический корабль с посланием объединенных нашим учением землян.

Как всегда при декламации стихов, он забывал вся и всех. Забывал и смысл стиха, весь отдаваясь звучанию слов. Странным образом и сейчас эта магия слов стала преобладать над стратегией защиты от зверья. Он забыл и о зале, и о главном судье стиха. Двигал руками, входил в ритм, возносил или снижал голос, подчеркивал фонетическую близость рифм. Зал как-то странно притих, как будто попал под влияние этого заклинателя змей. Увы, все имеет конец, и этот стих, исполнив свою защитную роль, кончился. И обессиленный Антон склонил голову. НиДельфа-НиКита некоторое время сидел над ним, по-прежнему прикрывшись ладонью. Ему не понравился этот стих. Ничуть не похож на творчество Павла Махини. Смысл не на первом месте. На первом месте финдельплюшки. Попахивает формалином, то есть в смысле формализма.

— М-да, — проговорил НиДельфа и с ходу погрузился в паузу, заставившую либералов сделать выдох, а сталинистов вдох. — М-да, — повторил он и после этого пояснил: — Стих вообще-то не ахти. Мудреноват. Попроще надо писать, товарищ Андреотис, покристальнее.

Зал ахнул: гнусный шпионообразный «господин» неожиданно был заменен на своего щавельного «товарища». Как это понимать? Хрущев, кажется, решил, что несвоевременно ослабил, а потому надо убрать «товарища», потому что пока что вот так глядится, что гусь свинье не товарищ, как в народе.

— Работайте, Андреотис, потщательнее, — сказал он, — а главное определитесь, с кем работать: с нами или против нас. Будете против нас работать, сотрем с лица земли! Пойдете с нами, возникнет ваше творчество труда! Вот вам моя рука, Андреотис, как совет идти с нами!

Зал ахнул: грозный разоблачитель «господина» протягивает руку «почти-товарищу»! Последний доверчиво, как подросток, принимает опускающуюся к нему длань. «Можете идти, — говорит ему длань. — Садитесь на место». Большой шум зала, но это уже не рев единой пастью, наметилась разноречивость. Вдруг выявившиеся либералы восторженно аплодируют вождю, потому как понимают, что рукопожатие выдано Антоше в виде санкции на существование. Верноподданные тоже аплодируют, однако без синхрона, аплодируют вразброд. Как сказал бы НиДельфа Сергеевич, «не узнаю теперь я сам себя, не узнаю Григория Грязнова». Разрозненность свидетельствует о разочаровании. Микеланджело великой эпохи, художник родины труда и счастья Налбандян выкрикивает, тряся тяжелыми нагрудными наградами: «Ныкыта Сэргеич, нам надоела дэмократия! Пора наказывать!»

И тут среди такого разочарования кто-то вскинулся дерзостным петушком: «А пусть теперь Ваксон ответит за свое словоблудие!» И зал, ободренный энтузиастом, подхватил: «Ваксона! Ваксона на трибуну! Пусть ответит!» Ваксон встал. Лавина все быстрее и быстрее струилась под ногами; вот-вот обвалится. Когда официально пригласят, тогда и пойду. Вот тогда она и обвалится. Не знаю, дойду ли до трибуны или придется ползти. Пока стою. «Я его вижу! — почти в манере гоголевского призрака произнес НиДельфа Сергеевич и пальцем показал в противоположный от ваксоновского сектор зала. — Я его сразу распознал! Вот, вот, вижу тебя в красном свитере, все аплодировали, а он, видите ли, не аплодировал. А ну иди сюда! Вылезай! Ну-ка, помогите ему, товарищи, выпростаться из берлоги!»

Под пальцем вождя трудящихся встал отнюдь не Ваксон, а художник Филларион Фофанофф, весьма габаритный парень в отменном красном свитере и в вельветовых штанах, то есть запросто прямо из мастерской. Под короткой стрижкой а-ля Брехт носил он ненашенские очки.

Славянские округлые его черты выражали полнейшее изумление. Прижав руку к груди, он попытался объясниться, как в трамвае. Дескать, небольшая ошибочка произошла, он вовсе не Ваксон.

— На трибуну! — рявкнул НиДельфа Сергеевич. Злина уже заиграла в нем, как нерестящаяся рыба. — Тебе же сказано, иди сюда!

Любопытно, что в этой фразе он перестал марципанствовать с обращением на «вы».

Тем временем сам Ваксон поднял руку, показывая, что он и есть тот самый затребованный Ваксон, однако на него никто не обращал внимания, все были заняты продвижением к трибуне псевдо-Ваксона, а на самом деле заслуженного художника РСФСР Фофаноффа. Он шел далеко не по-гвардейски, ей-ей. Можно поклясться, он кое-как ворочал ногами, а носки его ступней заворачивались внутрь шага.

Фила многие знали в художественных кругах как первоклассного станковиста и книжного графика. В тридцатые годы в возрасте отличного ребенка он приехал из Франции, где родился, с родителями, белогвардейским отродьем, ставшими пламенными энтузиастами Великой Утопии. Тут у нас с ними, конечно, разобрались и сорвали маски. Мальчику повезло, его взял к себе двоюродный дед, академик металлургии. Там он и возрос, хоть и в безотцовщине, но все-таки среди людей с манерами.

Теперь он приближается к трибуне. НиДельфа Сергеевич, не дождавшись его водружения на оную, разражается в микрофон на весь зал:

— Я знаю, вы нам мстите за смерть вашего отца!

Псевдо-Ваксон на трибуне. Прикладывает руку к груди:

— Никита Сергеевич, да, мой отец был расстрелян, но ведь это относится к «ежовщине», к культу личности Сталина...

Ему трудно говорить, после каждого слова следует тяжелая, будто астматическая пауза. А в это время за стульями членов Политбюро проскальзывает товарищ Килькичев и шепчет что-то НиДельфе Сергеевичу в дорогое всему человечеству ухо. Очевидно, поясняет, что произошло небольшое недоразумение, что на трибуну взят не Ваксон, а вполне респектабельный, хоть и молодой, художник, хотя и с небольшим совпадением в виде расстрелянного отца.

— Ладно, идите, — мрачно говорит Н. Сергеевич, — садитесь на свое место.

И Фил, ничего не понимая, с сильным головокружением, с завалами налево и направо отправляется в глубины зала к своему, насиженному. По дороге получает две-три сочувствующие руки для поддержки.

«Слово имеет товарищ Ваксон», — нормально-елейным тоном говорит в общий правительственный микрофон академик пролетарских наук Килькичев.

Подхваченный и почти погребенный своей лавиной Ваксон не заметил, как оказался на трибуне, которая неслась до бесконечности вниз. Ну что же, давай тормози, сказал он себе, давай тормози, тормози, тормози... Тормози плугом, коленками, жопой, чем угодно, но тормози!

— Вы что же, Ваксон, мстите нам за смерть вашего отца? — второй раз прогремела в зале та же самая фраза, только что рикошетом прогулявшаяся по Филлариону.

Она, эта фраза, явно была приготовлена для меня, подумал Ваксон и тогда понял, что теперь уже некуда скользить, что пока что он стоит на дубовом крепко сколоченном предмете и пока надо на нем стоять и как-то, хоть минимально, не размазаться.

Позднее, разбирая все, что осталось в памяти, он именно по этой хрущевской фразе определил, что в Кремле с ними был разыгран более-менее разработанный сценарий публичной экзекуции. И Бандерра Бригадска на этой трибуне появилась не по наитию, и польский журнал был назван не просто так, хотя было в последний год немало интервью и похлеще, и информация по мальчикам для битья была предоставлена генсеку, и даже вот фраза была выработана для того, чтобы прихлопнуть, про отца и про месть.

— Мой отец жив, НиКита Сергеевич, — сказал он, повернувшись спиной к залу и лицом к вождю.

Генсек опешил до того, что начал даже как-то вроде бы кудахтать: «Жив?.. Как жив?.. Ведь он не жив...» И разъярившись:

— Говорите в микрофон!

Ваксон повернулся к возбужденному залу и заговорил. Предлагалась довольно сложная по идиотизму задача. Надо было смотреть на несколько сот физиономий перед тобой, а отвечать одной физиономии за спиной. Ну что ж, надо говорить.

— Мои родители в 1937 году были приговорены к большим срокам лагерей и ссылки... — Позднее он пришел еще к одному любопытному предположению. Отец вообще-то был приговорен к смертной казни без права обжалования, однако спустя три месяца в камере смертника этот приговор был заменен на пятнадцать лет лагерей и три года ссылки. ЦК, очевидно, при подготовке материалов по Ваксону для генсека использовал только список казней. — ...Через восемнадцать лет они были реабилитированы и вернулись. (Здесь нужно подмазать гаду.) Восстановление нашей семьи мы связываем именно с вашим именем, НиДельфа Сергеевич.

Этот Ваксон, он все оборачивается. Скажет фразу и оборачивается, думал генсек. Не дает бить по затылку. Кажется, я встречался с его отцом. Не исключено, что на курсах младших командиров в 1919-м, куда приезжал Ленин. Он рязанский, кажется, тот Ваксон, не расстрелянный, оказывается, по ошибке. А этот Ваксон в приличном костюме как-никак явился, в галстуке, не так чтобы как другие, которые как, вроде, тьфу опять забуксовало...

Он встал и, потрясая кулаками в нейлоновых манжетах, взревел:

— Так что же вы плюете в котел, из которого пьете, Ваксон?! (Оно все буксует, черт бы его побрал, перепутало котел и колодец, тудыт не тудыт.)

При чем тут котел, что за котел, я из котлов не пью, из крана — да, иной раз пью, когда нет пива, но котел-то откуда взят, мысль Ваксона металась какой-то лабораторной мышкой, пока он смотрел снизу на все багровеющего и явно настраивающегося на большой экспромт вождя.

Наконец пошло бурным потоком, примерно следующее:

— Вы, Ваксон, учтите, мы вам, битникам, устроить здесь Будапешт не дадим! Ишь, собрались, битники доморощенные, но мы вам Кружок Петефи-то устроить здесь на нашей незапятнанной родине не дадим! Мы вас всех и вас лично, Ваксон, в порошок сотрем, если будете собираться! Повторить тут у нас венгерскую контрреволюцию никому и никогда не получится! Кулак трудящихся, ведомый партией, все сокрушит! А из литературы из советской мы всех битников со скрежетом выскребем, чтобы вы отдавали себе отчет! Пишут тут всякую дрянь, всякие повестушки с перцем, порочат отцов, прошедших такую арену борьбы! Сталина решили заплевать, не дадим! У Сталина не только ошибки были, но и достоинства, а у вас — ни черта! Как абстракцистов партия мордой в котел сунула, так и вам укажем! Ну, говорите в микрофон о так называемом творчестве!

Опять какой-то котел, сверлило у Ваксона под углом челюсти. Один, небось, более-менее чистый, из которого пьют, а тот, другой, в который суют, должно быть вонюч. Он повернулся к микрофону и неожиданно для себя сделал довольно четкое заявление:

— Если партию и руководство не устраивают мои повести, я могу уйти из литературы. У меня есть профессия, я врач, и надеюсь, в этой роли я буду все-таки полезен родине.

Хрущев слегка опешил: вот тебе раз, еще одна новость вышла на-гора. Ваксон, оказывается, врач. И отец у него оказался жив, и сам он не бумагомаратель, а врач, полезный родине. Вот и решай теперь, НиДельфа, кто он — врач или враг? Снова захлестнуло ретивое. Захотелось схватить за горло графин и шмякнуть об исторический паркет. Удержался, но взвыл по-страшному:

— О какой родине вы говорите, Ваксон?! Пастернак тоже клялся родиной! Эренбург тоже все о родине! А вы, Ваксон, о какой нам родине тут говорите?

— О нашей советской родине, НиДельфа Сергеевич. Другой у нас нет.

— Вот так и дальше повсеместно говорите, — неожиданно съехав на порядок децибелов вниз, проговорил Хрущев. — И запомните, Ваксон, если вы пойдете другой дорожкой, мы вас в порошок сотрем. А вот если пойдете с нами, разовьете свой талант. И вот вам моя рука.

И вновь вспыхнула сущим щастьем вся либеральная общественность литературы и искусства. О с т р а к и з м а не будет! Будем работать с молодежью, сурово, но отечески развивать!

У Ваксона не осталось ни малейшего впечатления от рукопожатия. Он не помнил, какая, собственно, была эта хрущевская ладонь: сильная или не очень, сухая или потная, мозоль или пуховик? They shook their hands, though without any impression. Или как в песне Октавы поется: «Бери шинель, пошли домой».

После его так называемого выступления объявили перерыв, и вся братия, как будто и не ревела только что павианьими голосами, а только лишь освещалась либерализмом улыбок, потекла в буфет. По дороге к Ваксону пришвартовался любимец Сталина большущий советский актер кино по имени, ну, скажем, Черкашин. «Какой сюрприз, пра-аво, приятный! — пропел он голосом старорежимной Александринки. — А вы, оказывается, врач, Вакс! Вот уж не ожидал. У нас в семье, знаете ли, кузен моего батюшки был врачом, каково?» Выразив таким образом некоторую интеллигентскую поддержку, он замолчал в ожидании ответа. Ответа не последовало. Ваксон даже не повернул головы. Он почему-то представил, что вся эта толпа тащится не в буфетную, а на помывку. То есть все идут без регалий. Ведь в голую кожу-то регалий не ввинтишь. Если только нет приказа устроить шахсей-вахсей с регалиями.

Антоша Андреотис, двигаясь в другом сгустке толпы, сравнивал всех с табуном рабочих лошадей. Уже пробегала от уха до уха строчка будущего стиха: «Ты думаешь, Вакса, мы на них ставим? Они, козлы, поставили на нас!»

У Роберта после вчерашней крепкой выпивки набухли щеки и подглазья. Голова подкруживалась. Хорошо бы добрести до стены. Вот из открытой кремлевской фрамуги дохнуло слякотной оттепелью, разжиженным мартом и все-таки новой весной. Иногда кажется, что идешь один по пустому городу, отбрасывающему резкие тени на сухой асфальт. Неужели американцы изобрели какое-то оружие, устраняющее всех людей? А кто тогда я, в одиночестве идущий?

Илья Григорьевич Эренбург, уже приготавливая для перекура любимую французскую сигарету «Бояр», размышлял о судьбе общественного явления, которое он сам окрестил «оттепелью». Он размышлял об этом всегда и даже сам себя утомил своими размышлениями. И все-таки продолжал. Что движет Хрущевым, когда он устраивает погромы творческой интеллигенции, в основном писателей? Ведь он занимается этим с удивительным постоянством. Сначала изнасиловал Пастернака. Потом на позорной «Встрече в шатрах» размазывал, как хотел, Маргариту Алигер. В декабре прошлого года бесновался на художниках, гнул Генриха Известнова. И вот теперь — апогей: безобразное запугивание молодых писателей. Может быть, он просто жестокий человек, настоящий большевик? Послал танковые армии утюжить Венгрию. Страна потеряла десять тысяч убитыми, в основном молодежи. Теперь дома издевается над безоружными. Опирается на явных сталинистов. Они ему ближе, чем творческий либерализм. Он ненавидит современное творчество, потому что сам ни черта в нем не понимает. В башке ворочаются только тяжелые колеса «Научного коммунизма». Такой при надобности нажмет кнопку. Да-да, если все их премудрости рухнут, он устроит «последний и решительный бой». А сейчас как бы он не дал добро «Железному Шурику». Надо будет осторожно поговорить с людьми из ЦК...

1963, март
Чакры

Итак, историческая встреча творческой интеллигенции и заботливой партии завершилась. Участники в ранних сумерках расходились из Кремля или отъезжали от него на машинах. Уносили кислое выражение лиц. Похоже было на то, что все были недовольны. Ретивые сталинисты в глубине своего мелкобесия скрывали неудовлетворенную злость: почему Хрущев говорит то дело, то не дело? Почему он, наорав и напугав до смерти этих мальчишек, протягивает им руку примирения? Какое может быть примирение с антисоветчиками и с теми, кто клюет на буржуазные приманки? Зачем тогда орать, если не собираешься репрессировать? Либеральные писатели, а также скрытые ревизионисты из аппаратчиков сетовали на то, что вообще вся эта каша была заварена. Как может глава великой страны демонстрировать такие чудовищные манеры? Как можно запугивать нашу талантливую молодежь? В разгаре «поэтической лихорадки» выкручивать руки поэтам? Как поведет себя мировая печать, когда отзвуки долетят до ведущих газет и журналов? Вся наша страда нравственного возрождения будет поставлена под вопрос.

Два главных антигероя восьмого марта, Ваксон и Андреотис, вышли из дворца вместе. На пороге стоял Турковский. Они прошли мимо. Не сговариваясь, они выполняли то, что было уже в крови у советских писателей. Если тебя подвергают такому разносу, ты становишься прокаженным. Ты не можешь в публичном месте первым обратиться к приятелю, чтобы не скомпрометировать человека. Зощенко после ждановского разноса ходил по питерским улицам как зачумленный. Сидел на бульваре всегда один. Курил, смотрел отвлеченно в пространство. Проходящие мимо знакомые при виде него немедленно становились рассеянными, озабоченными делами или отвлеченными творческим вдохновением.

Турковский догнал Антошу и Ваксу, приобнял их за плечи и пошел рядом. Втроем они пересекли кремлевский двор, прошли под своды Спасской башни и вышли на Красную площадь. Сумерки сгущались, однако все было еще четко видно далеко в глубину. «Интересно, перейдем мы эту площадь или нет», — подумал Антон. «Вон там, на углу 25 Октября стоит фургон, — подумал Ваксон, — вот в него, очевидно, нас и засунут». «Если их будут брать, пусть и меня заодно прихватят», — решил Турковский.

Началось пересечение площади, но не по диагонали, в конце которой стоял фургон, а по прямой, видимо, потому, что хотелось поскорее оставить за спиной опасное пространство. То есть в том смысле, что дальнейшее, не столь широкое, пространство как-то все-таки умерит агорафобию. Особенно безопасным пространством, конечно, является улица Куйбышева с цековскими зданиями, где через каждые пятьдесят метров стоят дородные майоры с погонами сержантов.

— А ведь мы прямо к Лобному месту идем, господа-товарищи, — сказал Турковский. Круглая трибуна прилюдных казней стояла в самом центре Государства Российского. Три друга обошли ее справа, а потом вернулись и обошли слева. Постояли, потоптались с сигаретками. Турковский продолжил:

— А ведь здесь можно сделать достройку отличной Голгофы. Антошка будет в центре, а мы с тобой, Вакса, в роли разбойничков по бокам.

— А где же кресты? — спросил Антон.

— Еще не подвезли, — сказал Ваксон. — Но везут.

— Из ФРГ, — добавил Турковский. — Так что пошли. Когда подвезут, нам позвонят.

Настроение незаметным образом слегка улучшилось, и молодые люди благополучно завершили пересечение площади, чьим именем в Италии детей пугают. На углу Красной и Куйбышева их поджидал солиднейший народный писатель Виктор Сологубов в отменнейшей болгарской дубленке, которую он купил недавно в братской Болгарии на гонорар за перевод его повести «Травки-муравки». Витя хорошо знал эти места, поскольку пару лет оттрубил в Кремлевском полку. «Однажды Черчилль к Сталину приезжал, — рассказывает он. — Полк его приветствовал, и сэр Уинстон пошел вдоль строя, заглядывая в лица солдат. Оказывается, у британских премьеров есть такая традиция — заглядывать в лица солдат. Те, кому он заглядывал в лица, страшно перебздели. А передо мной он стоял не меньше минуты и вглядывался, изучал варварские черты. Ну, думаю, мне пиздец. Ничего, обошлось».

Служба в Кремле, очевидно, выработала в Сологубове особо циничный склад характера, что было видно по тому, как он без опаски взял под руку злополучного Андреотиса и повлек его к собственному автомобилю с шофером, который его ждал в переулке возле Торговой палаты. Ваксон вспомнил, что эти двое, столь непохожих, недавно сдружились на почве любви к православным средневековым иконам. Турковский не знал этого обстоятельства, иначе бы обязательно навязался. Пока что они остались вдвоем, поймали тачку и поехали в ЦДЛ.

Ресторан, как всегда, гудел нетрезвыми голосами. Пара стукачишек подскочила с расспросами: «Ну что, как дела, Вакса? Все в порядке на капитанском мостике?» Ваксон спросил стукачишек, был ли тут Гладиолус Подгурский, те побежали искать его друга, и тут Подгурский сам вышел. Оказывается, в ожидании друзей из Кремля играл в пинг-понг в подвале клуба.

— Ну что, Вакса, теперь можно и по бабам... — начал было он свою привычную шутку и тут осекся: дружок был бледен и с искривленным ртом, почти маска паяца.

— Все кончено, Подгура, с нашим цирком. Шпрехшталмейстер сбесился, — проговорил он. Они стояли в толпе у бара и видели себя и толпу в длинном зеркале за баром. Это отражение напоминало какой-то фрагмент из Босха.

— Ну, давай срочно выпьем, — сказал Подгура и поднял руку, чтобы его сотрудница бара увидела. — Валечка, два стакана «Армянского»!

— Три! — поправил подошедший Турковский. Его три раза задерживали разные персоны, причастные к кино, и спрашивали, как там было «на капитанском мостике», и он всем отвечал однозначно: — Кип ап смайлинг!

Мало кто понимал такой жаргон.

Хватанули сразу по стакану.

— Как твои чакры, старик? — спросил Подгурский.

— Прошел по иде и пингале, — ответил Вакса. — Теперь омывает нижние чакры, ликует кундалини.

— Ну давай, теперь рассказывай, как там было в цирке?

У двух сидящих у стойки стукачишек тут же выросли левые уши чуткости. Но людям с промытыми чакрами было уже на все наплевать.

Вскоре подъехали еще двое, сошедших с кремлевских высот, два центровых, Эр и Тушинский. За ними вошли Генри Известнов, Кукуш Октава и Энерг Месхиев. Прочистив чакры у стойки, все отправились в «Дубовый зал», где составили столики. Тактика Тушинского, призывавшая к отказу от кучкования, провалилась: да он о ней и не вспоминал. К восторгу всех всевозможных цэдээловских стукачишек, стукачей и стукочищ все говорили громко, а иные даже и орали на манер того же самого генерального горлопана: «Да как он смеет?! Так на нас?! Мы что, крепостные, что ли, для него?!» Ян подсел к Ваксону.

— Ты знаешь, что я заметил? Ты ему понравился. Хоть он и вопил на тебя, но явно симпатизировал. Ни разу не назвал «господином», в отличие от Антошки.

— Плевать я хотел на этого генерального хама! — затрепетал Ваксон. — Жаль, что это так неожиданно произошло. Надо было дать ему отпор.

— Ты прав, — сказал Роберт.

— Не согласен, — сказал Ян. — Цирк есть цирк. Генри, согласен?

— Думать об этом не хочу, — скульптор пожал могучими плечами.

— Один только Генри уперся, — сказал Ваксон. — А мы, все остальные, спраздновали труса. Надо было всем орать на него в ответ: «Не имеете права на нас орать!»

— И оказались бы все в тюрьме, — заметил Подгурский.

— Глад прав, — поддержал его Октава. — Слушайте, братцы, всего лишь десять лет прошло после Тараканища. Нам надо еще тридцать лет ходить по пустыне, чтобы выдавить из себя рабов.

1963, дальнейший март
Дубна

В семье Андреотисов после возвращения Антоши из Кремля воцарилась чуть ли не траурная и, во всяком случае, скорбная обстановка. Поэт в своей комнатушке просыпался поздно, вставать не хотел, лежал под пуховушкой и слушал, как осторожно ступает отец, как шелестит мать, как они переговариваются приглушенными голосами.

Квартира у них была хоть и академическая, четырехкомнатная, но по кубатуре и квадратуре небольшая. Впрочем, все размещались респектабельно и с уважением друг к другу — и родители в кабинете отца, и сестра в светлице, не говоря уже об Антоше, у которого был даже отдельный выход на лестницу. Была, конечно, и гостиная-столовая, где семья собиралась на ужин.

Вернувшись недавно с конференции ученых в Афинах, отец, Антон Аристархович, водрузил в простенке большую карту Греции. Неподалеку от столицы он нарисовал фломастером круг и сказал: «Здесь — наши корни». Это был остров Эгина. Мама Калерия Викторовна не очень-то поощряла поиски греческого происхождения. Сама она была исконная волжская русачка из Царевококшайска (никогда не называла Йошкар-Ола) и происходила, как в последние годы неопасно стало говорить, «из древа Лопухиных».

Что касается сестры Антонины, то она, хоть и была на три года младше Антона, держала себя так, будто была значительно старше гениального мальчугана. Она окончила Первый МОЛМИ и была на ура принята в аспирантуру по офтальмологии. Завершив трехгодичный срок, она, опять же на ура, защитила кандидатскую диссертацию и теперь получила место в институтской клинике глазных болезней. Каждое утро она производила серию быстрых и четких движений: комплекс прыжков, сгибаний и разгибаний, душ, свитер через голову, пятиминутный завтрак с газетой «Медработник», проверка портфеля и, наконец, трехминутный контакт с большим зеркалом в прихожей, который завершался трехразовым путешествием гребня через богатую шевелюру от лба назад через всю голову до кончиков волос.

Во время этой последней процедуры мама почти всегда стояла у нее за спиной. Дочь оборачивалась и ловила в ее глазах, с одной стороны, некоторое восхищение, а с другой стороны, мимолетную досаду: дескать, припозднилась ты, дочь моя; имелось в виду, конечно, замужество. Антонина же отвечала маме почти неуловимой гримаской: дескать, что за вздор?

В общем-то семья у Антоши была, можно сказать, идеальная и к тому же умудрившаяся прожить три десятилетия в стороне от «компетентных органов». Вот уж кем они беспредельно восхищались, так это поэтом. Во всех своих поколениях Андреотисы занимались реальными деяниями, ублаготворяя общество инженерами, учителями, учеными, докторами, и вдруг народилось и вознеслось эдакое диво — Поэт! Да еще и волшебник слова! Да еще и футурист! Ведь что-то такое совершенно немыслимое сочиняет:

Я гадаю случайным землянам.
Край распался.
Но букашка на безымянном —
Как берут кровь из пальца.

И зал, а то и зимний стадион, ревет от восторга, синхронные аплодисменты, похожие на залпы при Бородино, и скандирование «Ан-то-ша, Ан-то-ша!» обрушиваются на хрупкую фигурку — вроде бы надо бежать? — но он все машет руками, подчеркивает свой ритм и все гонит вперед: «Судьба, как ракета, летит по параболе!» — и вот он вылетает, башка с хохолком впереди, ноги в стильных штиблетах вытянуты, как хвостовое оперение, и приземляется в штате Коннектикут, кони текут-кони текут, и в провинции Онтарио, отарою-отарою, и в Ориноко, и в Териоках, и в Гонолулу, где голые луны пляшут под песенку «Наша душа, Ан-то-ша!»; и все стоит худенький в луче луны, выдерживает напор любой толпы.

И папа, и сестрица, но больше всех мамочка Калерия Викторовна даже при самых громких успехах, боясь признаться друг дружке, трепетали: а вдруг какая-нибудь тварь затаилась за углом и ждет момента, чтобы пожрать родненького смельчака?

И вот восьмого марта 1963-го момент пришел, и тварь хапнула в пасть. Они ничего еще не знали, но умирали от предчувствий. В газетах, конечно, не было ни слова о том, что произошло в Кремле. Только «Правда» напечатала на первой полосе официальную фотографию президиума с портретными физиономиями, с Хрущевым в сердцевине и с лауреатом Георгием Хохолковым на трибуне. Под фотографией было сообщение ТАСС о том, что седьмого-восьмого марта в Свердловском зале Кремля состоялась встреча руководителей партии и правительства с представителями творческой интеллигенции. В дебатах по докладу тов. Килькичева выступили товарищи такие-то и в том числе А. А. Андреотис, то есть раз в числе товарищей, значит, и сам товарищ.

Между тем Антоша вернулся домой после ночных блужданий, что с ним и раньше случалось, упал в постель и сутки в ней лежал, не раздеваясь. Мама умоляла Антонину: «Ну иди, поговори с ним; он только тебя и слушает!» Девушка подходила к двери, решительно, как здоровому человеку, стучала и, не дождавшись ответа, входила в комнату. Увы, при виде тела, лежавшего лицом к стене, у нее перехватывало горло, она ничего не могла сказать, не решалась погладить поэта по голове и тихо возвращалась в гостиную.

К концу дня Антону Аристарховичу позвонил сосед Крашенет и пригласил его погулять по переулкам. В этом не было ничего удивительного. Они часто гуляли вместе в своих солидных пальто, заложив руки за спину, обмениваясь спокойными и негромкими фразами и только иногда поглядывая через плечо. Крашенет работал референтом в международном отделе ЦК КПСС и, конечно, располагал информацией, недоступной широким кругам советского народа. От него-то профессор Андреотис и узнал, конечно, «в общих чертах», что произошло с его сыном.

Вернувшись с прогулки, он увидел в гостиной двух фанатических поклонников поэта, Леньку и Веньку, студентов Бауманки. Они рассказывали дамам со слов Анатолия Максимовича Гольдберга (Би-би-си) о кремлевской вакханалии «в подробном изложении». Каким-то образом этим физтехам всегда удавалось перекрывать заглушки и добывать нужные сведения. Получалось так, что Антоша вел себя геройски, вот почему его и растоптали.

— Ну, мы с этими гадами еще посчитаемся, — решительно заявили Ленька и Венька.

Антонина высокомерно подняла брови:

— Это с какими же такими гадами вы посчитаетесь, молодые люди?

— А вы не догадываетесь, Тонечка? Скачкообразное течение истории вам неведомо?

Калерия Викторовна расплакалась. В это время в глубине квартиры, а именно в Антошином секторе, скрипнула дверь. Все замерли. Встал?! Из-за шторки просунулся чуть красноватенький нос поэта. Как раз носом он и прогудел: «Жил огненно-рыжий художник Гоген, богема, а в прошлом — торговый агент...» «Гип-гип-ура!» — закричали поклонники, а за ними и сестрица, а потом уж и дражайшие родители.

Удивительно, как быстро все скрываемые Агитпропом события становились известны широким кругам творческой интеллигенции, младшим научным сотрудникам бесчисленных НИИ, а также студентам. То ли железные башни с ослиными ушами, повсеместно окружавшие города, плохо работали, то ли злокозненные западные радисты работали слишком хорошо, то ли Ленька и Венька вносили в «Спидолы» какие-то усовершенствования, во всяком случае, через неделю «вся Москва» обсудила и осудила похабное надругательство над молодыми поэтами.

За это время Антоша почти не покидал родных стен. Как и вся наша история, его настроение колебалось скачками. То вдруг выскакивал с новыми строчками, то снова поворачивался к стене, и тогда из абракадабры обоев на него надвигалось оно, то, что страшило масонов два столетия назад, — «чудище обло, озорно, стозевно и лаяй». Он мучился мукой и страха, и стыда. То казалось, что вот придут с ордером на обыск — но ведь не жечь же то, что с Запада привез: книжки с дарственными надписями Аллена Гинзберга, Артура Миллера, Джона Апдайка, Сартра и Пикассо — пусть лучше берут самого; наверно, у них и ордерок на арест приготовлен. А отсюда выплывала и главная мука — стыд. Да как же я, всемирный поэт, позволил свинопасу масс так над собой издеваться? Надо было кулаком ударить в дубовое гнездо позора: «Не смейте на меня орать!»

И убеждал себя, что если что-нибудь такое повторится, вот тут и увидят отпор поэта. Прямо в лоб, промеж рогов — не смейте орать! И пусть берут, пусть в яму спускают, как Франсуа Вийона! Увы, в этом отпоре он не был уверен, хотя и знал, что позор может в любой день повториться. Утешало то, что люди во множестве ему звонят; не бздят. Спрашивают: не надо ли чего? Говорят, что на гумфаках МГУ начался сбор средств на поддержание поэта. Скоро, сказали, принесут академический портфель с крупными купюрами. Не возьму. Вернее, возьму, но тут же отнесу в итальянское посольство — на борьбу с последствиями флорентийского наводнения. Да и кому они там нужны, наши самые-самые, самые неконвертируемые в мире рублики? Может, у дипломатов обменять на «гри́ны»? Один мне вроде намекал на приеме в честь Дня независимости: «Ты что, Антон, чокнулся? Хочешь за Рокотовым и Файбишенко последовать, за теми, которых Хрущ приказал пересудить на расстрел и тут же привести в исполнение?» Жестокий большевик, ничего не скажешь! Экая тварь, призывает к «ленинским нормам», а сам расстреливает двух молодых, да к тому же уже осужденных к солидным срокам; за чепуху, за фарцовку! Ильичу, наверное, такое самоуправство не понравилось бы; ведь он у нас был юрист, читал германские гуманные газеты, обладал благородным лбом. Это видно даже по нашим деньгам, хотя вообще-то таким благородным не место на башлях. Надо где-нибудь в стихах потребовать: «Уберите Ленина с денег!» Вообще надо поэму о нем написать и вознести на вершину в назидание хрущевистам.

Однажды позвонил членкор Твердохлебов из подмосковного города физиков Дубны. Он был всего лишь на три года старше нашего поколения поэтов, и потому во время выпивонов его ничтоже сумняшеся называли Твердочленов. «Послушай, Ант, — сказал он, — почему бы тебе не завалиться в Дубну? У нас тут такой отель отгрохали, чистый «Хилтон»! Выступишь в клубе, без всякого шухера, без афиши, а потом будешь жить в отеле хоть месяц, отдыхать от треволнений, вдыхать нейтрино, пить чай с нейтрино, на лыжах ходить тоже с нейтрино, то есть с ветерком».

Антоша физиков просто обожал и знал, что если есть в стране хоть кто-нибудь, на кого можно опереться, то это физик. Физик большевику нужен, чтобы налезать на американца, стращать того «последним и решительным». В свою очередь большевик нужен физику, чтобы расширить бюджет по экспериментам. Едва лишь американец расширяет бюджет своему физику, как наш физик сообщает об этом большевику, и тот тогда расширяет бюджет, чтобы наш физик не отстал. Американец тогда немедленно расширяет бюджет своему физику, чтобы наш физик того не обогнал. И так далее. Таким образом, все четыре персонажа, наш физик и большевик, американец и их физик, крайне нуждаются друг в друге. К ним примыкают и некоторые попутчики, в частности, к нашему физику отчасти примыкает поэт-лирик, а к их физику примыкает композитор-минималист. А Хрущев в эту ситуацию не очень-то врубается. Ему кажется, что он и без физика может всех стращать.

Звонок Твердохлебова и все последующие соображения о физиках неожиданно взбодрили Антошу, и он решил ехать. Он уже бывал в этом уютном городке, на окраине которого располагалась страшноватая современная штуковина, огромный синхрофазотрон для разгона частиц. В тот раз он два часа читал стихи и отвечал на записки в Доме культуры при большом стечении ученой публики. Сейчас он даже думать не мог о таком широковещательном концерте. Другое дело встреча в академическом клубе, где соберется, как Твердый сказал, не больше полусотни избранных. Уединение в отеле — это тоже благо. Буду там валяться в постели или на диване и читать Данте в переводе Лозинского. Писать не буду ничего. Надо сделать паузу. Лыжи — это тоже здорово! Надо попросить у них горную экипировку, там есть склоны. Надо встряхнуть т.с., то есть транспортное средство, то есть тело; оно заслужило. А Хлебу надо сказать, чтобы держал мое пребывание в секрете. Мне нужно забыть тот кремлевский бред.

Семья была потрясена, когда Антоша вышел из своей комнаты в полушубке, с плечевой туго набитой сумкой и с кожаным баулом, доставшимся по наследству еще от деда. «Уезжаю в Эстонию. Оттуда сразу позвоню», — объявил он и тут же бросился на выход, чтобы избежать всяческих увещеваний.

Перед посадкой в электричку на Дубну его охватил какой-то микроужас. Что я делаю, куда я прусь, да ведь не доеду же никогда! Через два часа доехал. Твердый-Хлеб ждал на перроне. Шел довольно густой мягкий снег. Разные сцены встреч вокруг: кто хохочет, кто туманится, много индифферентных — в общем, нормальные и, что характерно, человеческие лица. От микроужаса все еще чуть-чуть перехватывало дыхание, но Твердохлебов так его мял в объятиях, что все вскоре восстановилось. Этот Хлеб был вовсе не так уж Тверд, скорее напоминал каравай свежей выпечки. Усадил его на задний диван своего собственного «ЗИМа», да еще и колени прикрыл медвежьей полостью. Рулил сам, но все время оглядывался, сияя: «Ну, видок у тебя, Антошка, прямо на море и обратно, да ничего, ничего, отойдешь, порозовеешь в нашем нейтрино-климате!»

Отель на высоком берегу Волги действительно был похож на один из бесчисленных «хилтонов», однако на крыше у него красовалась оригинальная вывеска «Гостиница Дубна». На восьмом этаже его ждал «полулюкс» с большим телевизором. Вот так отвечают наши физики на справедливый гнев нашей партии. Перед сомнительным господином Андреотисом открывают просторы нашей родины с гигантским цирком физического прибора. «Коньяку хочешь?» — спросил членкор. «Хочу», — неожиданно для самого себя бойко ответил Антон. И сразу захорошел.

Вечером отправились, пешком конечно, в академический клуб. Там внутри могло показаться, что ты в Англии: кожаные кресла, мягкосветные торшеры, вдоль стен книжные полки, в середине комнаты большой медный глобус. Не торопясь туда стекались из своих личных коттеджей, построенных еще военнопленными немцами, большие величины науки — Клентович, Мизгал, Колокольцев, Баритон, Лого-Плошкин, Фурман и даже похищенный из Италии Монтекорно. Большинство академиков и членкоров было с женами, в то время как большинство молодых докторов заявились по-холостяковски. Среди женщин одна очень выделялась. Антоша посматривал на нее. Чем она так выделяется? Платьем, что ли? Фисташкового цвета платье, казалось, шуршало. Теплотой взгляда, может быть? И впрямь, всякий раз, как она взглядывала на Антошу, в глазах ее начинал голубеть Юг. И улыбка ее не была формальной. Формально она улыбается академикам и женам, а вот Антоше — как своему.

— Кто это? — спросил он у Твердо-Хлеба.

— Да разве ты ее не знаешь? — удивился тот. — Это Софья Теофилова, писательница. Жена Боба Фурмана.

Она танцующей походочкой пошла к ним, но в нескольких метрах изменила маршрут, чтобы взять со стола поднос с бокалами вина. Вот с подносом двинулась уже прямо к ним. Хохотнула, будто бы на сцене: «У нас тут самообслуживание». Антоша и Хлеб взяли по бокалу.

— Странно, Софка, Антоша тебя не знает, — сказал Хлеб. — Я был уверен, что вы знакомы по Союзу писателей.

Она опять что-то театральное изобразила своей мордочкой: дескать, увы, увы.

— Наши знаменитости, Хлеб, только за девчонками стреляют. Дамы бальзаковского возраста их не влекут.

Какая подвижная, какая прелестная мимика, подумал Антоша. И сказал:

— Это просто случайность, Софка, что мы с вами не совпадали. Если бы совпали, я бы вас никогда не забыл.

Она была восхищена, как он запросто употребил ее уменьшительное. Как будто бы сразу причислился к физолирической шарашке. А в последней фразе прозвучал поистине поэтический ритм: я бы вас никогда не забыл, я бы вас никогда не забыл...

Пошла дальше с подносом, но то и дело оборачивалась к Антоше, сияла. Потом, опустошив поднос, быстро и очень по-деловому взяла Антошу под руку: «Хлеб, я у тебя украду поэта на пару минут». Они отошли к окну, за которым в проеме портьер догорал над соседним городком Иваньково чахлый колхозный закат.

— Слушай, Антоша, ученая братия, включая даже здешнего Парткомыча, просила меня сказать тебе, чтобы ты не волновался.

— А я и не волнуюсь, — быстро сказал он. — Вернее, я волнуюсь, когда тебя вижу, Софка, а перед физиками вовсе не волнуюсь.

И он притронулся к ее локтю; не к тому, что могла созерцать вся компания, а к тому, что был ближе к портьерам, то есть прикрыт. Она улыбнулась и продолжила:

— Ну в общем, они хотели тебе дать понять, что никто не будет спрашивать, что было в Кремле. Разговор пойдет только о поэзии. Ты будешь читать, а тебя будут спрашивать о стихах; вот и все. Ну, если ты будешь немного волноваться из-за меня, я немножко не возражаю.

Все уже расселись в креслах, на диванах, на подлокотниках, а некоторые и на ковре. В центре круга поставили стул с высокой спинкой. Поэт мог читать сидя, а при желании и стоять, держась за спинку. Забегая вперед, можем сказать, что в апогее чтения поэт покрутил этим стулом над головой.

Одна из жен, вроде бы мадам Мизгал, попросила Антона почитать из американской тетради. Страна-соперник очень интересовала физиков, тем более что у большинства из них не было доступа к путешествиям. Он начал читать очень тихо, то и дело заглядывая в текст, потом отложил этот текст, потом вскочил и начал орать, махая ладонями и кулаками и производя множество красноречивых движений, вплоть до вращения стулом. Что-то вдруг застило зрение, он перестал видеть умные и серьезные лица академиков, перед глазами возникли какие-то заслонки, которые образовали глубокое пространство супрематизма, в глубине которого, ему казалось, он видит то танцующую Софью, то кучу девчонок, визжащих и плачущих от восторга, но это были уже фанатки «Битлов».

Аэропорт мой, реторта неона,
Апостол небесных ворот —
Аэропорт!
....
Каждые сутки
Тебя наполняют, как шлюз,
Звездные судьбы
Грузчиков, шлюх....

Воцарилось приподнятое настроение, характерное для тех лет, когда стихи ставились выше, чем хоккей. Словесные круговороты вносили в жизнь совершенно неожиданную и ошеломляющую альтернативу. К чертям собачьим вашу агитпропскую тягомотину, ведь в мире есть другие миры, и в частности «Антимиры» Антона Андреотиса!

А Софья Теофилова то и дело прижимала руки к груди. Она была уверена, что он читает для нее, только для нее, целит ей прямо в сердце. С таинственной улыбкой Джоконды она скосила глаза на своего мужа, мудрого Боба. Тот подмигнул обоими глазами и похлопал ее закинутой за спинку кресла сильной рукой теннисиста. Он, кажется, одобрял ее выбор. Так же, как и она одобрила его недавний выбор, великолепную партнершу в теннисе.

Вдруг Софка заметила странную и совершенно както несовместимую с сегодняшним вечером вещь: за одним из окон мелькнуло «свиное рыло». Оно вперилось на миг в собравшееся общество любителей поэзии, потом отпрянуло. В последующих двух мигах в двух других окнах библиотеки мелькнули еще два «свиных рыла». Софка, сделав вид, что хочет размять ноги, подошла к одному окну и увидела, как по снежной поляне удаляются три спины поперек-шире. Вдали в ночной тени отсвечивала стеклом и хромом ухоженная черная «Волга». Ну, это ясно: «служба тыла» пожаловала!

Антоша, к счастью, этих рыл не заметил, иначе, может быть, микроужас его бы снова ухватил за грудки. Он все читал и читал, и мог бы так читать всю ночь, если бы на эту предстоящую долгую ночь хватило бы у него стихов. А впрочем, в эту ночь можно и дальше все время читать из еще ненаписанного. Вечер определенно удался; и без всякой политики! Был шведский стол, вокруг которого столпились и употребляли водочку под жареную осетрину или наоборот. Все время говорили о феномене поэзии как манифестации нового поколения. С поэзии перепрыгивали на изобразительные искусства, на Фалька, Фаворского и на новых, Генриха Известнова, Сидура, и на самых молодых, Янкилевича и Эрика Булатова, от станковистов на театральных, в частности на декорации Юло Соостера, от декораций на труппы Любовного и Ефрейторова, далее кино — экзистенциализм Турковского, лиризм Месхиева и, наконец, на удивительный шедевр Ромма «Девять дней одного года», в котором старый мастер показал новую научную молодежь; и все это обсуждалось сугубо с эстетической точки зрения, как будто и не было намедни исторической встречи руководителей партии и правительства с творческой интеллигенцией.

Потом все выкатились под безоблачное ночное, предвесеннее небо, в котором королевствовала звезда Арктур. Началась фаза бесконечного хохмачества. Особенным успехом пользовались анекдоты из цикла «Намедни». Вот, например, один из них: «Намедни приехал к нам в институт инспектор из министерства. Собрал весь состав и говорит:

— У нас есть сведения, что вы работаете над физикой «твердого тела». Предъявите!

— То есть как это? — мы спрашиваем.

— А вот так. Предъявите «твердое тело», а то будут неприятности.

Ну, показали ему бильярдный шар; он и успокоился».

Шумно прошли мимо черной «Волги» с тремя ондатровыми шапками внутри; никто ее даже и не заметил. Никто, кроме Софьи. Та, приотстав, резко, в своей шубке приталенной, приблизилась к автомобилю:

— Что это вы тут ездите за нашим руководством? Кто уполномочил?

Из «Волги» высунулся округлый квадрат физиономии:

— А ну, катись, девка, отсюда, а то увезем!

Двое других буравили зенками, запоминали, должно быть, словесный портрет. Софья, решив все-таки поставить точку в свою пользу, притопнула сапожком и пригрозила «нашей дубненской» милицией. После этого, получив от ищеек словечко «сука», побежала догонять физиков, шедших толпой вокруг Антона. Тот уже с беспокойством оглядывался, где же она, Теофилова Софья, и, увидев, что подбежала, радостно вздохнул. И она с радостью решила: «Я должна его постоянно спасать, защищать, окружать заботой, иначе он пропадет»; подумала она раз и навсегда. Разрумянившаяся на морозе толпишка вошла в отель и сразу направилась к бару. Пить там было нечего, кроме кубинского рома, да и тот предписано было употреблять только как ингредиент для какого-то абракадабристого коктейля «Остров свободы». Но сошло и это. Даже «Остров» сошел. Развеселились окончательно. Антоша подгреб поближе к Софке и объявил во всеуслышание, что собирается написать большую поэму «Фоска».

— Это что такая за Фоска, — зашумел народ, — это на музыку Пуччини, что ли?

— Нет! На мою собственную музыку! — заявил поэт. — Вот, слушайте!

И загудел губами и носом что-то совершенно несусветное, которое он еще усугублял самоотбиваемыми ритмами, а то и новозеландскими танцами, большим знатоком которых он себя полагал:

«Софка! — ору я. — Софка!»
А может, ее называют Фоска?

Софка давно уже поняла, что Фоска — это она сама, только вывернутая наизнанку. Как это здорово быть вывернутой наизнанку гениальным поэтом! Ладонями и локтями она отбивала вместе с ним его ритм. Округляя свои великолепные губы, гудела с ним его несусветную музыку. И даже подтанцовывала в новозеландских прыжках и вращениях. Прыгала к фортепиано.

Помнишь, Софья, — в снега застеленную,
Помнишь Дубну, и ты играешь.
Оборачиваешься от клавиш.
И лицо твое опустело.
……………..

Отчужденно, как сквозь стекло,
Ты глядишь свежо и светло.
Сильным фосфором светит фотка...
Чао, Софка, и
Здравствуй, Фоска!

— Придешь ко мне? — спросил он ее на ухо.

— Конечно, приду, — ответила она с интонацией «а как же иначе».

Он очнулся в своем «полулюксе». Шел третий час утра. В башке от уха до уха гуляла строфа «Вбегает Фоска, / Как штрих наброска! / И вся она фоска́ / От ног до гребешка!». Он сел на кровати и попытался определить какие-нибудь ночные ориентиры. Одна нога была в ботинке, другая удивляла наготой. Пиджак в отчаянной позе валялся на ковре. А где же Фоска? Почему тебя нет рядом, вруха? Он упал спиной на подушку.

Вот обещала, да не пришла. Вот и все вы такие бабы-бабы-двери-хлоп-бабы-прыгают-в-сугроб! Обещаете, приду-приду, а сами там с мужьями какими-то валандаетесь, вроде великолепного Боба Фурмана.

С женщинами у Антоши были довольно сложные отношения, если можно так сказать о тотальной нехватке отношений. В оральном смысле, то есть на чтениях, он их возносил, но дальше редко продвигался. Но все-таки продвигался. Есть женщины, которые могут это подтвердить. Правда, большинство их, то есть две, из несовершеннолетних. Меньшинство же, их тоже две, мимолетные иностранки, отпечатки мгновений в стихах. В общем, Антоша не Дон Жуан, не Казанова и даже не Всеволод Большое Гнездо. Его женщина — это Эвтерпа. Хочешь быть поэтом, тащись за ней. Все его гормоны принадлежат Ей. То, что может остаться, будет роздано бабам. Если ничего не останется, гуляйте. Если ты считаешь, Фоска, что это вас, сударыня бальзаковского возраста, не касается, ошибаетесь. Вас касается в первую очередь. Если вы, ты, сейчас войдешь, он тут же начнет тебя раздевать и сразу проверит, осталось ли в нем гормонов после Эвтерпы. Будет — бери, не будет — так просто посидим в голом виде, почитаем стихи.

Дверь открылась без стука, и тут же порог перешагнула волшебная Фоска. Сбросив платье, которое, словно животное ласка, легло рядом с отчаявшимся пиджаком, она прыгнула в постель. И сквозь объятия зашептала: «Мой любимый, мой мальчик, какой ты милый, какой ты храбрый, какой ты герой, какой ты гений, теперь давай немного помолчим, вернее, я немного помолчу, а ты камлай немного надо мной!» Он оглаживал ее белокурый шлем волос, трогал уши, сгибался, чуть не ломаясь, чтобы поцеловать в глаза, и бормотал: «Фоска, Фоска, мы дети Босха. Софка, Софка, где твоя подковка?» Ей все казалось, что она плывет под поверхностью бухты, потом продувает трубку, выныривает и продолжает повторять заклинание, похожее на осетинское имя: «Какой-ты, какойты, какой-ты...» А он ее вытаскивает из бухты и тащит поближе к себе, чтобы не утонула, и тащит снова и снова, а она бормочет ему в ухо: «Какой ты мощный, какой ты немолодых дам мучитель...»

1963, завершение марта
Аргентина

На третий день после кремлевских ристалищ Ваксону позвонили из Министерства культуры. Авторитетный женский голос спросил:

— Ну, что же вы, товарищ Ваксон, не приходите за вашим паспортом? Разве вы не знаете, что ваш вылет назначен на вторник?

Он растерялся. Вернее, был просто-напросто ошеломлен. Перехватило дыхание. Забурлило в животе.

— Позвольте, позвольте... Разве вы не в курсе?

— Не знаю, о чем вы говорите, — с некоторым раздражением произнесла авторитетная дама. — Ваша поездка в Аргентину находится на контроле у Дмитрия Сильвестровича. Прошу вас, немедленно приезжайте на Куйбышева, в приемную Переверзева. Не забудьте внутренний паспорт для обмена. Получите паспорт с визой, билет и некоторое количество валюты. После этого вас примет сам Дмитрий Сильвестрович. Вам все ясно, товарищ Ваксон? Вопросов нет?

Вопросов было много, но дама, очевидно, не была готова к ответам. Выпил полстакана коньяку и поехал в старый Москоу-Сити, несколько кварталов которого были заняты партийными неправительственными учреждениями. Хмурая и мокрая зима не отступала. Со скатов машин отлетали веера грязи. В такие сезоны по всей территории СССР стихийно распространяется кража щеток, сиречь «дворников». Таксист перед каждым светофором выскакивал с тряпкой, протирал ветровое стекло и зеркала заднего вида. Поймав недоуменный взгляд пассажира, пояснил:

— Три пары щеток уже сняли.

— А что же, в парке-то вам не выдают? — спросил Ваксон.

Таксист злобновато хохотнул:

— Как же, дожидайся! Заначивают гады, а потом по десятке за штуку сбывают.

Внимательно посмотрев на молодого парня без шапки и в стильном пальтеце, он задал вечно злободневный вопрос:

— Как ты думаешь, сколько еще у нас этот бардак протянется?

— Тридцать лет, — с какой-то не вполне адекватной четкостью ответил Ваксон.

На прощание они обменялись рукопожатием.

— Держись, — сказал Ваксон.

— Ты тоже, — сказал таксист. И больше не встретились никогда.

Отпустив такси, Ваксон решил не сразу идти в Минкульт, а прогуляться до Красной и обратно. Нужно было собрать рассеянные двухдневной пьянкой мысли. По сути дела, все эти главные события происходят в одном и том же «сэттинге», как говорит Рюр Турковский. Вся вот эта византийская и псевдовизантийская архитектура. В принципе, эта империя под красными звездами выперла меня, подвергла остракизму, несмотря на рукопожатие Главы. Книга в Совписе уже выброшена из плана. Сценарий в Третьем объединении безнадежно завис. Даже в «Современнике» у Ефрейторова над пьесой витает дамоклов знак вопроса. Как они могут в такой мерзятине отправлять меня в Аргентину?

Фильм по мотивам первого ваксоновского романа «Однокурсники» три месяца назад был одобрен для фестиваля в Мар-дель-Плата. Вначале в делегацию были включены режиссер, один из трех главных актеров и автор популярного романа, Ваксон. Спустя некоторое время произошло ЧП. Режиссер Вова Цукатов, будучи во Фрунзе, в нетрезвости отдубасил бильярдным кием какого-то депутата Верховного совета Киргизской ССР. От тюрьмы его спасло только вмешательство его высокопоставленного сценариста, лауреата Ленинской премии Гусейна Ауэзова, однако о выезде кирюхи за пределы родины социализма не могло быть и речи. Делегация, таким образом, скукожилась до двух человек, писателя Ваксона и артиста Ливана, руководить которыми был назначен секретарь парткома Московского отделения Союза писателей Сытский, вот уже много лет закамуфлированный под «чеховского интеллигента». Ну а из агентства

«Новости», этого известного по Москве гнезда шпионажа и вольнодумства, прислан был также некий Эдуардо, специалист по Южному полушарию. Все вроде бы «устаканилось», но кто же мог предположить, что автор «Однокурсников» окажется в числе главных идеологических мишеней нашего дорогого Никиты Сергеевича? Ваксон, вернувшись из Кремля, ни разу и не вспоминал о «стране далекой Юга, той, где не злится вьюга», он больше думал как раз о вьюжных краях, где провели свои лучшие годы его родители, и вдруг, нате-пожалте, звонят и приглашают забрать иностранный паспорт. Очевидно, та авторитетная дама, что звонила, полностью погрязнув в своей бюрократии, отстала от большевистской бурной борьбы. Но ведь это тоже не вполне правдоподобный вариант. Ведь не могла же эта дама таким вот образом мне звонить, не согласовав звонок с Дмитрием Сильвестровичем, а уж тот-то, Дима-то, сын Сильвестра-то, уж кто-кто, а уж он-то не мог же не быть в курсе БББ... Какого еще БББ?.. Ну, Большевистской же, Бурной же все-таки, Борьбы ж!.. Сам же придумал и не хера притворяться.

Дмитрий Сильвестрович Переверзев был одним из заместителей министра культуры СССР Екатерины Алексеевны Фурцевой. Это был высокий, ну и слегка сутуловатый, однако совсем-совсем не пожиловатый, хоть слегка и плешковатый, ну, в общем, что называется, «интересный мужчина». Он давно уже был замечен среди клиентов лучшего в Москве мужского портного Запеканека. Также не ускользнуло от чуткой общественности его умение подбирать к своим костюмам невопиющие галстуки. Словом, он прослыл умеренным либералом и вроде бы старался это реноме поддерживать. В частности, всегда сам лично выходил в приемную, чтобы встретить какую-нибудь «противоречивую фигуру» кинематографии; Турковского ли, Месхиева ли, мятущегося ли Цуката...

Так и сейчас получилось: вышел в приемную, деловой, хмуроватый, встретить более чем сомнительного Ваксона, у которого инопаспорт, транзитный авиабилет и жалкая валютенция были уже в кармане. «Заходи, Вакс», — сказал ДС и даже слегка приобнял посетителя, провожая в кабинет. Хорошо еще, что с Ваксой не самикошонствовал. Вакс — звучит более-менее нормально, сапожным кремом отнюдь не пахнет, ну как если бы Василия назвали Васей, а не Васькой.

Входя в такие обширные кабинеты, Ваксон всегда думал, что хозяин помещения в этой обстановке, должно быть, себя вполне удовлетворительно чувствует; кубатура квадратуре не уступает, масляная живопись идет в пандан с графикой, мебель реставрирована вполне достаточно, чтобы напомнить добрую старую Англию, и лишь один предмет дисгармонирует — неизбежный, за и над затылком, портрет Хрущева. Я бы и сам, продолжал свою думу Ваксон, посидел бы в таком кабинете неделю-другую, пока не выгнали. Портрет бы этот снял, заменил бы его хотя бы Фрицем Энгельсом. А вот эту, остросюжетную, на которой Переверзев играет в теннис с каким-то знакомым номенклатурным лицом в присутствии зрителей из поселка Заветы Ильича, эту бы не снял; ну, вроде бы просто из английской жизни.

— Значит так, Вакс, — сказал Переверзев, по своей привычке глядя в сторону от собеседника, словно вдруг заметил отставшие обои. — Значит, едете в Аргентину. Не волнуйся, мы полностью в курсе событий. Критика была суровая, но, надеюсь, полезная. Как вы считаете, полезная была критика или нет? (Он любил в таких беседах с «этой публикой» перескакивать с «вы» на «ты» и обратно.)

— Мм-да, — ответил Ваксон.

— Ну, вот и отлично. Я очень рад, что ты соглашаешься с критикой. Не ошибается только тот, кто ничего не делает. Тот, кто признает критику в свой адрес, уже находится на полпути к успеху. А теперь давайте-ка мы с вами, Вакс, поговорим на щекотливые темы.

Сразу после этого приглашения к щекотливым секретарша вошла с чаем и двумя свежими пирожными «наполеон». Ваксону эти кондитерские изделия показались неуместным вздором, а Переверзев между тем аккуратно отрезал маленькие кусочки и поглощал их с явным наслаждением. Попутно он развивал тему. Поступают сигналы, что в творческой среде усилилось «злоупотребление» спиртными напитками. Вот, например, наш общий друг Цукатов опустился до скотского уровня. Ну что, Ваксон, вы скажете об этом позорном событии? Не слышал никогда? Не знаешь, о чем идет речь? Перестаньте, никогда в это не поверю. А вот если я скажу, что и твоя фамилия нередко мелькает в этих сигналах, как вы на это отреагируете? Ты должен понять, что так и талант можно пропить. Мы направляем вас сейчас в отдаленную несоциалистическую страну антиподов и надеемся, что ты не опозоришь советскую кинематографию. Мычите, Ваксон, отмыкиваетесь? Вижу, что осознаешь, что пристыжен. Ну ладно, желаю вам счастливого пути, а самое главное — счастливого тебе возвращения. Высказавшись, Дмитрий Сильвестрович встал; и так они расстались.

По пути домой Ваксон, разумеется, заехал в «клуб» и сразу натолкнулся на Турковского.

— А я тебя жду, — сказал тот. — Скажи, ты был когда-нибудь в Киеве?

— Ни разу не был. А ты?

— Я тоже не был. И вот представь себе, именно из Киева на нас двоих приехала телега, да не куда-нибудь, а на самую верховную хату.

Они пошли в «Дубовый» зал и сели там за столик на двоих, наполовину укрытый бегемотским боком рояля.

Официант Алик, прямой, как гренадер из фильма Бондарчука, принес им графинчик и две тарелки с миногами. Турковский приступил к рассказу. Оказалось, что вчера в Заветах Ильича пан Хрущевич давал банкет в честь украинской делегации. Там выступил с пространным тостом некий киевский письменник по фамилии Величко. Он долго клялся в вечной дружбе и братстве, а потом сказал, что некоторые московские молодые стараются помешать нашему вечному и братскому. Вот, в частности, в музее Тараса Григорьевича Шевченко в книге отзывов появилась провокационная запись. Дескать, поэт этот был посредственным и малозначительным. С какой, мол, стати этому середнячку отдан такой великолепный особняк? Не лучше ли было бы там устроить больницу для рабочих? И подписи: писатель Ваксон и кинорежиссер Турковский. Пан Хрущевич, согласно достоверному источнику, весь налился мраком, минут пять молчал, а потом буркнул через плечо: «Разобраться!»

— Ну, что скажешь? — спросил Турковский.

— Подожди минуту, — сказал Ваксон. Встал, отвел в сторону Алика и поинтересовался, не появлялась ли в «Дубах» Нинка Стожарова. Алик, бывший конфидентом их дружбы, отрицательно прикрыл глаза. Если появится, скажи ей, что я завтра здесь буду в это же время. Лады? Алик прикрыл глаза положительно. Ваксон вернулся к Турковскому. Тот, задумчивый, сидел в дыму своей сигареты. Увидев вернувшегося, будто вынырнул из дыма.

— Понимаешь, я должен в Канны везти «Кириллово детство», и теперь все зависит от того, как товарищи разберутся с этой гадской подставкой.

Ваксон задумался. Сказать Рюру о поездке в «несоциалистическую страну антиподов»? Как бы не сглазить. И все-таки в этой вонючей среде постоянных подстав и провокаций надо как-то по возможности помогать друг другу.

— Послушай, советую тебе записаться на прием к замминистра Дмитрию Сильвестровичу Переверзеву. Я у него как-то был по поводу «Однокурсников». Он меня долго отчитывал, но помог.

— А знаешь, это идея! — воскликнул Турковский. — Пусть этот Дима знает, что ни я, ни ты никогда не были в Киеве, что Шевченко наш любимый поэт и что мы, отходя ко сну, вместо «Отче наш» читаем «Реве та стогне Днипр широкый»!

Ну, дальше уже пошло в привычном русле, быстрый, как в пинг-понге, обмен остроумностями. Алик только успевал загружать стол графинчиками, пивком, селедочкой, соляночкой и пр.

Вернувшись наконец домой в писательский жилой кооператив, Ваксон был рад увидеть, что вся семья, жена Мирра, сын Дельф и домработница Васёна, сидят перед телевизором.

— Видишь, Дельфинушка, папочка Ваксочка пришел, — медовым голоском пропела Васёна.

— Привет, — сказал трехлетний сын.

А Мирра ничего не сказала.

Ей вообще-то как горькая редька надоели несовершенства семейной жизни. Ваксон вдруг из смиренного доктореныша превратился в заметную фигуру. И если бы только сочинителя, но к тому еще богемщика и фрондера. Уходит утром вроде бы за молоком, а потом оставляет молоко под дверью, а сам исчезает в южном направлении; звонит из Ялты, потом с теплохода «Грузия», идущего курсом то ли на Тбилиси, то ли на Ереван. Хорошо еще, что у нас граница надежно охраняется, иначе захватившая судно литературная банда высадилась бы в Иерусалиме.

Приезжает, врет, говорит, что был один, писал «Братьев Карамазовых». Сидит с отсутствующим видом на своем кресле-кровати, на шее следы каких-то щипков. Он говорит, что не от щипков, а от авитаминоза. Дескать, неполноценное питание. Васёна кричит: «Витаминозом стращаете?! Питаю вас плохо? Вот уйду, тогда взбеситесь!» Мирра видит, что Вакса опять задумал побег «в обитель тайную трудов и чистых нег», то есть на этот раз в северном направлении, с этой тварью Нинкой Стожаровой. В один поистине прекрасный день ты, гад, вернешься и не застанешь жены дома. Она уже будет на исторической родине маршировать в батальоне «Дочери Израиля». В историческом смысле, между прочим, родиной Мирры может быть и Румыния со Словакией, отчасти даже и Аптекарский остров Петроградской стороны.

Ваксон, находясь позади основного состава перед телевизором, наблюдал, как светятся их уши. Вспоминалась строчка из Андреотиса: «И ушки красные горят, как будто бабочки сидят». Наконец кончилась программа про какого-то красного вервольфа в стане Добровольческой армии. Дельф сразу взял отца за руку и повел его в детскую. Комнатенка была чуть ли не до потолка завалена японскими игрушками, трофеями декабрьской поездки в Страну восходящего солнца.

— Вот видишь, что получается, — грустновато сказал крошечный мальчик. — Сломался робот.

И действительно, робот перестал светиться пузом и бормотать что-то по-японски.

— Принеси мне такого же, что тебе стоит, — попросил Дельф и вдруг просиял от новой идеи: — Знаешь что, давай вместе съездим в Японию и выберем там робота получше!

Ваксон осторожно возразил:

— Ты знаешь, это не так-то просто. Ты думаешь, что Япония — это детский магазин, но это не совсем так,

Дельф. Япония — это густозаселенная страна на другой стороне земного шара.

— Огромнейшая страница, так, что ли? — на грани восторга спросил Дельф. — Небось, больше чем Москва-ква-ква?

— Ну, не совсем так, мой Дельф: она, конечно, в десять раз больше, чем Ква-ква по населению, однако по территории она юлит вслед за Советским Союзом, как ящерица вслед за коровой.

Дельф ахнул:

— Вот это да! Ну и ну! Ящерица за коровой!

Ваксон с некоторым раздражением подумал о жене. Она ему даже не рассказала о Японии! Странная все-таки эта Мирка. После иняза блестяще знает английский, а книг по-английски не читает. Отменным обладает вокалом, а в джазе не поет. Чем она живет, кроме подозрений?

Тут как раз в детскую вошла жена. Посмотрела исподлобья.

— Ну, а теперь ты куда собрался?

— Теперь в Аргентину, — сказал он. И замер в ожидании ее реакции на такую сногсшибательную новость.

— Па-анятно, — процедила она и вышла из комнаты. Ваксон прислонился к притолоке. Она не верит ни одному моему слову. Три дня назад, когда он вернулся домой после кремлевской порки, она стала кричать: «Где ты шлялся?! Где тебя черт носит?! Ты страшный человек! Пора с этим кончать!» Сегодня эти вопли еще впереди.

Он уселся на полу посреди игрушек, вытащил из кучи патрульный джип, извлек из него батарейку, открыл пузо любимому роботу и сменил источник энергии. Робот немедленно осветился и зашагал под кровать, бормоча японскую абракадабру. Дельф завизжал от счастья: «Ура! Ура! Папка робота оживил!»

Мирра вернулась с вопросом к сыну: «Дельф, ю ар рэди фор ауа диннер, арен't ю?» Значит, ее инглиш все-таки не совсем пропал втуне, вознʼт ит? Может быть, двуязычного мальчишку вырастит? Интересно отметить, что в этой, так сказать, «конфликтной» семье любая положительная мысль немедленно вызывала изменение в тоне речевых коммуникаций в сторону нормализации. Так произошло и на сей раз. Мирра мирно спросила:

— Ну, куда ты все-таки собрался-то, Вакса? В Грузию, что ли?

— Ну что ты, Мирка, эдакая стала Фома-невера? В Аргентину еду на кинофестиваль. Вот и документы уже выдали в министерстве, и башли.

Он показал паспорт с визой, билет на самолет и аргентинские песо, каждый билет которых был похож на искусную гравюру с изображением каких-то национальных битв.

— Да неужели это возможно после Кремля? — спросила она.

Ага, значит, она и о кремлевских поприщах что-то знает.

— Я сам ничего не понимаю, — проговорил он.

Внезапно Мирка ахнула, закусила губу и схватилась за бок. Взвыла Васёна. Заплакал Дельф. Не спрашивая, Ваксон бросился к телефону. Недели две назад у жены стали проявляться признаки желчнокаменной болезни. Несколько раз вызывали неотложку. Апоморфин снимал боли, но несколько часов после закупорки желчных путей Мирра не могла встать. Так получилось и сейчас.

Ближе к полуночи Васёна уложила Дельфа спать и сама легла в детской, прикрыла дверь. Ваксон и Мирра лежали вдвоем на широкой тахте. Он обнял ее и поглаживал по спине. Она все еще дрожала. В конце концов в нем стало подниматься желание. Она это почувствовала.

— Ну, трахни меня, Вакс, — прошептала она сквозь дрожь.

— Ты уверена, что можно?

— Давай, давай, не церемонься с девушкой.

С крайней осторожностью он начал выполнять супружескую просьбу. Она стонала, но явно не от боли. По завершении акта у них полагалось слегка пошутить, и он пошутил слегка:

— Если ты так трахаешься, значит, я могу лететь в Аргентину.

Через три дня он отправился. Путь предстоял долгий: в те времена еще не было беспосадочных перелетов такой отдаленности. Начинался он самолетом «Аэрофлота» из Москвы в Париж. В Париже надо было прожить не менее трех дней, пока снаряжался авион в Буэнос-Айрес. Наконец вылетаем боингом «Эр Франса». Посадка в сенегальском Дакаре. Дозаправка горючим для перелета через океан. Посадка в Рио-де-Жанейро для дальнейшей дозаправки. Следующая посадка в Сан-Паулу, неизвестно для чего. И наконец, прибытие в самый европейский город Латинской Америки, горделивый Буэнос-Айрес. Здесь советских пассажиров госпитализируют для излечения от головокружения, вызванного именами всех этих остановок.

Так они шутили перед отъездом в свой, подкожный, а стало быть, скучный аэропорт Внуково. Дельф выслушивал эти шутки с округлившимися глазами, а потом важно сообщил в детском саду, что папа уехал на излечение в Бунос-Арас.

Через два часа после отъезда Ваксона у Мирки снова пошли колики. Стараясь отдалить вызов неотложки, она глотала болеутоляющие таблетки. Толку от них было мало, и настроение молодой дамы покатилось вниз до максимальной глубины. Вот как раз на этой глубине она находилась со своим настроением, когда позвонили из ЦК КПСС.

— Добрый день, с вами говорит Лебедкин Халдей Мордеевич из ЦК КПСС. Я бы хотел переговорить с товарищем Ваксоном.

— Его нет, — ответила Мирка и хотела уже швырнуть трубку, когда вдруг поняла, откуда звонят, и задержалась со швырянием.

— Когда он будет?

— Не скоро, — сказала она с чем-то похожим на рычание в последнем слоге. В районе желчного уже ужесточалась распилка жестяной. — Уехал за границу.

— Да вы что?! — вскричал тут как-то по-женски сотрудник главного органа страны. — За границу? Как это может быть? Практически это невозможно!

— Так точно, практически за границу, ваше благородие, — прорычала Мирка. Для нее сейчас не было важнее органа, чем ж.п.

— Послушайте, вы, должно быть, супруга Ваксона, может быть, вы думаете, что это шутка? Нет, это не шутка. С вами говорят из ЦК КПСС. Куда уехал Ваксон? В какую заграницу?

— В Аргентину, — рычание на этот раз пришлось на первый слог. Оказалось, что в диалоге большинство слов обладает рычащими. В животе тем временем кто-то, обкрутив протоки, дергал веревку.

— Что за вздор?! Послушайте, как вас, Миррель, э-э, Леонардовна Ваксон, с вами говорит личный советник товарища Хрущева по вопросам литературы и искусства. Каким образом мог ваш супруг уехать в Аргентину?

— А вот этого уж я не знаю! — крикнула из последних сил Мирра и брякнула трубку на рычаги.

Ил-14, довольно скромненький самолетик нашего тогдашнего воздушного флота, вдруг вырвался из застойных туч евразийского континента к растрепанным облачкам легкомысленной Европы. Летел он низко, и потому можно было созерцать проплывающие внизу готические города. Все, кто мог, прильнули к окошкам, а Ваксон, уставший от болтовни с Ваней Ливаном и Эдуардо, прикрыл глаза, чтобы сообразить, как это все могло получиться.

Неужели у них все там так херово поставлено, что левая рука не знает, куда идет правая нога? Чем еще можно объяснить отправку крамольного Ваксона в такой отдаленный зарубеж? Неужели Переверзев, говоря о серьезной критике, действительно думал о серьезности критики? Может, там произошел государственный переворот? Ну, не настоящий, конечно, переворот, а какой-то новый антисталинский поворот? Чепуха, трудно представить себе такую малярию высших руководящих органов. Товарищ Величко из киевской партийной мафии вряд ли бы выпятился со своей музейной провокацией, если бы снова стала нарастать оттепель. Скорее всего, Переверзев не очень хорошо был информирован о том, что произошло в Кремле седьмого и восьмого марта. Так или иначе, тут произошел какой-то сбой государственной машины. Что-то напутали товарищи, и я был отпущен. Пролетел уже над ПНР и ГДР, лечу над ФРГ, приближаюсь к Пари-и-и, о, Пари-и-и...

2006, октябрь
Аджубей

Здесь мы прерываем рассказ о 1963 годе, то есть о молодости наших героев, чтобы оказаться в 2006-м, то есть во времена их старости.

Жизнь Ваксона уже основательно перевалила за семьдесят, он бытовал подолгу в других странах, но всякий раз, возвращаясь в сверкающую рекламами Москву, вспоминал времена шестидесятничества и чаще всего 63-й, год максимального «закручивания гаек», и до сих пор необъяснимый отрыв из темной тоталитарной страны в поразительную, слепящую всеми красками своего антиподского лета Аргентину.

Совсем недавно к ним в гости на Котельническую набережную заехала давнишняя подруга Ралиссы, женщина по имени Юнна, которую теперь называют Юнна Валерьяновна, хотя друг дружку подруги по-прежнему кличут с непременным суффиксом «ка» — Юнка, Ралиска. Бедные наши девочки, думал Ваксон, сидя с ними на кухне за бутылкой «Шандона», как они гордятся тем, что их еще можно узнать.

Во время исторической разборки Хрущева с интеллигенцией Юнна вполне соответствовала своему имени, была юницей двадцати с небольшим. Она вообще-то принадлежала к обширному клану Хрущевых — Аджубеев и была вхожа во все их дома. За столом у Ваксонов она рассказала, как однажды Никита Сергеевич, будучи уже неограниченным диктатором, вернулся с работы домой в исключительно приподнятом настроении. За ужином он объявил всей семье: «У меня сегодня большой праздник. Президиум Верховного Совета наградил меня Золотой Звездой Героя Социалистического Труда! Я очень счастлив и горд и хочу поднять тост за нашу великую Родину!»

Ваксоны, бывшие политические эмигранты, и Юнна, у которой дети и внуки были разбросаны по всему миру, грустновато посмеялись. Вот какие упертые большевизны нами тогда управляли. Хорошо, что не дожил НС до того, как развалилась его великая родина.

Тут Юнна вспомнила еще кое-что из семейной хроники. Вскоре после того, как в октябре 1964 года верные соратники Хрущева на секретном пленуме ЦК лишили его высочайшего поста и выпихнули на пенсию, однажды на даче зашел разговор о мартовских событиях 1963-го. Юнна осторожно дала понять пенсионеру, что, по ее мнению, он допустил тогда большую ошибку. Так или иначе, папа (все молодые члены клана называли его «папой»), вы оттолкнули от себя самых верных своих союзников, творческую молодежь. И вдруг вчерашний железный диктатор, покоривший восставшую Венгрию, построивший Берлинскую стену, бросавший вызов вашингтонскому Камелоту и в конце концов проводивший его туда, откуда нет возврата, разрыдался навзрыд. Слезы текли по его обрюзгшему лицу, он издавал какие-то кудахтающие звуки и только после того, как Нина Петровна принесла ему капли, смог произнести более-менее связную фразу: «Это все... это он... меня... спровоцировал... Килькичев...»

Все присутствующие были потрясены, а Алексей, не выдержавший напряжения, просто вышел из столовой и сразу уехал в город.

Ралисса вопросительно подняла брови.

— Алексей?

— Ну да, наш зять, муж Отрады, Алексей Аджубей. Ведь вы же помните, кем он был при папе. Главный редактор «Известий», а на деле просто второй человек страны.

И Ваксона вдруг, сорок три года спустя, осенило. Аджубей! Вот она, отгадка того вроде бы совершенно необъяснимого оборота событий, отправки молодого Ваксона, только что пропесоченного тираном, в фантастическую Аргентину. Это сделал Аджубей!

Юнна и Ралисса еще несколько минут говорили об этом круглолицем, с хитрыми глазками славянском человеке под странной, то ли турецкой, то ли молдавской, фамилией. Он был не дурак выпить, уж это точно, любил заложить за галстук. Ралисса вспомнила, как он приставал к ней на какой-то вечеринке. Надо отдать ему должное, он с достоинством перенес опалу. Подумать только, из поднебесных сфер (Ваксон тут про себя добавил: «где пахло потом и отрыжкой») они его заткнули под крыло Грибочуеву, пятым замом в журнал «Советский Союз»! А что Отрада? Ну, знаешь ли, Отрада ведь всегда была скромнягой, никогда не высовывалась, как работала в «Знании», так, кажется, и сейчас для них что-то пишет. А как дети? Ну, нормально.

Ваксон, сославшись на срочную работу, перешел из кухни в кабинет, откуда, сидя за письменным столом, можно было созерцать крыши Китай-города, а также купола и шпили Кремля. Покойный Аджубей; надо проверить, что ты знаешь о нем, когда и как эта фигура возникала в твоей жизни. Вот, помнится, великан Валера Осипенко рассказывал, как Аджубей однажды вызвал его к себе и дал ему шесть тысяч рублей. Предстоит банкет в честь делегации гэдээровского комсомола, а значит, большая драка. Да как же это, Алексей Иванович, такое возможно, спросил Валера, который и сам был с похмелья. Банкет и драка как-то несовместимы. Ты ни черта не понимаешь, Валера, ведь их старшие братья были в «Гитлерюгенд»; понял теперь? Только отчасти. В общем, этими деньгами будешь рассчитываться в ресторане за битую посуду. Счет за посуду там оказался на одиннадцать рублей семьдесят копеек. На остальное мы организовали ФАВ, Фонд Алкогольной Взаимопомощи.

Осенью 1961 года, как всегда второпях, с хохмами и интеллигентской матерщинкой, Ваксона разыскали два молодых известинца, Колька Муромцев и Колька Федосей. «Слушай, Вакса, наш Салям-по-мудям-Аджубей за тобой послал. Надо, говорит, прикрыть Ваксона: совсем затравили парня!»

В то время и в самом деле партийно-комсомольская печать не слезала с Ваксона за его роман «Орел и решка», а вождь тогдашнего ЛенКома Сергун Павлов и вообще уподобился римскому сенатору Катону с его навязчивой идеей разрушения Карфагена. Ни в одной речи Сергун не забывал призвать — и даже Первого космонавта обратал — к борьбе с «фальшивомонетчиками», как они называли героев романа.

После получасовой беседы в кабинете с круглыми окнами решили Ваксона послать спецкором на какой-нибудь остров. «Ну, Ваксон, выбирай: Капри или Сахалин?» Выбор, конечно, пал на отдаленные земли. Там же, в кабинете с круглыми окнами, Ваксону было изготовлено сопроводительное письмо, которое звучало так: «Уважаемые товарищи! Прошу вас оказать всяческое необходимое содействие нашему специальному корреспонденту, писателю Аксёну Ваксонову. Главный редактор газеты «Известия» — и крупными разборчивыми буквами роспись — Алексей Аджубей».

Надо сказать, что Ваксон только однажды пустил в ход этот волшебный мандат. Пять дней на Сахалин валила пурга, снег запечатал два этажа в городской гостинице. Аэропорт был наглухо закрыт, когда Ваксону по секрету сказал пилот-собутыльник, что готовится один борт. На трофейном японском вездеходе спецкор добрался до аэропорта. Предъявил начальству заветное письмо.

Немедленно один из шестнадцати пассажиров был снят и его кресло предоставлено «известинцу». Когда он шел на посадку, весь лежащий на полу народ скандировал ему вслед: «Не имей ста рублей, а женись как Аджубей!»

По приезде в Москву Ваксон настрочил обалденный очерк о советской жизни молодежи или, наоборот, о молодежной жизни на советском острове, благо к тому времени концлагеря были распущены и ассоциации с чеховской каторгой возникали нечасто. «Известия» быстро тиснули очерк на полный лист, и в определенных кругах возникло мнение, что вчерашний фрондер находится теперь под могущественной протекцией. Не исключено, что слухи об этой протекции сыграли важную роль в утверждении его кандидатуры на поездку в капстрану Японию. Аджубей об этом путешествии ничего не знал, иначе не развеселился бы так явно во время выступления его протеже на собрании у Килькичева.

После дикого бичевания молодых в Свердловском зале он, очевидно, задумался, как вытащить Ваксона из зловонной дыры. Черт знает, что могут предложить шешелинские органы. Не исключено, что на каком-нибудь случайном выпивоне он встретился со своим старым другом замминистра культуры Переверзевым. Сорок три года спустя старый Ваксон вспомнил, что до него доходили слухи, будто тот и этот были однокурсниками в МГУ. По всей вероятности, они регулярно встречались и не только выпивали, но и в теннис играли. Почему в теннис? Вдруг пронзило — да ведь в кабинете-то замминистра на стене-то большая фотография висела, и на ней товарищ Переверзев играл с кем-то знакомым; да вот именно с Аджубеем, и не с кем иным!

Скорее всего, на мартовском выпивоне Переверзев поделился с другом своими проблемами. Дескать, вот: собрали хорошую делегацию с фильмом на фестиваль в Мар-дель-Плата и вдруг все развалилось. Режиссер Цукатов оскандалился в Киргизии, а автор Ваксон, ну, ты сам знаешь, оказался неблагонадежным, попал под серьезную критику. Аджубей задумался на минуту, а через три минуты сказал: «Посылай Ваксона. Всю ответственность беру на себя».

Сорок три года спустя старый сочинитель Ваксон смотрел на бесконечно серое московское небо, нависшее над столь яркими итальянскими постройками XVI века. Все-таки так мало остается в памяти, когда время вот такой серой кошмой висит над жизнью. Все, что осталось от той двухнедельной поездки в ярчайшую страну, можно записать на одном листке бумаги; ну, скажем, с обеих сторон этого листка. Розовый дворец и гарцующие вокруг президентские кавалергарды; аргентинская переводчица княжна Мышкина, высокая, чуть сутуловатая девушка — отпрыск Добровольческой армии, которую расхристанные журналисты принимали за советскую кинозвезду; караван фестиваля, несущийся через выжженную солнцем пампу, в которой то и дело возникают гигантские строения рекламных сигаретных пачек; накат океана, выгнутая дугой полоса отелей, толпы фанатиков кино в шортах и купальниках, плывущая над толпой на крыше автобуса дочь, мать, сестра и супруга аргентинских трудящихся, суперактриса по имени Ла Бомба, можете к этому имени прибавить то, что вам рисует воображение, а Ваксона и Ливана, можно надеяться, оно не подведет; ковровая дорожка фестиваля, по которой мы следуем вслед за американцами по латинскому алфавиту, вот оборачивается на подъеме по лестнице противоположность крутобедрой и высокогрудой Ла Бомбы, девушка Дальнего Запада соломенногривая Элизабет Сазерлэнд, а вслед за ней движется длиннорукий и быковатый кинозлодей Чак Паланс (он же по рождению Остап Охрименко), умеющий стоять на одной ладони, держа свое мощное тело параллельно земле; ночь триумфа для Орсона Уэллса, доставившего сюда ленту по мотивам романа Кафки «Процесс» с Роми Шнайдер в главной женской роли, ошеломленные зрители в смежных кафе гудят до утра, а мы не можем так погудеть, потому что у нас не хватает песо даже на пиво; фольклорные праздники народов латино, на которых каждый раз побеждает огромный мексиканский петух с гитарой в окружении коротконогих курочек с трубами; Виктор Степаныч Сытский, играющий роль «чеховского интеллигента», окруженного молодыми агентами КГБ Ливаном, Ваксоном и Эдуардо, дает пресс-конференцию на фестивале, «агенты» хохочут, слушая глубоко партийные речи «Парткомыча», и тут знаменитый итальянский писатель Васко Пратолини встает и просвещает провинциальную аргентинскую прессу: господа, вы все перепутали, знаменитый советский писатель — это мой почти тезка синьор Ваксон, именно вот этот молодой человек, чей протестный роман только что вышел у нас в Италии, а вот товарища Сытского у нас даже в компартии никто не знает; Сытский на грани нервного приступа бегает по набережным, пытается собрать всех в кучу — товарищи, товарищи, вы что, не видите, какая вокруг сложная обстановка, ведь мы окружены врагами; вот парадокс, тут оказывается, масса русских, иной раз на пляже прислушаешься — то тут, то там говорят по-русски — «Вера Николаевна, а почему бы нам летом, в январе, не поехать в Европу?» — да ведь здесь, оказывается, сотни тысяч выбравшихся из-под бескрайней серой кошмы; «Неужели ты вернешься туда, Ваксон?» — «Ну, конечно, я вернусь: там все мое». — «Да что это там твое?» — «Сюжеты, характеры, назойливые прилагательные, невыносимые причастия и чарующие деепричастия, воробьиная стая междометий, звук «щ», открывающий щастье колбасное, матерь-щинскую; ты меня понимаешь?» — «О, да!»

И так ты возвращаешься почти по прямому меридиану в Париж, где девушки той весной ходили в распахнутых пальто и в трико, с большими цветными платками на бедрах, и где ты легкомысленно бродил несколько дней до полета в Москву, не догадываясь, что ты находишься под протекцией временщика.

1963, апрель
Возвращенец

В самолете было полно недавней советской прессы. Ваксон набрал нелегкую кипу и уединился в углу полупустой кабины. Почти в каждом издании он находил покаянные заявления раскритикованных творческих работников, особенно художников и писателей. В «Комсомолке» натолкнулся на короткое, с пол-ладони длиной, письмо Роберта: «...И мы прекрасно понимаем, что суровые слова НиДельфы Сергеевича были продиктованы глубокой заботой о нашем творческом «молодняке»...» В «Литературке» среди заголовков типа «Верность и единство» вмонтирована продолговатость Антоши Андреотиса: «...Ленин — это головокружительная высота и голубизна. Хрущев — это самый близкий к Ленину деятель современности!..» В «Известиях» стих Яна Тушинского: «...партбилеты ведут пароходы, / Партбилеты ведут поезда! / Как отцы экономим мы порох, / Чтоб сияла родная звезда!» И множество соответствующих ссылок в разных изданиях и в разных статьях на Кукуша Октаву, на Энерга Месхиева, на Генриха Известнова, на Петра Щипкова и прочих из сильно или слегка провинившихся. Множество было также писем трудящихся из разных отраслей: доярок, металлургов, рыбаков, швей, свинарок, библиотекарей, поваров, экскурсоводов, археологов, преподавателей и студентов, а также профессоров многочисленных вузов, сотрудников милиции, артистов цирка, сварщиков, монтажников, дегустаторов вина, сборщиков чая, оленеводов, золотоискателей, пограничников родины, экипажей дальнего плавания, артистов оперетты, рабочих фабрики мягких игрушек, сверлильщиков твердых пород, лаборантов атмосферного зондирования — все они увещевали писателей и других работников идеологического фронта не отрываться от исторической поступи нашей Партии. Ваксон пошел в туалетный чуланчик и там, надавив двумя пальцами на корень языка, отблевался за милую душу. Все было ясно: Партия не отвергает послесталинских артистов, она их просто влечет в связке за собой.

Приехав в Москву, он первым делом отправился в журнал. Там, как всегда, в извилистых коридорах люди сталкивались друг с другом. Секретарши разносили чай с лимоном. В глубине извилистой кишки Ося Шик кричал по телефону: «А ты пошли его подальше! Пошли подальше!» Юрий Максимильянович Аржанников сидел в своем кабинетике, между тем как его длинная нога в безукоризненно начищенном ботинке покачивалась в коридоре. Стучали две пишущие машинки, Таня и Рита. Завотделами Мэри и Ирина, жены высокопоставленных людей, обменивались слухами о подводных течениях в Союзе писателей. Словом, все было как всегда — привычный и убаюкивающий журнальный быт.

Ваксон зашел к журнальному критику Стасу Разгуляеву, которому обычно первому тащил свои сочинения. Тот оторвался от каких-то страниц и кивнул ему на единственное кресло для посетителей: «Садись, графоманище несусветный, я сейчас!» Таким элегантным образом он всегда приветствовал близких друзей. Ваксон снял аргентинскую шляпу, высморкался в аргентинский платок и закурил аргентинскую сигарету. Ну, сейчас начнется треп, подумал он, однако Разгуляев не задал ему ни единого вопроса о дальних странствиях, а вместо этого сказал:

— Тут, знаешь ли, Вакса, тебя заждались. Вся ваша золотая молодежь уже покаялась черт знает в чем, а тебя среди них нет. Учти, сейчас на тебя навалятся и Луговой, и Камп, и Преображ, и прочие, и все будут настаивать, чтобы и ты пролил слезу. Есть также точка зрения, что если Ваксон не выступит, журналу — крышка. В этой ситуации вообще-то трудно не замазаться. Лучше бы было опять куда-нибудь уехать.

— О-хо-хо, — проговорил приезжий и зевнул. — Да, пожалуй, уеду куда-нибудь в Австралию или в Новую Гвинею, к родственникам Миклухо-Маклая.

— Тебе что, открытый паспорт, что ли, выписали?

— Стас!

— Да я шучу.

— И я шучу. Можно, я от тебя сделаю пару звонков?

Стас вытащил из-под бумажного хлама черный тяжелый телефон, брякнул его перед Ваксоном, а сам вышел — вот такая существовала деликатность.

Первый звонок он сделал Нинке Стожаровой. Подошел муж, Адриан, по-теннисному Адри.

— Простите, нельзя ли Нину Афанасьевну? — спросил Ваксон.

— А, это ты, Вакс! Нинки сейчас нет, — быстро проговорил вечно торопящийся муж. Ваксон сделал вид, что это не он.

— Это говорят из «Декоративного искусства».

— Ну, понятно-понятно. В общем, ты в городе. Пока!

Следующий звонок был направлен домой, в жилкооператив. Странно веселым голосом ответила Миррель:

— Пока ты слонялся по своим Аргентинам, мне сделали операцию. Вытащили кисет с драгоценностями. Чувствую себя классно.

— А как Дельф?

— Дельф решил жениться.

— На ком?

— На Васёне. Ну, видишь ли, он стал шофером, а шоферам полагается жениться на домработницах; вот так и получается.

— В общем, я вижу, вы и без папы прекрасно обходитесь.

— В общем-то обходимся. А ты когда прилетишь?

— Да я уже прилетел. Ищу такси.

В это время в коридоре послышались звуки тяжелых шагов и барственные голоса старших сотрудников. «Ну, где же он, наш долгожданный Ваксон?» Прозвучал резкий голос секретарши главного: «Николай Борисович просит к себе Аксёна Ваксонова!»

Он позволил себе на минуту закрыть глаза. Ну, вот сейчас они начнут ко мне применять партийную тактику влияния и убеждения. Зерно этой тактики заключается в том, чтобы замазать всех вокруг. Интересно, сколько раз каждый из них замазывался? По всей вероятности, все они — и Преображ, и Железняк, и сам Камп — замазывались только однажды, а дальше уж все шло само собой. Теперь надо под маркой спасения журнала замазать и меня; раз и навсегда. Хер вам, со мной у вас так не получится. Вообще-то получилось, но с неожиданным результатом.

1963, июнь
Всенародное

А где же был Ян Тушинский, и что с ним вообще произошло? Идиотская статья Шурия Шурьева, в которой он объявлялся чуть ли не предателем, его подкосила. Он хорошо знал этого хмыря еще по Парижу; тот там годами сидел как спецкор «Правды», словесный пулеметчик передового фронта идеологической войны. Еще при первой встрече Ян, глядя на Шурьева, подумал: раньше в Париже сидел Илья Эренбург, то есть наш Хулио Хуренито, а теперь вот Шурий Шурьев — лоб в два пальца шириной, в маленьких зенках постоянный отсвет основного чувства, то есть классовой ненависти.

С этим чувством он столкнулся однажды на семинаре по западной литературе в Союзе писателей. Шурьев, прибывший на этот семинар специально с передовых позиций, сообщал последние новости о деградации буржуазной литературы. Он привез с собой и красноречивое доказательство распада. Вот, извольте, несброшюрованный роман. Выпущен в свет респектабельным издательством «Галлимар». Во вступлении автор пишет, что перед употреблением читатель должен всякий раз перетасовать страницы и читать так, как сложится. Вы представляете, товарищи, какому глумлению в мире чистогана подвергается величественная мировая литература, призванная просвещать умы, звать к освобождению от ига капитала?!

И в негодовании как бы отшвырнул от себя злосчастную книженцию, которая тут же была подхвачена сидевшим в первом ряду шустрым верзилой, молодым поэтом. Тушинский перетасовал страницы и весело воскликнул: «А это здорово!»

— Что вы хотите этим сказать, Ян? — спросил председательствующий на этом семинаре лауреат Консимов.

Тушинский пожал плечами:

— Честно говоря, не понимаю, почему товарищ Шурьев подходит к этой игре с такой звериной серьезностью? В литературе всегда должен присутствовать игровой элемент, иначе она превратится в кучу занудных трактатов.

В Малом зале поднялся неоднородный шум. Забавная книжка пошла по рукам. Молодежь смеялась и аплодировала Тушинскому. Кто-то брякнул: «Хорошо бы вот так издать роман Петушатникова!» Писатели пожилого возраста подмигивали друг другу: еще помнили Двадцатые годы. А вот средний возраст возмущался: «Что за цинизм?! У этих людей нет ничего святого!» В шурум-буруме Шурьев не отрываясь смотрел на Тушинского. Ян скользнул было по нему небрежным взглядом, но потом подумал, что тот смотрит не просто так, а как-то особенно, и вернулся. Из-под тяжелых надбровных дуг на него взирал примат, исполненный ненависти. Никаких поблажек не предлагалось. Вспоминалась «Песня бойцов Наркомвнудела» из кинофильма «Ошибка инженера Кочина»: «Враг силен, мы сильней! Враг хитер, мы хитрей! Нам народная сила поможет / Вражьи когти спилить, вражьи ребра срубить, вражьи гнезда огнем уничтожить!» И все. И без поблажек.

В перерыве Тушинского взял под руку вальяжный Консимов.

— Что это вы, старрик, так жестоко ополчились на Шурьева? Ведь он прростой ррабочий паррень.

Ян с горячностью возразил:

— Что-то он не похож на простого рабочего парня. Я знаю простых рабочих парней. Скорее уж, он напоминает вурдалака! — и быстро покинул помещение.

Этот семинар случился в разгаре «оттепели», в расцвете либерализма, за два месяца до исторического посещения Манежа. Потом все покатилось, для одних вниз, для других вверх; без всяких отклонений. Ненавидящая рожа Шурьева нередко снилась ему во сне. Он воображал торжество этой рожи, готовой к уничтожению «вражьих гнезд». После мартовской встречи в Свердловском зале Ян попал в турбулентную зону. С одной стороны, вроде бы хвалили за воплощение в стихах революционного духа нашей страны, с другой — укоряли в «нескромности». Ближайшие его друзья, члены плеяды, в которой он предположительно светил ярче всех, попали под кулаки главы государства. Для «органов» в этом заключалась его неоспоримая крамола. Ходили слухи, что обсуждают, как раскассировать эту группу; не исключалось, что «Юность» будет закрыта.

Что делать? Может быть, отменить парижскую публикацию «Автобиографии»? Каким-нибудь образом, скажем, через ребят из «Юманите», дать знать Шарлю и Беверли, чтобы отложили великий день? Они им не поверят, подумают, что подосланы. Зная Янчика, им и в голову не придет, что он добровольно отказывается от такой ярчайшей сенсации. Да и вообще... м-да-с... кроме всего прочего, получен ведь был солидный аванс... м-да-с...: огромное количество франков!

Может быть, выйти на каких-нибудь скрытых либералов в ЦК? Постучаться к самому Демичеву? Убедить его в том, что зубодробительная кампания в нашей печати не пойдет на пользу нашей революции. Ведь все-таки наряду с... ну, скажем, с несколько резковатой критикой недостатков, с осуждением сталинщины... там ведь немало сказано крылатых фраз о Революции... ведь не зря же там видна отчетливая связь с Блоком, с Маяковским... ведь так? А ведь «всенародное осуждение» поэта только повредит тому, что уже завоевано нашим поколением... так ведь?

В общем, пока он продумывал разные варианты спасения, «Экспресс» в далеком Париже напечатал журнальный вариант «Автобиографии» и объявил, что полный текст выйдет вскоре книгой в издательстве «Галлимар». А Шурка Шурьев, этот простой рабочий парень из Магнитогорска, немедленно откликнулся на событие поэтоненавистнической статьей.

Ян Тушинский давно уже поражал сверстников своей удивительной «пробиваемостью». Без труда он вступал в предгорья советского Олимпа. К генсеку Союза писателей вообще заявлялся без предупреждения. К высшим партийным чинам по культуре, к Килькичеву и Поликрабову, тоже проникал без особых проблем. Там и возникали различные проекты заграничных путешествий. Все помнят, например, его невероятное прибытие на Кубу.

В 1959 году весь мир был потрясен громокипящим катаклизмом латиноамериканской революции. В столицу роскошного острова Куба вступили отряды повстанцев. Диктатор Батиста, поднявшийся из самых низов кубинского общества, бежал. Власть взяли молодые бородачи, романтические «барбудос» во главе с неким Фиделем Кастро. Левая интеллигенция во всем мире, особенно в Соединенных Штатах, ликовала. Вот, наконец-то и в наше полушарие пришла настоящая свобода! Особенно громко провозглашали победу поэты поколения Beat, то есть «битники». Не исключено, что именно под их влиянием двадцатишестилетний Ян Тушинский вознамерился съездить на остров Куба.

Пошел сначала в Иностранную комиссию Союза писателей. Там затрепетали от такой дерзкой самоидеи. Да что ты, Янчик, да кто же тебя туда пустит? Ведь там сейчас царит полный разброд. Никому пока что не известно, что за герилья взяла там власть. Ни Марксом, ни Лениным пока что там и не пахнет. Скорее уж анархия там прожаривается. Вполне этот Кастро может там на манер Нестора Махно объявить республику «Гуляйполе». А то еще прямо к американцам перекинется; ведь он, по слухам, из богатой семьи.

«Товарищи, товарищи, — увещевал своих собеседников из Иностранной комиссии юный поэт, — пока мы будем тут попукивать, как раз и уйдет Фидель к американцам, в анархию богатства. Нужно идти к нему и влиять на правах родоначальников и наследников социалистической революции. Нести туда наш факел, делить огонь!» Оказалось, эти товарищи совсем уже затоварились по мелочовке. Он тогда к другим товарищам пошел, делил с теми свой огонь, а потом и еще к высшего сорта товарищам явился и так повсеместно обнародовал свою пламенную идею. Между всеми охваченными товарищами начался телефонный перезвон, который продолжался, продолжался, продолжался и вдруг разродился решением — пусть летит!

Вот так вдруг тощеватый и слегка остроносый московский юнец с рюкзаком заготовленных рифм (Фидель — не кисель, Куба — не Коба, барбудос — сны Будды) появился в самой гуще гаванского карнавала, который, как известно, продолжался одиннадцать месяцев, пока не кончился бензин.

Вернулся он оттуда с большим портфелем из крокодиловой кожи. Чего там только не было свалено в кучу! За эту портфельную анархию заслужил даже укоризну со стороны московских товарищей: «Что же ты, Янко, не можешь у себя под носом навести э-лэ-мэн-тарного порядка?»

Несколько месяцев в застольях он рассказывал о Кубе. Вот это, братцы, настоящая свобода, самая настоящая! Там машины самых последних марок просто стоят на улице, ключи торчат — садись и поезжай! Фидель — мой друг, он глава правительства, а ему кореша подчас дают подзатыльника. А то и прямо за бороду тянут. Эй, Фидель, к тебе тут из Франции приехали, а ты все несешь какую-то ахинею. Проституция там полностью ликвидирована; все девчонки работают бесплатно. Ну, и так далее.

В конце концов он стал в Советском Союзе главным знатоком по Кубе и по своему ближайшему другу Фиделю Кастро. Ездил туда и обратно, обратно и туда; уже запутался, где что, то есть в полетах не всегда соображал, куда летит. Написал вдохновенные стихи о кубинском художнике-абстракционисте, в котором, оказывается, достаточно реализма, чтобы защищать родину.

Однажды собрался туда даже вдвоем с женой, красавицей Татьяной Фалькон-Чесноковой-Тушинской, которую в кругах московской богемы под влиянием Хемингуэя называли Брет Эшли. Появление Татьяны в Гаване произвело раскол в правительственной клике. Дискуссии между Фи и Че порой достигали критической точки, вслед за которой могла бы последовать самая настоящая пистолетчина. Поэт, между прочим, и сам дискутировал с самим собой: что ему дороже — Татьяна или Революция? Словом, вернулись в угнетающий застой Москвы в том же составе, то есть вдвоем. На вечеринке в честь возвращения жена вдруг закричала на мужа: «Не смей спекулировать Фиделем!» Что это означало, никто не знал.

Однажды и вся камарилья собралась в столицу мира и прогресса. ВВС Страны Советов для этой цели переоборудовал свой самый большой авион под странным для авиона именем «Антей». Прямо с аэродрома всю компанию, к тому времени уже присягнувшую марксизму-ленинизму, привезли на Мавзолей, где они оказались в объятиях нашего Политбюро. Режиссер Турковский очень внимательно приглядывался к этой сцене, а потом сказал, что он из этих сногсшибательных кадров сделал бы целый фильм, а то и несколько. Дело в том, пояснил он, что там на Мавзолее произошла встреча двух разных эпох. Политбюро в их просторных габардиновых пальто и крепко насаженных на головы фетровых шляпах, с их порядком уже осевшими физиономиями было похоже на чикагскую мафию времен Аль Капоне, в то время как молодые бородачи в армейских «фатигах» и толстых башмаках, с походными мешками через плечо представляли ультралевых экстремистов нового времени. Объятия и поцелуи между первыми и вторыми, да еще и на трибуне Мавзолея В. И. Ленина, представляли поистине противоестественное зрелище. Тут следует добавить, что все это происходило на фоне грандиозной первомайской демонстрации советского народа. Приближаясь к Мавзолею, этот народ начинал скандировать: «Куба — да! Янки — нет!»

К этому времени уже запущена была кампания «всенародного осуждения». Все центральные газеты печатали письма трудящихся разных профессий, клеймящие позором напечатанное в далеких краях на чужом языке злокозненное сочинение зарвавшегося поэта, почти предателя. Ян был в состоянии перемежающейся истерики. Он, бывало, любил подходить к прохожим на улице и спрашивать, кого они считают первым поэтом России. Получив правильный ответ, подпрыгивал в восторге — так бурлила в нем его энергия. От неправильного ответа унывал, но ненадолго.

Теперь он почти не выходил, а если и случалось, надевал черные, обтекающие головенцию очки, а подбородок закутывал в шарф. Дома Татьяна кричала ему: «Слабак! Слабак!» — и запускала вслед за этим руладу мата; увы, литературные дамы в те времена были неравнодушны к такому фольклору.

Увидев любимого друга Фиделя и прочих команданте на трибуне московского зиккурата, Тушинский воспрял. Мы встретимся с ним, обнимемся, выпьем как следует, и вся эта сволочь вокруг поймет, что со мной лучше не связываться. Взять Таньку с собой? Нет-нет, это могут неправильно понять, тем более что Кастрец то и дело пытался ее приголубить. Обойдемся без этой прекрасной нахалки. Вперед!

Для встречи с большим другом он надел пиджак, сшитый из парусинового кубинского флага. Пока шел к своему гаражу, пацаны с Красноармейской кричали, показывая на него: «Американец! Американец идет!» Невеселая мысль приходила в голову: неужели за недолгое время отшельничества народ Москвы уже отвык от моего присутствия. Бодрая мощная мысль почти немедленно подавляла невеселую. Сегодня он встретится с Фиделем! Сегодня он встретится с Фиделем! Он сделает все, чтобы встретиться с Фиделем! Он знает, где его искать.

На переулке Сивцев Вражек есть несколько монументальных правительственных зданий без вывесок. Зачем разглашать предназначение этих построек? Тот, у кого есть допуск, найдет и без вывески, ну а тот, кто без допуска, благополучно заблудится. Таково, например, огромнейшее, на целый квартал, медицинское здание для партактива и семей. Таков и отель для размещения зарубежных коммунистов. Ян Тушинский там бывал, и не раз. Выпивал с товарищами революционерами, ободрял товарок революционерок. Прислуга заведения его знала, а многие даже обращались ласкательно — «Янчик». Благодаря этим связям он прошел в отель без проблем. Расположился в кафе, заказал бутылку «Абрау Дюрсо» и стал ждать. Изображал делового человека, часто поглядывал на часы, и в то же время неделового, творческого человека, своего рода Бодлера или Рембо в кафе Монпарнаса, с вдохновенным лицом, устремленным к потолку или в окно, где раскорячилась охрана, не видя этой охраны, а видя «берег очарованный и очарованную даль», и с длинной кистью руки, что пролетает над страницей блокнота, и...

Вдруг туда вошла огромная толпа людей. Даже удивительно, как через не очень-то широкий вход в фойе одномоментно вошла такая масса охраны, переводчиков, представителей правительственных и общественных учреждений, отряда пионеров с горнами и растерянными лицами, офицеров армии и флота, артистов ансамбля чеченской песни и пляски, журналистов, близких к органам, фотографов и киношников. В сердцевине этой толпы двигалась дюжина битниковатых вождей острова Свободы. А в сердцевине дюжины наличествовал вождь вождей Фидель Кастро со своей неповторимой, с левого бока слегка плешковатой бородою.

По всему фойе царило трепетание кубинского флага, в связи с чем пиджак-флаг Яна Тушинского основательно рябил, не выделяясь, а напротив — сливаясь с этим трепетанием. Он бросился и, позабыв о своем хорошем воспитании, стал расталкивать тех, кто пониже, ну — пионеров. Протолкаться было не так-то легко. Некоторые пионеры покрупнее пихали его локтем. Все же он приближался к революционерам; оставалось не более трех-четырех метров. Голосом своим на самых высоких тонах он попытался рассечь разноголосицу толпы. «Фидель! Это я, твой друг Тушинский! Янко Горячее Сердце!» Вождь скользнул по нему безучастным взглядом. «А, поэт...» И прошел мимо без всяких поползновений к объятиям. Эх, махнул с досадой поэт, надо было взять Таньку. И стал пробираться из толпы на свежий воздух.

Между прочим, если бы Ян не поспешил к выходу, через несколько секунд он смог бы заметить хитренький, как у карибского бобра, взглядик Фиделя через плечо с майорской нашивкой. Идущий вслед за ним генерал-лейтенант, начальник Института военных переводчиков, негромко одобрил сдержанность вождя: «Все правильно, товарищ Кастро».

В раздерганных чувствах Ян большими, но шаткими шагами сновал по прилегающим к Сивцеву Вражку маленьким переулкам: забыл, где оставил машину. Наконец увидел темно-синюю «Волгу». Угораздило же поставить тачку рядом со стендом с приклеенными газетами! «Правда», «Известия», «Комсомолка», «Труд»... все они все еще продолжали гвоздить клеветника и стяжателя Я. Т. Мне конец, думал Ян. Если и не арестуют, так просто выбросят на помойку. И никогда мне больше не увидеть Пикадилли.

Однажды в эти дни, собравшись в ЦДЛ, группа друзей, в частности Ваксон, Барлахский, Нэлла Аххо, Глад Подгурский и Юра Атаманов, решила посетить Яна Тушинского. Тогда у них как-то не было принято извещать по телефону о прибытии нетрезвой компании. Вваливались скопом, вытаскивали из карманов всякие разносортные бутыльменты, рассаживались вокруг, то есть вынуждали хозяйку накрывать стол.

«Черт бы вас побрал, ребята! Эдакая шобла! Нам тут не до праздников, трахвашутакподдыхгугугуморжовые!» — так приветствовала гостей красавица Татьяна, а сама уже метала на стол грузинские закуски, нахлобучки хлеба-лаваш, полдюжины хванчкары, гирлянды охотничьих сосисок, сыры сулугуни и рокфор и в полном уже отчаянии брякала на край развала не вполне целый торт «Прага». Она на самом деле просто была счастлива, что такая пятерка внезапно завалилась. Дома уже житья не было. Все попытки ободрить Яна превращались в сеансы диких воплей, в швыряние с обеих сторон пустых, а то и с винегретом тарелок; пока что без прицела, то есть просто в стены или на пол. Раньше носилась день-деньской босиком по карпетам, а сейчас хрен поносишься: мелкие осколки тонкостенных бокалов то и дело норовят впиться в невинные, то есть лишенные каких бы то ни было мозолей подошвы ног.

Гадский Туш, это все его фиглярство, дешевый балаган, попытки разыграть сущую вампуку! С утра он добирается до телефона, тянет бесконечный шнур, заваливается с аппаратом в свое кресло, ноги с нестрижеными ногтями кладет на стол, на ее уникальный, заказанный дорогому краснодеревщику почкообразный стол, начинает названивать в свои гребаные «инстанции», а там никто из тяжеловесных тузов не хочет с ним разговаривать, а он никак не хочет понять, что его вычистили, что гадская номенклатура, которую он всегда так сильно презирал, но в которую упорно лез, захлопнула перед ним свои двери.

Тем временем он надирается своим так называемым шампанским и зовет ее, чтобы перед ней фиглярствовать. Тащит ее за руку из спальни в большую комнату, потому что в спальне тесно для его мизансцен. Нарушает ее интеллектуальное уединение, в данном случае чтение английских книг of the Angry Young Men, поднимает тост за какую-то мудацкую сплоченность, как будто еще недавно он не ратовал за «тактическую разобщенность». Подлезает к ней с фальшивой лаской: «Выпьем, добрая подружка бедной юности моей...» Значит, она для него не кто иная, как Арина Родионовна, она, тридцатилетняя красавица с полыхающими синими очами, записана в русскую литературу по разряду нянь?!

Нет уж, дудки, пошел ты на фиг, эпенноплать, она влетает в драгоценные босоножки, в жакеточку-шанель, которая будет открыта, чтобы были видны очертания, сейчас поеду в «клуб», буду там судачить с модным бабьем, принимать комплименты писательского мужичья, потом уеду с кем-нибудь, гори все огнем, а он даже и не замечает ее сборы, все еще разглагольствует, подъяв бокал, наконец опорожняет, швыряет его в камин, бесстрашный гусар, декабрист, «скинуты ментики, ночь глубока, ну-ка вспеньте-ка полный бокал!», и тут же рушится в свое излюбленное кресло, где столько уж выпустил газов, и весь на глазах расползается, руки, как две рыбы, как два сига, сваливаются по сторонам, физиогномия, которая только что пылала вдохновением, бледнеет, синеет, стареет на двадцать два года, откидывается за спинку, кадык начинает дергаться, и это все из-за того, что какой-то цековский паразит отказался с ним разговаривать и тогда она, леди Эшли, забыв о задуманных эскападах, стремясь предотвратить мизанцену «обморок», тащит ему настой валерианы и седуксен; уф!

И так день за днем и ночь за ночью. Наконец-то ребята пришли. Все-таки «сплоченность» действительно проявляется! Ведь не для загула же завалились! А хоть бы и для загула! Еще лучше, если для загула. Сейчас так загуляем, что небо с овчинку покажется. Кого из ребят оставить на ночь: Ваксу с его аргентинским загаром, Гладиолуса кудрявого, Юрку косолапого, бандита Григу? Между тем, вывалив все на стол, Татьяна уселась на диване в обнимку с Нэллой. Несравненная Ахо на ухо ей нашептывала о своем недавнем приключении: «Вызвался подвезти. Сидит за рулем, седой солидный классик. И вдруг замечаю, представь себе, этот Марк Севастьянович моими коленками интересуется!»

Следует сказать, что обе красавицы имели самое прямое отношение к Яну Тушинскому, то есть по литературным хроникам числились в его женах. Сначала была Нэлла. Они оказались однокурсниками в Литинституте. Ян тогда при виде надменной девушки с косой просто с катушек слетел и взялся без конца воспевать «... глаза ее раскосые и плечи ее белые, роскошные...»

Скажи каким-нибудь итальянцам, каким-нибудь Петрарке и Лауре, что любовные истории имеют свойство развиваться под снегопадом, в пурге, не только не поверят, но и перестанут любить. Ян и Нэлла, вдохновляясь блоковскими метелями, могли часами слоняться по снежным бульварам, а девчонка иной раз с криком «Лови!» запуливала прямо с ноги в морозное небо театральную туфельку. Все «чайльд-гарольды с Тверского бульвара» (так лизоблюды наше братство в фельетончиках вонючих называли) от Нэлки просто отпадали.

В те ночи непротопленные подъезды казались им крымскими пещерами, а шум снегоочистительных машин с их крабообразными клешнями напоминал накат волны. Он всю ее обцеловал в этих пещерах, а она прекрасно изучила его башку, в шевелюру которой привыкла вцепляться полудетскими пальцами. В конце концов он, получив гонорар за свою первую книжечку стихов толщиной в полпальца, снял комнату на Плющихе, и это событие открыло новую главу их романтической любви — таcканье по московским коммуналкам.

Через год или полтора, летом, светлой ночью, один из главных богемщиков Москвы Григ Барлахский, возвращаясь неизвестно откуда домой, увидел сидящего на ступеньках своего подъезда Яна Тушинского.

— Григ, не покидай меня! — взмолился тот. — Я могу с собой что-нибудь сотворить этой ночью!

— Глуши мотор! — скомандовал Барлахский. — Дрожать — перестали! Хлюпать — забыли!

Кое-как он его успокоил, и тот почти связно рассказал ему, какая поистине трагическая история произошла в небольшой семье, состоящей из двух. Пока он ездил куда-то, на Кубу, что ли, ну в общем, туда, где в его призыве нуждалась молодежь, Нэлка влюбилась в их общего друга, киношника Горожанинова. Ян сразу по стихам понял, что-то сдвинулось, кто-то другой вытеснил его из образа «лирического героя». Начал ревновать. Она сопротивлялась. Врала. Он не знал, что это Гошка Горожанинов. Если бы знал, засандалил бы предателю по шее. Пошли ссоры. С понтом на идейной почве. Она настаивала на его внесоветском поведении. Ты представляешь, Гришка? На внесоветском поведении! На самом деле она просто мучилась, бедная девочка! Теперь он знает, что из-за Гошки. Ведь у того семья, какие-то там ребенки. И вот теперь все выяснилось. Он их выследил.

Сволочь Горожанинов повез ее сегодня на свою дачу в Красной Вохре.

Дальнейшее напоминало что-то бредовое из американского фильма, смешение старой и новой волны. У Барлахского Тушинский ни минуты не сидел на месте, все мотался туда-сюда; длинная тень отставала от тела. Просил у друга пузырек барбитуратов. Дескать, все сейчас сожру и перестану мучиться. Не получив пузырька, выскочил на улицу. Там уже скопилось немного мрака. Ян прыгнул в свой «Москвич», Григ еле успел пронырнуть вслед за ним. Куда мчимся? Оказывается, в Вохру! Вот видишь, извлек из «бардачка» большой черный пугач, стреляющий оглушительными пистонами. Увижу их, хлопну обоих! А потом и себя! Один ты, Гриш, останешься в живых из четверки. Барлахский возмутился: «А я-то тут при чем, пока что все-таки не замешан».

Приехали в Вохру. Долго крались по задам дачного проспекта. Наконец добрались до горожаниновского забора. На даче светились два больших окна. За ними Нэлла и Гошка танцевали вальс. Тушинский вытащил свое оружие и прицелился. Барлахский не шелохнулся: он знал, что это за штука. Тушинский отшвырнул пугач и, схватившись за голову, бросился прочь. Там было какое-то незастроенное пространство. Длинная фигура пронеслась в темноту. Послышался звон разбитого стекла. Попал в какие-то парники.

Барлахский довольно долго бродил по улочкам Вохры, то и дело возвращаясь к «Москвичу». Занялась заря буколическая, заклекотали народные петухи. Григ — он был, между прочим, юнгой Балтфлота, участвовал в высадке на Куршскую косу и товарищей привык не бросать; тем более что не пешком же до станции шагать — вот этот данный Григорий увидел друга сидящим на пеньке сосны, словно «Ленин в Разливе», и пишущим в блокнот с не меньшей скоростью, чем вождь пролетариата кропал свои инсургентские тезисы. Кто его знает, что он задумал? Барлахский еще издали крикнул: «Янк!» Тот и ухом не повел, все строчил, откидывал страницы. Приблизившись, Григ увидел только что завершенную строфу:

Да, я знаю, я вам не пара.
Простонал Николай Гумилев,
Так и я, каждой страждущей порой
Отрицаю томительный плен.

Ну, в общем, жить будет, подумал друг, забрался в машину и заснул на заднем диване. Проснулся он уже в Москве.

Юношеские женитьбы, как известно, редко дотягивают до юбилеев, так и этот «томительный плен» благополучно распался. Все обошлось без барбитуратов, без пистолетов и превратилось в дружбу этих двух великолепных поэтов разного пола. Любовная фортуна, впрочем, была благосклонна к обоим. Зализав свои «страждущие поры», Ян почти без перерыва натолкнулся на чету Чесноковых и тут же влюбился в темноволосую и синеглазую Татьяну. Да и она не осталась равнодушной к знаменитому и уже слегка скандальному виршетворцу. Вдруг бесповоротно решила разделить с ним его романтический ореол и стать Татьяной Тушинской. Она всегда пристегивала к себе фамилии своих литературных мужей: то выступала как Корзун, то как Чеснокова, а между тем в девическую пору именовалась Таней Фалькон; что может быть ярче такого оксюморона? Михайло Чесноков, стокилограммовый бывший футболист, игравший еще до войны за команду мастеров «Дизель», в литературные годы прославился тем, что на известном собрании назвал Бориса Пастернака «свиньей под дубом». Узнав об этом, Татьяна набросилась на благоверного с пощечинами. У нее разыгралась форменная истерия, и пришлось ее положить в психосоматический санаторий при ЦК. Оплывший от пьянки Миша нашел какой-то лаз в заборе и чуть ли не ежедневно появлялся под окнами ее палаты. Едва увидев ее облик за стеклом, бухался на колени, молил: «Прости!» На партсобрании Московского отделения СП он отрекся от своей «свинской» речи и стал превозносить Пастернака; в общем, сам чуть в психосоматический сектор не угодил. Татьяна, узнав о таких существенных результатах своего взрыва, снизошла и вернулась. Под ее влиянием поэт-коммунист стал дрейфовать в сторону леволиберального крыла. И тут появился юный Тушинский с огромными букетами цветов, с ящиками шампанского, со стихами, почти открыто посвященными его любви. Всякий раз, когда Ян появлялся у них на даче, в пудовых кулаках бывшего «дизелиста» начинали копошиться муравьи ненависти, однако благоприобретенная утонченность отгоняла жажду расправы. Таким образом, уже почивший Борис Леонидович смог помочь своему молодому другу. В конце концов влюбленные сбежали в Гагры. Директор тамошнего Дома творчества, адепт щедрости Гугуша Тарасович в обход литфондовской путевки предоставил им просторный номер с балконом прямо над пляжем. Море всю ночь гремело галькой. Турецкий ветер вздувал шторы, словно парус «Арго». Чайки, как белые призраки, зависали напротив балкона, пытаясь узнать, чем занимаются там внутри два обнаженных живых человека. Они занимались любовью. В промежутках между апофеозами он читал ей бесконечные стихи. Не давал спать. Послушай, Янк, давай все же малость поспим, а? Он шептал ей в ухо:

...А я тебе шепотом,
Потом полушепотом,
Потом уже молча:
Любимая, спи...

Литературная жизнь научила Татьяну некоторой резкости в обращении с поэтами. Так получилось и на сей раз. «Послушай, Янк, тебе никто не говорил, что полушепот — это громче, чем шепот?»

Такая реплика со стороны любимой была посильнее пощечины. Поэт вскочил и зашагал по комнате, довольно комичный в своей наготе.

— Это твой толстый Мишка научил тебя такому вшивому реализму?

— Неправда! — Теперь она вскочила и шагнула к нему, нагая и наглая. — Это мой Семчик незабвенный всегда говорил, что поэзия требует точности слов!

Первый муж Татьяны, израненный Семен Корзун, считался одним из лучших поэтов военного поколения. Увы, его тело, потрясенное столько раз попаданиями пуль, осколков, а также контузиями, потеряло иммунитет, и он умер от «гонконгского гриппа».

Тушинский молчал. Он понял, что она права. Корзун считался неопровержимым авторитетом. Он положил ей руку на плечо и повернул ее к себе. Ее ладонь проследовала от его средостения вниз. Их чресла слились в нерасторжимом объятьи. Любовь продолжалась.

Пока они жили в своем веселом богемном браке, произошла довольно забавная облискурация. Первая и вторая жены Тушинского сдружились. Нэлка стала чуть ли не членом их семьи. Подолгу с Танькой болтали о разном. Собирали в химчистку общую кучу одежды. Вместе гоняли на новенькой «Волге»; то одна, то другая за рулем. Однажды за нарушение сплошной полосы были задержаны ГАИ. При проверке документов выяснилось, что у обеих дам основным документом на вождение является доверенность Яна Александровича Тушинского. Инспектору ничего не оставалось, как только позвонить знаменитому поэту: «Вы бы разобрались со своими женами, Ян

Александрович!» Тот прискакал на такси, освободил ТС и обеих «супруг», кричал на них в присутствии сотрудников: «Сволочи! Идиотки!», а те только принимали намеренно жеманные позы. На сотрудников эта сцена произвела исключительное впечатление: такие кадры у него прохлаждаются в женах!

И вот сейчас, весной 1963-го, две эти сердечнейшие подружки сидели обнявшись на диване, вернее, утопали в нем, выставив две пары отменнейших колен, и хохотали над поддатыми ребятами. Все-таки здорово Нэлка придумала — всю гоп-компанию притащила из ЦДЛ с собой!

— Послушай, Танька, а где же Янк? — спросил Ваксон.

— Куда он вообще-то запропал? — поинтересовался Атаманов.

— Небось, к бабам пошел? — употребил Подгурский свою слегка заезженную шутку.

— Надеюсь, жив? — с некоторой бесцеремонностью хохотнул Барлахский.

— Он в ванне валяется, — ответила Татьяна.

— Да как же так? Все время, пока мы здесь, он в ванне валяется?

— Да он сейчас больше в ванне, чем на поверхности валяется, — объяснила уже захмелевшая жена. — Отзвонится по списку и — мырь!

— Пошли вытаскивать Тушинского! — возгласила Нэлла.

— Подсушим мальчугана!

Ян дверь в ванную никогда не запирал на случай «непоправимых обстоятельств». Теперь он лежал в хвойном растворе и думал о своей горькой участи. Вот эти ребята веселятся, как будто ничего не случилось, а настоящий Поэт чувствует, что случилось, всей своей кожей и потому укрывается в ванной. Сейчас они ввалятся в ванную всей толпой. Пусть увидят бездельники, кого они могут потерять в одночасье!

Когда вся компания, кроме Татьяны, заполнила ванную, Ян представлял довольно слабую картину: бледно-зеленая голова заброшена, глаза прикрыты синеватыми веками, одна рука бессильно переброшена через борт, вторая в равносильном бессильи — за голову; большие банные полотенца клубились на полу. Общая мизансцена напоминала какую-то сравнительно недалекую историю. На высоте оказался Гладиолус Подгурский: он сразу припомнил: «Братцы, а Шарлотта-то Корде-то успела смыться!» Опустошенные бутылки шампанского только углубляли сходство.

Нэлка давай копошиться, тянуть бывшего мужа то за одну конечность, то за другую.

— Вставай, наш Ланселот! Вставай, Ричард Львиное Сердце!

— Оставь меня, Нэлла, мне очень плохо.

Ваксону казалось, что друг немного косит. Барлахский был уверен в этом. Подгурский, чтобы рассеять сгустившуюся атмосферу, рассказал новый анекдот: «Хрущев подходит с козой к советско-китайской границе. На границе стоит Мао Цзэдун. Он говорит, что вход в Китай со свиньей строго воспрещается. Хрущев восклицает:

— Послушай, Мао, ведь это не свинья, а коза!

Мао парирует:

— Я как раз к козе и обращаюсь».

Резкий звонок в дверь и последующие трели всевозможных звуковых устройств заставили всех отвлечься от распростертого тела. Легкие босые шаги Татьяны Фалькон пролетели мимо ванной. Дверь открывается. Возглас хозяйки: «Смотрите, кто пришел!» — за дверью стояли Кукуш Октава с гитарой и его новая жена Люба Гриневич. Кукуш тронул струны и запел; жена ему вторила:

А мы швейцару: «Отворите двери!
У нас компания веселая, большая,
И приготовьте нам отдельный кабинет!»
А Люба смотрит: что за красота!
А я гляжу: на ней такая брошка!
Хоть напрокат она взята,
Пускай потешится немножко.
А Любе вслед глядит один брюнет,
А нам плевать, и мы вразвалочку,
Покинув раздевалочку,
Идем себе в отдельный кабинет.

У Любы еще оказался маленький бубен, и так, с гитарой и бубном, чета вошла в квартиру, имея целью развеселить впавшего в депрессию Тушинского.

В ванной с Яном остался только Юра Атаманов. Он сидел на тонконогой табуретке и курил одну за другой паршивые сигареты «Север». Как и Роберт Эр, он страдал заиканьем, только не временным, а постоянным.

— Тты, сстаричок, в эттой тррахнутой Ммоскве можешь загнуться, — говорил он Яну. — Ддавай ввылезай изз этой ммыльной лужжи и отпрравимся в ддальние ккрая.

Тушинский понемногу стал вытаскивать свое обессилевшее тело. Заворачивался в махровые полотенца, влезал в пижамные штаны. Потянулся за халатом, сорвался, чуть не упал.

— О чем ты говоришь, Юра? Какие дальние края? У меня все визы закрыты. Они меня невыездным сделали! — он сел на вторую табуреточку и обвис.

Атаманов хохотнул:

— Какие, к черту, визы? В Архангельск пока что виз не нужно. А оттуда с нашими ребятами, с охотничьим братством, уйдем в такие края, которых ты и во сне не видел. За две недели оклемаешься; гарантирую!

Этот Юра Атаманов был на пять лет старше Тушинского, то есть подходил к тридцати пяти. У него был большущий лоб, переходящий в лысину. Имелся также порядочный нос, довольно часто пребывающий в неспокойном состоянии. Красиво очерченные губы часто причмокивали. Глаза все время хранили довольно странное выражение неполного присутствия, которое еще усиливалось толстыми линзами очков. Если читатель хочет заполучить еще больше деталей, касающихся внешности Атаманова, и в частности описание его нескладной, но сильной фигуры, он может прочесть Юрин рассказ «Трали-вали», в котором бакенщик Егор считается чем-то вроде автопортрета.

Вообще этот рассказ считается выражением Юриного гения. К тому времени он написал по крайней мере дюжину рассказов, отмеченных этим редким человеческим качеством. Говорят, что гениальность можно угадать по таким внешним приметам, как чуткий нос или проявления жадности. Юрина жадность все-таки под вопросом, а вот что касается обоняния, можно сказать наверняка: у Атаманова нет ни одной прозы, в которую не влез бы его большой, с подрагивающими закрыльями орган нюха. Помнил все запахи своей жизни: рогожи, канаты, гниль, вобла, пыль, аптека, старые обои, пар, медь, бензин, дорога, сапоги, листья, рыба, смола, водоросли, соль, юг, древность, лодки, собаки, ружья, мыло, мочалки... Высшим проявлением этого ольфакторного буйства был один из самых ранних его шедевров «Арктур — гончий пес». Слепой с рождения пес-охотник не видел в жизни ни одного предмета, но нюх его волшебный толкал его на стезю гона и вдохновлял до предела. Нюх его и погубил.

Когда эта метафора человечества вышла в свет, литературная Москва взволновалась — пришел гений! А гений тем временем подрабатывал в ресторанном джазе, лабал на контрабасе. В отрочестве его, арбатского мальчика, тянуло на Поварскую-Воровскую, в Институт Гнесиных. Ему казалось, что он рожден для «звуков нежных», но оказалось, что мощные запахи жизни сдвигают звуки на зады.

Весной 1963 года он воспылал желанием спасти Тушинского. Он покажет ему Севера́, познакомит с охотниками на белух, которые никогда и не думают о блядской политике или о говенной московской номенклатуре. Они забудут о дегенеративном шампанском московского разлива и будут пить только спирт, чистый спирт, да еще и с огоньком, да еще и с огоньками, которые, если его пролить, запрыгают, как чертенята, по рукавам и по плечам, по рукавицам, по стеганым штанам и по ушанкам.

На моторных баркасах мы будем уходить все дальше на север к заброшенным тоням и там, в безмикробном воздухе, станем коптить свою жизнь, кучковаться с приблудными мужиками, а любви искать не у дамочек из Дома кино, а у поварих и медсестер.

Хотите, будем биться об заклад, что Янка Тушинский за две недели там оклемается? Он точно придет в себя, а если проведет там с нами все лето, то будет вообще неприступен для всякой хрущевщины и снова начнет писать свои вэлликолэппнннныэ и гэнниальнныыыэ стыххы, старрыкки, как вроде тех, которые я до сих пор не могу слушать без волнения:

А снег повалится, повалится,
и я прочту в его канве,
что моя молодость повадится
опять заглядывать ко мне.
....
И мне покажется, покажется
по Сретенкам и Моховым,

что молод не был я пока еще,
а только буду молодым.
……………
Но снег повалится, повалится,
закружит все веретеном,
и моя молодость появится
опять цыганкой под окном.

Так, в общем, и получилось: они провели, почитай, все лето на Печоре и в Белом море и по кромке Лаптевых побили немало невинной живности, сожрали, наверно, по бочке ухи, Юрка заматерел, как Достоевский к концу каторжного срока, а Янк почувствовал себя Франсуа Вийоном, написал кучу отменных стихов, дававших ему право слыть не франтом, не «туристом с тросточкой», а настоящим народным поэтом, и вот, хотя б отчасти, он восстановил свою независимую по Москве походочку.

Он вовсе не был глуп, этот поэт. Спонтанно он был совсем не глуп, иначе не отправился бы с Атамановым на Печору. Интуитивно он понял, что выход из гадкой советской опалы можно найти только в глубинах России. Сначала Белое море, потом колоссальный прыжок в сердцевину Сибири: станция Зима, Ангара, путешествие на плотах вниз по титанической Лене — там он находил колоссальную подзарядку для своих поэтических аккумуляторов. В результате появлялись бесчисленные стихи, циклы стихов и, наконец, эпическая поэма «Братская ГЭС». В партийных органах эта одиссея вызывала сильнейшее впечатление. Тушинский возвращает себе свою позицию большого советского поэта. Смотрите, вся остальная бражка по-прежнему шляется по богемным чердакам и подвалам Москвы, а он в это время становится участником нашей грандиозной исторической стройки.

1963, июнь
Заветы

Не было его в Москве и тогда, когда все «раскритикованные» в мае 1963-го получили приглашения на еще одну «встречу в верхах». На этот раз дело было не в Кремле, а в Заветах Ильича, поселке великолепных особняков-резиденций, что размещались прямо напротив «Мосфильма», в садах на высоких Ленгорах, известных, помимо всего прочего, своей чудодейственной «розой ветров».

Официально собрание было посвящено просмотру документального фильма «Русское чудо», сработанного кинематографистами ГДР, коммунистическими супругами Торндайк. В ранних сумерках солидная толпа деятелей искусств собралась на пустынном тротуаре и медленно стала втягиваться в парадные ворота. Там охрана в штатском проверяла пригласительные билеты и документы. Ваксон опять входил в «святая святых» вместе с Рюриком Турковским. Неподалеку в толпе плыл Роберт Эр. Антоша Андреотис с удивительно счастливым выражением лица шел чуть ли не обнявшись с Генри Известновым. Энерг Месхиев оживленно беседовал с Кукушем Октавой. В воротах начиналась возня с документами: кто-то дома забыл, а кто-то не мог на себе найти, пока не обнаруживал в заднем кармане штанов. Гэбэшники ободряли «раскритикованных»: да проходите так, мы вас и без документов знаем.

Фильм «Русское чудо» был построен по весьма наглядной композиции. До большевистской революции вся жизнь огромной страны была не чем иным, как шествием истощенных бородатых рабов, погоняемых жестокими сатрапами режима. После революции возник невероятный созидательный и оборонный пафос. В полном одиночестве СССР разбил гитлеризм и возобновил строительство той великолепной жизни, которой мы наслаждаемся сейчас. Вершиной этой жизни была космическая победа над США, запуск на орбиту майора Гагарина.

Хрущев аплодировал дольше всех, никак не мог остановиться. Остановившись наконец, объявил, что товарищи Торндайки за создание этого шедевра награждаются Золотыми Звездами Героев Социалистического Труда. Председатель Президиума Верховного Совета товарищ Ворошилов тут же взялся за нелегкое дело прикалывания медалей и ввинчивания сопутствующих орденов Ленина. Гости держались стойко, лишь только раз Аннели как-то странно вздрогнула. Хрущев уже поджидал их с искренними большевистскими поцелуями. После процедуры приступил к любимому делу — спонтанному словоизлиянию.

Сначала он призвал всех присутствующих следовать примеру наших германских товарищей. Если будут наши следовать, никто не останется невознагражденным. Вот буржуазная печать изгаляется, будто мы задавили нашу творческую интеллигенцию. Неправда это, товарищи! К творческой интеллигенции мы подходим по-большевистски, а ведь мы, большевики, мы как... как... как чайки, товарищи! Ведь если к птенцу чайки лиса какая-нибудь подбирается, товарищи, вся стая поднимается, хлопает крыльями, кричит, и лиса, товарищи, убирается восвояси!

Конечно, и у нас бывают разногласия. Вот вам пример. Посмотрели мы с сыном фильм Эльдара Мускатова «Застава Ильича» — нет, не Эльдара? А как? Энерга? И не Мускатова? А как? Месхиева? Ну, вот его — и вот идем с ним, с сыном Сергеем, домой по парку. Чувствую себя както не особенно. Как в опере поется, «не узнаю я сам себя, не узнаю Григория Грязного». Начинаю критиковать Масхата, повышаю голос, а Сергей мне в ответ: «Папа, ты не прав. Это правдивый фильм о современной молодежи». Сергей, ты здесь? Можешь подтвердить, что такой разговор имел место?

В задних рядах встал авиаконструктор Сергей Хрущев. «Подтверждаю, папа. Такой разговор был».

После заседания толпа собралась в зале для приемов. Турковский сказал Ваксону: «Ну вот, видишь, какой колбасой перед нами помахали». Ваксон сказал: «Точно», — и рассказал про колбасу подошедшему Роберту. «Точно», — сказал тот и рассказал про колбасятину приотставшим дамам, своей Анке и Нэлке Аххо. «Точно», — сказала Анка. «Очень точно», — промолвила Нэлка и немножко вздулась губками, как обиженный ребенок.

На этом, собственно говоря, и завершились боевые денечки идеологического сезона.

1963, ноябрь
Меткий

Между тем уже и сам «горевой» 1963-й подходил к концу. В конце ноября американский стрелок Ли Харви Освальд, получивший огневую подготовку в снайперской школе неподалеку от Минска, прикончил Президента США Джона Фицджеральда Кеннеди. В тот день наш герой, полностью уже оправившийся от своего стресса и прибывший в Америку в составе литературной делегации Роберт Эр, вошел в огромную кабину лифта своего соответственно огромного отеля и испытал мгновенный шок неузнавания действительности.

Лифтерша, молоденькая негритянка, всегда встречавшая гостей великолепной улыбкой, рыдала, закрыв лицо руками. Несколько бизнесменов, которые обычно в лифтах стоят в определенном предстартовом состоянии, чтобы немедленно, как только двери откроются, броситься вперед, к своим бизнесам, сейчас пребывали в каких-то странных позах трагедийной «немой сцены». У иных глаза были на мокром месте, у одного дергалась щека.

Роберт и сам немедленно стал участником этой необъяснимой мизансцены: потрясенный неузнаванием иностранец. Вся его поза и мимика лица означали только один вопрос: что случилось, господа? Тогда один из пассажиров шагнул к нему и тихо, но отчетливо промолвил: President is dead.

В тот же час в Москве, в писательском жилом кооперативе у метро «Аэропорт», у драматурга Устина Львовского гости рассаживались вокруг пышного стола, накрытого Елизаветой Львовской и ее симпатичными приживалками; отмечался чей-то день рождения, то ли самого Устина, то ли Елизаветы, а может быть, и Вильяма Шекспира; тогда только и искали повод, чтобы накрыть стол. Среди гостей был и сосед Ваксон со своей Миркой.

Едва лишь подняли первый тост, как случилось чрезвычайное происшествие — загорелся деревянный дом напротив. Пламя с треском поднималось до седьмого этажа кооператива, где как раз и пировали наши герои. Внизу на склизких тротуарах собиралась толпа зевак; ведь на Руси любой пожар — это праздник. Среди гостей Львовских были два фольклориста. Они стали спорить: какое место занимает пожар в народном психо, к чему он — к добру или к худу?

Не успел этот спор завершиться, как пришел молодой партиец в высоких чинах, своего рода «любимец партии», каким некогда был Бухарин, Владлен Кржижановский; да-да, из тех Кржижановских. Он-то и объявил развеселому столу, что в Далласе, штат Техас, застрелен из снайперской винтовки президент Кеннеди. Потом он сел к столу и сразу налил себе тонкий стакан водки. И только лишь когда улегся первый шоковый бессмысленный гам, он добавил к своему сообщению: «Между прочим, убийца — коммунист».

В течение долгих лет Аксён Ваксонов не решался поделиться ни с кем своими мыслями, бурно налетевшими на него в тот момент. Следующий шаг — это ультиматум Америки. Затем последует обмен ядерными ударами. Нам всем конец. Спасутся только те, кто заказал это убийство. Что происходит сейчас с главной «чайкой» этой стаи?

Трепещет от страха? Или от торжества? Неужели он сознательно вел все дело к такому исходу? Что бы то ни было, вряд ли после таких акций он просидит больше года на своем троне.

Все за столом постарались накиряться как можно скорее до объявления общей тревоги: дескать, «там не дадут»... Только через несколько дней все поняли, что обойдется, ультиматума не последует. Освальд был убит, за ним последовал его убийца Джек Руби и неизвестно сколько еще других людей вокруг. Вместо атомной войны вслед за преступлением последовал шквал дезинформации. На этом и кончился тот год.

1968, август
Пляж

Литфондовский пляж был привилегированной зоной отдыха. Посторонний народ, то есть без пропусков, не допускался. А ведь тянулся народ, жаждал позагорать под литфондовскими лучами солнца среди своих любимых авторов, что вполне естественно в такой литературо-центрической стране, как СССР. Некоторые рьяные читатели, особенно из поклонников журнала «Юность», собирались кучками возле входа, чтобы посмотреть, как выходят из парка и направляются на пляж их любимцы, кумиры, властители дум, более яркие в этой стране, чем звезды футбола, хоккея, фигурного катания. Вот они идут один за другим: Ян Тушинский, одинокий как Дон Кихот, а ведь его могли бы сопровождать сотни лучших девушек социализма, а вот и Кукуш Октава, похожий на возмужавшего Лермонтова, ведет четырехлетнего Булю, который недавно уже отчебучил тут штучку так штучку: на вопрос «Кто твой папа, мальчик?» — ответствовал: «Если я вам скажу, кто мой папа, вы прямо тут и хлопнитесь!», а вслед за ними быстро, почти балетно выскакивает из парка юный, как десятиклассник, Антоша Андреотис со своей удивительной подругой (говорят уже жена!) по имени то ли Софка, то ли, как в поэме, Фоска, а вот и мощный, несокрушимый движется лидер Роберт Эр, окруженный по обыкновению толпой своих людей, среди которых выделяются друзья: Юстинас Юстинаускас, который всегда рисует, и Эммануил Бокзон, который всегда поет, а вот их догоняет, откидывая ножки в сугубо женской манере, всеобщая darling Нэллочка Ахто в огромной шляпе «серебряного века», когда-то, говорят, принадлежавшей закатной звезде Петрограда Олечке Глебовой-Судейкиной, ну а вот и Ваксон с Подгурским, эх, прозаики-битники-ветерок в головесо своими ботинками-на ногах и вовне! — и все вот как-то так проходят, ну, совсем не так, как обыватели, ей-ей, вы не смотрите, товарищи, что они вот все так с утра головой мотают, они соображают, они все, конечно, понимают, они всем, включая и обывателей, хотят какого-то внутреннего блаженства!

Охраняли вход на пляж три вполне еще бодрые старушки, ветеранши Коктебеля, помнившие еще основателя колонии Макса Волошина, вокруг которого они когда-то в греческих туничках кружили с сонмищем юных созданий. Состарившись, они стали бдительными стражницами огороженного галечного пространства. Пропуска, то есть чахлые сложенные вдвое бумажки, проверялись безукоснительно, то есть у незнакомых. У более-менее знакомых, то есть у тех, кто почти уже исчерпал сроки «заезда», проверялись не столь уж неукоснительно. Совсем не проверялись у знаменитостей. Показывая близость к литературе, старушки называли новых звезд по именам. Сияли, когда поэты обращались к ним по почти неискаженным именам-отчествам. Обменивались наблюдениями: «Ты не находишь, Федора, что Стеллочка выглядит, как будто из окружения Марины? Помнишь Лидочку Голидей?»

Интересно будет отметить, что знаменитости иногда оставляли свои пропуска кому-нибудь «из публики» на свой вкус и, таким образом, пляж заполнялся не только важными «патриотами» вроде уже упомянутого в 1964 году Близнецова-Первенца, но и вполне симпатичной фрондой. Через внешнее море приплывала сюда и дерзкая молодежь с «общих» пляжей. Смешавшись с толпой купальщиков, напоминавшей шаривари у стен Трои, смельчаки выходили на берег, растягивались на гальке, а то и умудрялись обзавестись лежаком. В конце концов достигался комплект, напоминающий комплект отельного пляжа в Каннах: тела лежали один к одному, правда, не в таком организованном сардинном порядке, как за границей; некоторые ноги, скажем, могли соприкасаться с иными макушками, возникали также и валетные конфигурации. Столкновений почти не возникало. «Никто никому не грубит, — удивлялся Кукуш Октава. — Помните, товарищи, такую картину в доме Караванчиевских?»

Удивляло огромное количество иностранных солнечных очков, а также и других изящных штучек, каких ни за какие деньги не сыщешь в советских магазинах: итальянских шейных платков, американских бейсболок, ярких книжечек издательства «Пингвин», разумеется, на английском языке, французских бикини, чехословацких шортов, сродни тем юстовским, под общим названием «Пражская весна» — все это благодаря усилиям нашей героической «теневой экономики». Увы, прохладительные напитки любого бренда полностью отсутствовали. При внимательном рассмотрении можно было заметить и серьезный прокол наших идеологических органов: по меньшей мере у каждого пятого молодого человека область средостения украшал маленький православный, а то и католический крестик. Объяснить это явление не мог никто, а потому и сваливали на пустой «снобизм».

Ян Тушинской, переступая длинными ногами от одного пустого клочка до другого, демонстрировал чудо из чудес — фотоаппарат «Полароид», способный не только щелкать, но и немедленно производить великолепную цветную фотку. «Выездная» публика намеренно не удивлялась: дескать, насмотрелись уж на эти «Полароиды» в закатных странах (врали! врали!), а вот наивные, «невыездные» просто ахали от восторга — ну что за технология, ну почему, товарищи, мы, при всем нашем величии, ничего такого не производим?! Поэт между тем сиял. Он собирал группы детей, щелкал и вытаскивал картинку, на которой каждый отпрыск мог узнать цветного самого себя. Невероятный, с визгом, восторг! Картинка в конце концов вручалась какой-нибудь из родительниц, чтобы не погиб сей чудесный документ в жадных ручонках дикарей великой, но бесполароидной державы.

Произошел, разумеется, и некоторый казус. Две провинциальные девушки, не опознавшие «лучшего поэта России», а принявшие его за пляжного фотографа, стали упорно допытываться, сколько он берет за снимок на фоне хребта Карадаг. Одна хорошая знакомая Яна, девушка по имени Заря, напустилась на дурех: «Вы что же, великого поэта не узнали? Гения Тушинского приняли за курортного барыгу? Да где это вы видели у барыг такую аппаратуру? Янчик, не снимай их, пожалуйста, ну их к черту, этих дур!»

Ян хохотал и проявлял великодушие. А вот наоборот, возьму и сниму этих непорочных девушек России! Влезайте-ка вон на тот прибрежный камень! И ты, Заря, с ними влезай! А ты, Карадаг, не трясись, не вулканируй, будь вечным фоном своим мимолетным сестрам! Внимание! Одна фотка девушке Кушке! Другая — девушке Грушке! Третья — девушке Заре! Четвертая — мне, а с вас, девчата, по копейке! Он любил простодушных дев своей необозримой страны. Именно такие носили им крынки теплого и praванивающего коровой молока, когда он в компании красноярских «столбистов» причаливал на своих плотах к енисейским городищам.

Все кассеты сегодня и растрачу в этот волшебный день, хоть и стоит каждая — не помню где и покупал, то ли в Амстердаме, то ли в Антверпене — двадцать четыре доллара штука! Всю сумку растрачу, всех одарю, а потом заброшу чертову штуку в багажник. Впрочем, нет, пару кассет надо оставить на вечернее сборище. Подхватив почти опустевшую сумку, он пошел на самый дальний сегмент пляжа, где было не так густо и где сидели две красавицы его жизни, ставшие теснейшими подругами, бывшая жена Нэлка и нынешняя законная Танька. Они приехали только вчера на его старом «Москвиче». Он их вообще-то не ждал и был слегка шокирован, учитывая присутствие Зари. Все-таки был безумно рад. Ну как можно не радоваться прибытию двух самых близких женских душ? Одна по мере ее поэтического роста становилась все ближе и ближе к Первому, то есть почти Второй. Другая по мере угасания сентиментальности становится резким критиком, то есть настоящей подругой. Она меня никогда не бросит, даже невзирая на Зарю. Впрочем, она о ней ничего и не знает, никогда ее не видела. Они, эти две задающие тон москвички, вообще-то мало кого видят вокруг, да и вообще не особенно интересуются окружающими местностями. Как они смогли добраться сюда через весь ужас Симферопольского шоссе? Да еще и без ветрового стекла, вернее, с его чудовищными осколками. Слушай, да они ведь были обе всю дорогу вдрабадан — вот вам и ответ на вопрос. Пьяного на Руси Бог бережет, это уж точно. Сама мысль о путешествии в Крым пришла им после бесконечного ужина в сомнительной компании. Плюхнули в «Москвич» и помчали. Нэлка была за рулем, дело нешуточное. Возле Кольцевой дороги чуть не перевернулась, въехала в кювет. Какой-то дальнобойщик вытащил тросом. Прочли ему за услуги два или три стиха. Обалдевший парень даже не взял от красавиц десятку денег. Десятку, каково? Вот куда мои заработки уходят! Уже за Тулой начались другие сложности, вернее, восхитительные неожиданности, как выразилась Нэлла. Кончился бензин. Танька тогда вспомнила фильм Феллини, где девушки выходят на дорогу и делают вид, что поправляют чулки. Остановился военный грузовик. Женщина отрекомендовалась: «Жена младшего лейтенанта запаса Яна Тушинского». А Нэлка прочла большой кусок из «Родословной». Воины родины оказались джентльменами! Нет, вы это представляете?

Без мата, без агрессии, под песню «Хотят ли русские войны» и почти без лапанья, за ту же самую десятку денег через трубку заправили бак и еще дали канистру. Самая восхитительная неожиданность произошла уже за Харьковом, когда за светскими девушками погналась украинская милиция. Предъявите документы, кричали они, а какие к черту документы, у них не было никаких документов! За рулем была Танька Фалькон и неслась, надо признать, как сокол. Однако от «Волги» с форсированным двигателем не уйдешь, так им потом уже сказали, а до этого девушки мчали, не имея ни малейшего понятия о форсированных двигателях. Танька, чтобы уйти от погони, умудрилась втереться в колонну самосвалов. В этой колонне ехали довольно долго, бурно хохоча без всяких документов. Все знают, что утром бывает такой час, когда человека кружит какой-то несусветный юмор. Именно в такой час и можно оторваться от погони. «Волга», похоже, стала отставать, как вдруг ужасный удар потряс нашу «антилопу-гну», удар прямо в лобовое стекло, и мы затряслись, засыпанные осколками. Уважаемые работники милиции потом объяснили, что случилось. Из-под колеса идущего впереди самосвала вырвался посланник ада, кусок бетона. Чудесное спасение двух миловидных душ, как объяснили сотрудники, произошло только благодаря водительскому мастерству Тушинской Татьяны Аполлинариевны, если можно судить по завалящему старорежимному профсоюзному билету. А вы не родственниками ли будете поэту Яну, которого вчера слушали по телевизору и лицезрели, даже не подозревая, что супруга будет утром пересекать наш участок. Теперь скажите, дамочки, вставляться будем? Это еще что такое, товарищи офицеры? Да ведь без стекла-то нельзя продолжать по пути следования. Надо вставиться. Да неужто у вас тут стекла вставляют? Боимся соврать, девушки, этого пока не вставляют. Давайте-ка пока что оформляться в тени лесозащитной полосы с внутренней стороны. Нет, пробу на алкоголь мы проводить не будем, ограничимся только устным внушением, что за рулем пить нельзя. А вот за британский джин вам товари́щеское спасибо, его мы выпьем вечером в домашней обстановке, с чудесными воспоминаниями в ваш поэтический адрес. Хорошей вам дороги без ветрового стекла! Капитан Дремченко, старший лейтенант Ясень.

Ну вот, а далее по пути следования мы ехали в потоке ветра; продулись основательно!

Когда Ян приблизился к своим близким душам, обе ели арбузные полумесяцы, форс-мажорно отобранные у Галипольского и Харцевича, то есть у двух монархистов из Института мировой литературы.

— Ну, давайте, синьоры, я и вас запечатлею по случаю прибытия в республику Карадаг! — щелчок, жужжание, предъявление фотодокумента.

— Мне кажется, я тут похожа на какого-то порочного ребенка, — задумчиво сказала Нэлла.

— А я себе очень нравлюсь! — воскликнула Таня. — Я вижу в себе что-то монпарнасское! А теперь, Янк, покажи-ка нам свою Зарю! Я хочу ее сравнить с Нэлкой!

У Тушинского внутри что-то съехало слегка набок. Откуда она знает о нас с Зарей? Ведь об этом не знает никто, кроме меня и Зари. Сделав шаг назад и едва не наступив на ладонь монархиста, он напомнил близким душам, что вечером после ужина состоится геттугезина у него на террасе. Из совхоза привезли два ящика недурного каберне. Ну а Барлахский, конечно, припрет полканистры чачи.

Роберт Эр в это время в сердцевине пляжа лежал в шезлонге и записывал в блокнот кое-какие рифмы: «на́долго — облако», «комнате — вспомните», «черепаший — вчерашний», «горечи — полночью»... Очень часто бывает, что из такой простой рифмовки получается настоящая лирика.

Подсел, а потом и растянулся на эровском полотенце друг сердешный Тушинский.

— Послушай, старик, я только что вспомнил твой стих «Королева пляжа». Хочешь, прочту? — Эр шутливо заткнул уши. — Не смей читать, Туш! Ты все переврешь!

Тушинский тем не менее оттянул его руку и прочел прямо в ушную раковину:

По пляжу идет королева.
Серебряно галька шуршит.
У мидовца Королёва
Подвздошие трепещит.

Эр тут же постарался перехватить инициативу:

Откуда взялись эти строки,
Не может сказать даже Туш.
Трещит, как бухая сорока,
И получается — чушь!

За этим последовали с обеих сторон псевдобоксерские удары и конвульсии смеха. Наконец успокоились. Ян похитровански прищурился:

— А теперь посмотри вокруг, старик. Тебе не кажется, что в этом сезоне тут скопилось рекордное число королев? Ей-ей, весь бомонд тут почему-то сгруппировался. Кроме наших ближайших, черт бы их побрал, немало и слегка отдаленных; не находишь?

Роберт усмехнулся:

— Вроде твоей Зари, ты хочешь сказать?

Ян ударил обоими кулаками по гальке:

— Да откуда вы все узнали про Зарю? Никто никогда мне ничего про нее не говорил и вдруг оказывается, все все знают! Кто шпионит? Кто распускает сплетни?

Роберт хлопнул его блокнотом по макушке:

— Послушай, все ее знают еще с 1964-го. Она тогда все лето разгуливала в твоей гавайской рубахе.

Тушинский вроде бы вскипел, вроде бы не в шутку разозлился; на самом деле он был совсем не против поговорить о своей зазнобе; вернее, об одной из многих зазноб.

— При чем тут рубаха эта несчастная? Я уже и думать забыл об этой рубахе! Девчонка, чистая, открытая, влюбилась не в меня, а в мои стихи; вот я и подарил ей эту рубаху. Ты бы лучше посмотрел, Роб, вот сюда, сюда, вот именно на Ралиссу Кочевую. Говорят, что твоя Анка ее просто ненавидит. Есть основания или нет? У тебя с ней что-то было?

— Теперь ты видишь, кто распускает сплетни, Янк? — невинно спросил Роберт.

Ян споткнулся:

— Кто?

— Ты, мой друг.

Тут они оба отмахнулись друг от друга и на несколько минут замолчали. Потом Тушинский возобновил увлекательную тему:

— Мы все-таки начали с эстетической точки зрения, с оценки королев. Хорошо бы расширить этот аспект.

Куря табак и потягивая привезенное из совхоза каберне, друзья начали тихий сосредоточенный разговор. Время от времени они окидывали с понтом рассеянными взглядами шевелящееся собрание почти голых тел, а потом опять углублялись. Издали можно было предположить, что они толкуют какую-нибудь философскую тему, ну, например, расширение неокантианства с помощью привнесенных их поколением поэтов новых рифм. На самом деле речь шла о более существенных материях. С эстетической, именно с эстетической, ни с какой другой, точки зрения была утверждена десятибалльная шкала оценок. Давай начнем сверху. Конечно, сверху. Нелепо как-то подниматься снизу. Снизу, брат, начнешь, может поехать крыша. Берем три верхних балла. Ну вот, например, упомянутая уже нами особа, каким-то образом оказавшаяся здесь без своего постоянного назойливого спутника. Чистая десятка. Теперь давай поговорим о Заре. Может быть, позже о ней поговорим? Нет уж, давай сразу уточним, чтобы не мучили угрызения. Прошу восьмерку и забудем об этом: она мне не баллами дорога. Давай теперь назовем тех, кто безоговорочно получает какой-либо из двух высших баллов. Нинка Стожарова, у которой интеллектуальная дружба с Ваксоном, без всяких сомнений. Ульянка Лисе, с ее эстетически удивительным изгибом спины, этим летом безупречна; за нее горой встанет весь взвод «жестоких героев» из ВТО. А посмотри на Софку Теофилову, вернее Фоску, ну конечно Фоску, которая приехала с нашим Антошей, вернее, привезла его с собой; девушка немного возрастная, но отнюдь не лишенная, ну, эстетического совершенства. А вот и дерзновенная Катька Андропова, нет-нет, не дочь чекиста, а скорее звезда «Современника», где она уже взяла сценическое имя — Человекова. Ну кто лучше нее может посмотреть через плечо, одновременно как бы отталкивая одну персону и притягивая другую? А вот посмотри, целая стая эстетически великолепных и довольно бесшабашных к нам заявилась из пансионата; кто такие? Ба, да ведь это девушки из ансамбля «Мрия», романтические хохлушки! А вот эти, партизанки-то российских просторов, искательницы-то восхитительных происшествий, «сестры — тяжесть и нежность»; так отмечены были, как высказался Роб, «жены большого полета»; вот и извольте разбираться. Между прочим, тяжести неплохо было бы поубавить, тогда и получили бы, ну, если не десятку, то девятку. Молчи об этом, друг, а то отхлещут по щекам!

Так они болтали сначала полушепотом, потом уже шепотом, потом уже молча, то есть при помощи больших пальцев на великолепную курортную тему, дань которой отдал и Мишель, который Лермонтов. А вокруг них дядьки из секретариатов шуршали газетами — вообразите, не ленились переводить в Крым подписку на вдохновенную «Правду»! — и обменивались мнениями об актуальных событиях. Прислушались бы поэты, услышали бы, как перелетают от одного капитального тела к другому злободневные имена — Дубчек, Смрковский, Млынарж и в противовес им Брежнев, Косыгин, Шелест, но они не прислушивались.

Солнце уже подошло к зениту, когда из моря выплыла и пошла к берегу первая «королева» этого дня. Ей было на вид лет восемнадцать, на деле — лет на пять больше. Купальник на ней был сначала темно-белого, то есть мокрого цвета, но высохнув на солнце, он просиял ярко-белым, на фоне которого ее загар стал темно-оранжевым. В принципе ее можно было бы сравнить с девушками одного из племен государства Сомали, в котором набирают манекенщиц иные парижские кутюрье, если бы не ее выцветшая до золотоносного уровня грива; такого с прекрасными дикарками не случается. Другое существенное отличие, которое, возможно, разочаровало бы модельеров, но привело в восторг всех более-менее активных мужчин литфондовского пляжа, состояло в том, что она не была похожа на высоченную вешалку для одежды. Спортивно-женственные пропорции ее тела были в полной гармонии с ее вроде бы девчачьей манерой передвижения в пространстве. Стоило только посмотреть, как она с кромки воды стала отмахивать «привет» кому-то в толпе пляжников, чтобы постичь ее прелесть и легкость в сочетании с некоторой самоиронией. Иными словами, она не была похожа на девушек сомалийского племени.

Ей вроде бы не хотелось привлекать к себе внимание литературных масс, и она делала вид, что не замечает, как много глаз на нее уставились. Среди уставившихся были, разумеется, и два ценителя женских прелестей.

— Ну, вот и чемпионка! — произнес Ян.

— Десять баллов точно! — подтвердил Роберт.

— Она совсем не изменилась, — сказал Тушинский.

— Ты ее знаешь? — спросил Эр.

— А ты не знаешь?

— Где-то, кажется, видел.

— Ты не рехнулся, Роб? Ты ее видел и не раз в моей комнате на Чистых прудах.

Роберт охнул, схватился за живот и перегнулся вдвое, как будто кто-то из пролетающих засандалил ему по органу глупости, который, как известно, располагается под ребрами.

— Милка?!

Колокольцева сигналила своей подруге Катьке Человековой, которая совсем недавно вошла в круг первостатейных звезд, сыграв в ударном фильме невесту советского шпиона, принявшего огонь на себя. Сегодня рано утром кто-то сбросил с отвесов в Львиную бухту мешок почты, среди которой была записка от Влада Вертикалова. Корявым почерком бард сообщал, что он снова в Коке и специально для того, чтобы увидеть ее. Изнемогает. Жаждет увидеть. Чувствует себя х...во. Хотя бы положи руку на лоб. Ищи в Литфонде. Море было спокойное, и она отправилась из бухты в бухту вплавь. Из Первой Лягушки взяла чуть-чуть мористее, наискосок к пляжу. В полукилометре от берега познакомилась с мощным литовцем, который завершал заплыв от Хамелеона. Сказал, что повторил рекорд Велимира Хлебникова. Боги Олимпа, этот литовец оказался Юстасом Юстинаускасом, художником, о котором она писала в журнале «Декоративное искусство»! В полнейшем восторге он пригласил ее в ресторан. Какой к черту ресторан? Здесь нет никаких ресторанов, одни столовки паршивые. Знаете, Милка, у меня все еще голова кружится от этого коктебельского восторга. Если нет ресторана, устроим пикник; идет? Вот это здорово, Юстас, приглашение принято; мне только надо будет сарафан какой-нибудь одолжить у бабы Марины.

На пляже они с Человековой бросились друг к дружке в объятия. Немного поплясали сиртаки в такой позиции. Милка спросила Катьку, не видала ли она Вертикалова: страдает человек. Катька посоветовала Милке пока на Вертикалова не выходить: он гудит. Да где он? Да где-то тут в трущобах отлеживается. Хочешь, пойдем поищем? Пойдем, только мне сарафанчик какой-нибудь надо купить и тапочки. Да на фиг тебе покупать какой-то говенный местный сарафанчик, вскричала Человекова. У меня этих сарафанчиков полная сумка, многоцветный ком. Да и сандальки найдутся, у нас с тобой лапы-то одинаковые.

Пока собирали с пляжа Катькино добро, та полушепотом, а может быть, и шепотом, но все-таки явно не молча, делилась с подругой своими приключениями. Оказывается, она тут выслеживает Антошку Андреотиса. Как так? Да вот так, недавно в Москве налетели друг на друга и пошли ходить. Весь день Антошка читал стихи, ей-ей, как «трагик в провинции». Зашли ко мне, а он все читает и читает. Ну, думаю, этот не уйдет, пока ему не дам, а у меня утром репетиция. Дала и не пожалела. Так здорово все, подруга, получилось! Так весело, по-мальчишески, и не слабо, ей-ей, не слабо! Ну, в общем, «от гребенок до ног» пропахал! Словом, я влю-би-лась!

Ну, Человекова, ты даешь так даешь, это уж точно! А дальше-то что? А дальше он мне как-то сказал, что едет в Кок писать поэму про корабль «Авоську». Тогда и я собралась, чтобы поразить пацана своим прибытием, а тут гляжу, Матка-Боска, он с дамой из Реперткома, с товарищем Теофиловой. Ну, Человекова, как же ты отстаешь, да ведь они уже давно законным браком. Ах, Колокольцева моя дорогая, я никому жизнь не собираюсь спасать, а все-таки дамочке не мешало бы слегка подвинуться по причинам старшинства; не находишь?

Так весело треща, две девушки направились к выходу. И только уже за воротиками Милка спросила Катьку, не встречался ли ей здесь некий такой всемирно известный Роберт Эр? Как же, как же, покивала подруга, он здесь, и вы, мадемуазель, проскакали в пяти метрах от его тела. В общем, не волнуйтесь, этот поэт тоже в надежных руках, его пасет законная Анка.

И тут на Колокольцеву наскочили с объятиями все три стражницы-старушки. Милка, Милочка, родная копилочка! Милка-Милка, принесешь бутылку? Они лапали ее и кружили, словно вернулась их волошинская юность.

После пляжа Роберт и Юстас пошли собирать баскетбольную команду. Собственно говоря, нужно было собрать две команды, чтобы потрясти побережье историческим матчем «Союз писателей СССР против Всего Мира». Роберт уже наметил писательскую команду: он сам, Тушинский, Ваксон и Подгурский; пятого никак сыскать не могли, но потом подумали, что, может быть, кто-нибудь пятый еще с Севера подгребет. Юстинас в поисках команды Всего Мира чуть ли не отчаялся: никого, кроме двенадцатилетних мальчишек, не нашлось ни в поселке, ни на баскетбольном корте в пансионате. Ну что ж, подумал он, за неделю я их так натренирую, что пух и перья полетят из московских декадентов.

В общем, начали пока что бросать. Роберт показал свой новый коронный — дальний бросок, в прыжке, из-за головы. Попал три раза из пяти. Юста, приехавший, как известно, с родины средневекового баскетбола Литвы, показал, как можно, прыгнув, повернуться в воздухе спиной к щиту, поменять руки и положить мяч из неожиданной позиции. Мальчишки зашлись от восторга и стали пытаться повторить этот финт.

1968, август
Посиделки

«Посиделки» все еще связывали Коктебель с его литературной историей. Чаще всего они возникали спонтанно: то возле киоска, где продавали коньяк, то на площади возле столовой, то в самой столовой, где к какому-нибудь столу начинали стаскиваться стулья и в конце концов собиралась шумная компания. Однако настоящие посиделки готовились за несколько дней. Намечалась чья-нибудь терраса и оповещались приглашенные. Каждый приносил какую-нибудь выпивку и купленные на рынке закуски: огурчики, скумбрию горячего копчения, черешню, орехи и так далее. Поэты являлись с листками только что написанных стихов. Барды приходили с гитарами. Возбужденная солнцем и морем публика петь начинала с самого начала и пели кто во что горазд. Вот, например, московские скульпторы Филин и Ламбург с большим успехом всегда исполняли неизвестно откуда взявшиеся куплеты: «Ты возьми мои деньги, возьми мой скот, Возьми, если хочешь, и мой яхтинг-боат! Ит воз э лав, лав, лав, э лав, оф коарс, Так вам расскажет, эх, любой матрос!»

Беда возникала, если представитель более серьезных жанров, прозаик или, скажем, драматург, начинал читать свежезавершенное произведение страниц под сотню. Вот тут народ начинал потихоньку «линять», а оставшимся ничего не оставалось, как только с важностью кивать, кивать, кивать, ну и иногда падать со стульев. Скандалов в таких случаях почти нельзя было избежать. Однажды после чтения на террасе у одного сценариста Ваксон поинтересовался, нет ли у того таза. Да зачем тебе таз-то, любезный Ваксон, спросил чтец-хозяин. А вот мы в таз твое сочинение положим и сожжем, предложил романист от лица всех подвыпивших товарищей.

Нынешние посиделки могли стать особым событием, учитывая то, что на киммерийских холмах в этот сезон собралось столько выдающихся личностей. Для задуманного сборища не хватило бы ни одной террасы в корпусах, не говоря уже об основательно подгнившей за последние годы веранде в Доме Волошина. Решено было устроиться на лужайке между тремя «бунгало», в одном из которых жили Эры, в другом семья Октавы, а в третьем Тушинские. Буфет был устроен на террасе Октавы, и оттуда в случае надобности можно было читать стихи и петь песни. Проза и драма были запрещены самым решительным образом.

Собрались, собственно говоря, все дамы, перечисленные при описании пляжа. Колокольцева и Человекова привели с собой Влада Вертикалова со страдальческим лицом, но в чистой рубашке. Явилась гордая Ралисса Кочевая, она была неотразима в белом оверолле на помочах и в черной маечке; волосы забраны вверх и перевязаны пестрой лентой, что весьма способствовало стройной шее. Подошла и поцеловалась с Татьяной Тушинской и Нэллой Аххо; были, оказывается, в дружеских отношениях. К Анне Эр и Мирре Ваксон мадам Кочевая не приблизилась, и не по каким-нибудь там причинам, а просто были незнакомы.

Ралисса достала новую сигарету, и тут к ней приблизилась чья-то рука с огнем в кулаке. Она подняла глаза и увидела того художника, литовца, который по-детски краснеет, когда ловит ее взгляд.

— Привет, Ралисса, — сказал Юстас в той манере, в какой Роберт к ней обращается.

Она улыбнулась ему одними губами, глаза чуть-чуть прищурились.

— Как поживаете, сударь? Надеюсь, вы ничем не разочарованы?

Обескураженный, он присел на ступеньку крыльца. Какой еще сударь? Он не знал такого обращения. Нигде никакого сударя не слышал на просторах СССР. Тут кто-то из толпы махнул ему девичьей рукой. Ба, да это та самая волшебная пловчиха из журнала «Декоративное искусство»! Он махнул ей в ответ и стал к ней пробираться. И был вознагражден за свой порыв: немедленно был представлен знаменитой киноактрисе Екатерине Человековой и мрачному парню в чистой, но плохо поглаженной рубашке; как оказалось, легендарному Владу Вертикалову.

Между тем общество утряслось и в общем укомплектовалось. Персон оказалось не менее полусотни. В основном это были люди вокруг тридцати, но имелись, как мы уже знаем, и юные девушки. Присутствовали и поэты фронтового поколения, в частности непрогибающийся Григ Барлахский и Ваня Шейкин, который, будучи подогрет, всем начинал объяснять, что он воевал в батальонной разведке, и в подтверждение вынимал финку и пускал ее в какое-нибудь древо, в которое она (финка) должным образом и вонзалась.

Сидели на пледе и люди, к которым поэты относились с исключительным, чуть ли не трепетным уважением, — реабилитированные зэки сталинских лагерей. Среди них выделялась супружеская чета Копелиовичей, Льва и Раи, которые вместе знали в совершенстве восемнадцать языков. С ними рядом расположилась и научная элита из таинственного города Арзамас-16, обладатели секретных золотых звезд за усовершенствование оружия массового уничтожения, полные академики Габарит, Плоек, Кондотье, Витаминов; с женами или подругами. Были там и физики-лирики помоложе, в частности спасенный недавно из щели Герка Грамматиков, который полностью уже оклемался, если не считать периодически изрыгаемого им крика орла.

Ну все, можно начинать. Кукуш взял гитару и стал тихонько наигрывать и напевать «Возьмемся за руки, друзья!», как будто он поет сам себе, чтобы сидящая в кустах агентура чего не подумала, не приняла рядовой выпивон за какое-нибудь сбор(ищ)е с этим борщеватым суффиксом холодной войны. Публика, однако, подхватила пение Кукуша и завершила камерную штучку громовым триумфальным хором.

Потом, тоже как бы случайно, встал и прислонился к столбу террасы пластически безупречный Ян Тушинский. «Между прочим, братцы и сестрички, вы отдаете себе отчет, что всего лишь через два года наше ударное десятилетие кончится и шестидесятничество отойдет в историю? И нас в дальнейшем будут величать так, как впервые в 1960 году к выходу ваксоновских «Однокурсников» молодой Стас Разгуляев предложил называть «шестидесятниками»? Аплодируя Стасу, я бы предложил к этому слову рифму в нашем стиле — «шестидесантники». Не исключено, что мы в этом десятилетии являемся десантом из будущего. Так или иначе, мы выдержали массированную атаку «чудища обло, озорно, стозевно и лаяй». Мы не распались, не потеряли дружбы, мы по-прежнему любим друг друга, но нас уже на мякине не проведешь. Давайте выпьем за то, о чем мы сейчас все пели вместе с Кукушем: за наш союз, к которому наша Нэлка испытывает такую «закаменелую нежность»! Все выпиваем по стакану здешнего совхозовского каберне! До дна! Вот так! Посуду не бить! А теперь начнем читать стихи! Пусть первая Нэлка прочтет! Пусть прочтет «Сказку о дожде»! Далеко не все из присутствующих слышали, как она это читает. Нэлка, поднимайся на террасу!» Поэтесса Ахххо с ее цветаевской челкой и в деревенском платьице с оборками оторвалась от своей неразлучной подружки Татьяны и с некоторой детской неуклюжестью взошла по крыльцу. Она взялась читать колоратурно, но по мере чтения в голосе ее возникали баритональные лады:

Со мной с утра не расставался Дождь.
— О, отвяжись! — я говорила грубо.
Он отступал, но преданно и грустно
Вновь шел за мной, как маленькая дочь.
....
Обрадованный слабостью моей,
он детским пальцем щекотал мне ухо.
Сгущалась засуха. Все было сухо.
И только я промокла до костей.
....
Я думала: что делать мне с Дождем?
Ведь он со мной расстаться не захочет.
Он наследит там. Он ковры замочит.
Да с ним меня вообще не пустят в дом.
....
Хозяин дома оказал мне честь,
Которой я не стоила. Однако,
Промокшая всей шкурой, как ондатра,
Я у дверей звонила ровно в шесть.
....
Признаться, я любила этот дом.
В нем свой балет всегда вершила легкость.
О, здесь углы не ушибают локоть,
Здесь палец не порежется ножом.
....
— Ваш несколько причудлив монолог, —
проговорил хозяин уязвленный.
— Но, впрочем, слава поросли зеленой!
Есть прелесть в поколенье молодом.
....

Одна из гостий, протянув бокал,
туманная, как голубь над карнизом,
спросила с неприязнью и капризом:
Скажите, правда, что ваш муж богат?
....
И — хлынул Дождь! Его ловили в таз.
В него впивались веники и щетки.
Он вырывался. Он летел на щеки,
Прозрачной слепотой вставал у глаз.
....
Дождь с выраженьем ласки и тоски,
паркет марая, полз ко мне на брюхе.
В него мужчины, поднимая брюки,
примерившись, вбивали каблуки.
....
Хозяин дома прошептал: «Учти,
еще ответишь ты за эту встречу!»
Я засмеялась: «Знаю, что отвечу.
Вы безобразны. Дайте мне пройти».

Из шестидесяти семи прочитанных строф мы приводим здесь только десять, но и они, нам кажется, достаточны для выражения курьезно-серьезной трагикомедии 1963-го, именно того года, когда у оскорбленного поэта сложилась эта «Сказка». Нэлла поставила точку и замолчала, опустив голову и взглядом исподлобья блуждая по собранию. И все молчали, было не до аплодисментов, пока академик Габарит, пожилой дядька с мохнатыми бровями, не смахнул слезу и не произнес гулким басом: «Я это знаю по самому себе», — что заставило Пролетающего приостановить его полет и зависнуть над этой группой людей в литфондовском парке.

Затем Ян Тушинский пригласил на террасу Антошу Андреотиса. Тот был в великолепной форме — загорелый и ясноглазый юнец в ярком шелковом джемпере, приобретенном, очевидно, в каком-то хорошем американском магазине; в общем, то, что на жаргоне страны таких джемперов называется The Party Boy. За прошедшие годы после того, как он приобрел надежную и красивую подругу Софку Теофилову, он написал огромное количество своих уникальных стихов и утвердился в репутации почти неотразимого покорителя как больших аудиторий, так и отдельно взятых, предпочтительно женских персон. Пока он вставал с травы его муза Софка, или Фоска, успела напутствовать его пожатием локтя, а Катька Человекова, сунув в рот колечко пальцев, произвела пронзительный свисток.

Перепрыгнув сразу через четыре ступени и повернувшись к публике, он сразу начал орать и показывать руками:

Спасибо, что свечу поставила
в католикосовском лесу,
что не погасла свечка талая
за грешный крест, что я ношу.

Я думаю, на что похожая
свеча, снижаясь, догорит
от неба к нашему подножию?
Мне не успеть договорить.

Меж ежедневных Черных речек
я светлую благодарю,
меж тыщи похоронных свечек —
свечу заздравную твою.

И все вздохнули на поляне и посмотрели сначала на Фоску Теофилову, а потом с лаской друг на друга. И зависший над поляной Пролетающий ниспослал им свой собственный неизреченный вздох. Антоша продолжал:

Уважьте пальцы пирогом,
в солонку курицу макая,
но умоляю об одном —
не трожьте музыку руками!

Нашарьте огурец со дна
и стан справасидящей дамы,
даже под током провода —
но музыку нельзя руками.

Она с душою наравне.
Берите трешницы с рублями,
Но даже вымытыми
не хватайте музыку руками.

И прогрессист и супостат,
мы материалисты с вами,
но музыка — иной субстант,
где не губами, а устами...

Руками ешьте даже суп,
но с музыкой — беда такая!
Чтоб вам не оторвало рук,
не трожьте музыку руками.

И дальше еще несколько пассажей из недавнего:

Да здравствуют прогулки полвторого,
проселочная лунная дорога,
седые и сухие от мороза
розы черные коровьего навоза!

....
Зачем в золотом ознобе
ниспосланное с высот
аистовое хобби
женскую душу жмет?
....
Гляжу я, ночной прохожий,
На лунный и круглый стог.
Он сверху прикрыт рогожей —
чтоб дождичком не промок.

И так же сквозь дождик плещущий
космического сентября,
накинув Россию на плечи,
поеживается Земля.

И все так легко. Так звонко. Так гениально! И на обратном пути с террасы можно так же легко, гениально и звонко поцеловать родную Фоску в щеку и в губы Катю, по дружески и на «ты».

Потом поднялся Григ Барлахский. Он был в одной тельняшке без рукавов, чтоб все любовались лаокооновским сплетением рук. Все ждали очередной артподготовки с последующим штурмом собственных позиций, но вместо этого матерый талантище прочел не то что даже ретро, а историческое, лирику времен первой бесславной блокады.

Я тоже был бы в Оленьку влюблен,
За ней по Малой Офицерской следуя,
Но муж ее, противника преследуя,
Отстаивал Четвертый бастион...
....
У флотских свой устав и свой закон:
Не смей к чужому прикасаться ты!

Не то не будет никакой кассации,
Пока гремят раскаты Оборон.
....
А ночью, отбивая Южный склон,
Слова прощанья и прощенья комкая,
Он умер на руках у Перекомского,
В жену которого он утром был влюблен.

К концу его чтения мрачнейший едва ли не до посинения Влад Вертикалов прошептал Милке Колокольцевой: «Я умираю, любовь моя. Налей мне чачи». Милка посмотрела на Катю, и та кивнула. Стакан виноградной водки оживил Влада и удалил синеву с его щек.

Теперь очередь дошла до Эра. Он волновался не меньше Влада. Полез на террасу эдаким увальнем. Что читать? Ну ладно, начну с одного из ранних, ну, скажем, то, про «парней с поднятыми воротниками», а кончу одним из недавних, про Лорку. Он начал читать стих из ранней книжки, написанный якобы о западных «потерянных», а на самом деле о наших юнцах, мучимых непонятной советской жаждой:

Парни с поднятыми воротниками,
В куртках кожаных, в брюках-джинсах.
Ох, какими словами вас ругают!
И все время удивляются: живы?!
....
Равнодушно меняются столицы —
Я немало повидал их, — и везде,
Посреди любой столицы вы стоите,
Будто памятник обманутой мечте.
....
Я не знаю — почему, но мне кажется:
Вы попали в нечестную игру.

Вам история назначила — каждому —
По свиданию на этом углу.
....
Идиотская, неумная шутка!
Но история думает свое...
И с тех пор неторопливо и жутко
Всё вы ждете, всё ждете ее.

Вдруг покажется, вдруг покается,
Вдруг избавит от запойной тоски!
Вы стоите на углу, покачиваясь,
Вызывающе подняв воротники...

А она проходит мимо — история, —
Раздавая трехгрошовые истины...
Вы постойте. Парни, постойте!
Может быть, что-нибудь и выстоите.

Все слушали очень внимательно. Он понял, что этот стих стал для многих настоящей ностальгией. Роберт начал читать второй стих:

А одна струна — тетива,
зазвеневшая из темноты.
Вместо стрел в колчане — слова.
А когда захочу — цветы.
А вторая струна — река.
Я дотрагиваюсь до нее.
Я дотрагиваюсь слегка.
И смеется детство мое.
Есть и третья струна — змея.
Не отдергивайте руки:
Это просто придумал я —
Пусть боятся мои враги.

А четвертая в небе живет.
А четвертая схожа с зарей.
Это — радуга, что плывет
Над моею бедной землей.
Вместо пятой струны — лоза.
Поскорее друзей зови!
Начинать без вина нельзя
Ни мелодии, ни любви.
А была и еще одна
очень трепетная струна.
Но ее — такие дела —
Злая пуля оборвала.

Этот стих, к тому времени еще нигде не напечатанный, вызвал удивленные аплодисменты. Каков Эр! Неужели это тот самый, кого когда-то при внезапной ссоре его ближайший друг Тушинский назвал «барабанщиком при джазе ЦК ВЛКСМ»? Последним из поэтов выступал тот, кто все это затеял; Ян Тушинский по кличке «Туш». Пример Роберта его вдохновил войти в ту же волну: сначала пущусь в ностальгию, а потом завершу все мощным общественным призывом. Выступая на бесчисленных фестивалях и конференциях на Западе, он уловил, что наиболее значительную фигуру выпускают в самом конце. Пусть так и будет, он это заслужил. Он встал в картинную позу, одной рукой опираясь на столб террасы, а другую руку пустил в ход, как бы укрепляя эмоциональный зов. И подвывал немного:

А снег повалится, повалится,
и я прочту в его канве,
что моя молодость повадится
опять заглядывать ко мне.
……………….

И мне покажется, покажется
по Сретенкам и Моховым,
что молод не был я пока еще,
а только буду молодым.
……………………
Начну я жизнь переиначивать,
свою наивность застыжу
и сам себя, как пса бродячего,
на цепь угрюмо посажу.
……………………
Но снег повалится, повалится,
закружит все веретеном,
и моя молодость появится
опять цыганкой под окном.

Прочитав эти стихи, он заметил, что они хорошо подействовали на женщин. Даже такие ехидины, как Танька с Нэлкой, как-то мягко заулыбались и проявили, как они говорят, «невыносимую романтику». Но ближе всех к этой невыносимости, конечно, оказались простые девчонки, вроде его верной Зари — почти до слез, почти до изрыдания рыданий, до серебристой декларации любви; и с ней, конечно, красоточки из ансамбля «Мрия», что по-украински — мечта!

Он сказал всем с террасы, что сейчас пойдет совсем другая тематика, а именно глубинно-российская, которая, по сути дела, в тяжелый год опалы и издевательств поставила перед ним новые вопросы и подняла его дух:

За ухой, до слез перченой,
сочиненной в котелке,
спирт, разбавленный Печорой,
пили мы на катерке.
………………

И плясали мысли наши,
как стаканы на столе,
то о Даше, то о Маше,
то о каше на земле.
....
Люди все куда-то плыли
по работе, по судьбе.
Люди пили. Люди были
Неясны самим себе.
....
Ах ты, матушка Россия,
что ты делаешь со мной?
То ли все вокруг смурные?
То ли я один смурной?
....
Я прийти в себя пытался,
и под крики птичьих стай
я по палубе метался,
как по льдине горностай.
....
Ждал я, ждал я в криках чаек,
но ревела у борта,
ничего не отвечая,
голубая глубота.

Эта концовка прозвучала как убедительное завершение чтений: в ней прозвучала основная мысль пробуждающегося общественного сознания, так подумал, стараясь не отклоняться от привычных формулировок, зависший над поляной Пролетающий, и все именно так и почувствовали, а властитель дум Лев Копелиович, отмахнув в сторону окладистую бороду, гулко произнес: «Янка, мы все тебя благодарим!»

И всем, конечно, стало ясно, что он на самом деле имеет в виду.

Тушинский готовил уже какой-нибудь высокопарный тост, чтобы перейти к обычной богемной анархии, когда вдруг встали две ослепительные девушки, Колокольцева и Человекова: «А вы что же, мудрецы и поэты, хранители тайны и веры, про певца-то улиц, что, забыли? Про Влада Великого, что ли, ничего не слышали? А он, между прочим, с нами!»

«Сволочи какие», — подумал о девушках Вертикалов и ущипнул обеих за упругие зады. Потом он встал и развел руками: гитары, дескать, с собою нет. Этой отговоркой, если не кокетством, он давно уже научился пользоваться, и не безрезультатно, но тут Кукуш Октава протянул ему над головами сидящих свой собственный струнно-деревянный инструмент. Влад посмотрел прямо в глаза королю бардов и поцеловал гитару. Но что же петь? Начну с «Волков», так всех перепугаю. Надо что-то вспомнить лирическое, чтобы показать, что я не обязательно подверженный алкоголизму бешеный истерик. Он тронул струны, и все потекло очень мило, хриплый его баритон, оказывается, мог прогуляться и в поля «невыносимой романтики»:

Ну вот, исчезла дрожь в руках,
Теперь — наверх!
Ну вот, сорвался в пропасть страх
Навек, навек, —
Для остановки нет причин —
Иду, скользя...
И в мире нет таких вершин,
Что взять нельзя!

Среди нехоженных путей
Один — пусть мой!

Среди невзятых рубежей
Один — за мной!
....
И пусть пройдет немалый срок —
Мне не забыть,
Что здесь сомнения я смог
В себе убить.

В тот день шептала мне вода:
«Удач — всегда!»
А день... Какой был день тогда?
Ах да — среда!

А день действительно был средой, и он уже резко пошел на убыль, когда над горой Сюрюкая с ее профилем Пушкина пролилась на весь западный склон небес зеленоватая прозрачность, в которой уже утвердились узкий серп Луны и некоторая звездная мелочь, если можно так сказать о том, что дошло к нам от непостижимых гигантов. У многих в этот вечер, если не у всех, было ощущение, что над парком Литфонда завис Улетающий. Так или иначе, некоторым поэтам казалось, что Дух напевает неслышную песню в русских стихах:

Я пролетаю и быстро таю,
Горю зарей, купаюсь мглой,
Но почему я зависаю
Над крымской странною землей?

Мужи и жены вдохновенны
Стоят и курят всякий хлам,
Как будто на тропинке в храм
Инъекций жаждут внутривенных.

Я всех вас знаю бесконечно.
Порхаю я, играет трость,
Влеку в своем мешке заплечном
Таинственную вашу страсть.

И далее он переходит к прозе, чтобы доступней стала песнь. Дети наши, поэты, напевает зависший над поляной Пролетающий, вы заслужили этот угасающий день, цветущий вечер и подступающую ночь. Ведь каждый из вас жаждет отступить от тщеславия и проявить преданность своей таинственной страсти, поэзии. И страсть сия вас стремится объединить. Вы умудрились прочитать этот закат. А ведь еще вчера вас швыряли в мир валькирий и закавказских духов тьмы. И ведь недаром дочь финского коммуниста Ахто и дева Таня из рода Фальконов клянут свой год рождения, зачатье близ кровопролитья. А вы, мальчики, давайте вспомним ваших матерей, когда они старались вас спасти от бюрократии убийц. Откуда взялся Эр, который также Роберт? Его отец был некий товарищ Огненович, хорват, готовый ради Революции перевернуть Сибирь. Служил он в окруженьи Роберта Эйхе, могущественного комиссара Чрезвычайки. Именно в его честь младенца назвали Робертом. Комиссара Эйхе расстреляли, когда начался Большой террор. Обычно все окружение таких фигур шло под нож. Пропал и товарищ Огненович. Мальчик Робик Огненович рос в безотцовщине. Во время войны мать его, симпатичная Вера, как молодая докторша была послана на фронт. Оттуда она написала сыну, что его отец погиб, выполняя особое задание в тылу врага. Эта робкая легенда до сих пор бытует в семье, однако не распространяется. Сразу после войны Вера вышла замуж за полковника политотдела, человека с великолепной русской фамилией Эр. Он усыновил тринадцатилетнего мальчика и дал ему свое имя. Семейный заговор стер с поверхности Огненовича и утвердил Эра. И мальчик утвердился сначала в Литинституте, а потом и в поэзии как Роберт Эр.

Теперь посмотрим за спину Яну Тушинскому. У него, как и у Эра, нет никаких сомнительных записей в анкете, а между тем оба его деда прошли через лагеря. А самое удивительное состоит в том, что мать его, Ольга Тушинская, отвела своего мальчика от подозрения в ущербной национальности. Настоящее имя этого поэта — Ян Магнус. Он не любит на эту тему говорить, но в общем-то не скрывает, что он «немного латыш». На самом-то деле он не немного, а на все пятьдесят процентов балтийский немец.

И вот так на самом деле выглядят все наши дети, поэты, а также и примкнувшие к ним прозаики с поэтическим уклоном. У Андреотиса все его южные кланы с отцовской стороны были высланы в Казахстан, а папа остался нетронутым только оттого, что был авторитетом в области стали и сплавов. Отец Октавы, крупный партиец, расстрелян в 1937-м, мать провела пятнадцать лет в лагерях и в ссылке. На Ваксоне вообще клейма негде ставить, и это подтверждено слюной и кашлем генсека Хрущева. Подгурский, Атаманов, Бучечич и Жора Шалимов — все они запятнаны бедой и все они предназначены были для рабского предательства. Однако вы все почти разогнулись. Осталось всего лишь четверть века, чтоб разогнуться совсем. Собравшись сегодня для чтенья стихов и пенья с гитарой, вы показали свой детский каприз и нрав чистоты. Какое блаженство вас всех наблюдать вне тюрьмы и судилищ. Итак, завершаем торжественный акт песнопеньем Кукуша:

Поднявший меч на наш союз
Достоин будет худшей кары,

И я за жизнь его тогда
Не дам и самой ломаной гитары.
....
Пока безумный наш султан
Сулит дорогу нам к острогу,
Возьмемся за руки, друзья,
Возьмемся за руки, друзья,
Возьмемся за руки, ей-богу.

И улетаю, несу с собой ваш привет горделивой Праге, но помните, дети, что почти всегда, когда улетаю, я пролетаю рядом.

Никто не видел, конечно, как Он взмыл, но многие испытали мгновенную благость. Между тем начинало темнеть, и матери, в частности Анка и Мирка, стали уводить своих детей. Оставшийся актив, то есть главные действующие лица, стал собираться вокруг большого стола на террасе. Вина оставалось еще немало, а чачи вообще достало, чтобы всем захмелиться. Кто-то процитировал Кукуша:

Давайте говорить друг другу комплименты,
Ведь это все любви счастливые моменты...

— Как хорошо, Янк, что ты сегодня вернулся к своему снегу, — сказала еще не пьяная Нэлла. — Я всегда говорила тебе, что снег твоя главная метафора. «Идут белые снеги, как по нитке скользя... Жить и жить бы на свете, но наверно нельзя...» Вот ты и сегодня, когда мы все так расчувствовались, начал со снега, как он «повалится, повалится...» А потом вдруг себя сравнил с мечущимся горностаем на льдине; как удивительно! Не знаю, зачем тебе лезть в этот учебник советской истории для седьмого класса?

— Неужели ты имеешь в виду «Братскую ГЭС»? — с некоторой ущемленностью спросил Тушинский. Тут рассмеялась его жена Татьяна; и не просто так рассмеялась, а с явным вызовом:

— А ты неужели считаешь, что это твой шедевр? Четыре с половиной тысячи строк на три четверти становятся пересказом советских банальностей. А неучи из ЦК еще требуют улучшений! Они не только вырубают куски текста, то есть некоторые куски живого, поэтического, — тьфу не могу об этом говорить, меня тошнит, меня трясет! — но они еще, притворяясь не-цензурой, требуют написания другого, дохлого, своего советского текста!

— Таня, Таня! — умоляюще, но и предупреждающе воззвал Ян.

Она сидела теперь на перилах террасы, одна нога уперлась в столб, юбка сарафана с нее упала, обнажив идеальные линии, и все сидевшие вокруг стола теперь смотрели на эту ногу как на некоторое удивительное явление природы, как будто эти формы, вкупе с прочими, не были представлены в полной гармонии на литфондовском пляже. Темные волосы ее были растрепаны, горели ярко-синие глаза, но с фиолетовым проблеском.

— Перестань на меня орать! — грубейшим образом гаркнула она на мужа, хотя тот вовсе не орал, но лишь взывал. Тут в ее поле зрения попал явно любующийся ею Копелиович с его бородою, одолженной у «Могучей кучки». — Лев Бенедиктович, вы знаете, в чем разница между обычной цензурой и нашей простой советской цензурой? Обычная цензура лишь вырезает опасные места, а наша цензура из цензур требует, чтобы автор в опустевшее место еще вписал что-нибудь с ее точки зрения возвышенное. Она требует любви к себе, вот в чем разница, Лев Бенедиктович!

— Я всегда называл эту Таньку женщиной-мыслителем! — возгласил человек, просидевший восемь лет на

Руководство КПСС на выставке современного искусства в Манеже, 62-й год

Н. С. Хрущев, проходя по выставке, с каждой минутой становился все мрачнее

Гостиница «Москва», 60-е годы

Скульптор Эрнст Неизвестный (Генрих Известнов)

Московские скульпторы Николай Силис и Владимир Лемпорт, участники скандальной выставки в Манеже

Леонид Ильичев, секретарь ЦК КПСС по вопросам культуры, в романе выведен под именем Килькичева

Разгромное выступление Хрущева на встрече с интеллигенцией. Москва, Кремль, 1963 год

Генсек раскритиковал творчество Андрея Вознесенского и Евгения Евтушенко

Вознесенский был обвинен в формализме...

...и преклонении перед Западом

Первый бард страны Булат Окуджава

Главный редактор журнала «Юность» Борис Полевой (Луговой)

Улица Горького, 60-е годы

Никита Хрущев с деятелями культуры – писателем Сергеем Михалковым (Хохолков) и режиссерами Григорием Чухраем (Шахрай) и Иваном Пырьевым, 1963 год

Роберт Рождественский на трибуне Кремлевского дворца, 1963 год

Рождественский и Евтушенко в Кремле

Поэт Николай Грибачев (Аполлон Грибочуев)

Художник Илларион Голицын (в центре) фигурирует в романе сразу под двумя именами: Илларион Голенищев и Филларион Фофанофф

Народный художник СССР Дмитрий Налбандян

Семья генсека. Слева направо: дочь Елена, сын Сергей, жена сына Галина, дочь Рада, жена Нина Петровна, зять Алексей Аджубей, 1963 год

Под именем Бандерры Бригадски в романе выведена поэтесса Ванда Василевская (вторая справа)

Андрей Тарковский (в романе — Турковский)

После обвинений Бандерры Бригадски Ваксон был призван к ответу

В этом Доме культуры в Дубне выступал опальный Вознесенский

Роман Андрея и Зои Богуславской начался в подмосковной Дубне

Их любви не помешало даже то, что Богуславская была замужем

Ресторан Центрального Дома литераторов, где герои романа собрались после разноса в Кремле

Василий Аксенов и Андрей Вознесенский

«шарашке» вместе с Солженицыным. — Давайте, друзья, выпьем дважды за эту женщину и за этого мыслителя!

На некоторое время вокруг стола воцарился беспечный галдеж, все стали чокаться кто стаканом, которых не хватало, кто пол-литровой банкой, из которых три вскоре были побиты, а кто и пластмассовым стаканчиком для бритья, который был один.

Танька все-таки и после этого тоста потребовала к себе дополнительного внимания. Она хочет поставить один очень важный вопрос. Черт бы вас побрал, это вопрос для всей поэзии, вернее, для всей нашей литературной среды. Вопрос ставится так: что вы выбираете — предательство или страдание? Мне кажется, что после хрущевского опороса наши мальчики склоняются к первому. Они забздели, что их перестанут печатать и выпускать за границу. После 1963-го страшно оскандалились, обосрались! Предали, по-блядски предали нашу The Lady Most Beautiful and Immaculate! Что я имею в виду? Поэзию, говнюки; неужели и этого вы не понимаете? Вам дан поэтический дар, а вы его расходуете, чтобы умаслить кретинических хмырей аппарата! Этот! Обвиняющим, но явно любовным пальцем она тыкает в своего мужа. Этот катает свою мегаломаническую бредовину на четыре с половиной тысячи строк! Господа, те, кто не читал, сейчас я преподнесу вам сюрприз. Оказывается, Россия сучьей своей утробой произвела трех великих сынов: Пушкина, Толстого и... Ну, кого третьего-то, не догадываетесь?

Тут Подгурский ляпнул:

— Достоевского?

А Ралисса Кочевая при помощи кисти своей левой руки предположила:

— Ахматову?

Тут все загалдели вокруг, и особенно выделился Григ Барлахский:

— Что за безобразие, в самом деле? Ахматова все-таки не сын, а дочь!

— Ленина, мудилы грешные, — закричала своим женским басом несравненная Татьяна Фалькон. Она, между прочим, была известна своим пристрастием к матерщине. — Ленин Владимир Кузьмич, что ли, или как его там, был объявлен третьим великим сыном России! Третий по рождению, но главный по значению; мессия! Как это у тебя, Янчик, сказано: «В России Ленин лишь нарождается, а баба пьяная в грязи валяется...» Ну, не злись на неточную цитату! Ну и, как говорится, не только наш плут горазд по части цековских восхвалений, но даже гений наш оскоромился. Антоша, о тебе говорю, о твоем ленинском флакончике, о «Лонжюмо», конечно, о ней! «Уберите Ленина с денег!» Да куда же его с денег-то перетащить? На туалетную бумагу, что ли?

Тут Теофилова пробралась к Фалькон-Тушинской и громко зашептала ей на ухо: «Танька, ну что ты несешь? Ведь ты так можешь всех обмазать!» Антоша изо всех сил подавляет улыбку, изображает мировую скорбь. Татьяна — хап! — опрокидывает — какой по счету? — стаканчик чачи.

— А Вакса-то наш — хорош! — возвращается из Аргентины и пишет идиотскую статью «Гражданственность»! Шедевр 1963-го! И помещает ее не где-нибудь, а в газете «Правда»!

Тут вдруг на несколько минут воцаряется молчание. Тихий ли ангел пролетел или донельзя возмущенный? Многие из нынешней компании помнят скандал на каком-то сборище, когда красногубый и слегка слюнявый поэт Корнелий налетел на Ваксона с криками «Предатель! Приспособленец! Руки больше не подам!». Через несколько минут звук включился. В общем гомоне прорезались голоса: «Ваксон спасал журнал «Юность»!», «Корнелий был пьян!»,

«Возмутительная провокация!», «Я сам перестал с ним здороваться!», «А я считаю, что Корнелий кристально чист!», «А вот мне лично этот Вовка Корнелий совсем не нравится», «Это в каком же смысле, Ралисса?», «В мужском смысле!», «В этом смысле ей, наверно, Ваксон больше нравится». Татьяна поймала и зафиксировала взгляд Ваксона.

— Ну, Вакса, ты сделал из этого какой-нибудь вывод?

— Да, — сказал Ваксон. — Мне стыдно.

— Ну и что из этого?

— Больше никогда.

— Ура! — закричали друзья-прозаики. — Ваксон очистился «Бочкотарой»! Он этим ответил Джону Стейнбеку, когда тот всех нас спросил: «С кем вы, волчата?»

Тут зарокотали струны совсем нового, уже не октавского толка. Во главе составленного из разных столиков большого стола встал пылающий Влад Вертикалов. Хриплый голос его возрос на несколько регистров:

Идет охота на волков, идет охота —
На серых хищников, матерых и щенков!
Кричат загонщики, и лают псы до рвоты,
Кровь на снегу — и пятна красные флажков.

Потрясенные, все осветились его огнем. Все впервые слушали эту яростную песню «живьем». Она и подвела черту под этими посиделками. В наступившей темноте многие стали расползаться по территории. Белые предметы туалетов еще светились, темные сливались с ночью. Так получилось, например, с Ралиссой Кочевой: те, кто следил с террасы за ее удалением, видели только двигающиеся овероллы. Мелькали в аллеях и светло-пестренькие сарафанчики девушек из «Мрии». За ними деловитым шагом отправились прозаики Подгурский и Атаманов, а также драматург Эллипс. В такт шагов они рифмовали вечную шутку Гладиолуса: «Мы, московские набобы, отправляемся «по бабам»!»

Влад Вертикалов пока что на террасе пожинал лавры. Хватанул коньячку и обнялся с Октавой. Кукуш провозгласил его первой гитарой нового поколения. Нэлка повисла у него на шее, целовала в уши и мелодично причитала: «Ты дочь моя, Владик! Ты мой Дождь!» — под это дело опорожнили кувшинчик с чабрецовской настойкой. Членкор Плоек, один из немногих настоящих горнолыжников, протянул ему стакан каберне. «Выпьем, Влад, за фестиваль в Чегете! Ждем тебя там в декабре! Все расходы берем на себя!» Ну и все другие, оставшиеся, поднимали тосты за «певца протеста», за «нашего Боба Дилана и Ива Монтана, смешанных вместе». «Стараюсь не смешивать!» — хохотал он, а сам все смешивал и смешивал.

Как вдруг он схватил себя обеими руками за горло и долго так держал, пока не проглотил комок паршивой шерсти. Стукнул кулаком по доске: «Спокойно! Все нормально!» — и вдруг странно как-то, но решительно пошел на выход. Прыгнул в кусты, крикнул оттуда «Десант! На погрузку!» и исчез; никто и опомниться не успел. Первым за ним бросился Антон Андреотис. Они недавно подружились в Театре на Таганке, где Влад играл перемежающиеся роли в «Антимирах». Антоша знал не только эти роли, но и перемежающиеся эскапады артиста, знал также, что в такие моменты его надо хватать и окружать своими людьми. За ним устремились Милка Колокольцева, Катька Человекова и Герка Грамматиков.

Не меньше четверти часа эта спасательная группа металась безрезультатно по темным аллеям, пока не натолкнулась на Влада в самом освещенном месте. Он стоял за бюстом Ильича и явно чувствовал себя в боевом дозоре.

— Танки не пройдут, — бормотал он, — десант занял позиции.

Милка обняла его и стала гладить по голове.

— Вертикалов, успокойся!

Он нежно, но решительно отстранял ее правой рукою:

— А ты уходи! Ты еще можешь уйти! Беги в свободную Прагу!

Антоша со знанием дела подергал барда за ухо:

— Влад, все оки-доки, ты среди своих!

В подтверждение этого спасенный из ущелья Грамматиков предстал перед ним вместе с двумя мускулистыми физтехами, фанатическими поклонниками Вертикала.

— Айдате все за территорию, ребята. У нас есть комната в «Вороньей слободке». Владу надо отоспаться.

Четверо повлекли храброго десантника в спокойное место. Двое остались в тени Ильича.

— Антошка, я умираю без тебя, — чуть ли не задыхаясь, прошептала Катька. — Идем быстрей в мою келью. Через час вернешься к товарищу Теофиловой.

Влекомый ее неслабою рукою, поэт шептал:

— Все богини, как поганки, перед бабами с Таганки!

Наконец и Ваксон ушел с террасы. Несколько минут он сидел с сигаретой в глухой тени. Под ногами шуршали ежики, эти бойкие поверенные коктебельских тайн. Мимо прошли Эр и Тушинский. Они тихо говорили друг с другом, он ничего не слышал, и только уже издали донесся возглас Яна: «Не верь ей! Она живет в мифах!» Ему вдруг вспомнился 1966 год.

1966, февраль
Судилище

В том месяце в мрачном дворе наискосок от метро «Краснопресненская», за разболтанной дверью, в захудалом зале городского суда начался процесс над писателями Синявским и Даниэлем. ЦДЛ находился в каком-нибудь километре, там, в ресторане, кафе, а особенно в баре, писатели гудели, обсуждая это первое со сталинских времен литературное судилище. Ваксона, направлявшегося в бар, чтобы хоть малость отключиться от мерзкой действительности, остановил Ильцов, бывший генерал КГБ, а ныне ответственный секретарь Московского отделения СП. «Послушай, Ваксон, ты еще не был на процессе? Могу тебе дать разовый пропуск на одну сессию, — он вынул из портфеля жалкую бумажонку и произнес загадочную фразу: — Уверен, что правильно все поймешь». Ваксон развернулся и пошел за своей курткой. Так, вместо того чтобы отключиться от мерзкой действительности, он оказался в самой ее сердцевине.

В зале суда из сотни посетителей половина была с такими же, как у Ваксона, разовыми пропусками СП. Сессию вел председатель горсуда товарищ Мирный, с которым лучше не встречаться на большой дороге. За отдельным столом сидели общественные обвинители: писатель, бывший генерал КГБ Борцов, который всегда посматривал на людей исподлобья, как будто готовил какое-то небольшое преступление, и старая писательница-критикесса Шишкина, при взгляде на которую почему-то сразу приходила в голову мысль об украденных бигудях.

Привели подсудимых, двух молодых еще людей, один из которых, Андрей Синявский, был спокоен и вроде бы даже благополучен в черном свитере и чистой белой рубашке, с лопастистой и аккуратно расчесанной бородой. Второй, Юлий Даниэль, явно пребывал в приподнятом настроении. Он с большим интересом оглядывал посетителей, и глаза его сияли; он явно чувствовал себя на вершине своей жизни.

Сессия началась с выступления генерала Борцова. Он стал читать заранее заготовленный органами сыска список полученных Синявским от агента французской разведки Плетье-Замойской предметов: рубашек костюмных — 6, свитеров — 4, плащей с погончиками — 1, резиновых сапог — 1 пара... Все эти названия и цифры Борцов произносил с исключительным презрением, отчего его нижняя, и без того отвисшая губа снижалась до критического уровня. Затем он подвел итог: «Вот видите, товарищи, до какого уровня докатился Синявский — за жалкое барахло продавал достоинство своей великой родины!»

Продолжила критикесса Шишкина. Эта дама, малоприятная во всех отношениях, набрала другой список, в данном случае это были цитаты антисоветских фраз из романа Даниэля «Говорит Москва». Чтение списка, как и в первом случае, завершилось выводом: «Я уверена, что советские писатели стопроцентно отмежуются от сочинителя такой идейной порнографии!»

Выслушав общественных обвинителей, председатель суда Мирный стал вносить дополнения и поправки. Задача у него была не из легких. Шишкина и Борцов топили подсудимых, а ему еще приходилось у них душить малейшие признаки жизни. И не забывать, конечно, о презрении в адрес придушенных.

Рядом с Ваксоном сидел питерской писатель Борис Головкин, почитаемый молодежью как последователь «обэриутов». Ваксон шептал ему в ухо: «Борька, ты видишь, что они тут творят, гады? Да ведь это же чистый шемякин суд!» Головкин закрывал ухо ладонью и мотал головой. Дескать, нездорово мое ухо, ох, нездорово!

Они вместе вышли из суда и под мокрым гадостным снегом побрели к ЦДЛ. Ваксона охватило чувство, похожее на то, что испытывал он в дни подавления Венгерского восстания: на баррикады, на баррикады! Он грозил кулаком московскому небу.

— Борька, мы не должны этого терпеть! Они на этом не остановятся! Всех нас протащат через товарища Мирного!

Головкин показывал ему пальцем в ухо:

— Болячка там у меня, бля, засела! Не слышу ни блуха!

В баре ЦДЛ молодая литература собирала трешки и пятерки, чтобы всем вместе отключиться от мерзкой действительности. Увидев Ваксона, вернувшегося из судилища, вокруг него сгрудились: давай рассказывай, Вакса, со всеми деталями! Реакция на рассказ была однозначна: свиньи, гады, падлы, ну что с ними делать, если они повсюду?

«Надо написать письмо протеста и собрать подписи!» — неожиданно для самого себя предложил рассказчик. Толпа вокруг столика заметно поредела. Оставшиеся вроде бы приняли предложение. А кому адресовать-то? В ООН, предложил Подгурский. Или в Эмнести Интернэшнл, предложил Шалимов. Ну, давайте, ребята, сочиняйте, а мы подпишем. И оставшиеся стали слегка расходиться: одни скептически пожимали плечами — ни черта, мол, это не поможет, забыли с кем имеем дело? — другие петушились: надо все-таки им показать, что мы не быдло!

В конце концов остались трое: Ваксон, Подгурский и Шалимов. Ну, давайте, с ходу, прямо сейчас составим протест. А где писать-то будем, не здесь же? Решили отправиться в редакцию «Юности», благо она располагалась в двух шагах, в круглом дворе «Дома Ростовых».

В редакции уже никого не было, только трещала пишущая машинка: это работала хорошенькая машинистка Вера, боевая подружка молодой литературы. Она и открыла им кабинет главного. Окопавшись там и оставив только настольную лампу, стали писать черновик от руки. Шалимову тут пришла новая идея. Давайте отправим Луи Арагону в «Лэтр Франсэз». Таким образом, у нас появится тактическое преимущество. Арагон — коммунист, а газета его все-таки соблюдает свободу слова. Вряд ли кто-нибудь на нас покатит, что подыгрываем империалистам.

Составляли довольно долго, выверяли каждую фразу. Получилось вроде как надо: с одной стороны, довольно жесткий документ о свободе творчества, а с другой — за «социализм с человеческим лицом» и за «безбрежный реализм» Роже Гароди. Наконец прискакала Верочка. Ну, давайте, мальчики, ваш листок, сейчас отбарабаню! Сколько вам надо экземпляров?

Вот таким образом возникло первое в истории советской интеллигенции коллективное письмо протеста. На следующий день авторы приехали в ЦДЛ. Там проходило большое писательское собрание. Среди прочего обсуждалось и «Дело Синявского и Даниэля». Надо было оказать стопроцентную поддержку Партии и правоохранительным органам. В перерыве писатели разбрелись по вестибюлям и фойе. Авторы искали Яна Тушинского. Первую копию надо было вручить именно ему: все-таки неоспоримый лидер молодых. А вот и он! Идет стремительно, в отменном сером костюме и невообразимом, с яркими разводами галстуке, зиркает глазками во все стороны. Берет листок, бросает взгляд и тут же кардинальным образом меняется: суетливость исчезает, на ее место приходит серьезная сосредоточенность, смотрит на Ваксона. Вот так, значит? Арагону, значит? Интересная идея. Сейчас, ребята, я поработаю над вашим текстом. Встречаемся через полчаса.

Едва только он исчез из поля зрения, как обнаружилась вторая важнейшая фигура, Роберт Эр. Тот стоял в противоположном углу фойе второго этажа. Стоял один, о чем-то думал. На щеке дрожал солнечный заяц. За окном перемена погоды, мороз.

Подгурский предположил, что к Роберту вообще не надо подходить. Не надо ставить его в дурацкий тупик. Его только что выбрали в Секретариат. Иными словами, он стал большой шишкой. Он просто не может подписать такое письмо. Шалимов пожал плечами. Я его не знаю. Слышал, что большой советский патриот. Ну, в общем, решай сам, Ваксон.

Ваксон с папочкой экземпляров пошел по диагонали через фойе к Роберту. Сейчас решится, останемся ли мы друзьями или пойдем на всех парах в разные стороны. Он в свой Секретариат, а я — куда? — ну, в писанину свою неприкаянную... ну не в тюрьму же...

Роберт прочел открытое письмо, вынул из кармана свое стило и, не задавая вопросов, крупно и разборчиво нарисовал свою подпись — Роб. Эр. «Старик», — пробормотал Ваксон и положил ему руку на плечо.

Признаться, не без труда удержался от чего-то большего. Предположим, от увлажнения глаз. Или, скажем, от голосовой дрожи.

Роберт вообще не сказал ничего. Он просто с некоторой небрежностью толкнул Ваксона локтем, как бы говоря: а ты как думал? Неужели боялся, что откажусь? И так обоим стало ясно и тепло: дружба продолжается!

Роберт ушел в зал, а через полчаса появился Ян. Он неплохо поработал над текстом. Каждая строчка была каким-то особым методом вывихнута, чтобы ее прочла не русская жена Арагона и сестра Лили Брик Эльза Триоле, а какая-то другая персона. Авторы не сразу заметили, что над их адресом было начертано: «Генеральному секретарю ЦК КПСС Л. И. Брежневу». Шалимов с явным удовольствием удалил эту поправку. Тушинский ее вернул. С некоторым даже отчаянием он настаивал, что без этой поправки письмо теряет смысл. В конце концов решили оставить два адреса.

К концу дня было собрано двадцать шесть подписей, включая и Тушинского. Среди прочих также фигурировал и подгулявший в столице Боря Головкин. Очевидно, вылечился по старому русскому способу: стакан в брюхо и рюха в ухо.

Через день текст открытого письма Брежневу, копия Арагону, уже передавался «по рупорам», то есть по клеветническим программам подрывных радиостанций: Би-би-си, ГолосАм, Свобода и НемВолна. И как этот текст попал в такие странные учреждения, никто не мог понять.

1968, тянется август, середина, ночь
Фрондер

Совершив путешествие на два года назад, мы возвращаемся к Ваксону, сидящему на заброшенной скамье в глухомани литфондовского парка. Только что вдали по аллее прошли два высоких друга. Свернули направо. Голос Яна долетел через массив акаций: «Спроси меня, могу ли я ее понять; не знаю!» И все затихло. Почему я их не догнал? В прошлом году этого бы не случилось. В прошлом году я бы их, моих друзей, запросто догнал и мы бы вместе стали хохмить и подтрунивать друг над другом. Что-то изменилось за два года, за год. Эти посиделки были подсознательной попыткой что-то восстановить, но что-то изменилось и после посиделок. Мы идем в разных направлениях. Ян и Роб влекутся в категорию «хороших ребят», а он подтягивается к «категорически не очень хорошим». Поэтический монолог становится терпим, в то время как восстановление полифонического романа вызывает все большее раздражение.

Между тем из-за массы посторонних ночных звуков Ваксон остался глух к тому, что Ян и Роберт только что прошли через серьезную ссору. Первый сказал последнему, что тому надо подумать о своих стихах. Вот сегодня он прочел сильные, жесткие тексты, а в то же время его сборники нафаршированы трескучей риторикой. Подумай об этом, старик. Роберт разозлился. Какого черта ты вечно становишься передо мной в позу нравоучителя? На этом они разошлись в разные стороны.

Череда не очень приятных мыслей Ваксона была прервана приближением легких шагов. Кто-то поднял ветви и стал светить в его нишу своими глазами. И чей-то мгновенно будоражащий голос произнес:

— Привет, Вакса! Ты что здесь делаешь один в такой гордой позиции?

Подошла и села на скамейку не кто иная, как Ралисса Кочевая. Пахнуло терпкой алкогольной смесью. И он смешался: они никогда не общались на «ты». Вообще никак не общались. Нинка и Мирка как-то исключали общение с этой замужней девушкой. Ну что ж, надо принимать мяч.

— Привет, Ралисса! А ты что бродишь одна, когда так много мальчиков бродят поодиночке?

Она хохотнула:

— Помнишь, у Нэлки? «Пятнадцать мальчиков, а может быть, и больше, а может быть, и меньше...

— ...чем пятнадцать», — продолжил он. — Неужели ты целый месяц будешь здесь одна? А где же лауреат пребывает?

— Эта сволочь отправилась в Прагу. Я ему сказала, что если он поедет в Прагу, я уеду в Коктебель. Но ему, конечно, партия дороже жены.

— У него это в комплекте, I believe, — вякнул Ваксон.

— Что? — вскричала она. — In what you believe, s-o-b?

— В комплекте партия и жена. Без партии у него бы не было такой классной жены.

— Вакса, перестань хамить! Надо же, хамит и еще комплименты преподносит, — она стала возиться в огромных карманах своих удивительных штанов, не нашла искомое и хлопнула себя в досаде по коленке.

— Дай-ка сигарету. Мерси. Фу, как ты такое говно куришь?

— Кубинские, почти как французский «Житан».

— Все равно говно, — хохотнула она. — Но курить можно. Как у тебя в какой-то повести написано: хорошего мало, но привыкнуть можно.

Этот ее хохоток повергает в смятение окружающих мужиков. Он и сам чуть ли не повергался то ли в смятение, то ли в сомнения всякий раз, когда случайно этот хохоток долетал до ушей. Мелькала мысль: схватить ее за руку и вместе дать деру.

— Ты знаешь, Вакса, когда Роберт сегодня читал своих «парней с поднятыми воротниками», я обвела глазами почтенное собрание, чтобы понять, есть ли тут такие. Там вообще-то были такие и ты среди них. Вот ты, наверно, точно такой был в 1956 году. Такой вроде Збышека Цибульского в «Пепле и алмазе». Да и сейчас ты такой, фрондер Ваксон.

Ну и девка, подумал он. Она что-то важное понимает. Это девка нашего поколения, без которого мы немыслимы, как и она немыслима без нас.

— Послушай, Вакса, мне хочется посидеть у тебя на коленях. Могу я посидеть на коленях у парня, на чьих коленях мне хочется посидеть?

— Садись, конечно. Давай, я тебе помогу.

— Нет, я сама.

Диспозиция такова: она сидит слева от него на садовой скамейке; протягивает свою левую руку и зацепляется за его шею с правой стороны; подтягивается при помощи этого рычага; перебрасывает свою левую ногу через его колена; водружается на них, лицом к его лицу; так получается, что она оказывается чуть выше; склоняется, чтобы поцеловать в губы; дергает за ниточку на своей макушке, волосы распускаются и падают на его лицо; его лицо — в плену ее ароматов, духи, смешанные с чачей и запахом табака; он обнимает ее за спину обеими руками и крепко прижимает к себе — чтобы не упала с колен, сумасбродка.

Ветер вдруг начинает сильно дуть по акациям и платанам. Запах моря, смешанный с запахом холмов, с чабрецом и лавандой, а также с легкой гнильцой курортного мусора. Треск веток и порывистый шорох листьев. Все другие звуки исчезают, кроме одной легкомысленной и неслышимой песенки:

Я — Пролетающий-
Мгновенно-Тающий.
Be careful, please!
Я защитник Ралисс.

1968, та же ночь
Танго

Влад Вертикалов весь вечер в «Вороньей слободке» сильно бузил. То пытался ходить на руках, как он делал в роли Галилея, то с надрывом произносил какую-то абракадабру, смешанную из разных монологов, то пел «Затопи-ка мне баньку по-черному», то танцевал с Милкой под какое-то только ему ведомое танго, весь освещался, становился умным, чудесным и артистичным весельчаком, а то вдруг начинал всех гнать, никого не узнавал, хватал бутылку и наконец рухнул на одну из двух коек с панцирной сеткой и захрапел. Грамматиков со знанием дела сказал, что теперь он вырубился до утра. Два добровольных оруженосца, Кешка и Вовчик, тоже довольно поднабравшиеся ребята, предложили разыграть оставшуюся койку, в том смысле, что кто из троих останется тут с девчонкой. «У вас одно на уме! Катитесь все на икс-игрек-зет!» — гаркнула на них Милка и выскочила на кривую, с осевшими досками галерею. Вовчик бросился за ней, схватил сзади на плечи, но она врезала ему локтем по подвздошью, а потом ногой засандалила по ягодице. Ошеломленный малый скорчился у стены. Она пронеслась через длинный двор «Вороньей слободки», где курортники кто на примусах, кто на электроплитках, то есть еще в контексте Великой Отечественной войны, готовили себе сильно пахнущие маргарином ужины и где инвалид играл на аккордеоне и пел песню тех же лет «Ночь над Белградом тихая / Встала на смену дня. / Помнишь, как жутко вспыхивал / Яростный шквал огня?», а дети играли теннисным мячом в игру «Штандарт», тоже бытовавшую в героические годы.

Может быть, тут кино снимают, подумала Милка. Она что-то видела в этом духе, некоторое послесталинское подражание неореализму. Когда-то эти ретро-фильмы-дворы вызывали у публики умиление, сейчас ничего, кроме противноватой ухмылки. Черт их знает, почему они не могут до сих пор выбраться из той убогости, из того совсем далекого, в общем-то уже не нашего времени? Надоело все, мне все здесь порядком надоело. После Львиной бухты эти дворы прямо в нос лезут грязной сальной тряпкой. Да еще эти Кешки, Герки, Вовчики с их алчными лапами. Хорошо, что ФИЦ научил меня самбо.

Утром она приплыла из Львиной с твердым решением разыскать Вертикала и закрутить с ним настоящий большой роман. Увы, опять какая-то занудная поправка к уже готовому сценарию. Вертикал вырубился. Вокруг сидят бухие ребята. То ли мне здесь не везет, то ли всем здесь не везет. Все, пора всем этим нашим мальчикам-романтикам, зурбаганцам, физикам-лирикам, всем в обобщенном виде — локтем под ребра, ногой по заднице! Выйду замуж за Доминика и буду звать его «Дом»!

Она шла по прямой тусклой улице, ведущей к морю. С одной стороны тянулся забор территории Литфонда, с другой — жалкие домишки, переполненные людьми и открытые «павильоны» с бесконечными очередями: за хачапури, за крепленым полухимическим вином, за комплексными обедами, в которых все было разжижено за исключением того, что было накромсано. По улице в обе стороны шел народ, в темноте светились рубашки. Кое-где на углах стояли кучки любителей юмора, хохотали. Неожиданно с моря подул сильный ветер, послышался треск сучьев, как будто где-то в отдалении стреляли залпами. Тем не менее во множестве выполнялся ритуал — прогулки со «спидолами». Отовсюду доносился вой глушилок. Вдруг поблизости вполне отчетливо прозвучала фраза диктора Би-би-си: «...Страны Варшавского блока продолжают концентрацию войск вдоль границ Чехословацкой Республики...» Остальное, как и предыдущее, сожрано воем.

В этот момент она увидела приближающуюся со стороны моря «экстраполярную», как девчонки тут говорили, мужскую фигуру в «экстраполярном» светлом пиджаке. Lo&Behold, да это Юст!

На посиделках тот был в глубине, хоть и выделялся своей уже закирпиченной по цвету и лошадиноватой по удлиненности физиономией. Она с удовольствием бы к нему отдрейфовала, если бы не кусковатый Влад с его отчаянным шепотом «мон амур, мон амур». Ну а потом все в мире как-то затерялось, ища друг друга, не попадая в цель. Никогда не надо ничего искать: то, что находится, случается без иска.

— Ты совершенно права, девушка, кажется Милка, — сказал Юстинас, останавливаясь. — Я, например, тебя не искал, а только думал, где она запропала?

— А я даже и не думала, куда ты пропал, однако знала, что воткнусь в тебя на улице Закусочной.

— Ты где живешь, Милка?

— Где растут бутылки.

— Ух ты, ух ты!

— Я живу у Львиной бухты.

— Каковы у русских дщери!

— Все живут в большой пещере.

— Все живут без всяких драк?

— Я принцесса Карадаг!

— Ты видишь, какой мы стих вдвоем сочинили под влиянием наших поэтов!

Рассеялся весь перегар улицы Закусочной. Теперь уже преобладает море, встает мощной стеной своих собственных запахов, что пьянят без вина. А можно и с вином. Мелькает наискосок то ли чайка, то ли гипотеза Пуанкаре. Обоим показалось, что вслед за этим или впереди этого проскочила добродушная рифмовка:

Я — Пролетающий-
Мгновенно-Тающий.
Сплетаюсь кольцами
Над Колокольцевой.

Проскочила и тут же была забыта. Они пошли по набережной, держась за руки и смеясь. Какая-то пожилая дама ахнула при виде верзилы в лимонном пиджаке и невероятно загоревшей девушки в развевающемся модном сарафане: «Товарищи, посмотрите, какая чудесная пара!» Милка взбудоражилась при виде темного моря с белыми барашками до самого горизонта, над которым стояло какое-то сияние. Некоторые литовцы не понимают, что пора прощаться. А куда собирается принцесса пещер? Туда, где ждет меня мой добрый народ. А ты, справедливейший Юстинаускас, сможешь ли ты передать завтра актрисе Человековой этот хитон и сандалии с бирюзой? А ты куда денешься из них? Из кого это из них? Из обуви и одежды. Я поплыву к своим львам. Послушай, нимфа, не надо дурачить себя с морем ночи. Кроме прочих горгон, в нем имеет себя пограничник с прожектором. Оставайся спать здесь, а утром сплаваем вместе. А на чем мне спать прикажет справедливейший? Она подняла солидную булыгу вулканического происхождения — вот на нем? Послушай, Мисс Карадаг, хочешь иметь дерзкий проект? Я отдаю тебе койку Литфонда, а сам возлягаю — Кого ты лягаешь? Чем ты лягаешь? — как хранитель тела на полу. Да ну тебя к черту, Юста, с твоими соблазнами! Пошли!

Полночи они сидели в темноте на балконе, и он рисовал ее эскизы. Двумя-тремя штрихами фломастера. А то и просто непрерывной линией он создавал в блокноте ее подвижность. Цикл будет назван «Динамика Колокольцевой», моя дорогая. А я бы предложила название «Штрихи в потемках». Зрение это не есть главное для художника, моя дорогая. У тебя есть познание Казимира Малевича? Имеется такая штука как за-зрение. Говоря о художниках, он называл их «Магелланами невидимых сфер». Художественный образ, повторяет он и раз и два, имеет зарождение не на сетчатке глаза, но в непознанных сферах вашего «эго».

Он брал ее пятку в свою ладонь, и пятка немедленно переносилась на плотную, почти ненашенскую бумагу. Он пальцами шел по изгибам ее уха, и этот филигранный орган тела воплощался в загадочной игре пера. Коленка с ее внутренней пещеркой при сгибе восхищала его экстазно и воплощалась в штрихах с некоторыми мазками акварели.

Ну, потом стало совсем уже невыносимо, и они ушли с балкона в комнату и легли вдвоем на не ахти какую по ширине постель. Лежали прижавшись, теперь уже она теребила органы его головы, возилась в кудрях, а он оглаживал длинноты ее ног и ее рук, альковы подмышек и межножия; и никогда не терзал. В общем, она его полюбила навсегда. Ну, во всяком случае, на этот последний летний «заезд».

1968, 15 августа
Сердоликовая

Утром того дня после завтрака на площадке перед столовой стала собираться самостийная экскурсия. Решили большой группой литературных персонажей вместе с женами и детьми совершить пеший поход через всех Трех Лягушек в Сердоликовую бухту и обратно. Участвовали: Кукуш Лапидарьевич Октава с женой Любовью и маленьким Кукушкой, Роберт Петрович Эр с женой Анкой, тещей Риткой и дочкой Полинкой, Аксён Савельевич Ваксонов с женой Миркой и сыном Дельфом, Филипп Юльевич Эллипс с женой Валентиной и дочкой Штучкой, Гладиолус Егорович Подгурский с женой Дашкой, но с дочкой Китти, Юрий Сидорович Атаманов, также с женой Устиньей, но с сыном Олексой, а также те, кто примкнул из неотягощенных семьями — Юстас Юстинаускас, Влад Вертикалов, Герман Грамматиков, а также несравненная Нэлла Аххо, по каким-то причинам без Тушинских.

Перед выступлением в поход семилетняя Полинка Эр сказала четырехлетнему Дельфику Ваксонову:

— Между прочим, в Сердоликовой бухте мы найдем в избытке камней с круглыми дырками.

Юнец пробасил ей в ответ:

— А то я не знаю.

Полинка вздернула носик:

— Такие камни называют «куриными богами»...

Дельфик тоже задрал нос и подбоченился:

— А то я не знаю!

Экспедиция с припасами для мажорного пикника в отдаленной бухте двинулась на запад мимо жалких домишек поселка Планерское, мимо заброшенной теплостанции, которую облюбовали для коммун зарождающиеся «дети цветов», то есть московские, питерские и прибалтийские хиппи, и вступила на узкую тропинку, богатую шипами для раздирания ног и весьма прихотливым образом петляющую по прибрежным холмам, чтобы легче было падать. По дороге пели песни Кукуша (особенно старалась Полинка Эр), а также разных Фельцманов, Тухмановых и Пахмутовых на слова Роберта Эра, а также протестные хиты Вертикалова.

Влад после последнего шаривари уже целую неделю был на просушке, творчески активен и задумчив. Ребята нашли ему комнатенку с балконом, и он на том балконе все сидел с гитарой. Мычал себе под нос и записывал тексты на разорванных пачках бесконечных сигарет. Он все ждал Колокольцеву, но та не появлялась. Он был почти уверен, что «прошлый раз» он с ней окончательно объяснился и что теперь им надо быть вместе по дороге к счастью. Увы, девушка черт знает куда затартарарыкалась, а потому и счастье стало как-то затуманиваться, накапливая причины для следующего «сдвига». Последнее, что он помнил в связи с Колокольцевой, это было их волшебное танго, когда он, гладкий и мускулистый, как буддийский лев, нес ее по сверкающему паркету и делал повороты, повергающие созерцателей в трепет. Он все старался навести ребят на разговор о том танго с Колокольцевой, однако они почему-то не были полностью адекватны. Кешка и Вовчик сразу начинали смотреть в сторону, а Герка отмахивался: да куда, мол, она денется.

На территории Дома творчества многие говорили, что вот только что здесь промелькнула Милка, а вот куда она направлялась, сказать трудно. Партнерша по театру Катька Человекова, которая всю последнюю неделю ходила с Антошкой Андреотисом и Фоской Теофиловой, довольно комично разводила руками при вопросах о Колокольцевой и тут же заводила разговор о парижанке Франсуазочке; дескать, когда ждете с миссией доброй воли? У Влада стало как-то сосать под ложечкой при мыслях о Мисс Карадаг. Кто это такое «оно», которое стало сосать, под какой еще ложечкой и что сосать, если за неделю воздержания откристаллизовалась уже стальная мускулатура? Какие могут быть угрызения совести, если мучают муки творчества? Будь Франсуа Вийоном, gardez fort! Надо выследить чувиху и взять врасплох! Вот почему, узнав о намеченной семейной экскурсии, он немедленно к ней примкнул. От Сердоликовой рукой подать до Львиной, хоть и стоит между ними большая острая скала. И тут же возникал зрительный образ в лиловатых тонах: печальная сидит на гальке Ифигения, ждет Франсуа.

Экскурсия растянулась по тропинке на сотню метров. Впереди довольно плотной цепочкой шли главы семейств и примкнувшие вольные мужчины. Говорили, конечно, о Чехословакии. Все сводилось, конечно, к одной проблеме: войдут или не войдут? Подгурский обратился к Октаве: Кукуш, ты у нас тут один член партии, что ты думаешь? Певец развел руками и потряс кистями рук. Но промолчал. Кто-то, кажется Атаманов и Эллипс, спели куплет из антимилитаристского кукушевского репертуара: «Возьму шинель, и вещмешок, и каску, / В защитную окрашенную краску. / Ударю шаг по улочкам горбатым... / Как просто стать солдатом, солдатом». Кукуш, который даже сейчас в походе над свежим солнечным морем непрерывно курил свою «Приму», слегка прокашлялся. Я все-таки не думаю, что они повалят всем скопом. Все-таки все там знают, что такое война. Неужели войну начинать из-за отмены цензуры? А ты как считаешь, Вакса? Ваксон, который шел прямо за ним, что-то пробурчал. Октава повернулся к нему. Ты так думаешь? Кто-то из идущих сзади поинтересовался, что сказал Ваксон. Тот повысил голос. Я думаю, что эта кодла способна на все. Роберт споткнулся и схватился левой рукой за колючий куст; слегка поцарапался. Кого ты имеешь в виду, Вакс? Все расхохотались в грубоватой манере. Роб, неужели ты не понимаешь, кого он имеет в виду? Того, кого мы все имеем в виду. И все спели еще один куплет, на этот раз из другой кукушевской песни: «В поход на чужую страну собирался король. / Ему королева мешок сухарей насушила / И старую мантию так аккуратно зашила, / Дала ему пачку махорки и в тряпочке соль». Судя по песенкам и вообще по несколько фривольному настроению, никто, кроме Ваксона, всерьез не верил в возможность вторжения.

Вслед за мужами большой политики шествовали благородные дамы. Они сияли. Наконец-то свершилось то, что было задумано еще в самом начале «заезда»: великолепная семейная и с детьми экскурсия! Ни слова о Чехословакии! Давайте, девки, поговорим о житейском, о простом, как мычание: о квартирах, о ремонтах, об автомобилях, о терапии и профилактике, о контрацептивах, о детских шалостях, о твороге, об итальянских сапогах, о мужьях и об отрицании ревности.

Кучка детей замыкала поход и все время отставала. Полинка держала за руки большого Дельфа и маленького Кукушка. Вы знаете, мальчики, мне папа сказал, что вон там, на вершине Карадага, есть секретная станция по слежению за подводными лодками. Дельф надулся: а то я не знаю!

Навстречу экскурсии попалась возвращающаяся из Сердоликовой кучка туристов. Они все время оглядывались и обсуждали, кто есть кто. Там Роберт Эр идет собственной персоной, вот это да! Дети, это правда, что там Эр?

— Да, это он. А я Полина Эр, его дочь, — с некоторым высокомерием подтвердила девочка.

— А вот кто это такой, с усиками?

Кукушка насупонился:

— Если я скажу вам, кто это такой, вы прямо тут сразу и хлопнитесь.

— Ура! Ура Кукушу Октаве!

— Дети, а вот кто эта девушка с бабочкой в волосах?

Штучка церемонно выступила вперед.

— Путники, это просто моя сестра Нэлла!

— Ура! Ура Нэлле Ахао! Какие все-таки удивительные имена в нашей истинно русской поэзии!

Наконец, перебравшись через каменистый мыс, экскурсия спустилась в Сердоликовую бухту, на небольшой пляж, в самом широком месте не превышающий двадцати метров. Дети сразу бросились искать «куриных богов». Женщины в небольшой тени разложили полотенца и продукты в плетеных корзинах. Мужики пошли нырять с камней. Выныривая, вспоминали о Чехословакии и сходились на том, что в ход пущен шантаж сусловского ведомства и что военных мер все-таки не будет. Юстинаускас отмалчивался как представитель нейтрального государства.

Роберт, сидя на камне метрах в тридцати от берега, смотрел на неуклюже подплывающего Ваксона. Тот доплыл и с явным облегчением взялся за бугристый камень.

— Давно собирался тебя спросить, Вакс, отчего ты не дружишь со стихией?

— Да я, знаешь ли, Роб, дважды в детстве тонул. Один раз просто утонул, да какой-то солдат вытащил за волосы. Знаешь, безотцовщина... Некому было в детстве научить плавать. А тебя кто в детстве плавать учил, Роб?

— Сначала мама немного, ну а потом отчим.

— Значит, отец до ареста не успел?

Роберт от неожиданности этого вопроса поехал по скользкому боку камня вниз и оказался в воде.

— С чего ты взял, Вакс, что он был арестован?

— Я думаю, что после расстрела Роберта Эйхе твой отец не мог избежать ареста и... ну... дальнейшего.

Роберт с невероятным страданием посмотрел на Ваксона и поплыл к берегу. Ваксон последовал за ним. На мелководье они легли животами на гальку.

— Слушай, Вакс, когда ты сказал «эта кодла», ты кого-нибудь точно имел в виду?

— Всех, Роб.

— Сталинистов, что ли?

— Не только. И ленинистов тоже. И троцкистов. И бухаринцев. Коммунисты — это такая же преступная партия, как нацисты. С той только разницей, что геноцид устроили в своей стране.

— Это в прошлом все-таки; разве не так?

— Кто может поручиться, что не в будущем?

Роберт перевернулся на спину и сел в воде.

— Послушай, старик, я хочу тебе открыть один секрет. Недавно я был на одном писательском собрании. Тебя я там не видел. Шли какие-то дебаты, в основном дурацкие, но иногда по делу. Потом объявили собрание закрытым и попросили остаться членов партии. И мы все, беспартийные, поволоклись вон из зала, а коммунисты, разумеется, остались. О чем они говорили без нас, я не знаю. Понимаешь?

— Да не все ли равно, какую ахинею они там несли, — пожал плечами Ваксон.

— Ты пока что меня не понял, — сказал Роберт. — Надо четко понять, что партия — это единственная сила в нашем обществе. Надо проходить за закрытые двери и участвовать в партийных дебатах. Только так я смогу донести до власти то, что нужно творческим людям. Дать знать, как поэты понимают честную политику. И вот поэтому, дорогой мой Вакса, я решил вступить в партию.

— Да ты рехнулся, Роб! — воскликнул Ваксон.

Роберт усмехнулся:

— То же самое крикнула мне Анка. Она даже пригрозила мне разводом, если я не откажусь от этого плана. Она не понимает, что кто-то в верхах активно проталкивает меня в писательской иерархии. Занимать большие посты и не состоять в партии — это абсурд!

На этом им пришлось прекратить столь волнующую беседу. Экскурсия уже приступила к трапезе. Их приглашали возлечь вокруг литфондовских роскошеств, выданных им в виде «сухого пайка». Началось пиршество. Поднимались тосты, как за мальчиков, так и за девочек, как за детство, так и за среднюю молодость. Время от времени то один экскурсант, то другой, а то и целой кучей, с детьми или без, бухались в бухту и фулиганили там ворохи брызг. Все было великолепно, хотя приближалось и даже, как позже вспоминалось, на глазах развивалось некое малоприятное происшествие.

Бухта была спокойна, однако за створом каменистых мысов море слегка бугрилось и чуть-чуть темнело. Юстас Юстинаускас собрался в серьезный заплыв. Хочу махнуть в Львиную, сообщил он. Дети вокруг него стали прыгать, а лучший друг Роберт Эр объявил, что перед нами не кто иной, как Ихтиандр, которого сейчас провожаем в кругосветный заплыв. Он уйдет от нас, а мы будем взывать: где ты, о Ихтиандр? Но море будет хранить свою тайну.

Влад Вертикалов отвел в сторону Юстинаса. Слушай, Юста, там в Львиной такая девчонка есть — Колокольцева. Можешь передать ей, что ВВ ее ждет в Сердоликовой? Художник сильно взял его за плечо и заглянул в глаза:

— А почему тебе не плыть со мной, Влад?

— Утонуть боюсь, — простосердечно признался бард.

Мощный художник сильно разбежался, запрыгал по камням, оттолкнулся от последнего и ушел в глубину.

Между тем малоприятное происшествие приближалось. На солнце вдруг налетела одинокая в голубом небе расхристанная тучка, мгновенной холодной трясучкой прошлась по нежному телу Нэллы Ахxо и умчалась к турецким пределам. Вдруг все явственно увидели, что в море одна за другой начинают подниматься белопенные стенки. Одна из них, первая, ударила в пляж и разлилась чуть ли не до самого пикника. Дети, выходите из моря! Так возопили матери. Следующий удар волны взвихрил все имущество пикника.

«Собирайтесь! Все уходим в Третью Лягушку!» — закричал Кукуш. Все повернулись к тропе и вдруг увидели, что она отсутствует. Вместо тропы кружили и плевали пеной блажные волны. Не прошло и нескольких минут, как от пляжа осталась полоска шириной не более полутора метров у подножия карадагских отвесов. А в некоторых местах волны били прямо в базальтовые стены. Попавшие в морской капкан экскурсанты цепочкой лепились вдоль горы. Бурунчики уже кружили вокруг их ног. Зловещая тучка растворилась в безоблачном небе. Солнце жгло. Яростный солнечный шторм бил в упор. «Ребята, не трусить! — прокричал Роберт. — Такие солнечные штормы здесь не редкость! Они кончаются внезапно, как и начинаются». Нэлла вдруг дерзновенно стала читать стихи Пастернака:

Ты на куче сетей,
Ты курлычешь, как ключ, балагуря,
И как прядь за ушком,
Чуть щекочет струя за кормой,
Ты в гостях у детей,
Но какою неслыханной бурей
Разражаешься ты,
Когда даль тебя кличет домой!

Вода уже бурлила у колен взрослых. Детей поднимали и сажали на плечи. Героический Дельф сидел на отце и размахивал руками, изображая то ли капитана, то ли дирижера оркестра. Взрослые смотрели друг на друга с немым вопросом: неужели конец? Разрыдался маленький Олекса. Роберт ощупывал камни, пытаясь найти вмятины и выступы для упора. Как все нелепо получилось: спасение, то есть Третья Лягушка, находится в пятидесяти метрах, однако добраться туда с детьми через мыс невозможно ни ползком, ни вплавь.

И вдруг, огибая скалы с другой стороны, из Львиной, в кипящую бухту вплыл мужчина на надувном матрасе; не кто иной, как наш Ихтиандр Юстинаускас. Сквозь шум волн он кричал почему-то по-французски: «Атансьон, мон ами! Атансьон!» Вслед за ним и тоже на надувном матрасе в Сердоликовой появилась девушка исключительной красоты, в которой по крайней мере двое экскурсантов смогли узнать Милку Колокольцеву. Еще два надувных матраса, или, как говорилось в инструкции по охране государственных границ СССР, «плавательных средств, пригодных для любой цели», пересекли бурлящий створ бухты, ведомые главными фигурами Республики Карадаг, президентом ФИЦем и премьер-министром ФУТом. Началась настоящая спасательная операция.

Сначала взялись за детей. Штучку и Олексу посадили на первый матрас, привязали скалолазными канатами, и Юстас Юстинаускас вместе с Владом Вертикаловым мощно поплыли с ними к восточному створу. Некоторое время матрас еще взлетал на волнах. Дети лежали, прижавшись друг к дружке. Слышно было, что спасатели что-то поют, явно для того, чтобы ободрить крошек. Все с облечением вздохнули, когда первый матрас скрылся за мысом, иными словами вступил в бухту Третья Лягушка.

На второй матрас уложили Полинку Эр и Кукушку Октавского. С ними в роли спасателей оказались по чистой случайности Колокольцева и Эр; один по левому борту, другая по правому. Пока плыли и переглядывались, от восторга у обоих в душе гремела «Героическая симфония».

— Хорошая встреча, правда, Милка? — крикнул он.

— Не то слово! — воскликнула она.

Дальше все под руководством ФИЦа и ФУТа пошло на профессиональной основе. Матрасы комплектовались в зависимости от веса спасаемых. Мирка Ваксон и Дельф, например, оказались на одном судне. Анка и Ритка привязаны были к четвертому понтону, а вторым спасателем при ФИЦе вызвалась быть отменная пловчиха Нэлла Ахходо.

Примерно через час буря стала затихать. В Сердоликовой к этому времени остались только Кукуш, Ваксон, Подгурский, Эллипс и Атаманов. Ну, ребята, пошли вплавь: не ждать же, когда за нами, мужиками, на матрасах приплывут! Плюхнулись один за другим в качающуюся стихию. Последним в цепочке оказался Ваксон, неуклюжий пловец. На середине дистанции до него долетел любопытный разговор. Интересно, какая тут под нами глубина? Да метров сто наверняка будет. От этой цифры у него перехватило дыхание. Хлебнул литровку соленого. Показалось, что ногу сводит. Долетела еще одна неободряющая фраза. А Вакса-то где наш: плывет или на камне висит? Почти в отчаянии он опустил лицо в воду, в стометровую бездну, и стал сильно работать руками. Вынырнул возле последнего камня мыса, за который держались участники финального заплыва. Все смотрели, как он приближается. «Браво, Вакс! — воскликнул Кукуш. — А мы и не знали, какой ты мощный пловец!»

От камня уже была видна Третья Лягушка. Ей повезло больше, чем Сердоликовой: полоса гальки шириной метров в десять была не тронута бурей. Спасенные и спасатели стояли толпой и махали появившимся из-за мыса мужчинам. Одна лишь Нэлка сидела, держа на руках и целуя крошечную Штучку. Мелькнувший и пропавший Пролетающий внушил поэтессе мгновенную мысль: «В высотах неба / Вопрос был тонок: / Ей нужен бэби, / Точней — ребенок!»

Когда все собрались, слово взял титанический президент ФИЦ: «Дорогие писатели, их супруги и отпрыски! Правительство и сенат независимой Республики Карадаг приносит вам глубочайшие, метров в сто, извинения за бесчинство наших территориальных вод. К счастью, все обошлось благополучно, а посему мы сообщаем, что двадцатого августа в Львиной бухте состоится всенародное вече нашей страны с последующими выборами Мисс Карадаг. В бухту мы вас не приглашаем, чтобы не напоминать о сегодняшних неприятностях, но если вы примкнете к вечернему шествию от теплостанции до кургана Тепсень, мы вместе с археологами устроим для вас игрища под названием «Слава литературе!». Итак, до встречи двадцатого под знаком Льва!»

1968, 18 августа
Директива

В этот день Роберт Эр проснулся с каким-то необъяснимым неприятным предчувствием. Нет, не то чтобы полный раздрызг предвещался, нет-нет, не беда, а скорее какое-то занудное обязательство. Дойдя до слова «занудное», он вспомнил: обещал интервью газете «Феодосийский комсомолец».

Ровно в назначенный срок, то есть в десять тридцать, приперлись местные журналисты, двое довольно бледных — как будто не в Крыму живут, а в Запорожье: один в очочках, другой в галстучке. Роберт вынес для них два стула на лужайку, а сам растянулся в боковой позиции на пледе. Началось вот именно занудное толковище о молодом, то есть «Четвертом», с подачи критика Макарова, поколении советской литературы. Ну и о том, какое место в ней — то есть в совлите — занимает новая поэзия, а в оной какое место занимает вот этот данный, заслуженно любимый молодежью поэт Роберт Эр.

В конце беседы «очочки» задал неожиданный, если не ошеломляющий вопрос:

— А вы, Роберт, не собираетесь принять участие в административной акции по ликвидации Республики Карадаг?

Роберт вдруг выскочил из своей расслабленной мейерхольдо-маяковской позы, словно собрался куда-то бежать:

— Да вы что, ребята?! Что это за акция такая? Что это за ликвидация? Да мы сейчас все письмо подпишем в защиту! В ЦК будем звонить!

«Галстучек» мелкими движениями руки пытался урезонить поэта-утописта нашей прекрасной эпохи:

— Роберт, успокойтесь! Директива пришла как раз из того места, которое вы упоминаете! В конце концов, надо было что-то делать с этой сомнительной публикой, разве не так? Там идет полный подрыв нашей советской нравственности. Ну, например, полное опровержение супружеской верности, как вам это нравится?

— Да что вы несете, мастера феодосийской печати? — возмутился Эр. — Там, в бухтах, живут классные ребята! И классные девчонки! Они три дня назад вытащили в бурю нашу экскурсию из Сердоликовой. С детьми, черт бы вас побрал!

«Очочки» покачал указательным пальчиком:

— А у нас есть противоположные сведения. Говорят, что они хотели вас к себе в Львиную затащить и предъявить администрации категорические требования. И только благодаря твоему, Эр, личному сопротивлению они перебазировали группу в Третью Лягушку.

— Да вы просто психи! — вскричал Роберт. — Сами придумали этот бред или кто-то подкинул?

«Галстучек» вытащил из своей папочки вялую бумажку:

— Вот у меня есть сведения из компетентных органов. «Группа экстремистов, возглавляемая так называемым Президентом ФИЦем (Феликсом Ивановичем Цейтлиным, 1938 г. р., тунеядцем из г. Запорожье), а также так называемым Премьером ФУТом (Федором Улялаевичем Трубским, 1928 г. р., доктором физико-технических наук), вместе с пресловутой Мисс Карадаг (Людмилой Евгеньевной Колокольцевой, 1945 г. р., сотрудницей журнала «Декоративное искусство»), проводит антисоветскую агитацию, ратует за многопартийную систему, восхваляет так называемую «Пражскую весну» и отравляет окружающую среду своими вульгарными шутками...»

Роберт протянул было лапу за бумаженцией, но «Галстучек» быстренько упрятал ее в свою папку. Воцарилась довольно дурацкая мизансцена: Роберт стоял в позе

Маяковского с вытянутой рукой, словно предъявляющей «серпастый-молоткастый», а два маленьких паренька сидели пряменько, будто аршин проглотили. Странным образом прекратилось постукивание по крайней мере трех пишмашинок работающих писателей. Обычно Роберт различал по этой стукотне, кто из друзей взялся за работу. У Яна и Антоши, как и у него самого, был рваный ритм, прерывающийся на рифмованных кончиках строк. Ваксон отбарабанивал целый параграф, будто отбивался от фронтальной атаки каппелевцев из кинофильма «Чапаев». Потом затихал и выпускал по параграфу только короткие очереди поправок. В этот раз «орудия труда», кои не подлежат изъятию даже в случае конфискации всего остального имущества, замолчали одновременно, и на балконах появились Ян, Антоша и Ваксон. Последний, в платке, туго завязанном вокруг лба, грубовато крикнул: «Слушай, Роб, что ты возишься с этими? Я их сразу послал, когда ко мне пришли!»

Один из «этих» тут же сделал снимок грубияна на свою «леечку». Антоша крикнул через лужайку: «Ты думаешь, Вакса, мы на них ставим? Они, козлы, поставили на нас!»

Ян Тушинский, перегнувшись через перила, вежливо осведомился, какими средствами будет осуществляться ликвидация Республики Карадаг. Замирая от восторга перед явлением Самого, Патриота и Бунтаря, журналистики стали уверять его, что ликвидация будет производиться самыми деликатными средствами. Со стороны суши, то есть над отвесами вулкана, будет расположен отряд милиции. В море встанут на дежурство два катера погранохраны.

Редакцию оповестили, товарищ Тушинский, что оружие будет применяться только в случае провокации со стороны хулиганов. Поэт покивал со знанием дела, а потом поинтересовался, не могут ли коллеги дать ему телефоны главного редактора, первого секретаря горкома КПСС, а также представителя органов. «Очочки» посмотрел на «Галстучка», тот кивнул. Запрошенные номера были тут же продиктованы: в условиях социалистической демократии было бы нелепо скрывать номера легитимной власти. Ян покивал и поблагодарил. А что же вы не записываете, товарищ Тушинский? Не волнуйтесь, ребята, такие номера я запоминаю по крайней мере на два года вперед. На этом журналистишки отправились доложить, что советские поэты заинтересовались намеченной акцией и собираются для уточнения деталей выйти на высокие уровни. На самом деле они были уверены, что Тушинский с его колоссальными связями наверху и с его таинственным свойством запоминать «такие номера» на два года вперед прикроет всю эту дурацкую акцию. Оба помнили, какой курьез случился четыре года назад, когда попытались в Коктебеле провести всенародную борьбу против шортов. Как оскандалилась тогда городская номенклатура! Какие полетели головы! А ведь именно тогда готовилась облава в бухтах и пещерах, уже тогда существовала пресловутая Республика; да вот не добрались!

1968, 20 августа
Сезон!

Этот день, вроде бы ничем не отличающийся от череды праздных дней курортного заезда, с утра оказался напичкан всевозможными событиями, знаменующими закат сезона. После завтрака солидная толпа литераторов с чадами и домочадцами отправилась на финал баскетбольного турнира, в котором команда «Литфонд» противостояла команде «Пансионат». Последняя была укомплектована хорошо тренированными пареньками из «почтового ящика 812/1018-хч». У первой не хватало одного игрока основного состава: длинноволосый и длинный ростом драматург Эллипс, некогда игравший за университет в Яссах, был внезапно вызван в Москву на репетиции его пьесы «Он» в Театре имени Ленинского Комсомола.

В принципе «Пансионат» должен был разгромить «Литфонд», в котором по-настоящему умели играть в баскетбол только трое, Роберт, Юстас и Ваксон, четвертый же, Гладиолус Подгурский, хоть иногда и приносил совершенно сумасшедшие очки, отличался постоянными «пробежками» и «двойным ведением». Ну а пятый, запасной прозаик Атаманов, вообще был уверен, что успех в баскетболе приносит только «масса тела».

И вдруг появился другой пятый. Его привел Юст. Это был Шауляй Баранаускас, когда-то игравший за сборную Литвы. Юст и Роб объяснили судейской коллегии, что это и есть пятый игрок их основного состава, драматург Эллипс, только что прилетевший из Москвы после триумфальной премьеры свой пьесы «Он». На самом деле Юст и Шауляй случайно встретились в очереди за пивом на Закусочной улице.

Началась игра. Счет открыли «Ящики». «Драматург» ответил на это пятью попаданиями. Он же вывел на удачные броски своими пушечными пасами два раза Роба, два раза Юста и один раз Вакса. Ошеломленные «Ящики» взяли тайм-аут. После этого игра чуть-чуть выровнялась. «Пансионат» набрал пять очков; четыре с игры, одно со штрафного. Баранаускас с понимающей улыбкой дал им немного поиграть, а потом стал с легкостью перехватывать их передачи, блокировать их броски по кольцу и отбрасывать мяч своим. Счет рос в пользу «писателей». Дошло до того, что даже Гладиолус попал, куда надо. Чтобы подвести черту под этим неравным поединком, надо просто сказать, что баскетбольная команда Литфонда впервые стала чемпионом Залива.

У Роберта все, даже малые мышцы тела выражали ему свой восторг: вообразите, они еще помнили его вдохновенные пролеты и затяжные прыжки в составе сборной Карелии! Что же касается больших мышц, толчковых, а также сгибателей и разгибателей, то их он старался унять, дабы не вызвать насмешек. Ну, вообразите секретаря Союза писателей, который после хоть и красивой, но все-таки жульнической победы в баскетболе начинает подпрыгивать на икроножных, а при помощи сгибателей рук притягивать к себе своих симпатичных, а при помощи разгибателей слегка отодвигать бестактных.

В конце концов вся толпа смешалась и со смехом и восклицаниями «Ну дали!», «Вот влепили!» двинулась к пляжу. По пути совершенно случайно сблизились Ваксон и Ралисса. Она посмотрела на него исподлобья взглядом мгновенным, да так, что ему нестерпимо захотелось этот взгляд бесконечно продлить. Все-таки он сделал шаг в сторону, и она от него с трудом отлепилась. «Ну, Вакс, вот уж не думала, что ты так бросаешь с угла!» — сказала она вроде бы на прощание. Прощание, но не навсегда. Нет-нет, не навсегда. Может быть, даже не до утра, то есть раньше рассвета.

С той же долей случайности произошло сближение Юстаса Юстинаускаса и Милки Колокольцевой. Просто шли в толпе к морю и вдруг случайно оказались рядом. Глядя на этого цветущего и вечно «слегка под банкой» балта, трудно было предположить, что его мучают сердечные терзания; между тем он терзался; терзался и очень. Данута, верная подруга, которая в эти дни пасла в Паланге их двух детей... Мысль о том, что до нее могут дойти слухи о его похождениях среди коктебельской богемы, повергала его в отчаяние. У Милки тоже были свои проблемы: болтающийся по всему побережью Влад Вертикалов и ее верный трубадур, президент ФИЦ. Словом, обоим приходилось постоянно притворяться, разыгрывая приятельские отношения. Так и сейчас, болтая о клоунском баскетболе, они на самом деле сговаривались о встрече. Ей нужно сейчас отправиться в Львиную, потому что там сегодня объявлен «трудовой день», а кроме того, именно оттуда начнется вечернее шествие. Что касается Юстаса, он сегодня пополудни откроет выставку своих рисунков в доме Караванчиевских, а оттуда придет на курган Тепсень. Там начнутся игрища, танцы и пение и можно будет легко обоим оттуда «сквозануть». Ты первый, я вторая. Нет, наоборот — ты первая, я второй. Тип-топ? Тип-топ!

Вот такие сложные любовные секреты пронизывали всю эту толпу почти голых людей, собравшихся в Восточном Крыму на телесные празднества. Вспоминаются, между прочим, самодельные фривольные песенки, что распевали тогдашние молодые дамы на всякого рода капустниках. Ну вот, например, такой перл:

Расцвело алоэ
На Сюрюкая.
Тело молодое
Раскормила я.
Раскормила тело
На свою беду,
А теперь для тела я
Дела не найду.

Пока происходили эти случайные соприкосновения, любители поэзии задавали себе вопрос: почему не видно их кумира Яна Тушинского? А он между тем мелькал всем телом на площадке пинг-понга. Закручивал мячик, заостряясь вперед, гасил при отскоках, едва ли не падая на свою половину стола. Против него выступал мастер спорта по этому виду, сотрудник МУРа и будущий автор детективных бестселлеров. Тот стоял в десяти метрах от стола и спокойно отсылал мячик туда, откуда тот прилетел таким настырным способом; раз за разом, раз и два, покуда тушинковский удар не попадал в сетку или за пределы стола. При всем своем росте Ян не любил командных видов спорта, ни волейбола, ни баскетбола. Какого черта потеть для каких-то других олухов? Впрочем, он и не умел играть ни в ту, ни в другую игру. Он любил одиночные единоборства; вот это ристалища для поэтов! Нет-нет, конечно, не борьба, когда кажется, что соперники тщатся подвергнуть друг друга педерастическому насилию, не зверский бокс, в котором бьют прямо по вместилищу художественных образов и идей; нет, ни в коем случае не это! Нет ничего лучше, друзья мои, чем теннис, напольный, а лучше настольный. Острота диалогов тут доходит до микроскопического мелькания! И пусть толпа, влекомая инстинктами массовости, тащится на охлократический баскетбол, на теннис-то приходят узреть своего любимца лишь избранные, ну вот, скажем, вроде той одинокой трогательной фигурки, что постоянно, но ненавязчиво следует за мной и ждет, когда я ее позову одним словом, как свистком, ну конечно, не как охотничью собаку, а как верную лошадку, и вот сейчас стискивает руки на груди, когда я наступаю, и едва ли не падает в обморок, когда теряю мяч; душа моя, Заря моя!

Позднее, перед обедом, в обед и после обеда, выяснилось, что по крайней мере у троих обитателей Литфонда совпадают дни рождения, и все они приходятся на двадцатое августа и вокруг. Из этих троих двое нам уже порядочно надоели, а именно Ваксон и Гладиолус, а вот третий только что приехал на неделю в «Пансионат», саксофонист

Ал Ослябя с пианистом Канителиным и забойщиком Бабрасовым. Все названные в этом параграфе молодые люди были завзятыми друзьями и собирались ночью как следует кирнуть, за исключением Бабраса, который недавно объявил себя абстинентом и пояснял всем, что это такое: «это когда об стенку стукнутый». Короче говоря, вся эта компания отправилась на феодосийский колхозный рынок в открытом «кадиллаке». Несколько слов об этой машине 1953 года выпуска. Год назад шофер советского посольства в Аргентине Шкварченко после выхода в отставку с дипломатической службы приехал на ней в родной поселок Планерское. Едва лишь он достиг желанной цели, как империалистическая акула с плавниками развалилась почти буквально на части видавшего виды тела. Срезались болты на двух колесах, закипел аккумулятор, отвалились глушители двух выхлопных труб, а самое печальное заключалось в том, что полетела с концами мудреная коробка скоростей. С этого момента «кадиллаку» не осталось ничего, как только лишь украшать собой кювет под двумя хилыми платанами. Шкварченко, однако, не сдавался. Партия его научила не сдаваться. Ежедневно долгими часами он возился в своей любимой «иномарке». Запчастей к ней не было ни в округе, ни на всем пространстве СССР. Приходилось каждый винтик и каждый вкладыш выпиливать вручную, подправлять на фрезерном станке в судоремонтном заводе. Так прошел год, и всем в поселке, даже самым любопытным, надоел маниакальный Шкварченко. И вдруг в один прекрасный августовский день взревела огромная колымага и с удивительной легкостью выехала из кювета на проезжую дорогу. И тут-то счастливый Иван Денисович Шкварченко встретился с тремя 30-с-чем-то-летними парнями, которые собирались потратить свои последние деньги на феодосийском рынке.

«Машина подана, сеньоры!» — ликуя, воскликнул подвижник Шкварченко. От платы он отказался и только лишь во время безупречного наката на не видавший до сих пор ни единого «кадиллака» рынок все показывал своим пассажирам с восторгом и истинной гордостью то на дашборд, то на фендеры с пятнами свежей шпаклевки, а то демонстрировал утробный гудок проснувшегося динозавра.

На рынке с прошлого года мало что изменилось. Даже кумачовый лозунг на стене холодильника «Наша цепь — коммунизм!» висел на прежнем месте. Кто-то, правда, пытался перемазать «п» на «л», однако краска у него/нее оказалась жидкая, «п» преодолела «л», подчеркнув таким образом жажду рабства. И вдруг в торговых рядах ребята увидели шумную команду коктебельских женщин. Среди них были «богини домашние», но вперемежку с «королевами пляжными»; мелькали, конечно, и знакомые лица, в частности: жена Ваксона Мирра, жена Гладиолуса Подгурского Наша Даша, жена богатыря Ослябя Лялька, жена Антоши Фоска Теофилова, ее новая приятельница знаменитая Катя Человекова, плюс горделивая Татьяна Фалькон-Тушинская со своей неразлучной подругой Нэллой Ахо и, зажмурьтесь и снова взирайте, недоступная мечта всего мирового кинематографа Ралисса Кочевая. Оказывается, они еще раньше мужчин явились в сопровождении двух автотрюкачей братьев Гарика и Марика Полухватовых на этот рынок, чтобы обеспечить закусками костер в честь тройственного дня рождения. Лапы кавказских торговцев тянулись к нашим дамам, цены на мясо, фрукты и зелень, сыры сулугуни и пр. стремительно падали к ногам этих поистине неотразимых после месячной прожарки, похабновато хохочущих московских бабенций. Катюша Человекова завела песню из репертуара коктебельского капустника:

Приехал в Коктебель
Еще один кобель.
Скажи, он нравится тебе ль?

Все красотки хором подхватили:

С машиной, без жены!
Мы все поражены,
Мы дать ему должны!

Кавказцы, бросив товар, закрутились в лезгинке. Кто-то открыл канистру молодого вина. Наливали всем желающим, особенно дамам. Вокруг Татьяны Тушинской вертелся на пуантах юнец лет пятнадцати. Норовил ее обнять то за плечевой пояс, то за бедренный.

— Пошел прочь, балда! — отмахивалась та.

— Я совершенно лётный! Совершенно лётный! — звенел его ликующий голос. — Пойдем со мной, красавица, не пожалеешь! У меня знаешь он какой — до колена! Совершенно лётный!

Танька вдруг цапнула его за ногу повыше колена. Там, к сожалению, ничего не обнаружилось. Юнец мгновенно разрыдался, присел на корточки и был закрыт своими вихляющимися братьями и дядьями.

Наконец багажник «кадиллака», вполне пригодный для перевозки трех контрабандистов, был загружен до отказа съестным. Дамы все поместились в открытом купе. Пока ехали восвояси, товарищ Шкварченко на такой цветник с блаженством оглядывался. Гривы их трепетали под потоками благодатного ветра. Глаза сверкали, как у американских школьниц пятидесятых годов. Вдруг придумалась неплохая игра для всех.

— А что бы со мной было, если бы меня украл какой-нибудь кабардинец? — поинтересовалась Нэлла.

Все расхохотались. Таня добавила огоньку:

— Ну, я-то уже знаю, что буду женой четырнадцатилетнего абхазца!

И пошло:

— А меня, наверное, похитят миролюбивые чеченцы.

— А я бы сама соблазнила какого-нибудь солидного адыгейца!

— А я считаю, что в мире нет лучше мужей, чем армяне!

— Нет никого восхитительней азербайджанца!

— Ты просто, девушка, не познала еще лезгинцев!

— Теперь мне будут сниться два европейских гагауза!

И тэ дэ.

Машина дергалась от каждого нового взрыва хохота. Товарищ Шкварченко все-таки пробился с кардинальным вопросом:

— А вы вообще-то, девчата, замужние или как?

Нэлла величественным жестом указала на любимую подругу:

— Перед вами, товарищ шофер, жена поэта Яна Тушинского!

— А лично вы, товарищ Нэлла?

— Я тоже.

Шкварченко понимающе кивнул. Дамы начали галдеть. И я! И я! Мы все тут жены товарища Яна Тушинского! Шкварченко еще раз уважительно кивнул. Хороший поэт.

— А вы, товарищ шофер, читали что-нибудь товарища Тушинского?

— Я читал интересное художественное произведение товарища Тушинского с заголовком «Мама и нейтронная бомба».

— И как вы относитесь к этому произведению?

— Очень серьезно. Я просто представляю себе Буэнос-Айрес после взрыва нейтронной бомбы. Просто вижу известный мне автомагазин. Ни одной живой души и множество запчастей.

— Браво! Браво! Это просто гениально! Ралиска, приголубь нашего водителя!

Мечта мирового синема, которая делила переднее сиденье с реальной киношницей Человековой, но сидела ближе к водителю, обняла того вокруг шеи и пощекотала языком правое ухо. «Кадиллак» едва не ухнулся с крутого поворота в кювет. Шкварченко подумал, что ради таких блаженств можно пожертвовать и техническими успехами.

Между тем открылась уже панорама Коктебельской долины с ее западным контуром, состоящим из синих гор Карадага, Святой и Сюрюкая и показавшимся в этот момент всем этим Анкам, Танькам, Миркам, Катькам, Ралискам и гениальному поэту Нэлке взлетающим символом внесоциальной свободы.

Как раз в этот момент мужчины на рынке завершили погрузку бараньих тушек, сыров и хлебов в багажники двух «Москвичей». Оставшаяся без литфондовских дам толпа торговцев отступила в глубину, словно некий зловещий хор.

— Что это они тут перед нами разыгрывают? — вслух подумал Ваксон.

— Да просто шмали насосались, — ухмыльнулся трюкач Гарик.

— Шмаль с маджари — это бронебойная смесь, — добавил трюкач Марик.

Атаманов вытирал платком свою бритую голову, которая делала его каким-то непременным участником этой восточной сцены.

— Пора смываться, господа, а то как бы по-лермонтовски у нас тут не получилось. Помните в «Бэле» — «нажруться бузы и...»

— А где же наши лабухи? — забеспокоился Гладиолус Подгурский. — Вот что храктерно для джаза — полное отсутствие нюха на опасность.

Ослябя, Канителин и Бабрасов покидали маленькую галантерейную лавчонку, нагруженные всяким барахлом из нелегальной пластмассы — все трое были собирателями кича: маленьких кремлей, лебедей, пограничников родины, танцовщиц с толстыми ляжками, самолетиков и крокодильчиков.

Ваксон, однако, смотрел не на них, а на автотрюкачей, которые оба представляли типажи расторопной московской хевры в джинсах, кроссовках и теннисках.

— А вы, ребята, вроде бы только что приехали, однако разбираетесь в деталях, — сказал он им.

— Слушай, Вакс, — сказали трюкачи (оказывается, и кличку уже знают), — мы здесь сто раз бывали. Для нас слетать в Кок, все равно что два пальца обдудонить. А в этот раз нас Коч сюда послал, вроде бы как в командировку.

— Какой еще Коч?

— Ну, Семеныч. В общем, Семен Михалыч. Короче Кочевой. Оплатил нам две горящих путевки в Литфонд. В общем, как бы к мадам приставил, чтобы заботились. Волнуется лауреат.

У Ваксона сузились глаза:

— Шпионить, значит, за Ралиссой приехали?

У Гарика и Марика тоже сузились глаза. Этот малый, похоже, нарывается. Кто такой? Может, и сам этот Вакс лауреат какой-нибудь? Не-ет, молодоват для лауреатства. Ладно, грубить пока не будем. Хохотнули:

— Да вроде того: за такой бабой, как наша Ралиска, нужен глаз да глаз. Но вообще-то это задание второстепенное. В первую очередь идет удовлетворение всех ее потребностей. Подлизывается большевик.

— Это каких же потребностей?

Гарик и Марик переглянулись и опять хохотнули:

— Всех без исключений.

Пролетающий на миг залепил Ваксону глаза. Сестры, ярость и ревность, восхитительны ваши приметы. Очи разлепились. Перед ним, потряхивая брелоками с ключами машин, стояли два молодых паразита, способных на все, в том числе и на удовлетворение всех потребностей.

— Ну, давайте, ребята, разбираться по машинам, — сказал Марик.

Ваксон, Подгурский и Ослябя поехали с Гариком; Атаманов, Канителин и Бабрасов — с Мариком. Во второй машине всю дорогу разговаривали о джазе. Оказалось, что Атаманов-то не только писаниной занимался. Я, старички, окончил Гнесинку по классу народных инструментов, а во внеурочное время, фля, наблатыкался там на контрабасе. Он стал щипать воображаемые струны и бубукать своими отменными губищами: Эллингтон! Зарабатывал на жизнь, фля-фля-фля, в капппище гррреха, в «Коктейль-холле».

Хотите, квартет, етитвою, заммmастырим? Авангардисты снисходительно улыбались. Марик тут, обернувшись от руля, сказал, что у него есть надежный канал по доставке джазовых пластинок «Дойче Граммофон».

В первой машине тоже присутствовал джаз: Ал Ослябя напевал сложную тему Майлза Дэвиса. Остальные долго молчали. Потом Гарик спросил сидящего рядом Ваксона:

— Между прочим, ты не слышал, не завела она тут какой-нибудь романешти?

— Кто? Что? Кого? — притворно удивился Ваксон.

— Вот нам разведка донесла, что в нее литовец влюбился; это правда?

— Стукачам даже на вопросы о погоде не отвечаю, — так неожиданно для себя Ваксон залепил приезжему по макушке. Ваксона коробило: что-то похожее было у него в одном из ранних романов. Вот такой паренек вроде автора сталкивается с тремя московскими паразитами, что кадрят его бывшую жену. Ну, впрочем, тут у нас принципиально другая ситуация. Марвич в той истории был полностью одинок; все время ноктюрн, блюз одиночества; а здесь я окружен друзьями; сонмище ближайших!

Гарик что-то нажал под рулем. Правая передняя дверь, то есть та, что со стороны Ваксона, отворилась на полной скорости.

— Выходи! — произнес он без враждебности, но с явным холодком.

Ваксон попытался прикрыть дверь, но она не поддавалась. В кабине вертелся вихрь чудесного крымского воздуха. Скорость сто километров в час.

— Ты, видно, забыл, что нас тут трое! — проорал он трюкачу. Тот проорал в ответ:

— А ты, видно, забыл, что машина не твоя, а моя!

Он прав, подумал Ваксон. Вот это самый главный аргумент. Нелепо как-то сесть в машину и сразу затеять ссору с хозяином.

— Я пошутил, — сказал он и хлопнул Гарика по коленке. Тот опять нажал что-то под рулем, и дверца закрылась.

— Не бзди, — сказал он Ваксону.

— А ты не ссы, — ответил тот. — Спор можно продолжить на твердой земле, сэр. Жду ваших секундантов.

Гарик заржал: это ему понравилось.

Как всегда неожиданно открылась долина, вроде бы прикрытая горным хребтом от мирового океана; остров Крым.

Повидаться с Эрами заехали отдыхающие в санатории Совмина Королевы. Марина осталась с эровскими женщинами, которые увлеченно занимались подготовкой к вечернему пиру.

— Ну вот, — ворчала она, — приедешь в гости, а тебя сразу — в кухарки!

— В кухарки, управляющие государством, — тут же поправила Полинка.

Роберт и Анатолий пошли на пляж. После купаний уединились под личным британским зонтом дипломата, на котором было написано do not disturb. Роберт поделился с высокопоставленным другом своими мыслями о вступлении в партию. У меня такое ощущение, старик, что не вступая в партию, я как бы подставляю шею под ярмо. Что ты думаешь по этому поводу?

Королев минуту-две помолчал, пуская плоские камешки по воде, потом, оглядевшись, стал развивать свой взгляд на проблему. Вообще-то в нынешних условиях сохранять беспартийность, это значит сохранять инертность. Даже возмущенная вызывающая беспартийность не дает никакой площадки для действия. Мне кажется, что партийность даст такому поэту, как ты, больше возможности для самовыражения. Конечно, с самого начала ты должен будешь определить свою собственную нишу и сомкнуться внутри партии с теми, кто мыслит, а не с теми, кто расползается задами по креслам. При всем монолитном параличе внутри партии существуют разные течения, и ты должен будешь сразу в этом разобраться, иначе станешь просто членом компрадорской номенклатуры. Динамика таких коллизий как раз была видна в Чехословакии задолго до начала «весны»...

— Толя, скажи, что там происходит в данный момент?

Королев взял еще один тайм-аут, чтобы побросать «блинчики», потом придвинулся поближе к другу и заговорил полушепотом:

— Приближается катастрофа. Я слышал недавно, что Солженицын кому-то сказал: «Все идет хорошо, вагоны подталкивают паровоз»; он не прав. Этот наш паровоз никакими вагонами не сдвинешь. Для того чтобы состав двинулся, надо раскочегарить топку, а у нас пока...

Внезапно он замолчал и уставился в сторону пляжных воротиков. Через них только что прошла Ралисса. Королев не мог оторвать от нее взгляда, а Роберт, не меняя позы, протянул навстречу к ней руку ладонью вверх. Проходя мимо и не задерживая шаг, Ралисса резво шлепнула его ладонью по ладони и сбежала к морю.

— Откуда берутся такие женщины? — пробормотал Королев. — Кто она? Чья-то дочь? Чья-то... жена?

— Жена Кочевого, — пробормотал Роберт. — Ты должен знать его, он секретарь Союза писателей по иностранным делам, — помолчав, добавил: — И секретарь парткома.

Тушинский с Татьяной лежали голыми в постели и наслаждались. Они только что исполнили свои супружеские обязанности и теперь млели друг к другу людскою лаской, поглаживали супружеские волосы, немного теребили ушки, подцеловывали чуть-чуть увядшие локотки. Какая все-таки прелесть эти супружеские обязанности, думал поэт. Спасибо, Господь, что одарил нас таким сладким ярмом. Вот Танька, такая злюка, такая агава, а когда приступает к супружеским обязанностям, превращается в кису-ласку. Только почему-то без хвоста. Это жаль, хвост бы не помешал. В принципе, это такая дивная обязанность, что ее как-то невольно хочется распространить и на других женщин в округе. Вот, скажем, здесь, в Коктебеле, женщины под солнцем так хорошеют, что невольно хочется возлечь с ними для исполнения, ну, не супружеских, но каких-то дружеских мужских обязанностей. Почему не возлечь, например, с бывшей женой Нэлкой, ведь она так хороша, или даже с женами друзей, ну, конечно, не со всеми сразу, а поодиночке, по мере развития вот таких сиест, вот такого невинного сибаритства, которого наш народ исторически был начисто лишен, ну, например, с Анкой, с Миркой, с Фоской Великолепной, с Любой, не говоря уже о таких блистательных гетерах, как Милка и Ралисса, как внезапно вспыхнувшая Антошина муза, как ее, ну конечно — Катя Человекова, и конечно же никогда не терять из виду, не обделять лаской мою страдальческую Зарю — ну почему?

Он был в великолепном настроении. Утром, когда все поехали на базар, хорошо поработал над антиимпериалистическим циклом, потом пошел, вытащил из палатки Зарю, погуляли вдвоем в роще у отрогов хребта, сейчас вот с блеском выполнил супружеские обязанности, а вечером предстоит парад Львов, которых все-таки удалось уберечь от посягновений местной дурацкой администрации, а потом тройной день рождения у костра.

Ну что за тип этот Янка, удивлялась жена, кажется, весь уже выложился, а все о бабах думает. Она потянула его за нос, а он в ответ нежно пощипал ее пупок.

— Вставай, вставай, моя Клеопатра! Ведь у нас сегодня тройной день рождения!

— А почему же тройной, а не четверной, Янк? — притворно удивилась она. — Ведь и у тебя сегодня день рождения. Ну что ты так притворяешься, Янк? Ведь твой настоящий день рождения не первого мая, а двадцатого августа. Ведь мне Елизавета Евстафьевна рассказала, что когда тебе годик в метрике меняли, поменяли и день.

— Ох, какая ты все-таки ехидина, Танюшка, ох-ох, какая лиса!

— Так все-таки кто я? Ехидина или лиса?

— Ехидиновидная лиса, или, вернее, лисоподобная ехидина.

Завершая свои супружеские обязанности, он думал: ну почему человеку не иметь двух дней рождения? Один открытый, со всем народом, а второй интимный — ну почему?

Вернувшись из Феодосии, Ваксоны нашли своего сына Дельфа за весьма серьезным занятием. Вооружившись ножницами, юнец орудовал с всесоюзным журналом «Огонек».

— Что ты делаешь, Дельф? — спросила Мирка.

— Да вот тут Барлахский принес папаше подарок ко дню рождения, — басовито ответил Дельф. И показал на прислоненный к стене довольно большой портрет отца научного коммунизма Карла Маркса. Бросалась в глаза золоченая рама, вполне годная для популярной репродукции «Аленушка».

— Довольно дурацкая шутка со стороны Барлахского, — высказалась Мирка.

— А мне нравится, — высказался Ваксон.

— Тебе всегда нравится то, что мне не нравится, — резюмировала жена с каким-то отдаленным смыслом.

Ваксон пожал плечами.

— Обратимся к третейскому судье. Дельф, тебе нравится этот портрет?

Мальчик завершал свою работу: он вырезал красочный орден с обложки «Огонька».

— Согласен с папашей. Мне нравится этот профессор. Хочу наградить его орденом.

И он примерил орден Ленина к лацкану «профессорского» сюртука.

— Браво! Браво! — закричали тут оба родителя.

Этот портрет уехал с ними в Москву и некоторое время висел в квартире. Гости и посетители удивлялись:

чего это вы Маркса повесили? Почти никого не удивил орден Ленина на груди у родоначальника коммунизма.

Ранним вечером этого дня полуразрушенное, с зияющими окнами здание теплового центра, что на западной оконечности коктебельской дуги, украсилось десятками красиво разукрашенных молодых людей; все было в стиле Flower Power. Они сидели и стояли в проемах отсутствующих окон и вокруг теплоцентра. Поигрывали на гитарах и в карты. Ждали появления процессии. Наконец она выдвинулась из-за скалы и стала торжественно приближаться. Их было не так много, дерзновенных республиканцев Карадага, персон не более пятидесяти, девушек и ребят, однако впереди шествовал оркестрик-диксиленд, который сразу же после выдвижения из-за скалы начал играть Oh, When The Saints Go Marching In. И вся колонна запела и задергала конечностями. Вслед за оркестрантами шли две выдающихся личности зарождающейся крымской демократии, Президент ФИЦ и Премьер ФУТ, статные парни, ей-ей, и оба в очках и широкополых шляпах. Мощнейший представитель двигался за ними, держа одной рукой на высоте главное достояние Республики, ее знамя, представляющее из себя старый российский триколор с трезубцем Нептуна. Далее прошла череда лозунгов-растяжек, любовно подготовленных республиканцами в течение всего летнего сезона: «Карадаг — твердыня мира во всем мире!», «Карадаг протягивает руку Социализму!», «Янки, вон из Вьетнама!», «Мы поддерживаем Чикагскую семерку!», «Свободу Анджеле Дэвис, Алику Гинзбургу и Юре Галанскову!», «Карадаг приветствует Сорбонну!», «Привет Карлову Университету!», «Мы судьбою не обласканы, Но когда придет гроза, Мы возьмем ее за лацканы И заглянем ей в глаза!». В хвосте колонны мускулистые ребята и гибкие девушки время от времени делали пирамиду на манер «Синих блуз» и вздымали в розовеющую, зеленеющую и лиловеющую голубизну Непревзойденную, то есть не кого иную, как Милку Колокольцеву, Мисс Карадаг.

Вот такой ее и запечатлели двенадцать фотографов, поспешавших впереди колонны, среди которых был и ее любимый Юстас. И кому тогда могло в голову прийти, что это ее последний фототриумф? Так или иначе, но процессия с Милкой на плечах стала отклоняться от кромки моря и забирать в гору, приближаясь к кургану Тепсень. За ними потянулись и обитатели теплоцентра, разодетые кто во что горазд, а некоторые и просто раскрашенные по голой коже, «дети цветов».

На кургане, в стороне от археологической базы, была вытоптанная прежними сборищами плешка, там и собралась фестивальная толпа числом не менее двух сотен. Звучали речи, исполненные демагогического сарказма или, наоборот, саркастической демагогии. Доставалось Дяде Сэму, в котором каждый распознавал советских номенклатурщиков. Пели хором «Мы поедем на Луну, вспашем землю целину». Плясали то ли твист, то ли буги, то ли камаринскую, в целом некую джигу, вибрирующую жаждой счастья. Но жажду утоляли из трехлитровых банок со сморщенными этикетками «Билэ мицне». И снова бросались в пляс. Попеременно играли то диксиленд, то трио Ала Осляби. Быстро темнело. Зажгли костер. В пляске костра заметили вдруг Нэллу Аххо в сопровождении двух московских молодцов-каскадеров. Все закричали: «Ура, Нэлле! Нэлла, читай! Все что хочешь, но читай!» Ее воздвигли на плоский камень, и она оттуда читала строфы из «Плохой весны»:

...Среди гардин зимы, среди гордынь
сугробов, ледоколов, конькобежцев

он гнев весны претерпевал один,
став жертвою ее причуд и бешенств.

Ей на камень подавали напитки и шашлыки из лука и скумбрий. Напитки она проглатывала, от еды отказывалась.

Ему давали пищи и питья,
шептались меж собой, но не корили,
затем, что жутким будням их бытья
он приходился праздником корриды.

Вдруг в толпе замелькал Влад Вертикалов в сопровождении его парней. Все эти дни его таскало по всяким санаториям ЮБК, где он выступал перед отдыхающими ВПК и получал хорошие гонорары. Этими «башлями» он набил рюкзак и боялся, как бы не обрушиться в новый запой. Прискакал сюда в поисках Милки, а она опять пропала. Ненадежный кадр, где ты? Народ улыбался: да вот только что здесь была. Ты подожди, Влад, сейчас она спустится, как Жар-птица. А Нэлла все читала:

Друзья мои, мне минет тридцать лет,
увы, итог тридцатилетья скуден.
Мой подвиг одиночества нелеп,
и суд мой над собою безрассуден.

В эти моменты Юст и Милка пробирались по темным аллеям Литфонда к его второсортной обители с удобным отдельным входом. Проскрипели под его телом доски крыльца, ее узкие стопы прошелестели бесшумно. А к Нэлле в этот момент на камень упруго вспрыгнул Влад Вертикалов, задребезжал гитарой.

— Последнюю строфу «Плохой весны» поем вместе!

— Да знаешь ли ты, что петь, мой Влад, мой брат?

— Я все твое знаю, Нэлла, ряд за рядом!

Он хлопнул ее по попке, а она оперлась на его плечо. И запели:

Затем свечу зажгу, перо возьму,
судьбе моей воздам благодаренье,
припомню эту бедную весну
и напишу о ней стихотворенье.

Буря восторга. Вопли любви. Трубы и банджо. Сакс и кларнеты. Барабан. Нэлка приблизила к мужественному Владу свое детское лицо:

— Если ты меня любишь, дружище Влад, то почему же ты меня не бэрьёшь?

— Потому что ты моя гениальная сестра!

Юстас сел в свое единственное, быть может, еще волошинской поры, разлапистое кресло и притянул Милку к себе на колени. Тоска проникала в комнату сквозь щель между дверью и полом. У них оставалось еще пять дней, но обоим казалось, что за дверью косоротой кикиморой стоит немедленная разлука.

Президент ФИЦ и Премьер ФУТ сидели в палатке и при свете ручного фонарика пили чачу.

— Ну, праздник-то, кажется, удался, — сказал ФУТ.

— Да вообще все удалось, — сказал ФИЦ. — Все нормально. Все мальчики и девочки счастливы. Сезон демократии благополучно завершается.

— Тьфу-тьфу-тьфу, — сказал ФУТ.

Он откинул полог палатки. На вершине кургана на фоне догорающего заката кучей силуэтов дергались танцоры. Доносились звуки твиста «Тысяча пластинок».

— Ментов-то не видно? — поинтересовался ФИЦ.

— Очень странно, но ни один Красивый Фуражкин не появился, — ответил ФУТ.

— Ты что, ФИЦ?

— Что-то сосет, ФУТ.

— Надо выпить как следует, чтобы не сосало.

— Давай для начала хлопнем по целому стакану?

— Давай. За Республику!

— За Республику!

— Я тебе еще не говорил, но, возможно, к утру наши мотоциклетчики прикатят. Восемь машин с колясками.

— Вот это здорово! Давай теперь тяпнем за них!

— По полному?

— Лучше по половинке, чтобы не окосеть.

Хряпнули пахучего и мутного и понюхали рукава штормовок.

— Скажи, ФИЦ, а куда исчезла наша МК, ну то есть Колокольцева?

— Она сейчас с ним.

— Очень переживаешь?

— Очень. Но терпимо. Ведь это входит в наш кодекс — любовь свободна!

— Ну, давай теперь за любовь! По полному!

Праздник республиканцев уже подходил к концу, а в Литфонде только завершалась сервировка пиршества в честь трех (или четырех?) именинников. На отдаленном холмике в углу территории был разложен костер, на котором запекали трех барашков. На трех террасах «бунгало» по соседству с костром были составлены столы с вином и закусками. В углу одной из террас функционировал бар под вывеской «Советский валютчик». Там фигурировало не менее дюжины «фирменных» бутылок джина и кампари. Откуда они взялись в Восточном Крыму, никто не знал. Держателем бара был Ваксон. Он повесил на стене объявление: «Первая выпивка — бесплатно. Вторая выпивка — рубль. Третья выпивка — десять рублей. Четвертая выпивка — бесплатно. И так далее». Ваксон рассуждал так: по первой выпьют все, по второй почти все, кроме пропившихся, по третьей не выпьет никто, кроме сценариста Мелонова, но до пятой не дотянет никто, даже он. На всякий случай было приготовлено еще одно объявление: «Бар закрыт на переучет».

Гости пока что стояли толпой на лужайке, уже известной нам по поэтическим посиделкам, меж трех террас, под тремя фонарями, курили и хохотали. Среди множества лиц, уже примелькавшихся читателю, в тот вечер появились еще и другие, примелькавшиеся ранее, но потом отдалившиеся по своим делам. В частности, приехал Рюрик Турковский с двумя великолепными актрисами, Нинкой Стожаровой и Ульянкой Лисе. Бледный, с синими подглазьями, он тем не менее сиял: оказывается, его неожиданно запустили в производство, и вот сейчас, после короткого отдыха, он прямо кинется в этот головокружительный процесс. По этому поводу некоторые оптимисты из числа публики делали далекоидущие умозаключения: вот видите, все-таки партийная компашка способна на некоторые либеральные шаги. Приехала также молодая поэтесса Юнга Гориц, до чрезвычайности со своей челкой похожая на один из снимков Цветаевой. Ее сопровождал эстонский поэт Леон Коом, постоянно повторяющий что-нибудь из декадентского наследия, чаще всего: «Я хочу лишь одной отравы, только пить и пить стихи!» В этих случаях Юнга резко его прерывала: «Перестань, Левка! Ну сколько можно?»

Вскоре кумир молодежи Роберт Эр через жестяной мегафон объявил в своей характерной манере: «Пппраздник открыт! Всем нашим пппупсикам хором — поздравляем с днем рождения!»

Ал Ослябя, Пол Канителин и Влэс Бабрасов тут же грянули паркеровский хит «Время пришло». И начался едва ли не исторический в анналах советской литературы, самый веселый, спонтанный и забубенный летний пир на водах.

Анка и Мирка, обе на взгляд иных жеребчиков весьма соблазнительные, обсуждают друг с дружкой неожиданное появление Турковского. Обе почти без остановки курят.

Анка: Вот видишь — Рюрик; едва оклемался, и пожалуйста, появляется на курорте с двумя бл... ну, в общем, с двумя куртизанками.

Мирка: А что, Ирка разве с ним не приехала?

Анка: Шутишь? Ирка ему нужна только для перепечатки его гениальных опусов и комментариев. В светское общество, вроде нашего борделя, он ее не выводит.

Мирка: А я думала, что у них хорошая семья.

Анка: Конечно, хорошая. Детишек своих они оба обожают, однако Нинка и Ульянка тоже ведь неплохие бл... чувихи; согласна?

Стожарова и Лисе, продолжая разговор с солидными писателями Барлахским и Шейкиным, помахали Мирке руками, а первая даже крикнула ей: «Выглядишь классно!»

Мирка: Ну, вообще-то Нинка — свойская девка. Она иногда к нам заходит погулять с Дельфом.

Анка: Мирка, ну что ты несешь? Ты что, не знаешь, какие у них отношения с Ваксом?

Мирка: Ну, что-то у них было сто лет назад, а сейчас он говорит, что она его вытаскивает из депрессухи.

Ведя этот разговор, две дамы в цветастых платьях раскладывали на столе вилочки, ножички, нарезанные мелкими треугольничками столовские салфеточки. Закончив этот труд, налили в граненые стаканы по сто двадцать пять граммов водки. Ну, давай махнем, подруга!

Вечер открылся той же пьесой в исполнении трио Ослябі, что и на кургане Тепсень, — Чарли Паркер «Колыбельная Птичьей страны». Под фонарем появился ведущий — тот самый Роб Эр: майка, джинсы, мокрые волосы зачесаны назад, губы — вперед. Заглядывая в пустую ладонь, он начал читать:

Сегодня по поселку
Тихонечко я брел,
И вдруг ко мне на холку
Слетел живой орел,
И в этой птице колкой
Героя я обрел.
Увы, был не из лучших
Мой маленький герой,
Он не из райской кущи,
Штаны на нем с дырой.
Хотел он без зазрений
Явиться завтра в час,
Однако День Рождений
Привлек его сейчас.
Теперь дарю Ваксону,
Подгурскому дарю
Бродячую вакцину
Товарища Хрю-хрю.
Ослябя непреклонный,
Дуди в свою дуду,
Пой праздник внесалонный
В плюгавеньком саду.

Он быстро зашел за угол «бунгало» и тут же вышел оттуда, влача за руку странное существо, скорее уж нищую гориллу, чем человеческого мальчика. Тот был накрыт отвратной плащ-палаткой и ковылял на извращенных внутрь ногах. Гукал не по-нашему.

«Алле!» — вскричал Роберт и сорвал с существа его покров. И тут же из горбуна распрямился великолепный, сияющий Эль-Муслим. Народ — вааще — отпал. Обняв друг друга за плечи, Эль-Муслим и Роберт под аккомпанемент Канителина запели новую песню на слова Эра:

Луна над городом взошла опять.
Уже троллейбусы уходят спать.
И словно ветры счастья,
в мое окно стучатся
лишь воспоминания.
Воспоминания о давнем дне,
когда однажды ты пришла ко мне,
в дожде таком веселом,
цветном и невесомом
ты пришла ко мне.
Плывут в дома воспоминания,
Слова любви, слова признания...
(И так далее, до конца.)

В толпе аплодирующих стояла в маленьком платьице на бретельках Ралисса Кочевая. Плывущее воспоминание коснулось и ее. Хм, подумала она, кажется, когда я первый раз пришла в квартиру Барлахского, ребята так и говорили — у нее плащ невесомый.

В круг под фонарем быстрым шатким шагом вышел Ян Тушинский. Он покусывал губы и заострялся: аплодисменты в чей-либо чужой адрес не то чтобы бесили, а как-то дьявольски его дезориентировали. Он вынул блокнот из кармана брюк: «Вот новый стих, дарю его всем деньрожденцам, а также, косвенно, и супруге моей Татьяне Этьеновне». Что поделаешь, часто путал «Аполлинарьевну» с «Этьеновной».

Я как поезд, что мечется столько уж лет
между городом Да и городом Нет.
Мои нервы натянуты, как провода
Между городом Нет и городом Да.
Все мертво, все запугано в городе Нет.
Он похож на обитый тоской кабинет.
....
В нем глядит подозрительно каждый портрет.
В нем насупился замкнуто каждый предмет.
....
А когда совершенно погасится свет,
начинают в нем призраки мрачный балет.
Черта с два — хоть подохни! — получишь билет,
чтоб уехать из черного города Нет...

Ну, а в городе Да — жизнь, как песня дрозда.
Это город без стен, он — подобье гнезда.
С неба просится в руки любая звезда.
Просят губы любые твоих без стыда,
бормоча еле слышно: «А, — все ерунда...»
....
Только скучно, по правде сказать, иногда,
что дается мне столько почти без труда
в разноцветно светящемся городе Да...
Пусть уж лучше мечусь до конца моих лет
между городом Да и городом Нет!
Пусть уж нервы натянуты, как провода
между городом Нет и городом Да!

Тут Пролетающий сбросил им сверху мгновенную радугу, и все озарились. Все-таки, этот Янк! Этот талант!

Поменьше бы «ангажэ», побольше бы свинга! Странно, что этот Янк мной еще не охвачен, подумала Ралисса. Девичий голос из зарослей туи крикнул в тоске: «Он гений!» — и это была Заря.

Потом под фонарем оказалась Нэлла. Стояла как дева удачи в лиловой тунике. Руки простерла Ваксону, потом Гладиолусу, потом Ослябе, потом всем. Взялась читать приношенье:

...Сегодня, став взрослее и трезвей,
хочу обедать посреди друзей.
Лишь их привет мне сладок и угоден.
Мне снился сон: я мучаюсь и мчусь,
лицейскою возвышенностью чувств
пылает мозг в честь праздника простого.
Друзья мои, что так добры ко мне,
Должны собраться в маленьком кафе
на площади Восстанья в полшестого.
Я прихожу и вижу: собрались.
Благословляя красоту их лиц,
плач нежности стоит в моей гортани.
Как встарь моя кружится голова.
Как встарь звучат прекрасные слова
и пенье очарованной гитары.
....

...Я поняла: я быть одна боюсь.
Друзья мои, прекрасен наш союз!
О, смилуйтесь, хоть вы не обещали.
Совсем одна, словно Мальмгрен во льду,
Заточена, словно мигрень во лбу.
Друзья мои, я требую пощады!
И все ж, пока слагать стихи могу,
я вот вам как солгу иль не солгу:

они пришли, не ожидая зова,
сказали мне: — Спешат твои часы, —
И были наши помыслы чисты
на площади Восстанья в полшестого.

Когда она кончила читать и застыла с отведенной в сторону гор рукой, все трое виновников торжества встали перед ней на одно колено. К ним почему-то присоединился и повторил их жест каскадер Марик. Когда эти трое заметили четвертого, они встали, а Марик еще некоторое время оставался коленопреклоненным, пока не прилег на бок. Тут прошелестела мимо сценической площадки и села в траву девушка по имени Мисс Карадаг. Аххо скромно отошла, села на траву рядом с Колокольцевой и поцеловала девушку в губы. «От тебя пахнет Юстасом», — прошептала она ей прямо в ухо. С другого боку к юной красавице подсела сама красавица Татьяна Фалькон-Тушинская: «Твое величество, как сладко от тебя пахнет Карадагом!» Милка ничего не отвечала, погруженная в печаль. Ах, как счастлива она была здесь все лето, пока не съехались все эти поэты! И художники, добавит тут всякий внимательный читатель. Да, конечно, никто не отрекается от литовского чудака и красавца. А те, кто прослеживают любовную ситуацию на этом курорте, оценят по заслугам его джентльменский такт, позволивший отогнать от мисс Карадаг все связанные с ним подозрения. Ну, вот, извольте, он сидит в значительном отдалении от Колокольцевой, за столом рядом с Миркой Ваксон и Анкой Эр, распивает с ними и с обаятельным сценаристом Мелоновым бутылку коньяку «Греми», принесенную последним в объемистом кармане чесучовых брюк, и рисует в своем альбоме портреты участников и участниц августовских торжеств, которые всем своим пылом, вдохновением и любовным трепетом полностью отвергают возможность каких-нибудь мрачных событий. Ну вот, например, скетч: Антоша Андреотис, губастый почти как Эр, тощий, в клоунских штанах с Портобелло, камлает, витийствует своими словесами перед двумя женщинами, похожими на мать и дочь; и обе любимы:

«Скрымтымным» — это пляшут омичи?
скрип темниц? или крик о помощи?
или у судьбы есть псевдоним,
темная ухмылочка — скрымтымным?
Скрымтымным — то, что между нами.
То, что было раньше, вскрыв, темним.
«Ты-мы-ыы...» — с закрытыми глазами
в счастье стонет женщина: скрымтымным.
Скрымтымным — языков праматерь.
Глупо верить разуму, глупо спорить с ним.
Планы прогнозируем по сопромату,
Но часто не учитываем скрымтымным.
………………..
Скрымтымным — это не силлабика.
Лермонтов поэтому непереводим.
Вьюга безликая пела в Елабуге.
Что ей померещилось — скрымтымным...
А пока пляшите, пьяны в дым:
«Шагадам, магадам, скрымтымным!»
Но не забывайте — рухнул Рим,
Не поняв приветствия: Скрымтымным!

Следующий скетч Юстинаускаса: Кукуш Лапидарьевич Октава, единственный в тоненьком пиджачке с галстухом а-ля Тифлис, держит ногу на табуретке, на колене гитара, лоб высоченный, тончайший усик. Исполняется новая песня про Амадея:

Моцарт на старенькой скрипке играет.
Моцарт играет, а скрипка поет.
Моцарт отечества не выбирает,
Только играет всю жизнь напролет.

Припев: Григ Барлахский, Ваня Шейкин, Люба Октава и Таня Фалькон:

Ах, ничего, что всегда, как известно,
Наша судьба то гульба, то пальба.
Не оставляйте стараний, маэстро,
Не убирайте ладони со лба.

Коротки наши лета молодые,
Миг — и развеются, как на кострах:
Красный камзол, башмаки золотые,
Белый парик, рукава в кружевах.

Припев: две пары в вальсе.

Где-нибудь на остановке конечной
Скажем спасибо и этой судьбе,
Но из грехов своей родины вечной
Не сотворить бы кумира себе.

Припев: две пары увядают к его ногам.

И вдруг возникает новый ансамбль: Юнга Гориц с гитарой в руках, Леон Коом с флейточкой и Катя Человекова с проникновенным бубном. Юнга поет:

Плыл кораблик вдоль канала,
Там на ужин били склянки, —
Тихо музыка играла
На Ордынке, на Полянке.

Я как раз посерединке
Жизни собственной стояла,
На Полянке, на Ордынке
Тихо музыка играла.
....
Это было на стоянке,
Душу ветром пробирало, —
На Ордынке, на Полянке
Тихо музыка играла.

Почти одной линией, почти не отрывая карандаша, Юста изображает в своем блокноте массовый восторг и аплодисменты. Мелькает панорама восточных склонов гор и западных небес. Мелькают страницы. Появляются портреты виновников торжества: протестант Вакса, дерзкий Гладиолус, вечный экспериментатор Ослябя Ал.

Последний, в шортах спортобщества «Спартак», в сандалетах «Скороход», в брючных подтяжках и галстуке-бабочке, а также в шляпенции стиля «Холмс», выходит со своим золотым оружием в центр сценической площадки. Канителин и Бабрасов — в углу площадки средь гнущихся под ветром туй. Исполняется «Композиция для чтения прозы XYZ». Первым читает известный гражданин Арбата Гладиолус Подгурский. Текст послесталинского байронита: «Как хороши, как дерзки были гуси!»

Как на турнире менестрелей, Ульяна Лисе поднимает похожую на гладиолус, в кружевах, руку.

В отличие от наших так называемых «эстрадных поэтов» прозаики читают или по книжкам, или по бумажкам. Таков и Вакса, он вытаскивает из кармана пучок салфеток; на них записан текст перфокарты № 14 из незаконченного еще «Золотого медяка». Читает с завываниями и чечеточкой.

...Да, нелегко разыграть Гайдна в безумном городе Средиземноморья. Собраться втроем и разыграть «Трио соль минор», то есть сообразить на троих.

В безумном городе, где «стрейнджеры в ночи» расквасят морду в кровь о кирпичи. Приплыл на уголочек с фонарем кудрявый ангелочек с финкарем. В порту была получка! Гулял? Не плачь! Спрошу при случае: Хау мач? Ты видишь случку Луны и мачт?

...А я работала по молодежи, на «бёркли» ботала всю ночь до дрожи. Агент полиции, служанка НАТО! Дрожа в прострации, крыл хиппи матом. Опять вы, факкеры, вопите — Дэвис! А в мире фыркают микробы флюис! Агента по миру пустили бо́сым, от смеху померли молокососы.

...Искали стычки Мари с Хуаном, в носу затычки с марихуаной... Потом кусочники на «кадиллаке» меня запсочили в свои клоаки.

...Музыканты втайне надеялись, что музыка проникнет сквозь гогот матросов тралового флота в «Магнолию», и там одна из девок в лиловой кофте и черной юбке почувствует запах Гайдна и во дворе притона прополощет рот и примет аспирина.

Для того-то они, Альберт, Билли и Шустер Давид Михайлович, храбреют с каждым тактом, с каждой квартой и наливаются отвагой, как груши дунайским соком. Ищи мансарду нашу, ведет тебя Вадим. Там трое варят кашу, четвертый — невидим. Задами ресторaций, скользя по потрохам, пройди стену акаций, тебя не тронет хам.

А тронет грязный циник, пером пощекочи и в занавес глициний скользни в ночи. Откинь последний шустик пахучих мнемосерд... В окне малютка Шустер и крошечный Альберт, миниатюрный Билли, игрушечный рояль... Ах, как мы вас любили и как вам нас не жаль?!

...Она спала и ей казалось, что на краешек канапе присел

ее прапрапрадедушка Гайдн и тихо гладит ее лицо своей большой губой, похожей на средневековый гриб-груздь из Шварцвальда. Ну а Альберт Саксонский, Билли Квант и Дод Шустер заканчивают концерт с мужеством, с вдохновением, с уважением и благоговением, с высокой культурой, без всякого пижонства и лишь с самым легким привкусом ожесточения в последних тактах...

Пока он так читал, Ралисса с него глаз не спускала, и в ее чистом лице с выпуклым лобиком, с живыми губами и чуткими крыльями носа все прочитанное отражалось. Что было многими замечено. Во всяком случае, Нинка Стожарова, подняв лорнет, приобретенный по счастью в комиссионке, произнесла для подруг: «Эта Ралиска! Она скоро всех наших мужиков захапает...»

По завершении музыкально-декламационной композиции меж трех террас прогремел через милицейский усилитель голос Роберта Эра: «Внимание! Концерт окончен. Всем участникам и публике спасибо. С этого момента поздравления и подарки не принимаются. Начинается свободный пир. На террасах сервированы напитки и закуски. Открыт бар «Советский валютчик». У костра работают наши шашлычники-каскадеры Гарик и Марик. Там каждый может получить что-нибудь в зубы!»

Ваксон пошел выполнять свои обязанности за стойкой. За первой выпивкой (бесплатной) выстроилась очередь. За второй (по рублю) собралась лишь кучка бонвиванов. Три напитка по десятке взял лишь один гурман Мелонов. Он отнес их своим до чрезвычайности оживленным дамам, «домашним богиням» Анке и Мирке. Потом, согласно правилам питьевой точки, пришел за тремя бесплатными, потом за тремя рублевыми; и только на этом притормозил.

Ваксон собрался уже свернуть торговлю, когда через шумную толпу к нему пробралась Ралисса. И положила на стойку свой нежный, но явно не лишенный спонтанной силы локоть.

— Ну-ка, Вакс, налей мне хайбол за десятку!

Он взял у нее трепещущую купюру и сунул ее ей за декольте. Поставил бокал:

— Тебе бесплатно.

Она смеялась ему глазами, ушами, губами и подбородком:

— Ты тоже получишь свое бесплатно.

Он еле совладал с нахлынувшим током; пробормотал:

— Как всегда?

Она рассмеялась:

— Лучше!

Похоже на то, что все в эту ночь поднабрались изрядно. Большая общая компания рассыпалась. Бродили кучками, парочками и поодиночке между террасами и костром. В темную улицу за забором въехала и остановилась кавалькада мотоциклистов. Какие-то знакомые физтехи перебирались через забор и устраивались вокруг баранины. В конце концов администрация погасила фонари, оповещая: «Отбой!» Тогда потянулись на пляж. Натаскали туда бутылок и шашлыков. Играли на гитарах. Настроение колебалось от романтизма до похабщины, и обратно. Купались в ночном море. Обычно в таких случаях с недалекой погранзаставы приходили патрули и разгоняли безнравственный литературный фонд. Иногда забирали каких-нибудь отъявленных на допрос. Одного художника по фамилии Саханевич, помнится, держали два дня, выясняя, собирался ли тот переплыть Черное море в Турцию. На этот раз не было ни солдат, ни милиции.

Только в черноте Черного, откуда медленно приходили небольшие белые валы, передвигались какие-то огоньки.

Он был сверху, на ней. Старался не придавливать. Иногда выпрямлялся, иногда опускался, чтобы ощутить всем телом ее обнаженность, упирался локтями в постель. Она, закинув голову за подушку, стонала: «скрымтымным, скрымтымным...» Иногда шептала: «Не щади, не щади...» Иногда взвизгивала: «Онзи! Онзи!» Ее влагалище сжималось вокруг его корня. Она уже несколько раз приходила к своей вершине, а потом размягчалась, с нежностью обнимала его плечи и шею, искала губами его губы, шептала: «Не уходи, вдави», а пятками своими сама вдавливалась в его зад. И наконец он сам начал чувствовать, что подходит к завершению, что страсть и нежность окончательно переплелись, что он летит с ней в одном клубке, потеряв гравитацию, и что кожа уже сползает с его крестца.

Потом, когда все успокоилось, он долго еще лежал в объятии ее ног, а руками ласкал ее распростертые руки и грушевидные груди, запускал пальцы в ее волосы, поднимал ее голову, целовал в губы, в уши и удивлялся, с какой покорностью она все ему отдает, и никак не мог до конца осознать, что такое владение женщиной. «Ты знаешь, — сказала она, — я думаю о нашей близости. Ты старше меня на шесть лет, а мне все кажется, что мы одноклассники. Сегодня, когда ты читал своего Гайдна, я окончательно влюбилась в тебя. Я раньше думала только о ебле и никогда о любви. С тобой — все это вместе. Теперь иди к себе, милый, а я буду спать счастливым сном влюбленной дуры. Повременим со скандалами».

Он долго еще бродил по опустевшим аллеям и несколько раз наталкивался на шмыгающих повсюду ежей. Что будет дальше? — думал он. Как все это преодолеть? И имею ли я право все это преодолевать? Было около трех часов ночи, когда он поднялся по ступеням крыльца в свое «бунгало». На террасе остались бесконечные следы пиршества. Пахло всем, но в основном окурками и паршивым алжирским вином. Боясь разбудить жену, он приоткрыл дверь в комнату. Там горел ночник, но жены там не было. В душевой ни звука. Жена отсутствует. Пошел на соседнюю террасу, к женщинам Эра. Там тоже стояла тишь. В комнате на широкой кровати спали дети — Полинка и Дельф. Рядом в кресле смежила очи над книгой теща Ритка. Он вернулся к себе и лег, вернее, опрокинулся спиной на террасный диванчик. И вдруг возликовал всей душой вдогонку межзвездному Пролетающему: Любовь! Любовь! Любовь!

1968, ночь с 20 на 21 августа
Акция

Пограничный катер «Кречет» с двумя скорострельными пушками медленно приближался к Львиной бухте. В двух кабельтовых от него мористее двигался однотипный «Сыч». На «Кречете» группа захвата сидела на палубе, смолила табак. Старлей Пахом, стоя в рубке, слышал, как матросы переговаривались с нехорошими, прямо скажем, с говенными улыбками. Тема была основная — бабы. Тут, у этих антисоветчиков кадры — уссаться мало! Надо будет мужиков загнать в трюм, а девок — в «Тронный зал» и всех там уебать. Начали ржать и даже катались от смеха по палубе. Да у нас штыков на этих кадров не хватит! Придется Челюсту во внештатном режиме поработать. Челюст, твой прибор-то тебя не подведет? Пацаны, а я вчерась на набережной их принцессу, ну, Миску-то, видел; вот это девка, прям стюардесса! Пришлось своего кочета через карман держать, чтобы не выскочил. Значит так, эту Миску, если возьмем, пропустим через всю команду и экипаж; понятно, салаки? А может, Челюста на нее выпустим? Он и сам ее заебет за всю команду. Тут опять все покатились.

Какого черта, сморщился старлей Пахомов. Какую еще Миску они нашли? Вдруг осенило: это они «Мисс Карадаг», Милочку Колокольцеву так называют; «Мисс» для этих говнюков — это «Миска». Вышел из рубки, гаркнул: «Всем встать! Разобраться! Смирно!»

С большим презрением он наблюдал построение вдоль борта этой неполной дюжины говнюков: Грешнев, Сосыгин, Шуриленко, Глдянский, Кустинов, Рахимов, Дропов, Пернус, Тришин, Шерненко, кто сутулый, кто узкогрудый, кто длиннолапый, кто коротконогий, все с порочными мордами, и наконец, Челюст, узколобый недомерок с диким от постоянных издевательств взором; словом, настоящий десант.

«Значит так. По высадке занимаем оборону. Ждем подхода «Сыча». После их высадки продвигаемся в глубину бухты. Всех обнаруженных обитателей концентрируем на пляже для дальнейшей эвакуации. Еще раз повторяю: никого не бить, никого не насиловать, категорически не стрелять. Все нарушители этого приказа предстанут перед трибуналом».

«Кречет» на самых малых оборотах приближался к бухте. Слабенькая розоватость уже поднималась на восточном склоне небес. Мрак постепенно переходил в темно-синий полумрак. Львиная с ее скалами и отвесами вставала перед носом сторожевика словно фантастический чертог. Старлей Пахомов связался по радиотелефону с отрядом ментовки в горах. Оттуда сообщили, что никаких людей над отвесами пока не обнаружено.

Осталось несколько метров до пляжа. Включили прожектор. В его свете увидели пустые накаты гальки. Несколько чаек трепали какой-то жалкий пластиковый мешочек. Испуганные светом, они поднялись и исчезли в полумраке. Мешочек свалился, продемонстрировав несколько жестянок из-под консервов. Больше никаких признаков пребывания человека, не говоря уже о какой-то таинственной Республике, не обнаруживалось. Толчок под днищем. С кормы сбросили якорь, а с носа спустили узкий трап. Десант прошел по трапу на берег. Разобрались цепью и залегли за скатом гальки, выставив дула автоматов, из которых приказано было не стрелять. Через несколько минут «Сыч» повторил маневр «Кречета». В бухте таким образом набралось около двух дюжин «штыков». Командующий идиотской операцией старлей Пахомов спустился на берег и послал две группы матросов в пещеры, а сам сделал несколько снимков для отчета. После чего сел на гальку и стал вспоминать свою любимую цитату: «Черт догадал родиться мне в России с душою и талантом». Через полчаса вся матросня вернулась, ничего не найдя, кроме маленькой пластмассовой заколки для женских волос. Сверху, с отвесов, менты проорали, что Республика по всем признакам самоликвидировалась. Из штаба операции командуют отбой. Матросы с вытянутыми, в некотором смысле ослоподобными, физиономиями молча поднимались на свои корабли. Один только олигофрен Челюст бурно хохотал и прыгал, как какой-нибудь Квазимодо.

Сон Ваксона в эту ночь был разорван грозными угрожающими воплями и дикими, будто бы предсмертными визгами. В первую минуту ему все еще казалось, что это сон и, если проснуться, все кончится. Однако непонятные и страшные, поистине адские звуки продолжались и нарастали. Он встал и натолкнулся на еще неразобранный после вчерашнего пиршества стол. Злые духи бесновались не на столе, но неподалеку. На краю стола одна сидела мыслящая чайка Джонатан; так во всяком случае ему показалось. Он обогнул стол и в мутных предрассветных сумерках увидел, что на кострище холма не менее одной, а может быть, и две дюжины одичавших коктебельских кошек раздирают то, что осталось там от зажаренных тушек. По нескольку тварей вцеплялись в мясо или в кость, рвали на себя, издавая жуткие звуки, и сливались в клубок, как будто хотели пожрать друг друга. Несколько минут он как завороженный созерцал злодеяние. Потом стал думать, как его пресечь.

Из-за угла «бунгало» вышел Роберт; похоже было, что он еще не ложился спать.

— Что тут происходит, Вакс? — спросил он, словно сосед мог быть полностью в курсе дела.

Ваксон максимально приблизился к этому курсу, сказав:

— Кошки дерут останки ягнят.

Ни тот ни другой, конечно, еще не знали, что именно в этот час в Пражском аэропорту началась выгрузка десанта из бесконечно прибывающих «антонов».

— У тебя там не осталось чего-нибудь на опохмел? — спросил Роберт.

Ваксон огляделся вокруг и тут же увидел под крыльцом трехлитровую банку «Белого крепкого», как будто Кот Бегемот их немедленно обеспечил по хлопку Доктора Воланда. Предварительно разогнав исчадий ада и набросав лопатой поверх оставшихся косточек с клочками мяса тлеющих еще углей, они уселись в аллее на одной из скамеек в обществе трехлитрового пузыря и двух граненых стаканов. Ваксон хотел было затеять беседу о гримасах похмельного часа, но Роберт только промычал и отрицательно покачал ладонью перед ртом: дескать, не могу говорить ни о чем. Ваксон знал за ним склонность подолгу молчать. Сидит с другом — лучше всего, если это Юстас, — молчит, чокается, что-то мычит, выпивает, улыбается и молчит, молчит. На следующий день встретишь его, сильно хлопает по плечу: здорово вчера посидели, старый! В принципе, такие молчуны — это нередкость среди пьющих людей, особенно в рамках Союза писателей. Многие считали, что совместное молчание над бутылкой — это признак подлинной дружбы. Ваксон и сам иной раз — не часто — в темные часы похмелья думал: о чем еще говорить, и так все ясно. Впрочем, он всегда ждал, когда темные часы отступят и подступит нечто противоположное: дружеские откровения и склонность к странному похмельному юмору. Отвратное крепленое пойло как раз к такому состоянию и толкало. Несколько раз уже мелькала мысль — не поведать ли Робу о своем ночном любовном счастье? К счастью, мысль эта тут же отлетала, гонимая мыслью «ты что, рехнулся?». В общем, пока молчали и пили, даже не замечая, что сумерки с каждой минутой рассеиваются.

И вдруг обнаружили себя вдвоем среди пустынного крымского утра. Роберт выкатил свои круглые зенки и недоуменно развел руками: что, мол, с ними сделаешь — дрыхнут. Ваксон покивал и помотал башкой: может быть, дрыхнут, а может быть, все исчезли. Прошло еще несколько времени. В глубине территории, то есть ближе к центральному бюсту, неразборчиво заговорило радио. Восемь часов утра. В глубине аллеи появилась мужская фигура. Она приближалась. «Давай переползем куданибудь?» — предложил Ваксон. Роберт кивнул. Но оба не двинулись с места.

Фигура продолжала приближаться. Казалось, она чем-то наслаждается в это утро. Впрочем, чем тут можно наслаждаться этим утром, если не самим утром. Мужик был плотный, в бежевой тенниске. Бежевые тенниски всегда в два раза увеличивают плотность; в том случае, если мужик действительно плотный. На голове у него была хорошая кепка-восьмиклинка. Тоже бежевая. Не скрывает ли она хорошей бежевой лысины? Оказалось —

скрывает. Точнее, скрывала. Он снял кепку и помахал ею на свое тяжелое лицо, покрытое нехорошим, городским, то есть опять же бежевым, загаром. Потом водрузил головной убор обратно. Вообще мужик был весь в различных тонах бежевого. Темно-бежевый пиджак он нес за вешалку на плече. На вид ему (не пиджаку, а мужику) было что-то в районе пятидесяти.

На самом деле ему было не в районе пятидесяти, а точно пятьдесят. Он, Семен Михалыч Кочевой, вчера прилетел в Симферополь, переночевал там у друга, а ранним-ранним утром на обкомовской «Волге» помчался в Коктебель, чтобы первым принести в писательскую обитель радостную весть.

Когда расстояние сократилось шагов до пятидесяти, он чуть притормозил, нацепил очки, вгляделся, распахнул объятия и с криком «Роберт!» устремился к близкому, как он полагал, литературному человеку. «Роберт, родной! Веришь, сбылось! Наши взяли Прагу!» Он был Роберту макушкой чуть повыше плеча. Объятие получилось односторонним и нелепым, тем более что потрясенный Роберт стоял столбом. Обниматься с Ваксоном товарищ Кочевой явно не собирался: очевидно, не полагалось по иерархии. Однако сунул в его сторону победоносную ладонь. Она (ладонь) повисла в воздухе. «Поздравляю, ребята, поздравляю! И вы меня поздравьте! Нет, каков Брежнев! Нет, каково наше Политбюро! Решились наконец-то! Показали себя настоящими коммунистами! Вся дубчековская бражка взята под стражу!»

Он снова направил ладонь в сторону Ваксона и как-то вроде бы слегка удивился: чего, мол, не берет? И тут Ваксон взревел неистовым от ужаса голосом:

— Свиньи! Палачи!

Кочевой покачал головой с некоторой товарищеской укоризной.

— Ну, это уж вы слишком. Они, конечно, не палачи, но свиньи — это уж точно. Хотели нашу революцию продать за доллары и дойчемарки!

— Заткнись, говно советское! — еще более страшным голосом взревел Ваксон и пошел прочь.

В номере Тушинских яблоку было не упасть. В середине комнаты на полу стоял знаменитый приемник Яна, огромный и серебристый «Зенит-Трансокеаник». Растянутые короткие волны помогали обходить зоны глушения. Говорил диктор Би-би-си: «Сегодня в два часа утра военно-воздушными войсками Советского Союза произведен захват пражского аэропорта. Высаживается огромный десант. Десантные машины на большой скорости устремляются к центру города и оцепляют партийные и правительственные здания. По непроверенным еще сведениями все руководство республики во главе с Александром Дубчеком арестовано. Десантом захвачен дворец президента Свободы на Вышеграде. Президентская гвардия не оказала сопротивления. От всех границ в глубину страны идут танковые армии стран Варшавского договора...»

Ян, Антоша, Кукуш, Гладиолус, Атаманов, Ваксон, Вертикалов, Грамматиков, Нэлла Аххо, Таня Фалькон, Ралисса, Нина Стожарова, Ал Ослябя сидели вокруг радио кто на полу, кто на диванных валиках, в дверях террасы стояли Юстас, Роберт и Мила Колокольцева. Женщины плакали, мужчины молчали, некоторые с мокрыми глазами.

— Янк, попробуй средние волны, — мрачнейшим голосом попросил большой знаток разных волн Кукуш Октава. — Там могут оказаться чехословацкие станции. Их там готовили в подполье для такой оказии.

— Ты знаешь чешский? — спросил Ян.

— Немного знаю.

Нэлла, сидящая за спиной, погладила Кукуша по затылку:

— Помнишь, как мы ездили туда со стихами? Какие они были милые! Мы почти дословно понимали друг друга.

Кукуш поймал ее ладонь и приложил к своей щеке. И улыбнулся своим воспоминаниям:

— Ну, все-таки славянский мир.

— Нас стоит выгнать теперь из этого мира, — печально произнес Антоша.

— И поделом! Мы не славяне! — отрезала Татьяна.

— Орда! — крикнул Влад. — Стальные гунны!

— Мы полчища Гога и Магога! — сказал Атаманов и в ярости прошептал: — От нас нигде спасенья нет.

— Какого черта, ребята, вы говорите «мы»?! — с еще большей яростью крикнул Ваксон. — Мы — это мы, а брежневская кодла — это они. И мы враги. Навсегда!

— Вот это правильно! — опять крикнула Таня.

— Ян, согласен?

— Пока что надо повременить с такими заявлениями, — сказал Ян. Он переключил диапазоны и скользнул по средним. Почти сразу, перебивая друг друга, понеслись панические голоса пражских станций. В этих голосах было много общих с русским корней и созвучий, однако до каких-то смыслов не мог добраться даже Октава. И вдруг прорезалось на чистом ВМПС: «Говорит радиостанция Прага-68. Передаем выступление знаменитых автоспортсменов и мировых путешественников на автомобиле «Татра», героев чехословацкого народа Зигмунда и Ганзелки. Пан Ганзелка, давайте начнем с вас».

Послышались звуки какой-то перестановки то ли стульев, то ли микрофонов. Затем прозвучал голос Ганзелки, очень хорошо известный Яну Тушинскому по совместным шатаниям по «Злачной Праге»: «Русские солдаты, отказывайтесь выполнять приказы вашего обезумевшего командования! Не стреляйте в братский народ! Не верьте политрукам, что мы против социализма! Мы за социализм с человеческим лицом, а не со свиными рылами! Русские интеллигенты, окажите нам поддержку, иначе всем — погибать! Янка Тушинский, не молчи! Выскажись, Янка! Не смей молчать!..» Не говоря ни слова, Ян вскочил с пола, вытащил с террасы Роберта, и оба они пробухали вниз по лестнице — в парк! Оставшиеся молчали. Всех потряс этот неожиданный адрес: прямо в эту комнату — над полями и дорогами Восточной Европы, забитыми танками и бронетранспортерами — между столь же зловещими, сколь и ушастыми башнями заглушек — через пелену кодированных команд и сигналов дезинформации — адресовано на гигантский скифский простор, а приходит прямо туда, куда надо, на юг, в Крым, в его восточную, закрытую для иностранцев зону, к подножию спящего до поры вулкана, в убогую писательскую колонию, в корпус № 19, в комнату № 4, в уши тому, кому адресовано, и в уши его друзей; сразу же после чудовищного государственного предательства, без задержки.

Роберт и Ян быстро шагали по центральной лучевой аллее в сторону Золоченого, создавая впечатление, что куда-то спешат. Доходили до круга и резко поворачивались, спешили обратно. И так раз за разом в ходе острейшего, действительно жизненно важного разговора. Влекущиеся на пляж и разомлевшие уже от солнца семейства с недоумением на них взирали: и что это случилось с двумя поэтами высокого роста?

Ян в такт ходьбы, быстро, сумбурно говорит другу, что он не может не ответить на призыв Ганзелки. Ты первым плюнешь мне в лицо, если я сейчас уйду в кусты. Нет, не плюнешь? У тебя есть свои резоны? Хорошо, ты выскажешь их потом. Теперь только подумай, какой это вызовет резонанс! Ты же понимаешь, какое сейчас начнется, уже началось, свинство агитпропа! Вообрази, что среди этой свистопляски появляется негодующее, но спокойное заявление двух ведущих поэтов. Формулируется концепция патриотизма, верность идеям социализма и в то же время отрицание силовых методов решения проблем и тревога за судьбу братского народа.

Роберт, ни на секунду не притормаживая, интересуется, кто эти два ведущих поэта. Значит, ты и я? Или, по алфавиту, я и ты? Почему ты предлагаешь такой вариант? Ведь Ганзелка обращался только к тебе. Я его знаю, он классный парень, но меня он не называл.

Ян берет Роберта под руку, и они продолжают быстро шагать, словно два гангстера из кинофильма «Бурные Двадцатые». Роб, речь идет не обо мне и не о тебе, а о Чехословакии. Если ты думаешь, что я боюсь выходить один, что я хочу прикрыться тобой, ты ошибаешься. Два больших имени принесут больше пользы, чем одно большое имя или куча мелких имен. Скажи, кому еще я могу сделать такое предложение? Антоше? О нет, он весь в своих глоссолалиях, с ним мы не сделаем политического тандема. Нэлле? Она, конечно, бросится вперед вместе со мной, но она дитя, девочка, она, согласись, неуместна в борьбе. Кукуш? Он пойдет, но мы должны его щадить: а) он изранен, б) он единственный из нас член партии. Наконец, Ваксон? Знаешь, Роберт, я открою тебе секрет. Мне доподлинно известно, что Ваксона в определенных кругах считают настоящим антисоветчиком. Выйти вместе с ним, значит сотворить провокацию.

Роберт кладет свою тяжелую руку на тощеватое плечо друга. Послушай, Янк, не злись, но я в такой обстановке, когда миллионная армия прет на маленькую страну, любой протест с нашей стороны посчитаю своего рода провокацией. Ни к чему хорошему он не приведет. В этом страшном мире можно что-то изменить к лучшему, только если в самом центре появятся реформаторы. Вот у тебя есть такой стих «Партбилеты». Ладно, ладно, знаю, что ты скажешь. Бросал, де, куски вечно голодному чудищу. А между прочим, в этих твоих железобетонных строчках — «Партбилеты ведут пароходы, Партбилеты ведут поезда» — живет одна кардинальная мысль: вся власть у них, вся жизнь под ними, никуда не сунешься. Пока. До поры. Пока они сами, эти самые «партбилеты», не заревут — хва-а-атит!

Ян вылезает из-под руки Роберта. Ты все сказал? Считай, что этого разговора не было. И быстро уходит в боковую аллею. А Роберт переходит на медленный, тяжелый шаг. Куда ему теперь идти?

Полдня Ваксон ходил с Ралиссой по поселку Планерское и по пансионату, стараясь не пересекать территории Литфонда. Вокруг шел вроде бы обычный курортный «досуг», но по некоторым признакам видна была тревога. У газетных киосков — их там было три на весь залив — стояли молчаливые очереди законопослушных граждан: ждали прибытия центральных органов, то есть в основном «Правды»: в такие чрезвычайные дни все советские газеты печатали один и тот же текст. Возле одной такой очереди Ваксон попридержал Ралиссу. С любезнейшей злобноватой улыбкой он обратился к еврейскому гражданину в хвосте:

— Что же вы, сударь, газету ждете? Неужели не слышали о событиях по Би-би-си?

Гражданин, весьма приятный дантист или офтальмолог, каким-то странным способом его немедленно опознал и ответил деликатным полушепотом, держа двумя пальцами свой нос:

— Конечно же слышал, товарищ Ваксон. Случайно, конечно.

— А теперь ждете «Правду»; зачем?

— Как-то, знаете, немножко больше доверия, товарищ Ваксон.

Из достоверных источников информации там были еще два столба с громкоговорителями, один на базаре, другой у автобусной остановки. Оттуда с неожиданными порывами ветра долетали, словно из пуза раздутого чревовещателя, отдельные фразы Совинформбюро: «...движимые чувством международной солидарности...», «...предотвратить вторжение сил империализма...», «...оказать братскую помощь...» Эти все усиливающиеся порывы ветра как-то помогали ему не впасть в черную меланхолию. Они взвихряли Ралискину гриву, играли ею. Она все время ее откидывала, чтобы он мог видеть ее вызывающе влюбленные глаза. И вместе с происками ветра она все время совершала свои собственные: постоянно старалась соприкоснуться — то возьмет Ваксу за ухо, то пролезет под майку, то притронется к молнии впереди. И эти ее прикосновения и все эти мелькающие кадры — Ралиска на фоне хребта, пшеничноволосая эдакая «сьюзан-сандерленд» с Дальнего Запада — все-таки как-то вызывали мимолетный подъем: не вечно же гадам над нами царствовать!

Потом на улице Закусочная (она же им. Железняка) они зашли в длинную открытую закусочную и оказались в очереди за хачапури. Здесь, среди «сограждан усталых» (Нэлла Аххо), он все-таки решил, что гады будут царствовать вечно, и потемнел.

— Уйдем отсюда, — сказал он ей.

Она отвесила ему шлепок:

— Перестань кукситься. Надо же все-таки пожрать!

В те времена в Коктебеле не было ни одного кафе со скатертями, а в этой кишке под дерзким именем «Волна» не было и стульев. Народ подходил к высоким едальным установкам и, навалившись на них или переминаясь у них, поедал то, что заполучил в раздаточном окошке. И вдруг их глаза, которые, между прочим, были примерно одного сине-зеленого колорита, заметили нечто, что могло бы их в другое время отвлечь от уныния. Вдали от очереди и общих мест, на террасе, повисшей над обрывом к морю, скопилась группа отчасти плечистых, отчасти задастых, отчасти атлетных, отчасти брюхатых парней в ярких теннисках и жилетках.

Те их тоже заметили и подняли свои граненые:

— Пьем за свободу!

Массовая публика сделала вид, что ничего не слышала, ничего не видела, ну и, конечно, ничего не говорила. Ваксон крепко взял за руку Ралиссу и пошел с ней к тем парням. Их уже ждали два граненых с определенным, в образе чая, напитком и целое блюдо хачапури, да не таких, что выдавали в окне, не сморщенных, не холодных, а с пылу с жару из отдельной дверцы.

— За свободу Чехословакии! — сказал он.

— И России! — добавил кто-то.

— Гип-гип ура! — воскликнули все и осушили.

Что-то качественное все-таки пьем, ощутил Ваксон. Не то, что с Робкой полночи глотали, не мерзость ту, которая так и завершилась мерзостной, зловонной на весь мир новостью.

Все смотрели на него, вернее, не столько на него, сколько на спутницу.

— Интересно, Ваксон, где ты такую девочку нашел? — спросил кто-то. Другой кто-то тут же добавил:

— Вот ведь писатели какие ушлые! Сидит, сидит, строчит свое, а потом с ходу такую чувиху находит!

Ралиска хохотала с набитым ртом. То хачапури жует, то от хохота умирает.

Из кухни пришел не очень опрятный молодой человек с чайником псевдочая.

— Ну, давайте, ребята, выпьем за эту девушку, которая даже в такой гнусный день поднимает настроение!

— Вообще поднимает!

— За нее! Как вас зовут, мадемуазель? За Ралиссу!

Ей, очевидно, было не противно пить за самое себя вместе с таким впечатляющим числом мужиков. Сколько их тут? Шестеро чужих и один свой, The Magnificent Seven! Один из шестерки был даже похож на Юла Бриннера, тот самый, что сделал тонкий намек на толстые обстоятельства. Она неудержимо кокетничала, хотя и отдавала себе отчет в том, что делает это только ради Вакса, только ради того, чтобы отвлечь его от советского мрака; пусть все-таки поймет, что жизнь продолжается.

— Ну а теперь, парни, давайте выпьем за нашего Ваксона! — провозгласил «юл-бриннер».

— Черт бы вас побрал, ребята, как вы узнали, что я Ваксон? — спросил Ваксон.

Все зашумели. Да ты же наш писатель! Да в нашем НИИ все говорят цитатами из «Стеклотары»! В тебе потенциал, старик! Настоящий потенциал! Я так и думал, что Акси-Вакси встанет за Чехословакию!

Все выпили еще по стакану и тут уже соскользнули на истинную злобу дня. Давайте сверим, кто что слышал.

«Свобода» говорит, что танки подошли к Праге. «Немецкая волна» сообщает с места событий, что танки уже в Праге. Многотысячные толпы на улицах встречают их проклятьями. Надеюсь, и «коктейлями Молотова» тоже?

«Голос Америки» цитирует спецвыпуски европейских газет. Заголовок в «Монд»: «Пять минут свободы».

Оказывается, группа правозащитников, от восьми до двенадцати человек, вышла на Красную площадь с плакатами протеста против оккупации. Среди них внук сталинского министра иностранных дел Павел Литвинов и поэтесса Наталья Горбаневская, о которой недавно сложила песню американская певица Джоан Баэз. Демонстрация продолжалась не более пяти минут, после чего кагэбэшники растащили по машинам всех, включая грудного ребенка Натальи.

Ваксон бьет себя правым кулаком в левую ладонь. Черт, почему я не с ними! Мужики зашумели. Мы все были бы с ними! А ты, Ралисса, пошла бы? Она молча кладет руку своему другу на плечо и похлопывает, как бы говоря: да-да, вот именно с этим.

Кто-то вынимает из кармана маленький «Телефункен». На вопросы обозревателя Анатолия Максимовича Гольдберга отвечает военный эксперт коммодор Раритет. Он говорит, что разработка этой монструозной операции произведена из рук вон плохо. Танковые армии наталкиваются друг на друга и образуют колоссальные заторы на дорогах и окружающих полях. Не обеспечена дозаправка бензином и подвозка питьевой воды. Из всех армий Варшавского договора боеспособными выглядят только дивизии ГДР. Если бы чехи решили драться, они могли бы посеять колоссальную панику. Однако они, похоже, не собираются оказывать сопротивление.

Этих кремлевских старперов пора судить, вдруг заявил Ваксон. Чехословацкий кошмар вызовет катастрофу во всем блоке. Произойдет революция, вот увидите. Присутствующие, несмотря на солидный уже общий градус, переглянулись: не слишком ли смело? Однако тот бритоголовый, похожий на Юла Бриннера, поддержал сочинителя. Ты прав, старик. Геронты запятнали светлые знамена нашей армии. Это говорю тебе я, полковник ГРУ.

Все зашумели. Давайте протестовать! Сдаваться не будем! Нужно сопротивляться! Договорились всем встретиться завтра на том же месте. Пойдем в горы и поговорим там обо всем на свежую голову. Может, что-то ценное придумается. По ходу прощания все назывались: Ильин, Саблин, Туманов, Каховко, Якубович — и все целомудренно чмокали девушку в щечку; один лишь полковник Гуляй слегка попридержал ее за бедра.

Выходя из «Волны», столкнулись нос к носу с двумя молодцеватыми, теми самыми, которых товарищ Кочевой впереди самого себя прислал для полного удовлетворения запросов супруги; ну, в общем, с братанами Гариком и Мариком.

— Вот это встреча! — вскричали те. (Кстати сказать, плюраль в таких случаях — это не совсем фигура речи: довольно часто два каскадера произносили одновременно одни и те же фразы — слово в слово.) — Мы ее ищем по всем курганам и вулканам, а она с Ваксоном прогуливается!

Тут они бросили на прозаика два одинаковых оценочных взгляда — дескать, способен ли к сопротивлению? Гарик с угрожающей любезностью произнес:

— Кстати, извините, что я вас вчера чуть из автомобиля не выбросил, товарищ Ваксон.

— Нильский крокодил вам товарищ, товарищи Гарики-Марики, — так ответил Ваксон. Ралисса хохотнула и слегка повисла на его плече; для уточнения ситуации. «Ну, в чем дело, ребята?»

Тут порученцы стали частить, показывая, что они просто по бытовому, по частному, семейному делу кочевого характера. Михалыч с ума сходит. Бьет черепком по литфондовской мебели. Готов всю захваченную Чехословакию отдать за один взгляд любимой супруги. Умоляет его простить. Слушай, Ралисса, как-то все-таки неловко все излагать в присутствии Ваксона, но он вообще-то может отойти, подымить в стороне. Ваксон пошел к парапету. Пока шел, спина еще слышала, как порученцы вправляют мадам о страданиях Михалыча. Он письма привез. От Вероникочки большое письмо с рисунками. Ну и записки от всех Аксельбантов. Все остальное неразборчиво. Сел на парапет. Вернее, лег. По морю шли бугры. За Хамелеоном накапливалась грозовая туча. Мимо прошла большая советская семья с резиновыми поплавками. Долетел голос: «На кого они хвост подымают? На великую державу?!» Если она сейчас не подойдет, все будет плохо. Боюсь, что вывернет наизнанку. Она подошла и кулачком проехалась по его позвоночнику. Он сел. С этими прикосновениями жить еще можно. Каскадеры все еще смотрели на них.

— Вакс, любимый, я сейчас пойду и разберусь со всей этой кашей. Турну Семена из моего с понтом «люкса». Пускай живет в своей, отдельной. А ночью, ну... буду тебя ждать на той нашей скамейке. Ты сможешь ночью?

Он чувствовал, что его разбирает. Башка куда-то в сторону поехала.

— А что эти хмыри на тебя так смотрят? Особенно этот Гарик-неяркий, а?

— Я с ним спала когда-то, вот он и вообразил черт-те что.

Ваксон с трудом поднял голову, чтобы посмотреть Ралиссе прямо в лицо. Она стояла с немного униженной, но в то же время и дерзковатой улыбкой, как будто говорила: если ты хочешь, чтобы я в прошлом ни с кем не спала, боюсь, из этого ничего не получится. Ухватила его на мгновение за заросший затылок и побежала к тем двоим.

Он смотрел, как они удаляются по Закусочной и о чем-то горячо спорят, размахивая руками. Жаль, что я не могу его убить. Русский писатель не может убить, если он не на поле брани. Жаль, что у нас нет поля брани. Поле брани откроется завтра в Чехословакии. Вот где нам надо встретиться, Гарик Полухватов: по разные стороны баррикад. В Чехословакии, на поле брани.

Ян Тушинский дал себе зарок больше не ездить в эту затрапезную Коктебелию. Отсюда невозможно позвонить в Москву, не говоря уже о «странах народной демократии» и уж тем более о цивилизованном человечестве. В Европе из любой телефонной будки можно позвонить в Америку, и наоборот. Сколько же будет у нас продолжаться пошехонская дикость? Чтобы позвонить в Москву, надо на почте сидеть, может, час, может, два, может, три. Попробовать, может быть, от директора позвонить; ведь он наверняка знает всех здешних телефонисток по имени, всех этих Людочек, Светочек, Ларисочек. Однако ведь он тут же доложит «куда надо», что Тушинский с кем-то в Москве говорил на иностранных языках. А что если самому пойти прямо «куда надо» и позвонить от них? Ведь не откажут же Яну Тушинскому. Надо от них позвонить в ЦК таким людям, от которых сразу по городу разойдется, что Ян Тушинский протестует против оккупации Чехословакии. Вот это ход! Думай, Ян, думай! Ты должен ответить на призыв Ганзелки! Ты принадлежишь миру!

Он думал быстро в такт шагам и, перепрыгивая над канавками, перепрыгивал с одного варианта на другой. Нет, туда «куда надо», не надо! Им верить нельзя. Вот обещали ведь мне не трогать Львиную, а сами устроили облаву. Правда, никого не поймали: у ребят из «республики», видать, своя есть неплохая служба: и сами все ушли, и Колокольцеву спасли. Кстати, почему бы мне с ней не... Нет, сейчас не до романов. Прежде всего я должен обнародовать свое несогласие с правительством. Танки идут по Праге, танки идут по пряже / чешских селений готических, / пренебрегая зодчеством... Что-то получается! Улететь в Москву? Собрать журналистов? Обнародовать мнение? Вступиться за Горбаневскую? Это — мировая сенсация! Один против всех!

Он перепрыгнул черех ручеек, отделяющий пансионат от Литфонда, и зашагал по писательской территории. Там уже шла продажа газеты «Правда». За процессом отечески наблюдали секретарь Союза писателей СССР, председатель иностранной комиссии СП СССР Семен Михайлович Кочевой и секретарь СП СССР по оргвопросам и член бюро МГК Юрий Онуфриевич Юрченко, оба объемные и надежные товарищи. Оба приехали на недельку слегка передохнуть от сложных задач, возложенных на них Партией.

— Ян, хочешь забавную историю расскажу? — спросил Юрченко мятущегося поэта и не дожидаясь ответа стал рассказывать: — Оказывается, у нас здесь объявилась своя Чехословакия, «Свободная Республика Карадаг» в Львиной бухте; каково? И вот, в полном соответствии с глобальными событиями, день в день, час в час, местная администрация организовала ликвидацию буржуазной демократии; каково? Правда, говорят, что в отличие от дубчековской компании здешним республиканцам удалось подорвать; каково?

Он, конечно, знал, что Тушинский в курсе дела, однако, насидев в своих партийных креслах основательную хитрожопость, закидывал удочку с лакмусовой бумажечкой, чтобы по реакции Яна проверить настроение всей фронды. Между тем благоверный супруг ветреной Ралиссы, классик Ленинианы товарищ Кочевой в ответ на юрченковское «каково?» только запрокидывал башкенц и произносил «хо-хо, хо-хо», изображая аристократа.

Тушинский же, отлично понимая намерения Юрченко, скрестил руки на груди, подергал донкихотовской ногою и мрачно спросил:

— А это правда, Юра (они были на юр-юр в связи с пинг-понгом на комсомольской ниве), это правда, что

Политбюро Чехословакии и особенно генсек Дубчек подвергаются избиениям и особенно старается лично товарищ Шелест?

И не дожидась ответа, пошел в своем направлении, то есть в неопределенность.

1962, оттепель
Гумилевщина

Пришло время сказать несколько слов о товарище Юрченко, поскольку ему еще придется помелькать во второй половине романа. В тот год «оттепель» разгулялась вовсю и никто не удивлялся, если видел руководителей СП за одним столом с богемствующей молодежью.

Вот однажды собрались в Эровском подвале на чтение стихов с выпивоном. Роберт, будучи на взводе, вдруг прочел несколько строк какого-то верлибра:

Оранжево-красное небо,
Порывистый ветер качает
Кровавую гроздь рябины.
Догоняю бежавшую лошадь
Мимо стекол оранжереи,
Решетки старого парка
И лебединого пруда.

— Это чьи? — спросила Нинка Стожарова.

— Мои! — с пьяноватым вызовом ответил Роб.

— А знаешь, здорово! — сказал присутствующий аппаратчик Юрий Юрченко. — Это что-то новое у тебя, Роб?

Глыбообразный Юрченко был в глазах богемы сущей персонификацией правящего класса, однако Роберт упорно всех убеждал, что «Юрка» отличный парень, что к нему только нужен товарищеский подход, и тогда он раскроет свои внутренние сокровища.

Анка попеняла подвыпившему мужу:

— Ну что ты ерничаешь, Роб? Ведь все же знают, что это не твое.

— А чье же? — хохотнул Роб. — Ну, братва, догадайтесь, чья стихоза?

Кто-то сказал — Блока, кто-то вспомнил Белого, стали гадать: Волошин, Хлебников; хозяин только отмахивался.

— Вот Ваксон, наверное, знает, — предположил Юрченко и уставился чекистским прищуром.

— Конечно, знаю, — сказал Ваксон. — Это Гумилев.

— Браво, Вакс! — вскричал Роберт и хлопнул ладонью по столу, разбрызгав прованское масло шпротов.

— Ну вот видите, какая эрудиция демонстрируется, — со странной похабноватостью умилился Юрченко. — Вы, конечно, это в Магадане почерпнули, Ваксон?

— А вы откуда это знаете, Юрченко? — выпятился подбородком Ваксон.

— Я этого не знаю, — хохотнул Юрченко. — Мы не на белогвардейской поэзии росли.

— Все знают, на чем ты рос, Юрч! — крикнула с подоконника Нэлка. Она там сидела с кабардинским поэтом Ады. У Ваксона дергалась щека.

— Я не про Гумилева спрашиваю, а про Магадан. Про Магадан откуда узнали, гражданин начальник?

Юрченко совсем уже каким-то зловещим образом размаслился.

— Из вашего личного дела, Аксён Савельевич Ваксонов, 1932 года рождения, Гринбург по матушке.

— Вот падло какое, — сказал Ваксон Нинке и показал большим пальцем на человеческую глыбу.

— От падлы слышу! — не выдержал Юрченко и дальше полностью сорвался: — От врага, от предателя, от троцкиста-фашиста еврейского!

Развернулся отчаянный скандал. Драка не началась только благодаря тесноте за столом. Юрченко, весь дрожа, словно потревоженное тесто, позволил себя увезти черт знает куда, может быть, прямо на Лубянку. С тех пор пошел круто вверх и фактически стал хозяином всего Союза писателей.

1968, ночь с 20 на 21 августа
Акция, продолжение

...Оторвавшись от номенклатуры, Тушинский заспешил по набережной, и тут его окружили молодые парни, персонажи, прямо скажем, плакатного характера.

— Ян, тут ребята хочут с вами сфотографироваться. Нет возражений?

Это была хоккейная команда Киевского СКА на профилактическом отдыхе. И с ними была Заря. Вот она и спрашивала. Как же так получается, моя Заря? Ты, фанатичка моих стихов, искажаешь глагол «хотеть»? Она сияла, показывая спортивным офицерам, как запросто обращается к национальному сокровищу.

— Как это здоровски, Ян, всем запечатлеться с тобой в такой памятный день!

— Постой, постой, Заря, в твоем голосе, мнится мне, звучат какие-то странные нотки.

— Да это радость, Янчик, звучит. Я так рада за чехов. Все-таки здорово, что мы им от всей щедрости души преподнесли профилактическое освобождение!

— Профилактическое освобождение, ты говоришь? Да от чего же профилактика, Заря? От триппера, что ли?

— Ой, Ян, ты меня уморил! От буржуазии профилактическое освобождение, а вовсе не от... того, что ты сказал.

— Ну, Заря, в тебе, похоже, юмор пробуждается. Это ты сама придумала?

— Ну почему же я-то? Все ребята так говорят, а им тренер так сказал, полковник Балуевский. Ну, ладно, Янчик, мы купаться идем. Не хочешь с нами искупнуться?

— Мне, Заря, не искупнуться хочется, а искупить ваше профилактическое.

— Ха-ха-ха, вот кого надо в юморе упрекнуть — тебя, Ян Тушинский.

С минуту он смотрел вслед развеселой компании. Чья-то лапа поглаживала основательно округлившийся тыл Зари.

Похоже, что и сама Заря обрела «профилактическое освобождение» в рамках вооруженных сил.

Туча на восточном склоне небес все разрасталась. Похоже, что завтра произойдет слом погоды. Не хватало только, если зарядит дождь. Тягостная муть обуревала его. Надо отсюда выбираться. Плановики ЦК и Генштаба правильно выбрали дату братской помощи: сезон отпусков, вся молодая интеллигенция разбрелась по летним пристанищам. Так или иначе, но надо отсюда выбираться. Но перед этим следует всем собраться и обсудить, что делать: ведь мы все-таки группа, союз, друзья, черт побери!

Первым делом он пошел к Ваксону. И там застал весьма странную обстановку. На террасе сидел, заложив ногу на ногу и покуривая душистую трубку, сценарист Мелонов; в джемпере и в бриджах, с аккуратно причесанной головой он был похож на члена королевского автоклуба. Это впечатление подкреплялось еще тем, что рядом с ним сын Ваксонов Дельф играл его подарком — двумя великолепными крошечными моделями автомобилей, старинным «бугатти» и современным «феррари». Вне всякого сомнения, юнец был совершенно заворожен этими шедеврами: он осторожно водил их по доскам стола, а иногда просто сидел и смотрел.

Родители Дельфа находились внутри, откуда доносилась странная комбинация звуков: перебранка, швыряние предметов и стук пишущей машинки. Мирка металась, забрасывая без разбора вещи в два распахнутых чемодана.

Ваксон с всклокоченной головой делал вид, что он продолжает работать, несмотря на весь ад семейной жизни. Увидев Тушинского, Мирка стала громко объяснять ситуацию. Пришел Вадим (так она теперь называла товарища Мелонова) и предложил нам места в своем автомобиле. Он уезжает в Москву, и было бы вполне естественно воспользоваться этим любезным приглашением, особенно в свете идиотических экскурсий нашего правительства. У меня там мама и бабушка, ты понимаешь, Ян, что это значит для меня? Так вот, этот вот самый, твой друг, категорически отказался ехать с нами. Ему, видите ли, надо завершить очередную нетленку. Вот для этого, очевидно, и шляется тут без конца... не спи, не спи, художник... черт знает с кем... хоть бы ты ему, Ян, сказал, чтобы перестал пить... чехам своим алкоголизмом не поможешь!

Короче говоря, Вадим как настоящий джентльмен предложил и женщинам Эра ехать с нами. Те — в восторге! Их «вечности заложник» тоже весь как-то застрадался. В общем — едем! Прямо сейчас!

— Послушай, Мирка, как же вы поедете на ночь глядя? — проявил тут Тушинский какую-то лицемерную заботу. — Ведь там же везде на всей дороге ни одного койкоместа не обнаружите!

Мирка ответила с невероятным пылом, смесью восхищения и негодования:

— У Вадима есть две палатки! У него всегда все есть, в отличие от... от других!

Ваксон и Тушинский вышли на волю. Вдруг обнаружилось, что пропала постоянная и уже слегка надоевшая августовская голубизна. Небо было покрыто тяжелыми и слегка подчерненными снизу облаками, лишь кое-где на западе, как позывные подпольных чехословацких радиостанций, стояли узкие световые столбы.

— Вот видишь, хахаля себе подцепила, Вадима Аристарховича Мелонова, — сказал Ваксон, куря, бросая окурок и тут же снова закуривая. Он явно был полу-, а может быть, и на две трети пьян. — Я не возражаю. Даже рад. Пожалуйста, полный вперед в своих чувствах! Только без демагогии! Без лицемерия! Я понятно говорю?

Тушинский отмахнулся от ваксоновских семейных проблем. Сейчас все-таки не до этого. Надо все-таки решить, как Антошка писал в начале десятилетия: «Кто мы, фишки или великие? Лилипуты или поэты?» Нельзя поддаваться, иначе схавают. Ты туда не ходил, Вакс, или редко ходил, а я там всех секретарских секретарей знаю. Ты не представляешь, какого эти шишки мнения о себе, какое носят в себе величие. Кабы не атеизм, можно было бы подумать, что пестуют в себе новых нибелунгов. В общем, чехам мы мало чем можем помочь, а вот себя надо предотвратить от переработки в силос. В общем, я думаю, что для начала надо им отправить телеграммы.

— Это кому же? — поинтересовался Ваксон.

— Ну, Брежневу Леониду Ильичу. Ну, Андропову Юрию Владимировичу.

— Интересно! А как будем адресовать?

— Ну, как положено: уважаемый, там, или дорогой; ну, пишут же американцы dear mister President, даже если в морду хотят плюнуть.

— Они нам не наука, даже если тебя зовут Янк. Писать надо проще, вот как: Гнуснейший Леонид Ильич; Подлейший Юрий Владимирович. Партия учит нас с ней не хитрить.

Пролетающий чиркнул на бреющем, всосался в световой столб, ничего не сказал. Взвился и Тушинский:

— Ты что так орешь, Вакс? Посмотри, вон десять человек на твои вопли обернулись!

Ваксон посмотрел; действительно, группа людей в ужасе взирала на них. Аккуратно пересчитал людей, оказалось семеро, а не десять.

— Их там семеро, Янк. А вот сейчас осталось пятеро, двое улепетнули.

Тушинский невольно рассмеялся:

— Твой выстрел был подобен Этне в предгорье трусов и трусих. Пойдем отсюда. Двинемся ближе к народу. Проверим дыхание и пульс.

Пошли на набережную пансионата. Там основное скопление наблюдалось вокруг уже известного читателю павильона «Коктейльная». Питьевая точка демонстрировала удивительную живучесть. Известных литераторов, конечно, пропустили без очереди. Выпили по три стакана горючей смеси под негласным названием «Вулкан». Развернулась дискуссия, в результате которой лучшая часть публики стала скандировать: «Ру-ки-прочь! Ру-ки-прочь!» Настораживало ненормально большое количество милиции. По двое, по трое менты прогуливались по набережной, вглядывались в молодые лица и сравнивали их с фотографиями, которые держали в руках. По всей вероятности, действовала рассредоточенная группа захвата Республики Карадаг. Захват братской Чехословакии их не колыхал.

С набережной перешли в чахлый садик к киоску «Бочка», где пили отвратительную кислятину. Часть публики уже следовала за ними в качестве свиты, заглядывала в рот. Тушинский опробовал на них новый стих:

Танки идут по Праге,
Танки идут по праху.
Где вы, мои гиганты,
Прежние лейтенанты?!

Публика начала было повторять строчку за строчкой, но вдруг застыла на миг в изумлении. В течение этого мига над «Бочкой» прозвучал кусок из последней сводки новостей: «...Танки стоят на Вацловском наместье, окруженные огромной толпой молодежи. Танкисты читают журнал «Юность» с повестью «Затоваренная стеклотара». То и дело над толпой воздвигаются страстные ораторы. Особенным успехом пользуются речи двадцатилетнего студента Карлова университета Яна Палаха...» Сводка оборвалась, и вслед за ней прозвучал другой, какой-то невероятный голос, исполненный пронзительной грусти: «Он завтра умрет, сгорит...»

Из окошечка «Бочки» высунулась физиономия и погон лейтенанта милиции:

— Чье радио тут работает?

Радио отсутствовало. Ваксон проорал в ответ:

— Ты что, не понимаешь, олух? Это Пролетающий изрек!

Милка Колокольцева плавала в неспокойном море и хохотала. Юстас Юстинаускас плавал вокруг нее и изображал «влюбленного дельфина»: то подныривал под гибкое тело, то накрывал его нежной ластой.

Наигравшись в воде, они вылезли на пляж и прямо наткнулись на сидящую монументальную фигуру Роберта Эра.

«Волна» в те дни оправдывала свое название не только своим волнообразным полом, но и настроениями клиентуры. За несколько часов первого дня советского вторжения она стала прибежищем инакомыслия и фронды, с одной стороны, а с другой стороны — оплотом оголтелых, что уже наматывали ремни с медной бляхой на кулак. В частности, этим делом собиралась побаловаться тройка кирных матросиков с «Кречета»: Грешнев, Шуриленко и Челюст. К тому же и повод тут подвалил, как по заказу.

В округе было уже темно, когда под тусклые лампочки «Волны» поднялась другая великолепная тройка — Юст, Роб и Милка Колокольцева. Она не просто вошла, но, вдохновленная своим новым союзом троих, взлетела, как гриновская героиня, как какая-нибудь Биче Сениэль из Зурбагана. Таким образом, она на несколько шагов опередила своих кавалеров, которые были увлечены серьезной беседой; разумеется, о Чехословакии.

«Зырь, пацаны! — сказал Шуриленко, отрыгнув баклажаном. — Беглая Миска прям к нам пришла, вот это по делу!» Челюст с ходу начал выкаблучивать в сторону Мисс Карадаг: «Здравствуй, милая моя, я тебя заждался! Ты пришла, меня зажгла, а я не растерялся!» И ручонки свои, хоть небольшие, но мускулистые, стал тянуть по назначению. Разница между высокой красавицей и персонажем шкалы Ломброзо была столь разительной, что могла бы напомнить сцену из какого-нибудь фильма ужасов. Между тем старший матрос Грешнев успел продумать мысль: по сведениям из достоверных источников начальство особенно бесилось из-за бегства этой Миски. Значит, так, мы ее где-нибудь тут в кустиках протянем, а потом в ментовку сдадим. Вот и получим благодарность в приказе за такую Чехословакию.

В процессе размышления он зашел с тылу, чтобы отрезать Милке пути к отступлению. Вот в этих тылах он и

Москва 1963 года

Выступление на поэтическом вечере: Светлов, Вознесенский, Ахмадулина, Евтушенко, 60-е годы

Рождественский и Евтушенко в 60-е годы были очень дружны

Роберт с женой и Булатом Окуджавой

После выхода в 1963 году французского издания «Автобиографии» Евгений Евтушенко опять впал в немилость

В июне 1963-го Хрущев собрал деятелей советской культуры, чтобы обсудить фильм «Русское чудо», сделанный в ГДР. Ему очень понравилась агитка немецких кинематографистов

Марианна Вертинская и Андрей Тарковский на съемках фильма «Застава Ильича»

Кинорежиссеру Марлену Хуциеву (Энерг Месхиев), автору культового фильма «Застава Ильича», посоветовали брать пример с кинематографистов ГДР

Белла Ахмадулина, в то время жена Евгения Евтушенко, читает стихи, посвященные ей мужем

Юрий Казаков (в романе – Атаманов)

Белла Ахмадулина на даче в Пахре со своим вторым мужем Юрием Нагибиным. Он выведен в романе сразу под двумя именами — Горожанинов и Аврелов

Белла Ахмадулина

Политический процесс по делу Синявского и Даниэля

Советские танки в центре Праги, август 1968 года

Юрий Верченко (в романе – Юрченко)

Обложка альманаха «МетрОполь»

Участники скандального альманаха

Эстетика «МетрОполя» складывалась в студии художника Бориса Мессерера (Мессерсмит) – нового мужа Беллы Ахмадулиной

Феликс Кузнецов. В романе участников альманаха вызвал на ковер первый секретарь Московского отделения Союза писателей Феликс Кузьмец

За участие в «МетрОполе» Евгения Попова и Виктора Ерофеева исключили из Союза писателей. В знак солидарности из СП вышли Василий Аксенов, Семен Липкин и Инна Лиснянская

Эрнст Неизвестный был одним из первых шестидесятников, эмигрировавших на Запад

В этом старинном особняке на улице Воровского располагалось правление Московского отделения Союза писателей

Василий Аксенов заканчивает свой скандальный роман «Ожог» («Вкус огня»)

Москва, 60-е годы

наткнулся на двух высоких, которые, увидев, что какой-то матрос с длинной правой лапой угрожает их девушке, тут же отбросили его прочь. Не удержавшись на ногах, Грешнев свалился с террасы и покатился под уклон как раз к тем самым кустикам, которые он наметил для наслаждений с пленницей.

Шуриленко вызверился и намотал на кулак гордость ВМФ, ремень с бляхой. «Миска, ты опознана! — кричал он почти как в драме Лермонтова «Маскарад» и продолжал уже по-своему: — Давай пошли со мной, а то тебя другие уделают!» Челюст, которому удалось каким-то совершенно нелепым путем зажать Милку в углу и запустить ей ручонку под волнующий сарафан, другую ручонку выставил вперед, грозя вилкой со следами ряпушки в томате на зубцах.

Тут интересно отметить одно побочное обстоятельство. Владея в совершенстве русским языком, Юстинас Юстинаускас в напряженной обстановке начинал говорить с иностранным акцентом. Так и сейчас, видя перед собой вызверившегося и рассекающего воздух своим ремнем Шуриленко, он сказал:

— Если вы не останавливаете махать свой ремень, вы будете забывать ваша мать!

Идеологически хорошо тренированный Шуриленко завопил:

— Иностранец! Голландец!

И свистнул еще раз своим ремнем, целясь в горло «голландцу». Юстас сделал нырок и ответил прямым в челюсть. Попал немного выше — в нос. В тот же самый момент или, может быть, моментом позже Колокольцева применила запрещенную в Советском Союзе систему «карате», которой ее обучил в Львиной бухте Президент ФИЦ. Матрос Челюст перелетел через ее бедро и шмякнулся спиной на вспученные доски «Волны».

Роберту, по сути, больше нечего было делать. Прибежал директор кафе Арутюнянц:

— Роберт, дорогой, товарищ Эр! Пойдемте, пойдемте, я вам отдельный салон предоставлю! Эти погранцы-засранцы нередко у нас безобразничают. Хотите, я милицию вызову?

Роберт отмахнулся:

— Не надо милиции. Пошли в салон.

Матросы, один стукнутый, другой шмякнутый, оправляли свои форменки и бескозырки с ленточками. Малость отрезвев, они поаплодировали тем, на кого налетели: «Ну, бля, ребята, вы нам врезали! Можно сказать, тряхнули здорово! Преподали, бля, урок самообороны без оружия!»

В «салоне», в котором в связи с общим перекосом строения окно стало уже приближаться к форме ромба, пахло сильно борщом и не сильно, но стойко сортиром. Арутюнянц принес две бутылки желтого коньяку. Выпив рюмку, Милка вдруг расплакалась: «Не могу здесь больше. Вот и Коктебель засрали. Не могу больше жить в этой стране».

От старой артистической колонии осталась в Коктебеле одна лишь усадьба Караванчиевских. Хозяину ее, профессору МГУ, другу Волошина, знакомцу таких людей, как Цветаева и Андрей Белый, каким-то образом удалось уцелеть среди чисток и идеологических кампаний. В послесталинское время он даже обрел несколько государственных премий за работы в области классической филологии. Что касается его супруги Милицы Андреевны, художницы и кавалерственной дамы московского интеллектуального бомонда, то она и здесь, в крымском захолустье, умудрилась стать авторитетнейшей персоной в области солений, копчений и варений, а также в коллекционировании примитивной живописи и различных археологических находок. Однажды три ее ученика-живописца и совхозные сторожа Ленька, Феодосий и дядя Николай приволокли ей из пещеры огромную амфору IV века до н. э. С тех пор этот уникальный предмет, приобретенный за небольшой кредит для покупки вдохновляющих напитков, стал украшать внутренний двор усадьбы.

Двор этот располагался между двумя домиками с жилыми помещениями Караванчиевских. Он был выложен античной плиткой и присыпан мелкой галькой. Уставлен запросто сколоченными столами и лавками. Там во время «явлений» собирались люди, прошедшие проверку на интеллигентность или богемность. «Явлениями» Милица Андреевна называла спонтанные или подготовленные концерты, чтения, диспуты. На этот катастрофный день двадцать первое августа 1968 года был назначен концерт трех запрещенных звезд атональной музыки: Ариадны Ибатулиной, Эдуарда Штальке и Франклина Федосова. С утра узнав о героическом подвиге войск Варшавского договора в Чехословакии, Милица Андреевна концерт отменила. Она считала, что надо головы пеплом посыпать, а не наслаждаться гармонией дисгармоний. Однако Сам, как тут называли профессора Всеволода Витальевича Караванчиевского, решительно высказался за сохранение концерта. Нужно подчеркнуть живучесть нашей творческой интеллигенции, сказал он. К тому же весь наш сегодняшний репертуар, моя душа, разве он не о Голгофе, разве он не о Распятии? И Милиция Андреевна согласилась и горделиво поцеловала мужа в макушку бритой головы — каков наш Сам!

Тут же были посланы гонцы в Дом творчества и в поселок, где квартировали «высоколобые» люди, и вечером при свете слабых фонарей под виноградными листьями возле амфоры расселось не менее тридцати персон, среди них многие активные участники нашего повествования. Композиторы, похожие скорее на молодых сотрудников какого-нибудь НИИ, чем на гениев и корифеев новой музыки, сами являлись и исполнителями: Эдуард на альте, Франклин на виолончели, Ариадна на баяне. Этот последний инструмент вызвал поначалу некоторое недоверие, связанное с кошмарами массовой советской самодеятельности. Все казалось, что сейчас заревет на басовой ноте «Споемте, друзья, ведь завтра в поход уйдем в предрассветный туман». Оказалось, что популярный гармоний в руках Ибатулиной играет роль своеобразного органа. Исполнялись три переплетающихся концерта под общим названием Doloroso.

Неразлучные Таня Фалькон и Нэлла Аххо и сейчас сидели рядом в углу, но не прикасались друг к другу. Таня смотрела на плиты с остатками античных орнаментов, Нэлла на виноградный калейдоскоп вверху. Альт издавал отрывистые звуки, исполненные страдания. Виолончель и баян вели диалог, то поднимающий вверх, то опускающий вниз. Временами возникало назойливое жужжание, как будто на усадьбу Караванчиевских налетели мухи с бойни мясокомбината; это был баян. Несколько раз в паузах Франклин брал в руки одолженную у Милицы Андреевны медную сковороду и ударял ею плашмя в могучий бок амфоры. Возникающий звук явно прибывал сюда сейчас через огромные расстояния пространства и времени. После одного из трех этих звуков началось тяжелое дыхание мехов баяна, и это была — смерть. Но все вело к апофеозу, и он возник среди додекафонии.

Татьяна тут не выдержала и заплакала. Ей было стыдно. Она уткнулась в свою юбку, но когда подняла лицо, увидела, что почти у всех глаза на мокром месте. Роберт, так тот совсем размазался, а девочка, что сидит между ним и Юстом, та спасательница из Львиной, просто рыдает. Ваксон закрывает ладонью глаза, но подбородок его говорит: держись, иначе — расквасишься! У Кукуша «скупаясвятая» ползет вниз по траншее лица, носогубной складке. Даже у героического Яна Тушинского в левом глазу сконцентрировалось что-то прозрачное, как изделие Цейса.

А что же с миленькой-то моей, нашей генюшенькой Нэллочкой? Поэтесса не плакала, но тряслась всякой жилочкой.

«Танька, Танька, мне плохо, — бормотала она. — Помоги, отведи, поцелуй в плечо!»

В общем, концерт удался, а тот, кто там присутствовал из соответствующих желез, очевидно, сообщил в эти железы что-то вроде: «В обстановке всенародного подъема, связанного с братской помощью народам социалистической Чехословакии, содержание буржуазно-модернистского концерта показалось полностью неуместным». Так мог бы написать любимчик Милицы Андреевны сторож Ленька, который по заданию родины залез в пифон, да там и заснул.

Разошлись после полуночи. Шли толпишкой по пустому и непривычно темному после кристаллических ночей шоссе. Изредка под порывами ветра прилетали первые порции дождя. Возле домишка почты увидели большое скопление курортников: происходила запись в очереди на телеграф и телефон. Некоторые обладатели спальных мешков устраивались на ночлег. Писатели тоже стали записываться. Народ пожимал плечами: наверно, думали, что в Литфонде любая комната снабжена какимнибудь телефоном. Записался и Ян Тушинский. Тексты двух основных телеграмм давно лежали у него в кармане. Получив № 1415, мысленно вздохнул с некоторым облегчением. Сейчас приду и включу «Трансокеаник»; а вдруг поступит противоположный призыв типа «Ян, не выступай! Не рискуй! Ты нужен всем!».

Милка Колокольцева тоже записалась.

— Домой хочешь позвонить? — спросил Роб.

— Не домой, а Дому, — рассмеялась она. Юстас на правах нового родственника пояснил с вымученной улыбкой:

— У нее такой друг есть в Москве, Доминик Трда.

— Между прочим, чех, — сказала она и отвернулась, чтобы снова не расхлюпаться.

Ваксон твердо вышагивал в сторону своего пустого теперь «бунгало», хотя и чувствовал, что весь до последней клеточки пропитан алкогольным пойлом, выпитым в течение этого жуткого дня. Увидев темные контуры низкого дома, представил себе, как где-нибудь в Белгородской области великолепный товарищ Мелонов устанавливает свои отменные французские палатки: одну для Дельфа и женщин, другую отдельную для себя. Вот туда, в отдельную, ночью и проберется Мирка. Вот таковы эти дамы, «домашние богини», вот такова у них верность очагу. Впрочем, мне ли, бродячему псу, укорять наших дам. Тут он вспомнил, что у него назначено свидание с Ралиссой. Ее не было у Караванчиевских, что понятно: приехал ее благоверный кабан. По заданию кабана ее отыскал и заарканил его помощник, сменный орангутан. Конечно, она не пришла на свидание. Как она может прийти на романтическое свидание после таких семейных встреч?

Он резко свернул от дома и почему-то побежал. Изнемогал от ревности: гады, гады, с чем можно сравнить захват моей Ралиски, если не с оккупацией Праги? Продрался через кусты к своей той темной скамейке, где первый раз с Ралиской. Там никого в этот предгрозовой час не было. Ну все, теперь надо броситься в море и плыть, плыть, плыть, пока кто-нибудь, ну, скажем, Пролетающий, не вытащит за волосы. Он вышел из ботанической пещеры и сразу увидел: под фонарем на недалекой скамейке сидит пай-девочка в тренировочном костюме «Динамо»; Ралиска!!!

— Я тебя жду уже сорок минут, — сказала она. И встала. Он подошел и стал целовать все, что открыто: лоб, глаза, губы, шею, кисти рук, щиколотки — чего? — да ног, конечно. Она смеялась, когда был свободен рот: — Куда ты меня ведешь?

— К себе.

— Ты с ума сошел?

— Там никого нет, все уехали.

Она шлепнула его по заднице:

— Ну и амбре от тебя несет!

Он сорвал с можжевеловой туи горсть ее мелких ягод и прожевал во рту; в чем еще можно их прожевать?

— Ну а сейчас чем от меня несет?

— Теперь от тебя несет можжевеловой туей.

— Паршивка-динамовка, ты проскользнула на грани фола.

И с этими хохмами они вошли в дом.

Он зажег ночник, закрыл обе двери на ключ и задернул шторы. Скомканные простыни и одеяла были оставлены на обеих кроватях. Какая твоя, спросила она. Угадай. Она угадала. Тогда они встали лицом друг к другу, и он стал ее раздевать. Со страстью и нежностью он ощущал ее тело: худые плечи и налившиеся грудки, тонкую талию, упругий живот, круглую попку и жаркое лоно. Она расстегнула его рубашку и обцеловала умеренно волосатую грудь. Растащила ремень, опустила молнию и взяла его за бедра; ох!

Раздевая и лаская друг друга, они продолжали разговор.

— Ты знаешь, когда я пью вот так, как сегодня, — говорил он, — у меня очень долго тянется это с женщиной. Боюсь, как бы ты не разозлилась.

— Тяни сколько хочешь, — отвечала она. — С тобой я все выдержу. Хочешь, я встану в коленно-локтевое?

— Это позже. Сначала классика девятнадцатого века.

Он медленно уложил ее на постель и осторожно вошел, стараясь без толчков заполнить все. Она захлестнула руки вокруг его шеи и зашептала ему в ухо что-то горячее и неразборчивое. Вдруг отчетливо проговорила: I love to make love with you. I love you, Vax. Потом опять, как прошлый раз в ее комнате, пошел «скрымтымным, скрымтымным, скрымтымным...» Потом затрепетала и слегка заметалась, нежнейшая пленница, и наконец пришла к первому завершению. После лежала счастливая и веселая, с некоторой хулиганинкой подсвистывала модный мотив Strangers in the Night.

Не выходя из нее, он сел с задранными коленями и ее подтянул в такую же сидячую позицию. Она запустила пальцы в свою медовую гриву и потрясла головой. Он мягко держал ее груди.

— А этот, твой высокопоставленный супруг, вы с ним встретились? — поинтересовался он.

— Пришлось встретиться, — ответила она и скорчила обезьяню презрительную рожицу. — Все-таки мы двенадцать лет в законном браке. Привез мне два чемодана всякого добра. Пришлось помириться.

— Ну и как прошло примирение?

Она отмахнулась:

— Сплошная механика. Туда-сюда, туда-сюда... — захохотала: — ф-фур-р, и все! — Помолчала и добавила: — Я влюблена в тебя, мой милый, и сравнить тебя с этим человеком уж ни по каким статьям не могу.

Он чувствовал, что она чего-то недоговаривает, но так, кажется, никогда и не узнал об одном секрете их супружеского интима. Всякий раз, получив от товарища марксиста подарки, она отдавалась ему с некоторым похабноватеньким вожделением, что завершалось каким-никаким, но оргазмом.

— Я тоже тебя люблю, — сказал Ваксон.

— Тоже? — опять хохотнула она. — Как это здорово, когда тебя тоже любят!

— Ну не дури, Ралиска! Ведь ты понимаешь это т о ж е... — он стал ее целовать в губы и с каждым таким затяжным поцелуем проникал в нее все глубже, пока она не повисла на нем в виде сладчайшей и любезнейшей ноши.

— А вот там нашим... м-м-м... подручным некая Вероникочка упоминалась, — сказал он, не выпуская ее из рук, чтобы не упала с большой высоты, — та, что письмо с рисунками прислала; это кто?

— Это моя дочь. Ей двенадцать лет. Скоро будет такой же, как я. Мне тридцать, а ей двенадцать, я родила ее, когда мне было восемнадцать.

— Значит, ты зачала ее, когда тебе было семнадцать.

— Какой догадливый мальчик!

— А от кого?

— Ну, догадайся, догадливый! От отца!

— Дерзну усомниться.

— Ты думаешь, от Гарьки? Не исключено. Но там в то время еще кое-кто увивался.

— Вот в этом не сомневаюсь.

Она ущипнула его за пупок:

— Прекрати эти дознавательства. Запомни, у меня никого не было до тебя!

Опять началась серия затяжных поцелуев, после чего он продолжил свои вполне невинные дознавательства:

— А вот там упоминались какие-то странные Аксельбанты. Все Аксельбанты о тебе волнуются, что-то в этом роде. Это как понимать?

Она засмеялась весело, уже без всякого понта:

— Отпусти меня пописать, а потом я тебе расскажу про Аксельбантов.

Ему не хотелось выходить из нее, но он все-таки это сделал и вылез из постели. Она последовала вслед за ним и выскочила из постели, словно свежее дитя. С уважением посмотрела на покачивающегося партизана, взяла его в левую руку, а пальцами правой пошлепала себя по губам; хочешь? Потом, показал он, а сейчас беги и возвращайся.

Она побежала, с юмором крутясь вокруг оси. Какая все-таки прелестная блядь, эта моя любимая.

Как только она прибежала обратно с туго закрученными косичками своих медовых волос, он медлительно, с различными лирическими и физическими отступлениями стал приводить ее в коленно-локтевую позицию. Она уже заметила, что ее другу нравится вести беседу во время соитий, и потому сейчас с легкостью неимоверной рассказывала ему об Аксельбантах:

— Аксельбанты — это мои родители, а также моя сестра и брат. Значит, по сути дела я тоже Аксельбант. Ралисса Аксельбант. Когда я училась в девятом классе, мои родители очень боялись, что меня с нашей фамилией не примут в иняз. И тут подвернулся влюбленный Кочевой. В общем, с фамилией Кочевая передо мной открылись все пути. Ой, Вакси, как ты сладко тянешь, так сладко...

Сильный стук в дверь прервал ее монолог. Послышался голос Роберта Эра:

— Вакса, открой!

Ралисса зажала себе рот ладонью.

— Роб, я не могу тебе сейчас открыть! — громко ответил ее собеседник.

— Вас понял, — тут же ответил Роберт и пошел к себе. Каков Ваксон, думал он. Не успели отчалить «богини», а он уже приспособил себе девчонку.

Когда шаги его затихли, Ваксон взял в руки две медовые косички и стал все дальше проникать внутрь своей любви. В перерыве она стала уже проявлять некоторые признаки усталости. Лежала раскинувшись во всей своей красе и готовности, но с закрытыми глазами, тихо поглаживала его по голове.

— Ты думаешь или дремлешь? — спросил он. Признаться, он и сам уже малость ухайдакался, однако друг-партизан в его алкогольной настойчивости требовал совместного апофеоза.

— Скорее, думаю, — ответила она, — однако думаю в некотором дремотном блаженстве.

— О чем ты блаженствуешь, Ралиска?

Не открывая глаз, она провела рукой вдоль его тела и остановилась по соседству с партизаном.

— Как я понимаю, Вакси, наш курортный роман теперь перерастет в большую и длительную любовь. Поэтому мне придется отогнать всех тех, ну, тех, с кем я на «ты». Вот такие заботы меня блаженно беспокоят. А теперь вообрази, что рядом с тобой лежит санитарка-звать-Тамарка. Командование послало меня принести нашему герою окончательное освобождение. — Глаза открылись, в них колыхалась чистая, без примесей, синева. Отъехала вниз, ближе к партизану. — Диалог превращается в монолог. Говорите мне о любви, говорите мне снова и снова, я без устали слушать готова, трам-драм, зови!

Через некоторое время он ощутил, что апофеоз приблизился вплотную. Отнял у нее ее игрушку, разложил ее на спине и пошел в бурную юношескую атаку. Сколько времени атака продолжалась, трудно сказать, но завершилась она к обоюдному восторгу.

Едва этот столь длительный пир завершился, как над «бунгало» раскололись небеса. Мощнейшая молния даже сквозь шторы озарила комнату фосфорическим светом. Гром оглушил засыпающих обнявшись любовников. Таким ударом главного калибра ответила бы на вторжение Чехословацкая республика, если бы у нее был флот. Немедленно и оголтело хлынул дождь, чтобы не прекращаться ни на миг в течение всего следующего дня.

— Разверзлись хляби небесные, — мирно, как брат, прошептал он.

В ответ она преподнесла ему неожиданный и, пожалуй, несколько ошеломляющий вопрос:

— Послушай, родной мой, а почему бы нам с тобой не свалить за бугор? Я больше жить здесь не могу. Если до вчерашнего дня еще немножко могла... ну, играла с мужиками... то теперь, после злодеяния, совсем не могу...

— Лапочка моя, за бугром просторно; где бы ты хотела жить?

— Ну, не знаю, в Канаде что ли. Или в Бразилии. Или на Подветренных островах...

Он потянулся.

— Ах, как чудно! Будем сидеть на Подветренных или Наветренных островах. Никогда не разлучаться, все время чувствовать друг друга. Я буду сочинительствовать и рассылать сочинения по всему миру, за исключением Коммуналии.

— А я чем буду заниматься там, на Подветренных?

— Ну, ты же знаешь чем... Ой! Не бей, не бей! Ну, ты фотографией будешь заниматься, там, на Наветренных.

— Нет уж, я тоже начну сочинительствовать, вернее, буду продолжать и, может быть, превзойду тебя!

— Ралиска, уши не изменяют мне? Ты — сочинительница?

— А ты что, думал — я просто блядь? У меня скопился уже целый портфель рассказов; вот так!

— И ты кому-нибудь показывала?

В ответ она прорычала, если можно прорычать во фразе без рычащих:

— Показывала Кочевому! — чуть успокоившись, продолжила: — Мерзавец устроил мне взбучку! Кричал:

графоманка! Антисоветчица! Белогвардейское отродье! Я отнесу это в органы! Тебя отправят в лагеря! Тебя там вохровцы заебут! В общем, разнуздался скот. А сейчас приполз просить прощения.

Ее трясло. Ваксону пришлось впервые ее обнять без сексуальных побуждений.

— Успокойся, успокойся! Раз твой гад так взбесился, я уверен, что это хорошая проза! Принеси твой портфель мне, и мы отправим его в «Воздушные пути»!

Так возник многолетний союз двух разнополых писателей. По глубине чувств его можно сравнить с союзом Жан-Поля Сартра и Симоны де Бовуар.

И так завершился тот судьбоносный день двадцать первое августа 1968 года. Он перешел в грязный дождь.

1968, 22 августа
Похмелье

За ночь вздулись все ручьи. Бурные потоки, несущие всякую дрянь, — иногда можно было даже увидеть смытые будочки люфт-сортиров — неслись к морю, загрязняя пляжи и тошнотворной желтизной замутняя прибрежные воды.

Трое тащились по лужам под одним огромным зонтом с надписью Antonioni. Blow-up. Приехавший из Лондона в багаже Тушинского зонт чувствовал себя в этот день хуже своего русского хозяина: все время вздувался с какими-то неуместными хлопками и корежился, как переломанный альбатрос. Все эти трое, Роб, Янк и Вакс, шли на почту. По дороге первый и третий уговаривали второго не посылать пресловутую телеграмму. Роб был уверен, что это ни к чему не приведет, а если к чему-нибудь и приведет, это будет только усиление зажима. Вакс говорил, что это унизительно — вступать в переписку с засевшими в правительстве уголовниками и нравственными дегенератами. Янк, уже пришедший к решению послать, ничего не отвечал.

По дороге зашли в «стекляшку» и взяли бутылку коньяку. Роб налил себе на один палец, да и то не выпил. Тушинский выпил полстакана, чтобы укрепиться перед свершением исторического подвига. Все остальное, постепенно стекленея, выдул Ваксон.

На почте было не протолкнуться. Вода с плащей «болонья» натекла на пол. Народ переминался, создавая характерное хлюпанье. Тушинский, конечно, был узнан. Кто-то передал ему бланки для телеграмм. Он пристроился на подоконнике и стал своим великолепным пером «Монблан» заполнять бланки: «Москва, Кремль, Генеральному секретарю ЦК КПСС Л. И. БРЕЖНЕВУ...» Кто-то из привычных коктебельских хохмачей, заглянув ему через плечо, тут же пошутил: «На деревню дедушке».

Ваксон вдруг сбежал с крыльца и пошел через дорогу туда, где вдоль стены стояла очередь людей. Он думал: в чем смысл этого жестокого дождя? Возмездие это или отпущение грехов? Множество глаз смотрит на меня, пока я приближаюсь под дождем. Это очередь в душ. Молчаливая очередь к двум ржавым кемпинговским соскам. А вокруг беспощадный дождь. Он остановился на краю бурливой, как Терек, канавы. И стал смотреть на людей. А те старались на него не смотреть; только иногда взглядывали. Именно в этот момент товарища Ваксона посетила идея большого «антисоветского» романа. Как странно все это происходит; как бешенство борется с вдохновением. Еще вчера он нянчил кошмарную идею вооруженной борьбы. Собрать семерку таких ребят, с которыми пили вчера в «Волне». Взрывать их гипсовых и чугунных божков. Разбрасывать прокламации. Захватывать здания местных парткомов. Поднимать над ними трехцветный российский флаг. Слава богу, любовь кRalиске отвлекла от такого вздора. А утром опять бешенство стало накапливаться. Те два стакана коньяку опять позвали в горы. И вот пошел ведь через дорогу набирать людей. На помывку и в горы! Напрашивался ведь стать жертвой тоталитарного государства. И вот именно в этот момент, слава богу, пришло спасительное вдохновение. Будет написан роман «Вкус огня», и в нем будет присутствовать тот кусок, который уже написан сейчас в голове: «...Единодушное Одобрение молчало, глядя непонимающими, слегка угрюмыми, но в общем-то спокойными глазами. Вокруг на огромных просторах Оно ехало мимо в автобусах и самолетах, развозило из Москвы в сетках апельсины и колбасу, сражалось на спортивных площадках за преимущества социализма, огромными хорами исполняло оратории и звенело медью войны, и ковало, ковало, ковало «чего-то железного», и ехало по Средней Европе, выставив оружие, а Дунай, змеясь, убегал у него из-под гусениц.

...А здесь Оно уплотнилось в очереди за порцией хлорированной воды, а вокруг лупил без передышки вселенский дождь, и глухое черное небо обещало еще неделю потопа, и значит, так было надо, и все мы, грязные твари, были виноваты в случившемся...» И так будет написан роман, который принесет мне много счастья и немало бед.

Девушка Света, которая по телеграммам, увидев следующего клиента, обмерла от счастья. Это он, такой завораживающий и еще молодой Ян Тушинский, который в журналах нередко фигурирует и в газетах, и даже в телевизоре появляется! И вот он перед тобой и выглядит даже лучше, чем по телевизору: загорелый, ясноглазый, и вот что интересно — отчасти суровый. Он посылает две телеграммы, должно быть, извещает о прибытии; это можно только представить, как его ждут!

Она начинает считать слова, потом принимается умножать на счетах и вдруг в ужасе прерывает процесс: до нее доходит адрес и смысл послания. Девчата, я чуть не описалась! Телеграмма была Брежневу Леониду Ильичу, и в ней Тушинский возражал против помощи Чехословакии! А вторая-то еще пуще, аналогичная, товарищу Андропову, то есть, по-поэтически, «людям, чьих фамилий мы не знаем».

Света отодвинула счеты и подняла на клиента глаза:

— Простите, товарищ Тушинский, но я не могу принять таких телеграмм...

— Это почему же, моя милая? — удивился поэт. В другой бы ситуации от такого бы обращения воспарила бы, а вот в данной ситуации — сущая мука мучает.

— Ну просто, ну просто... мы таких телеграмм никогда не принимали, товарищ Тушинский...

Он стал ее убеждать, что ей не грозит ни малейшая опасность. Как вас зовут? Света, Светуля, ведь это же не вы писали, это на меня все ложится, а не на вас. Ах, товарищ Тушинский, ведь меня за такие телеграммы уж наверняка с работы снимут, а то и еще чего похуже проделают. Ну я не могу, ну, не могу! И директора, как назло, сейчас нет; только завтра приедет. Может, вы до завтра подождете, товарищ Тушинский? Нет, Света, это нужно вот прямо сейчас, вот прямо в этот момент, и не бойтесь за работу, я вам обещаю...

«Послушай, Янка, что ты девушку мучаешь? — тихо сказал из-за его плеча Кукуш Октава. — Ее и в самом деле могут сожрать за эти твои телеграммы».

Он тут сидел в очереди на телефон, когда пришел Ян. Написав свои телеграммы, Ян заметил Октаву и показал ему тексты: «Хочешь подписать вместе со мной?» Кукуш отмахнулся со своей характерной тифлисской жестикуляцией. «А почему? — настойчиво спросил Ян. — Я хочу понять, почему все отказываются?» Кукуш продолжал свои прикосновения то к голове, то к груди. «Ну, что я буду этим многоуважаемым телеграммы посылать, ты сам подумай?! Ты, Янк, все-таки гражданский поэт, а я кто? Да я же просто гитарист, романсики пою, ну вроде как цыган; понимаешь?!»

Когда тот подлез к нему и стал выступать в защиту девушки, Ян обрадовался. Он подтянул Кукуша поближе и указал на него:

— Вот посмотри, Света, на этого человека. Это Кукуш Октава. Знаешь такого?

— Слышала, — ответила девушка.

— Песню «Синий троллейбус» знаешь?

По ее озабоченной физиономии промелькнула тень улыбки:

— Знаю, конечно.

— Вот он поручится, что я тебя в беде не оставлю.

Она вдруг заявила с решительностью:

— Ну хорошо, я их отправлю. Будь что будет. Отправлю, вот и все!

— Браво, Света! Посылай и ничего не бойся! — вскричал поэт. И тут же подумал с тоской: какого черта я с этой маленькой просьбой о маленькой стране к таким коммунистическим гигантиссимусам обращаюсь?

Между прочим, со Светой получилось именно так, как она и предсказывала. Ее выгнали с работы и даже допрашивали в КГБ. Поэт ее, однако, не забыл: он добился ее реабилитации и восстановления в должности. Так что теперь она сидит на прежнем месте и вспоминает тот день, когда скрежещущий танками мир соприкоснулся с ее маленькой почтой.

Все завершается. Прощай Коктебель. Прощайте пиры. Прощай чехословацкое похмелье.

Прощай, фальшивая свобода. Прощай нестойкий резистанс. Оранжерея корнеплодов. Хранилище опасных станц. Погиб студент, мятежный Палах. Сгорел один во имя всех. Задернулся зловещий полог. Протявкался циничный смех. Армада движется тупая. Доносится стыдливый плач. Вопят вояки с перепоя. И ухмыляется палач.

Все разъезжаются. Сумерки. Феодосийский вокзал. Пол-Коктебеля сидит, лежит и стоит на перроне. Почтовый поезд в Москву опаздывает под погрузку на два часа. Таня, Ралисса и Нэлла сидят в сухом углу под козырьком «Союзпечати». Две первые чертыхаются и матюкаются. Третья увещевает подруг не вносить свою лепту в кощунство над языком. Наконец задним ходом прибывает к перрону узкооконный состав. В одном из узких окон исхудавший за эти дни Ваксон. Он умудрился занять два смежных купе. Начинается посадка, похожая на эвакуацию 1920 года.

У тебя на щеках паровозная сажа. Носик черен, как уголек. Ты моя, черт возьми, превосходная кража. Наглый замысел мой для тебя оголен. Ты сверкаешь глазами и волосы комкаешь. И ногой меня трогаешь, негритянской ногой. Ты черешни картуз аппетитственно кушаешь. Не спеша, но стремясь оказаться внезапно нагой. Так бы ехать всю жизнь, предвкушая развитье романа. Предвкушая побег, избегая суму и тюрьму. Будто вырос и стал Ланселотом пацанчик Ромео. И в красотку Ралиссу мою обратилась собачка Муму.

Все разъезжаются, кто куда. Роберт, Юстас и Милка улетели одним самолетом в Москву. Там два друга пересели на самолет в Вильнюс. А Колокольцеву встретил во Внуково ее друг чехословацкий дипломат Доминик

Трда. Послушай, душа моя, сказал он ей, ты просто оккупировала меня своей новой красотой. Вернее, оказала мне братскую интернациональную помощь. Мы едем отсюда прямо в загс. Она засмеялась и взяла его под руку: Пошли, Дом! Он и в самом деле казался символом добротного среднеевропейского дома: высокий, с хорошо освещенной верхотурой, с опорой, годной, чтоб выдержать смерч.

Дальнейшие события в жизни этой чудной девчонки, мечты советских физо-лириков, прошли на скорости бобслея. Как муж и жена они прилетели с Домом в Прагу. Повсюду стояли блокпосты и разъезжали патрули, однако поток автомобилей валил к западным границам: люди драпали. Так сделали и супруги Трда. Не прошло и двух дней, как они оказались в Баварии. Затем с помощью дипломатического паспорта без особых препон перебрались в Париж, потом в Лондон и уж потом в Вашингтон, столицу страны нерушимой, как Советский Союз, где Доминик прошел через череду наиболее обстоятельных брифингов.

Роберт, между тем, полетел в Австралию. Юрченко ему сказал, что «на этажах» абсолютно одобрили его кандидатуру. Пусть увидят австралопитеки, что мы не «люди вчерашнего дня», пусть прислушаются к нашему поэту, выразителю поколения. Пусть поймет австралийский народ, что напрасно нас подвергает бойкоту за вынужденные меры в Чехословакии.

Прислушиваться особенно не пришлось: Эр почти молчал все дни, за исключением официального распорядка встреч. Австралия плескалась вокруг, а в груди гудел Коктебель. В принципе, он мог бы пропеть что-нибудь в таком роде: «Я сегодня в темноте встану и пройду по газону с фугасом. Кто мне сунул в карман эту вставку? Отчего мы ждем Фортинбраса?

Дождь накрыл беспощадно округу. И не дождь это даже, а ливень. Буду ль верен я давнему другу? Что найдем мы на дне залива?

Полыхнет и исчезнет пламя. Пропадет тот юнец из команды. Не заметит пропажи племя. Лишь вздохнет по нему Аманда».

Все думали, что телеграммы Тушинского пропадут втуне, а они оказались весьма востребованы. Конечно, услышали о них и Зигмунд, и Ганзелка, и Затопек, и Карел Готт, и Йозеф Шкворецкий, и Милан Кундера, и даже в автомобиле Доминика Трды что-то прочирикало про них последнее подпольное радио, и Милка Колокольцева, вспомнив Крым, в очередной раз разрыдалась.

На исходе огромного циклона поэт один сидел в столовой и ел завтрак, как сейчас помню: пару яиц, сливовый сок, рисовую кашу. В столовую вошли два спецагента и забрали его с собой. Втроем они прибыли на военный аэропорт в Каче. В этом месте следует вставить небольшое ехидство, ведь наряду с недоразвитой системой гражданского обслуживания параллельно, но секретно, в Советском Союзе существовала высокоразвитая система обслуживания военного. С удивительной четкостью спецнарочные доставили поэта из Крыма на подмосковный аэропорт Липки, а оттуда на «Волге» с сиреной к одному из адресатов его телеграмм.

Этот адресат в больших чехословацких очках ждал его в своем кабинете. При входе поэта в сопровождении сотрудников он посмотрел на свои часы (тоже чехословацкие) и одобрительно кивнул. Поэту было предложено кресло и стакан чаю с лимоном. Адресат спросил, не желает ли поэт чего-нибудь покрепче. Поэт с удивившей его самого непринужденностью сказал, что коньячку бы не помешало. Адресат взял со стола листок бумаги и похвалил стихотворение «Танки идут по Праге». Очень интересные рифмы. Большая искренность. В другие времена, Ян Александрович, вас бы расстреляли за измену Родине. Но сейчас не те времена. Есть огромная разница между нашими временами и другими. Мы с товарищами посовещались и решили направить вас в Соединенные Штаты Америки. Предлагаем вам там полную свободу действий. Выступайте где хотите и читайте что угодно. Кроме все этого, мы были бы вам признательны, если бы вы передали одному из представителей администрации — вот тут, на бумажке, его имя — благодарность за невмешательство.

Татьяна почти по-диссидентски злилась на него за эти письма, однако она не успела с ним даже п о в е р х н о с т н о разобраться, как он исчез. Позвонил уже из Нью-Йорка. Сказал, что вчера ужинал у Кеннеди. Тебе привет от Боба и Джоан. Ты что, рехнулся, взревела девушка, очевидно, имея в виду подслушивающие устройства.

Почти сразу после прибытия в Штаты Ян отправился отдохнуть на Гавайские острова. Как же так, удивится читатель. Целый месяц отдыхал в Крыму и сразу отправляется на Гавайи? Не удивляйтесь, наш друг: короткая встреча с разлюбезным адресатом может сразу стереть достижения отдыха. Здесь, на Оаху, на блаженном берегу Вайкики, прогуливаясь по пляжу с большой записной книжкой под мышкой и уверяя местных девушек, что он тот самый, настоящий, а не подставленный Ян Тушинский, он написал один из своих западных шедевров.

...Что толку шумным быть поэтом,
какая в этом благодать?
А вот бесшумным пистолетом

полезней, право, обладать!
Чекист сибирский Лев Огрехов

(До вмешательства высокой редактуры там был «чекист советский».)

вербует водкой бедных греков
и разбивается на части,
вооруженный до зубов,
внезапно выпрыгнув из пасти
рекламы пасты для зубов.
С мешком резиновым тротила
американец Джон О'Нил,
напялив шкуру крокодила,
переплывает ночью Нил.
Следя за тайнами красавиц,
шпион китайский, тощий Ван,
насквозь пружинами пронзаясь,
ложится доблестно в диван.
И там, страдая, вместо «мама...»
Он гнусно шепчет «Мао... Мао...»
....
С ума схожу. Себя же боязно.
Быть может, я и сам шпион?
Я скручен лентами шпионскими,
как змеями — Лаокоон.

Задыхаясь от смеха, он читает этот стих ночью родной, любимой Тане Фалькон, чтобы ее развлечь, а главное, чтобы развеять глупый слух, будто Ян Тушинский не обладает чувством юмора, а является агентом Агитпропа. Она молчит — минуту, другую, каждая минута стоит $28.30 — рядом с ней сидит заглянувший на огонек Юра Атаманов, вдвоем они только что толковали «Колымские рассказы» Варлама Шаламова — потом хрипловатым, но любимым голосом спрашивает: «Не понимаю, что в этом смешного?»

Российский юмор — вещь особая. В нем не найдете норм тугих. Тут плавятся в руладах Собинова обэриутов утюги.

1968, октябрь
Эхо

Эхо Чехословакии. Крупнейший советский пропагандист и почти такой же меткий, как Грибочуев, «снайпер партии» Шурий Шурьев сидел в своем кабинете члена редколлегии ведущей нашей газеты «Правда», в которой днем с огнем не найдешь ни крошки лжи. Другие, нечестные газеты на иностранных языках лежали перед ним на столе рядом с чаем и бутербродами из номенклатурного буфета. Шурий Шурьевич по заданию ЦК и в целях борьбы за мир овладел тремя основными языками врага, и сейчас, поедая бутерброды с семгой, с ветчиной, с икрой и с кильками, он просматривал эти газеты и всякий раз, находя там что-нибудь для себя болезненное, нехорошо, темно и закулисно, усмехался.

Но вообще-то он пребывал в великолепном настроении. Историческая операция не только удалась, она достигла триумфальных высот. Братская армия CSR не оказала нашим полчищам никакого сопротивления. В наших танковых войсках, несмотря на увлечение «Затоваренной стеклотарой», случаев предательства почти не отмечено. По всей этой продолговатой, как «Титаник», стране идет замена партактива новым патриотическим составом из хозяйственников. Приятно все-таки осознавать, что и ты вложил в эти процессы внушительную лепту своими публикациями как на языке титульной нации, так и в варварских переводах.

В дверь постучали так, как он любил, — элегантно, без всякой обязательности, чуть ли не на ходу. Так стучит, скажем, Эдик Мехаморчик или даже Гулька Самшитова.

— Прошу вас, заходите! — крикнул он из-за стола. Порог перешагнул вполне респектабельный советский молодой человек эпохи НТР: пиджачок, джемпер, вязаный галстучек, башмаки на «манной каше»; внутри предполагается тренированный организм; снаружи — благовоспитанная голова, волосы на пробор, черты безусловно славянские.

— Шурий Шурьевич, прошу прощения, что отрываю вас от работы, но я просто хотел выразить вам свою глубокую благодарность.

Шурьев рукой молотобойца указал визитеру на стул.

— Прошу вас, садитесь. За что вы хотите меня благодарить?

— За ваши статьи о Чехословакии. Какой глубокий анализ! И в то же время какие яркие эмоции! Сколько праведного гнева в адрес тех, кто его заслужил! У нас в институте вы стали просто притчей во языцех!

— Притчей во языцех? — удивился Шурьев. — Вы уверены в том, что правильно употребляете это выражение?

— Стопроцентно уверен, Шурий Шурьевич, — молодой человек поднялся со стула и, отведя правую руку слегка на манер дискобола, засандалил «правдисту» пощечину такой силы, что тот рухнул тяжелым боком на пол и не сразу поднялся. Молодой человек стоял в боксерской позиции, ожидая, когда обиженный им человек поднимется. Поднявшись, Шурьев, почти ничего не соображая, с ревом ринулся на него. Шагнув в сторону, молодой человек пустил в ход обе руки и отбарабанил на корпусе бывшего металлурга настоящую боксерскую атаку. — Это вам за наглую фашистскую ложь! — Третьим заходом Герка Грамматиков (это был он) локтем двинул Шурьева в корпус, после чего дернул на себя его ногу. Тот грохнулся всей спиной. Пол бетонного конструктивистского строения слегка качнулся. — А это за всю «Пражскую весну»! — Шурьев пополз в угол, потащил за собой стул, чтобы ощетиниться ножками. Грамматиков быстро причесал растрепавшуюся прическу. — Впредь поосторожней обращайтесь с оружием партии, товарищ Шурьев, — посоветовал он своей жертве и вышел в коридор. По коридорам он шел с нарастающей скоростью. На проходной заметил, что дежурный охранник с телефонной трубкой у уха пытается разобрать какие-то невразумительные хрипы: «Не понимаю, товарищ Шурьев. Что с вами, товарищ Шурьев?» Не отрываясь от трубки, он приветливо помахал проходящему через турникет Грамматикову.

На улице инсургента ждал французский автомобиль «Пежо-404»; за рулем сидел с сигаретой Влад Вертикалов. Грамматиков плюхнулся на сиденье рядом с ним и немного повыл в сторону. К этой странной манере спасенного над Львиной бухтой его друзья более-менее привыкли.

— Где ты там так долго шлялся, Герка? — спросил Влад.

— Да у меня там, знаешь, девчонка знакомая работает, — пояснил Грамматиков.

— А как ты туда так запросто проходишь?

— Да я ведь и сам здесь экспедитором работал, меня вся охрана знает.

Вертикалов двинулся. Поехали на Таганку, играть «Гамлета». У Влада там была роль Принца Датского, а Герка подрабатывал к зарплате в роли одного из четырех капитанов.

1968, ноябрь
Карузо

В ноябре все того же «катастрофного» года Кукуш и Ваксон оказались в Ростове-на-Дону. В предвечерний час прогуливались там по центральному бульвару. Кое-какие, пусть жалкие, следы остались там в архитектуре от буржуазного богатства. Ну, ранний модерн, конечно, с его извивами. От комсомольской утопии конструктивизма тоже осталось два-три памятника; ну, например, фисташкового цвета отель, где они остановились, похожий боками на элеватор зерна.

Прогуливаясь, столичные гости не замечали большого разночтения со столицей. Приблизительно такие же очереди за продуктами накапливались к этому часу у гастрономов. В кафе и рестораны публика пропускалась малыми дозами в соответствии с числом выходящих. Одно заведение чем-то отличалось от других, что заставило писателей остановиться перед его вывеской: «Коктейли». Эти неизменные «Коктейли», всегда они будоражат советскую молодежь! Так было и здесь. Братва, пересчитывая металл и бумажки, протискивалась в открытые настеж высокие двери и далее дерзновенно внедрялась во внутреннюю толпу. За толпой, по всей вероятности, были открытые мраморные прилавки, где и смешивались соблазнительные напитки.

Оттуда доносились грубовато-женские голоса: «Возвращайте бокалы, хлопцы! Имейте совесть, не во что наливать!»

Эти хлопцы в широченных клешах уже на расстоянии двух-трех метров от прилавков начинали выкрикивать свои заказы: «Одно «Карузо»! Два «Карузо»! Три «Карузо»!»

На стене под портретами Брежнева и Подгорного висел «Прейскурант напитков». Там среди всяких «Южных» и «Крымских» выделялся вот именно этот самый «Карузо» с пояснением (напиток средней крепости). Вот именно к нему по каким-то веским причинам и тянулись помыслы молодежи.

— Вот видишь, Кукуш, какая тут бурлит жизнь: одно сплошное карузо! — задумчиво произнес Ваксон.

— Им, наверное, кажется, что это какое-то крутящееся колесо с фейерверками. Колесо Карузо, звучит неплохо, — отозвался Кукуш.

— Придут дни, когда и Кукуш тут появится в меню, — предположил Ваксон. — Представляешь, как будут заказывать: один «Кукуш», два «Кукуша», три «Кукуша»!

Милейший Кукуш с его тонкими усиками и лермонтовским лбом весело, но, как всегда, слегка грустновато, то есть грустноватенько-весельчаковски, хохотнул:

— А вот коктейля «Вакса», ручаюсь, ты не дождешься!

Они приехали сюда по приглашению местного университета. Совместный вечер: Ваксон читает, Кукуш поет. Кучка студентов встречала их на вокзале. Прямо там передали дополнительное приглашение — выступить сегодня вечером на городском празднестве в честь 50-летия Ленинского комсомола. Ваксон было заартачился, но Кукуш ему шепнул:

— Соглашайся, чудак, ведь комсомол — это наша альтернативная партия.

Тут следует отметить, что в те времена писатели получали за выступление от «Бюро пропаганды художественной литературы» четырнадцать рублей пятьдесят копеек: времена были не меркантильные.

Их привезли во Дворец спорта. Зал на десять тысяч мест был заполнен. На сцене разыгрывался театрализованный концерт по истории Комсомола. На настоящих донских скакунах дефилировала Первая конная. Выезжала настоящая тачанка, в честь которой гремел хор:

«Эх, тачанка-ростовчанка, наша гордость и краса, пулеметная тачанка, все четыре колеса!» Маршировали с отбойными молотками строители ДнепроГЭСа. Бойцы ВОВ водружали флаг на здание Рейхстага. В скафандрах спускались по торжественным ступеням вернувшиеся с орбиты космонавты. Реяли красные стяги. Трубили трубачи. Потом все затихло и сцена очистилась. Кукуш шепнул Ваксону: «О последнем подвиге почему-то молчок».

После паузы ведущий объявил: «Поздравить нас с замечательным праздником приехали московские писатели, поэт Октава и прозаик Ваксон». Под мощные аплодисменты два друга поднялись на сцену; оба были не при параде, без галстучков, один (Кукуш) в кожаночке, второй (Вакс) в помятой вельветовой костюменции. Весь первый ряд, заполненный «отцами города», хоть и помахал ладошками, однако обменялся недоуменными взглядами. Слово для приветствия было предоставлено Кукушу. В короткой речи этот московский товарищ сосредоточился на роли интеллигенции, иными словами, об основных классах общества вообще не говорил, а только лишь превозносил прослойку. Зал в ответ на это потерял свою ритмическую пружину, погрузился в подобие хаоса. Первый ряд просто напросто насупонился. В центре некто что-то тихо проговорил, и шепотки разбежались по флангам. Ваксон, выйдя к микрофону, продолжил тему Кукуша и даже оную усугубил. Сейчас нам надо, сказал он, не столько силу увеличивать, сколько развивать интеллект. Иначе мы уподобимся динозаврам. Развитие этих наших предшественников в роли лидеров Земли зашло в тупик, когда оказалось, что у них только мускулы неимоверно увеличиваются, в то время как мозг остается непропорционально малым. В ответ на это бестактное заявление хаотические звуки в зале увеличились, а в центре первого ряда образовалась прореха.

Утром в гостиницу прискакали с круглыми глазами университетские энтузиасты нового искусства. Кукуш и Ваксон, будьте, пожалуйста, осторожней. В руководстве прошло мнение, что московские писатели вели себя неадекватно и испортили молодежи ее заветный праздник. Больше того, стало известно, что первый секретарь порекомендовал университету дать отпор этим неадекватным товарищам.

В университете царила какая-то перепуганная беготня, как будто к городским рубежам подходила Добровольческая армия. Амфитеатр был полон, или, лучше сказать, битком набит. Московские гости завели разговор на сугубо литературные темы. Последовало несколько филологических вопросов. Потом кто-то попросил Кукуша спеть «что-нибудь новенькое». Бард, как всегда, стал немножко кокетничать. Да я сейчас почти не пою, да у меня и гитары нет, и так далее. Заготовленная студентами гитара тут же приплыла к нему прямо на колено. Он спел «Моцарта», «Молитву Франсуа Вийона» и «Возьмемся за руки, друзья». В зале, как всегда среди учащейся молодежи, выявилось несколько чудных девичьих лиц с глазами на мокром месте. Вдруг по рядам как будто швабра прогулялась; прошла полоса искаженных черт, в конце которой вздыбился могутный казак из преподавательского состава. Он задал кардинальный вопрос: «А вот скажите-ка, московские писатели, как вы относитесь к вводу наших войск в Чехословакию?» И вновь, как вчера, возникает какой-то специфический ростовский феномен — хаотическое бурление толпы.

Ректор быстро поднимает и медленно опускает обе руки, как бы говоря: спокойно, товарищи! Не нужно так реагировать на сугубо академический вопрос.

Зал затихает, и в наступившей тишине Кукуш Октава произносит свой ответ: «Лично я считаю ввод войск в Чехословакию большой политической ошибкой». За этими словами следует взрыв, уже не просто хаотический, но скорее землетрясительный. Со всех сторон амфитеатра гремит или визжит слово «Позор!» Трудно понять, кому оно адресовано: советской ли армии или Кукушу Октаве, позорному либералу и пораженцу? Кукуш сидит, прикрыв ладонью глаза. Ваксон стоит с поднятой рукой и кричит: «Прекратите провокацию! Не трогайте Кукуша!» Зал затихает только через несколько минут. Встреча окончилась. Уходя, Ваксон говорит в микрофон: «Хотел бы я знать, кто это все приказал и разыграл».

Никто не пришел их провожать. В толпе на перроне им все время казалось, что за ними плывут глаза сыскных. В поезде сразу прошли в вагон-ресторан. Заказали коньяку и выпили с ходу по полстакана. Потом обнялись. Вакса, мой дорогой! Кукуш, мой сердешный!

Эти люди о друге пеклись по-братски
И не только от общих богемных игр,
И не только от общих корней бурятских,
Где прошел буреломом еврейский тигр.
Их отцы возжигали огни коммунизма,
Возглавляли уральские города,
Погибали от жадных адептов садизма
В той стране, где гуляла блажная орда.
Матерям не сбежать от соблазнов троцкизма,
И наградой за все встретит их Колыма.
Молодой «комсомол» стал унылою тризной
Под присмотром железного дядьки-сома.
Дети жертв, собирайте словесные гроздья,
Пока каждый еще не хронически пьян,
Обуян стихотворства таинственной страстью
И не стал еще глух словно гнилостный пень.

Через час их основательно развезло. Они сидели в углу трясущегося ресторана, кончали вторую бутылку и тихонько разговаривали о том, что их общий друг Гладиолус Подгурский называл «семейной и личной жизнью».

— Ну, расскажи мне о своей зазнобе, — говорил Ваксон. — Какова она в интиме?

— Она божественна в своей нежности и нежна в своей божественности, — отвечал Кукуш. — Гениальна в своей ребячливости и ребячлива в своей гениальности.

— Здорово сказано, — кивал Ваксон. — Так и видишь ее всю.

— А теперь расскажи мне о своей, — благосклонно предложил Кукуш.

— Это о ком?

— О своей зазнобе.

— С какой это стати я буду рассказывать о ней?

— Я ведь тебе рассказал о своей.

— Я твою знаю, а ты мою нет.

— Ну так тем более скажи о ней четыре слова.

— Четыре слова?

— Да, четыре.

— Стерва любимая, прелесть невыносимая.

— Неплохо сказано, Сизый Нос, тем более что я ее знаю.

Между тем за ними в переполненном вагоне внимательно наблюдали два очень похожих друг на друга молодых человека: длинные волосы, пышные бакенбарды, свисающие усы. Дождавшись официанта, они послали им третью бутылку коньяку в сопровождении записки: «От нашего стола — вашему столу. Федор и Сергей Борисовы, поклонники талантов». К счастью, бутылка с запиской так до них и не доехала. Ее перехватил юнец херувимской внешности в курточке студенческого стройотряда. Сунув ее в карман, он продекламировал экспромт: «Эту пару в бакенбардах вы должны отправить в жопу. Ведь фальшивки-леопарды недостойны антилопы!» И тут же испарился в накуренном воздухе.

В Москве на перроне их ждали обе зазнобы. Курили и болтали под просветлевшим за ночь небом. Расхохотались, когда из вагона вышли оба желанных джентльмена: «Ну, что я тебе говорила? На море и обратно!»

Черно-желтая «Волга» выехала на Садовое кольцо. За рулем сидела Ралисса. В десяти метрах за ними следовала целиком черная «Волга» с двумя похожими друг на друга молодыми людьми, но уже без усов и бакенбардов. «Вот гады, опять тащатся сзади», — сказала она своему другу. На заднем диване сидели Кукуш с его приятельницей. Они ничего не видели и никого не слышали, кроме друг друга. Взахлеб читали стихи.

КНИГА ВТОРАЯ

Чуть помедленнее, кони, чуть помедленнее!
Умоляю вас вскачь не лететь!
Но что-то кони мне попались привередливые.
Коль дожить не успел, так хотя бы — допеть!

ВЛАДИМИР ВЫСОЦКИЙ

Давайте понимать друг друга с полуслова,
Чтоб ошибившись раз, не ошибиться снова.
Давайте жить, во всем друг другу потакая, —
Тем более что жизнь короткая такая.

БУЛАТ ОКУДЖАВА

Израсходовался. Пуст.
Выдохся. Почти смолк.
Кто-нибудь другой пусть
Скажет то, что я не смог.

РОБЕРТ РОЖДЕСТВЕНСКИЙ

Наверно, с течением лет
Пойму, что меня уже нет.
....
Но лишь бы с течением дней
Не жить бы стыдней и стыдней.
....
И лишь бы с теченьем веков
Не знать на могиле плевков.

ЕВГЕНИЙ ЕВТУШЕНКО

Мой лес!
Мой безлиственный лысый лес!
Мой лес!
Мой густой деревянный добряк!
Скажи, ты готов
К дикарям-декабрям?

ВИКТОР СОСНОРА

Уходят от меня мои друзья.
Не волоча свой след и не виляя.
Как мамонты, природу оголяя,
Уходят от меня мои друзья.

ГРИГОРИЙ ПОЖЕНЯН

О чем поет, переведи,
Эстонка с хрипотцой в груди?
Ужель сошелся клином свет
И за углом — кофейня?
Ты наклоняешься вперед,
И твой подстрочник, нет, не врет,
В нем этот свет, а также тот,
И там, и тут — кофейня.

ЮННА МОРИЦ

Неузнанным ушел День-Свет, День-Рафаэль.
Но мертвый дуб расцвел средь ровныя долины.
И благостный закат над нами розовел.
И странники всю ночь крестились на руины.

БЕЛЛА АХМАДУЛИНА

Существование — будто сестра,
Не совершай мы волшебных ошибок.
Жизнь — это точно любимая, ибо
Благодарю, что не умер вчера.
Ибо права не вражда, а волжба.
Может быть, завтра скажут: «Пора!»
Так нацарапай с улыбкой пера:
«Благодарю, что не умер вчера».

АНДРЕЙ ВОЗНЕСЕНСКИЙ

1980, июль
Ваганьково

Июль завершился грандиозной демонстрацией народной любви. Партия затуманилась: любовь была не к ней. И даже не к ее грандиозным планам. Демонстрация была выражением любви к объекту ее нелюбви. Любви и печали, если не необъятного народного горя. Хоронили Влада Вертикалова.

Процессия тянулась через весь старый город, от Таганки к Ваганьковскому. Оркестр, медленно катящий на открытых платформах, исполнял Моцарта, но уже за пятьдесят метров от платформ божественные звуки растворялись в заунывной какофонии столицы. По всему ходу следования, кроме безмерного числа милиции в белых форменных рубашках, видны были под арками домов отряды безопасности. На углах улиц располагались не совсем понятные гибриды цистерн с фургонами, которые на самом деле в стихийных обстоятельствах могли превращаться в разгоняющие водометы. Кружили и каркали сонмы ворон: постоянные жители града, они, кажется, тоже следовали по маршруту. Стотысячная, а может быть, и миллионная толпа (СССР еще не прославился тогда своей статистикой) грузно колыхалась по мере движения, словно обуреваемая какой-то еще непонятной жаждой реванша. Под ней цемент России с такой же легкостью превращался в грязное крошево, с какой соль крошится на берегах Сиваша. Так шли весь день, не торопясь начать «час стакана», шли проливаясь горем, не испытывая еще жажды просушиться водкой. Лишь только опустив своего Барда в землю, Москва вернулась к стаккато и подняла за помин души.

Пока что он плыл над толпой, в своей неподвижности похожий на рыцаря Короля Артура. Казалось, что неподвижность эта не навсегда, что по желанию Гиневры его небольшое ловкое тело может еще сделать сальто-мортале на скаку с коня, а то и в марафоне продержится стойко вровень с другими «колесницами огня», а то и с рапирой выйдет против Лаэрта, или своим неповторимым хриплым завопит на всю Ивановскую: «Нет, ребята, все не так! Все не так, ребята!»

«Что происходит?» — пытался понять Роберт Эр, пережидая медленное движение толпы, сидя в машине Союза писателей. Он только что прилетел из Гвинеи-Бисау, где участвовал в конференции «неприсоединившихся стран»; в общем-то ничем особенным там не отличился, а в основном филонил на пляже. По дороге из Шереметьево, увидев огромную молчаливую демонстрацию, он содрогнулся. Что происходит в Москве? Это не похоже на официальную праздничную манифестацию: нет плакатов и транспарантов, да и праздников календарных вроде нет никаких. Антиимпериалистическая манифестация, преисполненная назначенного благородного гнева? Тоже не то. Такие антиимпериалисты всегда с большей или меньшей бездарностью, но все же свой благородный гнев выказывают. Эти скорбно молчат. Массовка на киносъемке? Нет, совсем уж не похоже, тут нет никакой халтуры.

Он спросил у шофера, но тот не знал. Роберт опустил стекло и обратился к одному из идущих:

— Эй, товарищ, я только что прилетел. Что тут происходит?

— Хороним Влада Вертикалова, товарищ негр, — ответил тот, очевидно, приняв загорелого человека с большими губами за представителя африканского континента. Эр схватился руками за горло: там сразу, без всякой подготовки, взбух и перекрыл дыхание комок отчаяния. Сидел несколько минут с руками на горле, хрипел. Шофер полез за аптечкой: там вроде был у него какой-то валокордин. Роберт отшатнулся от пузырька.

— Ты что, Иваныч, ничего не слышал про Влада?

— Слышал что-то, Роберт Петрович, да вот уж не думал, что такую демонстрацию организуют.

Роберт оставил машину у обочины и пошел вместе с толпой к Ваганьковскому. Было ощущение полнейшей нереальности. Владка — мертв? Уж не сплю ли я? Что с ним могло случиться? Он на шесть лет младше меня, значит, ему сорок два. Несчастный случай? Убийство? Вдруг вспомнился ярчайший коктебельский сезон. Костер на склоне холма Тепсень. Молодой, совсем молодой Вертикалов с гитарой поет одну за другой свои «фронтовые» песни, потом песни о хоккеистах, о конькобежцах, о физиках, об инопланетянах, несколько песен об альпинистах...

Ох, какая же ты близкая и ласковая,
Альпинистка моя, скалолазка моя...

Отставить разговоры!
Вперед и вверх, а там...
Ведь это наши горы,
Они помогут нам...

Но что ей до меня —
Она была в Париже...

Где твои семнадцать лет?
На Большом Каретном!

Парус! Порвали парус!
Каюсь, каюсь, каюсь!

Где свои, а где чужие,
Как до этого дожили,
Неужели на Россию
Нам плевать?

По выжженной равнине
За метром метр
Идут по Украине
Солдаты группы «Центр»...

И нет бы раскошелиться
И накормить пришельца.

И все такое юношеское, чтобы не сказать мальчишеское... Блики костра озаряли счастливые лица ребят и девушек, которые, собравшись летом в Восточном Крыму, начинают, несмотря ни на какие идиотизмы властей, чувствовать себя вольным народом. И в глубине круга сидел он, их тогдашний уже кумир и будущий кумир всей страны, и сам заводился от своего пения, усмехался и подхохатывал, комментируя истории то одного, то другого «зонга»: написано для фильма, для спектакля, фильм «положили на полку», спектакль запретили, ну что ж, еще лучше — буду петь для вас, ребята...

И вот его везут — над несметными головами толпы Роберт видел кортеж уходящих к кладбищу машин, автобусов «ритуальной службы» и грузовиков с откинутыми бортами — его везут, увозят о к о н ч а т е л ь н о «туда, где и блатным не надо ксив», а там, за оградой, его поднимут на плечи «советские майоры», как в Дании его несли четыре капитана, и понесут к окончательной яме, где он уже не причинит вреда всем тем, кого он так пугал и яростью творчества, и любовью миллионов, и свободным пересечением границ, и возможностью невозврата — и вот его везут.

С тех счастливых и только лишь к концу тех ужасных коктебельских дней Роберт не так уж часто встречался с Владом. Однажды они столкнулись в фойе Театра на Таганке. Вертикалов был со своей женой, знаменитой Франсуазой Владье. Эр был со своей женой, незаменимой Анкой, которая, с одной стороны, была беременна их второй дочкой Маринкой, а с другой стороны, только что разродилась книгой критических очерков.

Дамы остались болтать вдвоем и тут же обросли другими дамами, а Влад и Роб поднялись в буфет покурить. Влад сказал ему, что он на днях в Париже натолкнулся на Милку Колокольцеву. Знаешь, она выглядит непобедимой красавицей, а сама дрожит на грани слез. Все время вспоминает тебя и Юста. Прости, но и меня, кажется, вспоминает, таким, каким я был тогда.

Спустя какое-то время, но все еще в молодые времена, Франсуаза позвонила им и пригласила на вечеринку в новую квартиру на Большой Грузинской. У Влада был светлый период: он пил только крепкий чай. Народу было полно, но он как-то всех легко организовал, друг его Валя Плотник, мастер коллективного портрета, сделал снимки, после чего Вертикалов прочел отрывки из своего романа «Чувихи», а уж только после этого пошла добродушная и непринужденная пьянка, в которой Влад играл роль мэтр'd'отеля, но отнюдь не бухарика. В заключение вечеринки он подарил всем супружеским парам, а также и ходаковской холостяковщине свою французскую пластинку «Четыре четверти пути».

Ё, подумал тогда Эр, что за страна нам все-таки досталась для жизни, что за жлобье забралось на командные верхи! Во Франции выходит великолепная пластинка иностранца, а у нас, где его обожают миллионы, нельзя об этом и заикнуться. Ни одного стиха ему не удалось напечатать в наших изданиях. Выступает всегда без афиш, потому что какой-то идиот в ЦК брякнул: «Такого певца не существует!» Роб к этому времени уже был и членом партии, и членом бесконечных редакционных советов. Вдруг он сказал себе: «Я должен издать его книгу, иначе на хрен я тут болтаюсь». Они встретились с Владом и стали отбирать стихи, вернее тексты для песен. Роб увещевал Влада быть поосторожней. Надо сделать сбалансированный состав, чтобы трудно было придраться. Постепенно будем расширять круг дозволенного. Он заикнулся было о книжке Вертикалова на заседании редсовета «Советского писателя», но там в ответ произошло какое-то общее вздрагивание и быстрый переход на другую тему, а именно на издание полного собрания сочинений Егора Исаева. Тогда отправился к старому другу, глубоко партийному «хорошему парню» Юрию Юрченко, которого с глазу на глаз называл просто Юркой. Этот последний за последнее время достиг значительных высот, став секретарем по оргвопросам СП СССР, то есть главным представителем как партии, так и органов. Тот, едва услышав, о чем пойдет речь, вышел в приемную, сказал секретаршам «меня нет» и закрыл дверь своего обширного с окнами «ампир» кабинета на ключ изнутри.

— Роб, забудь о Вертикалове, хотя бы на время забудь. Иначе влипнешь в такую историю, что и не выкарабкаешься.

Засунул лапу под стол и что-то там отключил. После этого поведал вылупившему от изумления свои круглые глаза Роберту следующую историю. Группа писателей затеяла издание литературного альманаха. Полным ходом идет вербовка полуподпольных поэтов и прозаиков. Среди них одной из главных фигур намечен Влад Вертикалов. Теперь понял?

— А что же в этом плохого, Юр? — удивился Роберт. — Полуподпольные станут легальными. И Влад наконец-то выйдет из своей странной роли полуподпольного кумира, отойдет от анархической массы. А альманах вообще-то книге не помеха.

Юрченко с досадой шмякнул кулаком по столу и, посмотрев через плечо, как-будто там кто-то мог пройти сквозь стену, стал раскрывать перед наивным поэтом дальнейшую подоплеку. Этот альманах бросает вызов всей нашей организации честных советских писателей. Он задуман как н е п о д ц е н з у р н о е издание. Намечена тайная передача за бугор; ты понимаешь? А самое паршивое состоит в том, что всю эту паутину плетет антисоветчик Ваксон. Он был у Вертикалова, и они вместе отобрали двадцать пять стихов для альманаха. Там есть совершенно крамольные, например «Лечь бы на дно, как подводная лодка, чтоб не могли запеленговать». А ты слышал о крейсере «Блистательный»? О кавторанге

Шпагине? А тебе не кажется, что все это может быть увязано в один узел?

Роберт разозлился. Встал и отошел к окну. Посмотрел на Льва Николаевича в новой зимней шапке. Два услужающих фанерными лопатами размахивали снег. Ряшки яблочные, только слегка с гнильцой. Ё, да тут в мохнатеньких ветвях стайка снегирей копошится: еще живы красногрудые! Немного успокоился.

— А тебе не кажется, Юра, что ваша паранойя до хорошего не доведет?

Основной маской Юрченко за последнее время стало выражение непререкаемой барственности. Теперь оказалось, что всегда наготове и маска зловещей приглядки. Интересно, Роб, получается. Нашу бдительность ты считаешь паранойей. Сам к ней не подключаешься, старик? Надо бы как-то до конца определиться: «с кем вы, мастера культуры?». Где ты проходишь, мой друг: среди наших монументов ты идешь или тебя на Елисейские Поля тянет, как всю эту космополитическую бражку?

Роберт направился к выходу, потом вспомнил о рукопожатии и вернулся. Соединение рук через стол на этот раз прошло в непривычной манере: без хлопка, без чрезмерной демонстрации кистевой силы.

— На всякий случай хочу тебе сказать, Юра, что я решительно против зачисления моих друзей в разряд антисоветчиков.

Теперь он шел в густой молчаливой толпе. Вокруг не было ни одного знакомого лица. Это было то, что в артистических кругах называется «публикой», но тот, кто не знал этого определения, мог бы назвать это «народом». Это смесь «народа» и «публики», подумал Роберт. Потрясающе искреннее излияние чувств. Горе. Потеря. Безвозвратность. Многие плачут; как женщины, так и мужчины.

Он вспомнил ту французскую пластинку, «Четыре четверти пути». По ней было видно, что с ребячеством покончено. Драма сгущается. Потрясающая песня «Две судьбы мои, Кривая да Нелегкая». Потом он записал, может быть, лучшую свою песню, которую сочинил для фильма Митты «Сказ про то, как царь Петр арапа женил», где играл главную роль.

...Купола в России кроют чистым золотом —
Чтобы чаще Господь замечал!
....
Душу, сбитую утратами да тратами,
Душу, стертую перекатами, —
Если до крови лоскут истончал, —
Залатаю золотыми я заплатами —
Чтобы чаще Господь замечал!

С альманахом «МетрОполь» все так и получилось, как Роб предполагал. Он вышел с огромной подборкой Владовых стихов, включая пресловутую «Подводную лодку». Тираж был невелик — двенадцать самодельных экземпляров, а вот дрисноватый партийно-гэбэшный скандал размазался по всем городам и весям. Как всегда, хотели замазать как можно больше народу, и в общем это, как всегда, получилось. Однако не со всеми. Роберт, например, не принял участия ни в одной из антиальманаховских свистоплясок.

Вертикалова тоже как-то оставили в стороне, впрямую не выворачивали рук, как Охотникову, Пробберу, Битофту, Режистану и Ваксону; скорее всего потому, что он все-таки был мужем знаменитой французской актрисы и активистки соцпартии; так или иначе. Однако Роберт слышал, что Влад приходил с гитарой на сборища «МетрОполя», где почему-то всегда было весело и бесшабашно.

Авторы и составители как будто не понимали, что им грозит. А грозило им немалое: табу на все публикации, исключения из Союза, высылка или на Восток, или на Запад, не исключены были и аресты и даже некоторые «устранения». От чрезвычайных мер «метрОпольцев» уберегли, очевидно, какие-то секретные обстоятельства, но также и такое простое дело, как присутствие в Секретариате Роберта Эра, его особая позиция, а им дорожили. Между тем по городу была пущена дезуха, что Влад Вертикалов «намыливается за бугор». Навсегда. С концами.

На подходе к Ваганьковскому кладбищу колонна двигалась все медленнее, постепенно превращаясь в стоящую толпу. К Роберту подошел человек с красной повязкой на рукаве.

— Простите, вы Роберт Эр?

Он кивнул.

— Пойдемте, я провожу вас вперед.

Роб замялся:

— Не беспокойтесь, я могу и здесь постоять.

Человек с повязкой пояснил:

— Театр хочет, чтобы вы были с ними.

Тогда Роб пошел вслед за проводником.

Чем ближе пробирались, тем больше он видел знакомых лиц. У края могилы стоял Театр: Любимов, Золотухин, Губенко, Хмельницкий, Смехов, Филатов, Славина, Демидова, Шацкая... За ними видно было множество таких же знаменитых лиц из других театров. Проводник умудрился поставить Роберта прямо за спиной Смехова. Роб положил Вене руку на плечо. Тот накрыл ее своей ладонью. Роб зашептал ему в ухо:

— Веня, я прямо из Шереметьево. Ничего не знал. Наткнулся на процессию. Как это произошло? Что случилось с Владом?

Смехов зашептал в ответ:

— Острая сердечно-сосудистая недостаточность. После фатального бодуна. В присутствии его друзей, больших и очень, очень маленьких...

Оркестр заиграл Шопена. Приблизился открытый гроб. Еще несколько минут можно было лицезреть величавое рыцарское лицо Великого Влада Вертикалова. Яркой вспышкой мелькнуло в памяти Эра другое, такое же рыцарское лицо ушедшего три года назад друга. Большой, мощный и загорелый почти до африканской черноты Эр не выдержал и заплакал. Могильщики уже пристраивали крышку.

1977
Февраль!

Это было, кажется, осенью. Или весной. Во всяком случае, не летом. И уж точно не зимой. Осенью. Нет, зимой. В феврале.

Провожали в последний путь — так у нас тут говорят на планете, последний путь, если речь идет о телесном воплощении, ну а если говорить хотя бы в контексте Земли, то путь, по всей вероятности, окажется далеко не последним — в общем, провожали Юстинаса Юстинаускаса. Я вижу, как читатель откладывает книгу и снимает очки. Этого не может быть, сэр. Юст из всей вашей компании был самым здоровенным, или лучше сказать — самым здоровым, самым показательным примером атлетизма из всех ваших процветающих в рамках литфондовского «заезда» художественных персонажей. Увы, мой друг, именно он от нас и ушел. То ли отстал, то ли обогнал.

Со времен того описанного выше коктебельского сезона Юст несколько раз приезжал в Москву и останавливался у

Эров. Что касается Роберта, тот к нему в Вильнюс срывался многажды, то есть всякий раз, когда в московском доме разражалась гроза. Обычно это проходило так. Сильный звонок в дверь. Бежит Данута открывать. Бегут, обгоняя мать, Ёла и Аиста. За дверью стоит, пряча левую часть головы в плечо, небезызвестный Эр. Молча входит, всех целует, преподносит какой-нибудь нелепый подарок, ну, скажем, «увлажнитель воздуха». Потом, не говоря ни одного слова, идет в кладовку, где — он знает, знает всегда! — стоит довольно уютная лежанка для него. Вечером они отправляются с Юстасом в «Нерингу» и с ходу выпивают бутылку коньяку. Ну, просто чтобы заказать вторую.

— Я больше не могу, Юст, — говорит Роб. — Она ревнует меня к фонарным столбам.

— Это несправедливо, — говорит Юст. — Могу поручиться, ты не трахнул ни одного фонарного столба.

К концу второй бутылки они начинают вспоминать Милку Колокольцеву. Их обоих охватывает вдохновение, немного даже странное для вполне зрелых мужчин. Роб читает посвященные ей стихи:

...Очень жглась и слишком понималась,
От прически до ногтей крамольна...

А Юст быстрыми длинными штрихами, которым мог бы позавидовать и Модильяни времен влюбленности в Анну, изображал Колокольцеву на салфетках. Говорят, что Милка защитила PhD в Джорджтаунском университете и получила место в департаменте искусств. А что там Дом? А с Домом уже попрощались. Да ну? А кто же? Говорят, никого. Значит, ждет нас двоих, Роб. Значит так, Юст. Давай перебежим туда, к Колокольцевой? Хорошая идея, Сизый Нос! В этот момент у компании, сидящей рядом с ними, отрастают до размеров ослиных повернутые в их сторону уши.

На второй день бегства в доме Юстинаускасов появляется Анка Эр. Нервически раздерганные супруги применяют тактику молчания. Потом вся компания отправляется на пленэр, писать пейзажи исторических хуторов. Вот там происходит примирение, когда во время купания в Тракайском озере у Анки начинает кружиться голова, а Роб ее спасает.

Юст заболел два с половиной года назад. В какой-то момент во время волейбола ему стало трудно дышать. На рентгеноскопии была обнаружена опухоль гортани. Ну вроде ничего особенного, ну давайте сделаем биопсию, ну на всякий случай. Оказалось, что есть что-то особенное, и даже очень особенное. С этого момента началось быстрое угасание этого великолепного балтийского лита. Он очень здорово, очень классно держался. Освободившись от всяких связей с красной идеологией, он говорил о своей расе, об истории, о доблести, о подвигах и о славе рунических героев Северной Европы, ну и, конечно, о незабываемой Колокольцевой.

В Вильнюсе все методы были уже испробованы, и по настоянию Роберта его перевели в Москву, в Институт имени Герцена. Применялись все возможные методы лечения: и облучение, и химиотерапия, и даже всевозможные чудом добытые западные гормоны. Периодически наступало улучшение, он выписывался из больницы на амбулаторное лечение, начинал посещать полуподпольные выставки на чердаках и в подвалах своих коллег, однажды даже слетал в Вильнюс, где у него в мастерской остались неоконченные работы. Вернулся оттуда веселый, привез свежие оттиски гравюр. Без всяких жалоб отправился в институт на контрольное обследование и был тут же госпитализирован: начиналось очередное ухудшение.

Роберт приезжал к нему чуть ли не каждый день, привозил черный полугорький шоколад (Юстас очень его любил), читал ему последние стихи, хохмил, рассказывал анекдоты и последние спортивные новости. Приезжали и все другие друзья, никто его не забыл. Все что-нибудь ему читали: Антоша — из «Витражных дел мастера», Фоска Теофилова — из цикла «Американские женщины», Нэлла Ахо — из «Родословной», Тушинский — всю «Нюшку» из «Братской ГЭС», Ваксон, явившийся вместе с Ралиссой, прочел ему целиком жесткую комедию «Четыре темперамента», Барлахский — «Нужно, чтоб кто-то кого-то любил. Это наивно и это не ново. Не исчезай, петушиное слово. Нужно, чтоб кто-то кого-то любил». Юра Атаманов прочел ему свой шедевр «Арктур — гончий пес», Кукуш Октава тихо, почти шепотом, чтобы не потревожить дежурных сестер, спел новую песню «Виноградную косточку...», Вертикалов, забежав на десять минут, целый час просидел с Юстом, рассказывая ему о встрече в Париже с Колокольцевой... Приходили и люди из собственного юстиновского цеха искусств, в частности, за две недели до отъезда в эмиграцию его посетил знаменитый Генрих Известнов. Он сказал: «Давай, старик, поправляйся и переезжай в Швейцарию. Только в горной Швейцарии могут по-настоящему работать такие художники, как мы с тобой». При этих словах глаза сидящего на кровати Юста осветились далеким мечтательным огнем. Да-да, вот поправлюсь и перееду в Швейцарию. В горную. В нереальную.

Увы, вскоре пришла пора обезболивающих; сначала слабых, потом средних, а потом уже сильных, и наконец — самых сильных. Контакт с Юстасом был почти утрачен. За три дня до кончины Ваксон и Ралисса были на несколько минут допущены в его палату; вроде бы для того, чтобы попрощаться. Юстас лежал на спине с закрытыми глазами и улыбался. Мускулистая его рука свисала с кровати, а кисть этой руки, мощная кисть ватерполиста, тихонько плескалась в тазике с водой. Вполне возможно, что в эти минуты он видел себя на пляже, неподалеку от Карадага.

Последнюю ночь Роберт провел на лестнице клиники. Он сидел на подоконнике и непрерывно курил, а на разорванных пачках от сигарет записывал прощальный стих.

Этого стихотворения
Ты не прочтешь никогда.
В город вошли, зверея,
Белые холода.
Сколько зима продлится,
Хлынувши через край?
Тихо в твоей больнице...
Юста, не умирай!
....
Сделаю все как нужно,
Слезы сумею скрыть.
Буду острить натужно,
О пустяках говорить...
....
В окнах больших и хмурых
Высветится ответ.
Как на твоих гравюрах —
Белый и черный цвет.
И до безумия просто
Канет в снежный февраль
Страшная эта просьба:
Юста, не умирай!

Значит, все-таки это было зимой? Или поэту так казалось, что со смертью друга тут же воцарится февраль?

Перед отправкой в Вильнюс тело положили в цинковый гроб с окошечком. За мутноватым стеклом представал перед семьей и толпой друзей почти неузнаваемый (потому что без улыбки) суровый лик рыцаря.

Полночи пили в Переделкино, на даче Эров, и никто не пьянел. Бродили по аллейкам под огромным звездным небом. Казалось, что склонились Стожары.

— Вот Юста теперь туда полетел, — произнес Авдей Сашин.

— Сколько ему туда лететь, — вздохнула Анка.

— Там времени нет, — пробурчал Ваксон.

1970, конец мая
Море

Капитан теплохода Андрей Каракуль прославился не только искусством кораблевождения, но также и любовью к литературе. Едва ли не в каждом рейсе у него на борту обретался какой-нибудь «властитель дум» или «пастырь раскаленных глаголов». Одна переборка в его обширной каюте была полностью прикрыта книжками стихов и прозы с дарственными надписями типа: «Капитан-капитан, улыбнитесь!», «Покорителю морей от беженца Земли», «Морскому волку от волка рифм», ну и прочее оригинальное, незаурядное, своеобычное. Надо сказать, что капитан Каракуль обладал весьма точным литературным чутьем и мог загодя определить кандидатов в клуб своих фаворитов. Таковыми почти всегда оказывались литераторы авангарда, поэты карнавала, то есть те, кого его ближайший друг Григ Барлахский называл «солнечными пупами».

Барлахскому в этом морском контексте должен быть отдан объемный параграф. Поднимаясь на борт «Яна Собесского», он фактически становился хозяином корабля. Отдавая приказания по движению, капитан всегда говорил своим вахтенным: «Уточните с Григом Христофоровичем». Каракуль обожал, если не обожествлял своего невысокого, но мощного, поперек-шире, друга, кавказского казацко-еврейского усача с лукавым и вечно настроенным на гульбу глазом, которого в бригаде морской пехоты, где они вместе служили, называли Угольком. Однажды на поле боя возле Аджимушкайских каменоломен их обоих весьма основательно прихлопнуло. Когда Уголек очнулся, Андрюшка Каракуль лежал рядом с ним без сознания. Он захлестнул его руку вокруг себя и пополз, сочась кровью, в сторону ненадежного тыла. Потом и сам потерял сознание. А Андрюшка к этому времени как раз очнулся. Привязал к себе штурмовым тросом друга и так пополз в тыл, то есть в сторону моря, которое уже раскрылось всепоглощающей голубизной. Через некоторое время морпех Каракуль снова потерял сознание, однако Барлахский к этому времени опять очнулся. И так они ползли, попеременно теряя сознание и возвращаясь к оному, словно два сильно бухих человека. О суммарно потерянной крови лучше не вспоминать. Наконец, были подобраны последней оставшейся баржой Краснознаменного Черноморского флота. Вот так иной раз возникали стальные дружбы в ходе XX века. Теперь, когда Григ возглавлял застолья в капитанском салоне «Собесского» и командовал «Рюмки на уровень бровей!», капитан Каракуль беспрекословно выполнял. Вообще старался всегда выполнять. Вот, например, по ходу рейса Григу захочется нырнуть с мачты, и капитан беспрекословно — если, конечно, метеоусловия позволяют — командует «Стоп, машина!» и «Отдать якорь!». Обычно они вдвоем поднимались на клотик «Яна Собесского» (это несколько старомодное плавсредство наци перехватили у польских маринаров, а у тех уже перехватили советские комми) и вот с этого клотика сигали вниз ласточками, несколько отяжелевшими от многочисленных застолий. Иногда, конечно, возникали некоторые конфузливые ситуации. Ну, например, затеет Григ Христофорович за столом какую-нибудь тяжбу с каким-нибудь упорным человеком, который не сгибается ни под каким аргументом и даже как-то нагловато поглядывает на ГХБ и его приятельницу, и тогда от вышеназванного следует приказ «За борт!», и два вахтенных матроса уже возникают за комингсом в ожидании повтора, и возникает какое-то неопределенное настроение, и капитан Каракуль нерешительно ерзает на стуле; и вот тогда от ГХБ следует гуманный вариант: «Отставить!» Через пять минут Григ уже пьет с «Упорным» и говорит тому, что тот теперь будет его «третьим плечом».

В тот сезон Барлахский поднялся на борт «Я. С.» в порту Одессы. Каракуль к его появлению выстроил на шканцах с полдюжины вахтенных и столько же музыкантов корабельного оркестра, которые под руководством капитана сыграли увертюру Россини. Сам играл на флейте.

— Послушай, кэп, — сказал Барлахский, когда они уселись на верхнем мостике за утренним кофе. — Не исключено, что тут появится Ваксон. Надо бы ему выделить приличную каюту.

— Ноу проблем, — сказал капитан и тут же послал за пассажирским помощником. — Надеюсь, он с Ралиссой появится? — капитан был порядком в курсе личных дел своих любимцев.

— Увы, увы, — покачал своим слегка бульбоватым носом поэт и знаток человеческих сердец Григ Барлахский. — С Ралиссой Вакса сел на камни. Вернее, без нее. Она уехала за границу.

— Как жаль, — вздохнул Каракуль. — Мельканье ее рыже-медовой гривы изрядно украшало бы палубы корабля.

— А как насчет ее взглядов?! — воскликнул Барлахский.

— Политических? — насторожился капитан.

— Какие там политические? — возмутился поэт. — Личные! Индивидуальные! Взгляды глаз! Бывало, отбросит свою гриву да так обожжет синевой взгляда, что впору за конец хвататься!

— На тебя, Уголек, все бабы так смотрят, — сказал капитан. Он знал, чем поднять настроение своему изрядно облысевшему с военных лет другу. Мнимо удрученный, но мечтательный Григ принялся набивать табаком привезенную ему капитаном трубку «Данхилл».

— Ни у одной бабы нет такого взгляда, как у Ралиски Кочевой. Я был готов идти за ней до мыса Фрагонар. Однако, увидев страдания Ваксона, я отошел в сторону. Знаешь, как в одной глубоко народной песне поется: «А если узнаю, что друг влюблен И я на его пути, Уйду с дороги, таков закон: Третий должен уйти!»

— Грига, народ не всегда мудр! — воскликнул тут капитан, и оба расхохотались. — Однако расскажи мне, каким образом Ралиска при такой любви с Ваксой оказалась за границей? Неужели с израильской визой?

Барлахский с удовольствием начал рассказ:

— Говоря о Ралиске, все мужики забывают, что она все-таки замужем. Этот Сёмка Кочевой порядочная свинья — говорят, что он на войне в СМЕРШе служил, — но все-таки он ее легитимный, так сказать, супруг. В общем, чтобы сократить долгую историю: года два, что ли, назад в Коктебеле у всех на глазах у нее с Ваксом разбушевалась настоящая любовь, в связи с чем Ралиска резко сократила доступ к своему телу, а законного Сёмку вообще выгнала из постели. Большевик этот весь исстрадался, друг Каракуль; можешь себе представить? Вот о чем надо писать, кэп: о том, что любовь делает с ревностными большевиками!

В общем, он, как ему и полагалось, бросился искать утешения в родных органах. И там, конечно, пришли на помощь своему бойцу. Он получил назначение в одно такое государство Великобританию — слышал о таком, кэп? — в ранге Чрезвычайного и Полномочного Посла СССР. Вот тогда уже Ралисса сдалась и отправилась вместе с ним в это государство в роли чрезвычайной и полномочной послихи, а нашему другу Акси-Вакси была предоставлена возможность кадрить редактрис в Доме кино. Вот такие дела, Андрюша; увы, увы.

— And so we go, — завершил завтрак капитан и отправился в город. Разумеется, в книжный магазин, где ему оставляли под прилавком все дефицитные художественные титулы.

Ваксон появился во второй половине дня, и не один. Вместе с ним приехал Кукуш Октава. Барлахский уже распорядился насчет кают, и потому все трое разошлись до ужина. Ваксон лежал на диване, курил и смотрел в потолок довольно обширной каюты. Временами на каком-то кусище бумаги делал какие-то заметки для подпольного романа «Вкус огня»; что-нибудь вроде: «Осветилась полированная брусчатка XVIII столетия. По ней процокала упряжка, карета, вся в завитушках рококо, без скрипа остановилась под белыми колоннами, едва лишь постукивая задним левым копытом и помахивая обоими золотыми хвостами. ...Очень плотный темный шелк! Платье темнее ночи, но тоже светящееся. Ропот платья под ветром, ропот рыжей гривы! Некто женский сбегал по ступеням, пряча нос и губы в черные кружева и блестя глазами... Вдоль шедевра чугунного литья прощелкало, прошелестело платье и, как-то мгновенно вздувшись, словно распустившаяся темно-синяя роза, исчезло в карете...»

С отъезда Ралиссы не прошло, наверно, и часа нашего земного времени, когда он не подумал бы о ней или не почувствовал ее отсутствия. Этот феномен исчезновения любимой казался ему противоестественным, ну вроде как «ледовый период» в истории Земли. Полтора года взаимомагнитных отношений, телесных ликований и последующей счастливой болтовни с подшучиваньем друг над другом и с разговорами о литературе. Он читал ее русские и англоязычные тексты и находил в них талант.

— Ты подлизываешься ко мне, чтобы я тебе еще лучше давала, — хохотала она.

— Дурища! — хохотал он в ответ. — Да как же может быть еще лучше?!

И тут же она ему доказывала, что может, может быть еще и еще лучше. И без конца лучше.

И вдруг исчезла. Да еще в роли послихи при после, этом советском крокодиле, готовом на любое крокодильство ради своего крокодильского учения. Я сам виноват. Надо было и самому развестись (все равно Мирка сблизилась с «лучшим женихом Москвы» господином Мелоновым), и Ралиску подтолкнуть к разводу с крокодилом, чтобы жениться на ней. Ну все, этого не вернешь, всего этого с ч а с т ь я не вернешь никогда; проехали!

И все равно он не мог ее и на час забыть, если измерять беду земным временем. И вся запись большой «нетленки», все распухающей бумажной кучи «Вкуса огня», ни один параграф этой записи не обходился без Ралиссы. По сути дела, это был роман о ней, и там, где ее по действию не было, она мелькала то в отражениях заката, то в пролетах ветра, то в саксофонном соло. Собственно говоря, она и вызывала этот космогонный огонь, а вовсе не политические революции; от них шел один тлен.

Однажды, не так давно (уже весной), возле редакции «Юности» его остановил элегантный в несколько старомодном духе пожилой человек. Приподнял шляпу.

— Простите, вы Ваксон?

— Да, — ответил он без излишней любезности. — Чем могу служить?

Пожилой человек продолжал держать шляпу чуть на отлете. Он явно чувствовал себя не в своей тарелке. Да и вообще не в тарелке. Скорее, в каком-то корявом для его достоинства моменте.

— Позвольте представиться, я Юрий Игнатьевич Аксельбант.

Ваксон споткнулся и сразу почувствовал себя в том же самом корявом моменте.

— Значит, вы?..

— Да, я отец Ралиссы.

Они пошли в толпе в сторону Маяковки. Юрий Игнатьевич водрузил шляпу на ее привычное место, то есть на его вполне патрицианскую голову. Он волновался, но пытался это скрыть.

— Собственно говоря, я никогда бы не дерзнул обратиться к вам на улице, если бы моя дочь в телефонном разговоре не попросила передать вам несколько слов. Фу, я очень неловко себя чувствую, но она сказала так: «Передай тому, кого я люблю, что я продолжаю его любить». Это дословно.

Несколько шагов они прошли в обоюдном молчании. Ваксон чувствовал себя так, будто его коснулось крыло Пролетающего.

Я Пролетающий-
Мгновенно-Тающий.
You must be happy!
Подбрасывай кепи!

Притворяясь бесстрастным, он спросил ЕЕ отца:

— Вы часто с ней разговариваете?

— Крайне редко. Раз в квартал, не более того. Но если вы хотите...

— Нет-нет, не беспокойтесь. Благодарю вас за это послание, если... если оно адресовано именно мне...

Аксельбант Юрий Игнатьевич резко отвернулся и пошел прочь. Только лишь опыт секретной службы удерживал его от рыданий. Что мне делать с этой девчонкой, которую я назвал болгарским именем, думал бывший резидент ГРУ в Болгарии. С этой киской, о которой я только и думал во Владимирском централе?

Я сволочь, думал Ваксон весь остаток дня и половину ночи. Счастливая сволочь. А с другой стороны, какого черта мне подбрасывать кепи? Ведь мне-то бросили просто медный пятак. Так, на всякий случай. А может быть, и не мне он брошен. Возможно, папа слегка запутался в тех, с кем она говорит на «ты». Нинка Стожарова, например, утверждает, что Ралли (так они ее зовут в своей «золотой дюжине») просто ф и з и ч е с к и не может ни с кем продолжать дольше трех месяцев. А мы с ней были полтора года. Ты побил рекорд, мой милый, говорит Стожарова. Это надо записать в Книге Гиннесса. Он поднял с пола свой большой кусок оберточной бумаги, на котором до фига было записано всякого в фонд «нетленки», и записал: «Ему бросили медный пятак».

Когда он вышел из своей каюты, «Собесский» уже был в море. Солнце, предвещая хорошую погоду, в отсутствие всяких облачных прокладок норовило обжечь отчетливую линию горизонта, а ночью от того огня запалить Стожары. Жаль, что нет тут со мной женщины-философа под той же фамилией. Нинка за эти два года стала редактрисой на киностудии и теперь вовсю старается соединить мосфильмовские зодиаки.

Он обошел весь дек класса «люкс» и не встретил ни души. Снизу с большой кормовой площадки доносились звуки еще одной глубоко народной, то есть барлаховской песни: «Все ждала и верила сердцу вопреки; мы с тобой два берега у одной реки». Туда вниз из «люкса» опускался довольно широкий трап. Ваксон присел на ступеньку лицом к закату. Почему-то вспомнился гумилевский стих, из-за которого когда-то они схлестнулись с комсомольским вожаком, ныне ставшим настоящим партийным бонзой Юркой Юрченко.

Придется присесть, пожалуй,
Задохнувшись, на камень, широкий и плоский,
И удивляться тупо оранжево-красному небу,
И тупо слушать кричащий пронзительный ветер.

Вдруг услышал шаги и смех Барлахского.

— Вакса, ты что там сидишь, как Онегин в джинсах? Небось, думаешь, кто там в малиновом берете с послом испанским тру-ля-ля? — Он присел рядом с Ваксоном на ступеньку трапа и поставил рядом ведро со свежесваренными раками. — Видишь, что мне спроворили на Пересыпи? Меня тут все знают, старик. Народ Одессы все еще помнит, кто их снабдил водой в самый жаркий час!

Все друзья Барлахского знали эту историю из его батального прошлого. Во время осады города румынской армией водокачка оказалась в руках врага. Грозила мучительная жажда. Отряд десантников, в котором далеко не худшим морпехом был всем известный Уголек, захватил водокачку и в течение трех суток удерживал ее, пока Одесса не заполнила все свои емкости доброкачественной водой. Все десантники погибли, и в этом Григ убедился, когда после войны попал в любимый город. На стене дома, где проходила подготовку к рейду их группа, висела мемориальная доска, которая сообщала, что все геройски погибли, включая и Барлахского Г. Х. 1922 г. р. Создатели мемориала не знали, что израненный Уголек выбрался по трубе в степь, где его подобрала крестьянка. С тех пор и всю жизнь он держался одной максимы собственной выработки:

Тех, что погибли, считаю храбрее.
Может, осколки их были острее?
Может, к ним пули летели быстрее?!
...Тех, что погибли, считаю храбрее.

— Вот сегодня мы этим ракам устроим Куликово поле! — с большим энтузиазмом воскликнул Барлахский. — Под водочку здорово пойдет, правда, Вакс?

— Ты же знаешь, что я водку сейчас не пью, — сказал «Онегин в джинсах».

— Не развязал? — с большим сочувствием спросил Барлахский: не пьющих водяру он считал убогими.

— С какой стати? — пожал плечами Ваксон.

Подошли и присели рядом Кукуш с капитаном Каракулем. Последний сообщил:

— В Ялте на этой палубе появятся еще кое-какие гости неординарного разряда.

Кукуш положил ему руку на плечо:

— Послушай, капитан, тебе не вломят за твое увлечение литературой?

Каракуль хлопнул в ладоши и пробарабанил немного по своему любимому судну:

— Как раз наоборот. Пароходство дало добро. Они в восторге: открытие туристического сезона с именитыми поэтами на борту! Это вам, ребята, не фуфляй-муфляй!

Пока они так болтали на шканцах, по быстро темнеющему морю стали проходить полосы ветра. Началась небольшая качка. Капитан встал:

— Ребята, идите в салон и начинайте ужинать, а я пока немного позанимаюсь кораблевождением.

Ваксон вспомнил, как они с Ралиссой оказались на «Я. С.» в новогоднюю ночь. Качка тогда была обалденная. Пассажиры туристского класса лежали в лежку, да и в полупустом «люксе» народ позабыл о встрече Нового года. Каракуль тогда произнес точно такую же фразу: «Пойду немного позанимаюсь кораблевождением». Ваксон отвел свою девушку в каюту, уложил ее в постель и закутал в одеяло, как будто это морское толстое одеяло могло уменьшить волнение стихий. А сам пошел на капитанский мостик. Каракуль там стоял как дирижер симфонического оркестра, только вместо палочки отдавал команды с помощью микрофона. Он показал Ваксону лоции и объяснил их курс через кипящее море. «Я. С.» шел на траверзе Евпатории и собирался обогнуть длинный песчаный мыс. Все получилось так, как он задумал. Грозные валы расступились, и среди них открылось озеро спокойной воды. Там он приказал поставить судно на два якоря, и качка полностью прекратилась. Люди засновали по всем палубам, готовясь к встрече Нового года. Ваксон помчался вниз и нашелРалиску в капитанском салоне. Она там плясала в толстых мордовских носках, такая забавная и любимая, что и он заплясал вокруг нее по-пацански, несмотря на свой статус литературного бунтаря. В этот раз Ралиски не было и буря не разыгралась. Но фраза была записана на куске оберточной бумаги.

В Ялте «Ян Собесский» встал к стенке порта. Часть пассажиров выгрузилась из теплохода и погрузилась в автобусы с целью совершения крымских экскурсий. Новые пассажиры весь день прибывали в других автобусах и поднимались на борт с целью плыть к кавказским берегам. Пассажиры-индивидуалы подъезжали к трапу на такси. Среди них то ли случайно, то ли намеренно оказалось немало уже знакомых нам персонажей, но о них позже. Пока что сосредоточимся на выдающейся персоне поэта Барлахского.

Как только телефоны «Собесского» соединились с городской сетью, он позвонил директору Ялтинской киностудии Гурчику и осторожно спросил, не может ли тот прислать в порт свою машину для поездки на водопад Учансу вместе с великим бардом Октавой и удивительным, на грани потрясения, прозаиком Ваксоном. Для осторожности были кое-какие причины. В прошлом году он тут снимал в качестве режиссера фильм по собственному сценарию под названием «Ауф-видерзейн». Речь там шла о морской войне у крымских берегов в конце 1943 года. Ялта была уже освобождена, а в Севастополе еще держался немецкий гарнизон. Курортный город стал базой дивизиона торпедных катеров. На них возлагалась задача прерывать движение нацистских транспортов с техникой и живой силой. Командирами катеров были боевые офицеры, все как на подбор мужественные красавцы; Барлахский любил такого рода парней, потому что и сам себя причислял к таковским. Естественно, у них на крутых склонах Ялты разыгрывались романтические истории под музыку Микаэла Таривердиева. И вот из этого мирного рая парням чуть ли не каждую ночь приходилось уходить в почти самоубийственные рейды.

По прошествии недели съемок киногруппа Барлахского захватила все ключевые точки города, а сам он превратился едва ли не в диктатора. Однажды к нему прискакали запыхавшиеся из горкома партии и попросили снять хоть на пару часов оцепление вокруг отеля «Ореанда». Без всяких признаков навязчивой любезности он послал их подальше. Запыхавшиеся возмутились:

— Вы, кажется, не совсем поняли, Григ Христофорович, вас первый серкретарь горкома партии просит!

Григ запылал очами и грохнул обоими кулаками по походному столику:

— Пока я здесь снимаю, ваш горком будет работать в подполье!

Оцепление сняли только после конца съемок.

Но самые жесткие тяжбы вспыхивали у него с местной киностудией из-за аппаратуры, материалов для достройки, автотранспорта и пр., а конкретно с товарищем Гурчиком. Орали матом, грозили пальцами и кулаками, иной раз вроде бы даже бросались. Вот поэтому он сейчас и проявил такую вежливую осторожность и даже назвал директора Лёней. В бюрократических структурах СССР, между прочим, бытовала между «сильными людьми» довольно странная манера: по прошествии времени забывались и матерщина, и кулаки, и все это хамство приобретало даже какой-то ностальгический колорит. Так и в тот раз получилось. Лёня Гурчик прямо «замилел» к Григу «людскою лаской» и немедленно прислал машину. Так что Октава и Барлахский комфортабельно уселись в «Волге», а Ваксону кричали-кричали, да не докричались: куда-то свалил авангардист.

Между тем гости съезжались в порт. Подъезжали на такси. Сталкивались у трапа или уже на палубах «Собесского». Вот так, например, столкнулись Ян Тушинский и Роберт Эр. Еще недавно ближайшие друзья, они в последнее время друг к другу по каким-то причинам охладели. Столкновение произошло совершенно случайно и на узком пространстве, иначе бы разошлись под видом поэтической рассеянности.

— Ха-ха! — воскликнул Тушинский и с понтом слегка потискал Эра холодными руками. — Приветствую тебя, м а э с т р о, на моем корабле!

— С какой это стати уж и этот корабль стал твоим? — с кривоватой улыбкой поинтересовался Роберт.

Тушинский заглянул ему в лицо:

— Юмор есть? Он — Ян, и я — Ян, вот и получается, что корабль мой!

С некоторой натужностью они уселись в плетеные кресла и вытащили сигареты. Раньше вот так всегда получалось при встречах: сигареты, болтовня, взрывы смеха, чтение кусков. Сейчас несколько минут прошло в молчании, и Роберт даже взглянул на часы. В конце концов первым заговорил Ян; и заговорил с исключительной серьезностью:

— Послушай, Роберт, похоже на то, что ты, вроде, меняешь гильдию; так что ли? Теперь вокруг тебя совсем другой народ, чем прежде; не так ли? Все эти песенники — да? — Бабаджанян, Тукманов, Пахмутова, Птичкин — верно? — и все эти вэ-ли-ко-лэпные певцы, Бокзон, Эль-Муслим, Кристаллинская — так? В общем, ты покидаешь наш скромный цех и там, у них, становишься маэстро; так получается?

Роберт тут разозлился, как тогда говорили, по-страшному. Какого черта он всегда нотации преподносит? Прошлый раз в Коктебеле нотацию читал за излишки риторики, в юности выговаривал за «барабанные ритмы»... Кто он такой, чтобы постоянно учить? Может быть, спросить его напрямик: кто вы, доктор Зорге?

В последнее время, вращаясь, а скорее бултыхаясь в секретариатских и партийных кругах, он стал нередко наталкиваться на следы не вполне понятных, но важных миссий Тушинского.

— А ты-то сам, Ян, к какой гильдии принадлежишь, к какому цеху? — спросил он, глядя в сторону, на набережную Ялты, где юркал из магазина в магазин наш простой советский народ. Ответа не последовало. Он повернул голову и никого не нашел в соседнем плетеном кресле; оно было пустым. На другом конце палубы длинный Ян уже прогуливался под руку с атлетическим Гладиолусом Подгурским. Роберт не выносил неприятных разговоров, и когда приходилось их вести, старался смотреть в сторону, а не на собеседника. Что касается Яна, тот при неприятных диаложных поворотах предпочитал «линять».

Теперь он дружески, нежно, едва ли не по-братски прогуливал по палубе Гладиолуса.

— Ты видел, тут на корме стоит отличный стол? Мы с тобой за ним поработаем на славу, правильно?

Речь шла, разумеется, не о письменном столе, а о пинг-понге.

— Скажи, Глад, а что ты сейчас пишешь?

— Пишу сейчас «Евангелие»... ну, от кого, как ты думаешь? ...Не догадываешься?.. От Робеспьера!

— Ну, знаешь, так прямо уж и от Робеспьера?

— Вот именно, от этого первого краснопузого гада.

— Гладиолус, как ты можешь так говорить? Ведь этот цвет и к нам имеет отношение!

— Ко мне? К Ваксу? Ни малейшего!

— Ладно, лучше скажи, читал ты мою прозу о Гавайях?

— Прости, Ян, не смог.

— Что так?

— Ну, просто малость подташнивало.

Тушинский тут же ослабил «чувство локтя». Гладиолус спохватился, что сказал что-то такое слегка бестактное, и стал заверять друга, что он вовсе не хотел его обидеть, что речь не идет о качестве его прозы, а просто ты там, Ян, описываешь разносолы полинезийской кухни, и когда я вспомнил, что там вроде капитана Кука пожрали, вот тут слегка замутило и... Он не окончил фразы и понял, что говорит впустую. Кумир всех континентов и множества островов уже шагал, раскрыв объятия, в сторону только что прибывшей четы Антоши Андреотиса и Фоски Теофиловой. Остановившись перед ними, он громогласно прочел слегка им измененную строфу из новой подборки Антоши:

Как овечка черной шерсти,
Ты не зря живешь свой век —
Оттеняя совершенство
Безукоризненных коллег.

Он думал — Антоша гикнет от удовольствия, услышав, как его цитирует великий собрат, но тот со словами «Катись ты в жопу!» уклонился от объятия и прошел мимо.

— Фоска, что это с ним?! — воскликнул он, пораженный в самую нежную свою сердцевину.

— А ты не догадываешься? — сурово спросила его строгая красавица Теофилова и тоже прошла мимо. Мы и сами не очень-то догадывались, что произошло между двумя поэтами, но потом услужливая память подбросила один эпизод.

В недавние недели компания повадилась по утрам приходить на хаши в ресторан «Нашшараби». Считалось, что хаши, этот жирный бараний суп, снимает синдром похмелья. К сожалению, сопровождающие похлебку маленькие рюмочки водки превращали терапевтическую процедуру в очередное самоотравление.

В то яркое майское утро собрались вокруг дубового стола Генри Известнов, Рюр Турковский, Авдей Сашин, Антоша Андреотис, Юра Атаманов, Гладиолус Подгурский, в общем, славная компания. Неожиданно появилась и парочка — Тушинский с Катюшей Человековой. Только после этого появления «хашисты» стали обмениваться недоуменными взглядами. Во-первых, как получилось, что в их основной похмельной группе оказался не очень-то пьющий Антоша? Во-вторых, почему Катюша пришла утром с Яном, когда всем известно, что она прогуливается как раз с Антошей? В-третьих, отчего это наша Человекова стала появляться на хаши, да к тому же с разным мужским эскортом? На третий вопрос ответить нетрудно вопросом: а где же еще может опохмелиться актрисочка-пьянчужка, если в городе водку продают только с одиннадцати утра? На два первых вопроса никто в компании отвечать не собирался, потому что это сугубо личное Катюшино дело. Компания актуально и с напором болтала по вопросам профессиональной художественной жизни, ярясь главным образом по поводу зажима и ослабления умственной деятельности «передового отряда».

Катюшино серенькое страдальческое личико между тем, а именно между второй и третьей, расправилось и засияло; она вступила в дебаты на равных со всеми, и никто бы не вспомнил о всяком ее личном, если бы не произошел один малоприятный эпизод.

Часа через два наши «хашисты» бодро захорошели, собрали деньги «с рыла» — Тушинский, как всегда, бросил на стол несколько бумаг высшего достоинства — и отправились по делам, чтобы встретиться «на площади Восстанья в полшестого». Выйдя на площадь по соседству с крутозадым конем Основателя Москвы, некоторое время еще стояли и ржали, потому что кто-то подбросил как раз анекдот «Дома то же самое».

В поле зрения появилась группа молодых грузин, направляющихся в «Нашшараби». Приблизившись к нашей группе, они остановились в трех шагах, а один из них, высокий и безусый, прошел и эти три шага, чтобы отхлестать по щекам нашу неприкасаемую Катю Человекову. После этого, не тратя ни секунды на объяснения, обе группы бросились друг на дружку. Нас было больше на две пары кулаков, и мы в общем-то побеждали, хотя и получали по зубам. Даже Антоша воевал, смешновато как-то разбегался, прежде чем засадить. А Катя Человекова, что же она? Она стояла рядом с чем-то красивым, ну, допустим, рядом с каменной вазой, и покуривала с таким выражением лица, как будто ей только что подарили розу, а не пощечину. Ну а Тушинский-то, где он, наш герой? Метрах в ста от места схватки он двигался быстрым шагом в сторону улицы Горького и посматривал на часы. На углу остановился и кликнул такси. Машина тут же подкатила, и он отбыл. Ну что же, люди такой исключительной востребованности могут всегда заспешить на какие-нибудь безотлагательные аппойнтменты.

На поле боя между тем произошел ключевой поворот. Авдею Сашину удалось подхватить главного негодяя под колено, дернуть и свалить на спину. Тот полежал, закрыв лицо ладонями, потом сел на асфальте, развел руками и прокричал что-то на своем горловом языке: дескать, все, признаем поражение и объявляем перемирие.

— Какое еще перемирие с таким говном, как ты? — сказал ему Генри.

— Слушай, друг, из-за нее мой брат чуть не повесился, — сказал безусый и крикнул в сторону каменной вазы: — Катюш, прости!

— А пошел ты на йух! — так ответила ему Человекова и пошла прочь. И за ней пошел наш Антоша, гений ВМПС. Вот, собственно говоря, что имела в виду его восхитительная жена Фоска Теофилова, когда обратила в сторону Тушинского довольно жесткий вопрос: «А ты не догадываешься?» А тот, похоже, так и не догадался.

Пребывая некоторое время в растерзанных чувствах, Ян решил было отправиться в город пострадать одиночеством, когда вдруг увидел, что из такси возле главного трапа «Собесского» выскакивают быстроногие две его жены, бывшая, Нэллочка Ахxo, и пока что нынешняя, Татка Фалькон, обе в случайной одежде, однако с большим общим чемоданом нарядов. Скатившись по трапу, Ян сел на этот чемодан.

— А вы-то как тут оказались, девчонки?

— А нас Андрюша Каракуль к себе на борт пригласил! — дерзновенно ответствовала Татка.

А Нэлка, скок-скок-скок, приблизилась и повисла у него на плече.

— Скажите, друг мой, а здесь землетрясения не ожидается?

Вопрос был поставлен так, как будто сами эти экстравагантные дамы только что вырвались из зоны землетрясения. Следует сказать, что это предположение не лишено было некоторых трясущихся оснований. Не далее как третьего дня тогдашний муж Нэллы Марк Аврелов выгнал их обеих из своей квартиры.

Вообще-то он редко бывал в своем городском пятикомнатном апартмане, можно сказать, почти там не бывал, то есть не бывал вовсе. Все свое время Марк Севастьянович сидел в своем доме на главной аллее поселка Красная Вохра. Трудился там над очередными габаритными сочинениями художественной литературы социалистического реализма. По завершении труда основная копия засылалась: а) в толстый журнал; б) в роман-газету; в) в издательство «Совпис»; г) в издательство «Худлит» для академического издания полного собрания; д) в ведущие областные издательства и в издательства союзных республик; е) в издательства стран соцлагеря; ж) в прогрессивные издательства капстран. Неосновная копия подвергалась обработке по системе «нетленная литература» и по ночам закапывалась в саду до наступления лучших времен, которые должны были ему принести неоспоримую НП.

В тот драматический день он почти машинально снял с полки поэтическую книжечку своей жены, открыл наугад и прочитал там то, что написано было уже несколько лет назад, но прежде ему на глаза не попадалось:

Ах, мало мне другой заботы,
Обременяющей чело —
Мне маленькие самолеты
Все снятся не пойму с чего.
....
А то глаза открою: в ряд
Все маленькие самолеты,
Как маленькие соломоны,
Все знают и вокруг сидят.

Черт знает что, подумал Марк, она совсем уже поехала! Экое эротоманство, упадок, разврат! Народ под гнетом свиноподобных изнемогает, а ей похотливые евреи грезятся! Надо нагрянуть, схватить за руку, надрать задницу! Кто-то говорил, что за ней какой-то юный кабардино-балкарец таскается, что мадам Тушинская-Фалькон на нее влияет в отрицательном смысле. Бесконечные сплетни, слухи, на даче не показывается! Надо все это пресечь, надо в конце концов, если понадобится, объясниться в любви. Еду!

Он сел за руль своей «Волги-Белая ночь» и помчался. По дороге купил на шоссе ведро цветов.

На Черняховской он открыл своим ключом дверь, шагнул внутрь и тут же вылетел обратно на лестничную клетку. Жителю дачи запах городской квартиры показался невыносимым и противопоказанным, хотя ничего особенного в нем не содержалось: ну, чрезмерные духи, ну, чрезмерный кофе, чрезмерный никотин, чрезмерный коньяк, ну, чрезмерное в воздухе и под пледами скопление маленьких самолетов-соломонов. Вторая попытка пройти через ад оказалась успешной. Он достиг гостиной и игриво позвал: «Ахxo, Ахxo, Ахxo!»

Ответом было молчание, слегка нарушаемое волнующим женским храпцом. Он шагнул в спальню и остолбенел, как жена Лота. При полном освещении на супружеской кровати, словно последние беженки Содома, в живописных позах возлежали три женских тела. Члены их переплелись, образуя сущую лиану раннего модерна. Власы их простирались по подушкам, будто разбросанные ураганом любви. Очи их были закрыты и как будто бы навеки, если бы не легкий волнующий храпец, исторгаемый одной из них; какой неведомо. Перед ним лежали во всем бесстыдстве три трудноотразимых: Татьяна, Екатерина и родная супруга Нэлла, с которой еще совсем недавно, в начале родства, по ночам на даче они танцевали вальсы; так чисто, так невинно!

Далее произошло нечто несопоставимое с довольно высоким уровнем культуры и интеллекта Марка Аврелова, сумевшего даже в хлеву социалистического реализма утвердить порядочный стиль и даже проблески юмора — его обуял амок! Взревев, он понесся по спальне, с грохотом отбрасывая предметы мебели и с треском распахивая окна. Пусть воздух трудовой Москвы ворвется в это гнездо разврата! Грязнейшие выхлопы трудовой Москвы чище вашей тлетворной парфюмерии, сучки и мерзавки! Убирайтесь из моего трудового дома! Убирайтесь навсегда! Нэлка, засранка, зассыха, чесотка, развратом своим и лесбиянством ты осквернила свой великий талант кристальной чистоты! Вон из моего дома! Навсегда! Ты разрушила наш союз творческих пчел! Испохабила все вокруг своими маленькими соломонами! Пускай чекисты придут и выскребут своими когтями все плевелы вашего декаданса, гадины, лесбиянки! Все — вон! Танька и Катька, убирайтесь вместе с Нэлкой! Навсегда! Пусть ваши мужья и хахали ищут вас в кругах Дантова ада! Нэлка, я разрываю наш брак! Я собиратель и нравоучитель, я пчела, а ты трутень разврата — вон! Тащись со своими мегерами на проститутский вокзал и далее — в лепрозорий Двадцатого века!

В общем, вот так. Он распахнул все двери и долго выбрасывал на лестничную площадку всякий одежный хлам вкупе с распахнутыми чемоданами, а дамы, слегка дрожа, но высоко держа оскорбленные подбородки, кто в легких пеньюарах, а кто и просто в банной простыне, сидели на ступеньках, ожидая, когда затухнет беснование. Наконец оно затухло, но вместе с тем захлопнулась и дверь квартиры. Тогда они поняли, что все получилось всерьез, тем более что из глубин квартиры стала разноситься песня «Врагу не сдается наш гордый «Варяг»; соло, а капелла.

Жители Аэропортовской слободы в тот день с любопытством наблюдали, как из одного дома в другой через дорогу шествовали навьюченные две молодые дамы и одна девушка, известная населению по кинофильмам. Им помогал с чемоданами участковый уполномоченный Скворцов, позднее назначенный на пост возле Норвежского посольства, что на Воровской, бывшей Поварской.

Оказавшись в старой квартире Тушинских (вскоре им предстоял переезд в новую, на Котельниках), дамы открыли бутылку лондонского «Бифитера» и приступили к серьезному разговору. Председательствовала Татьяна. Этот твой монстр отчасти прав. Мы живем как тунеядки. Ядим втуне. Или ядим тунца? Так или иначе, пьем, как лошади амазонок. Опьяняемся битвой с коблами, вернее с человеческими жеребцами. С этим надо кончать. Нам надо влиться в народ, перейти к тяжелому ручному труду.

Почему бы не стать нянечками в какой-нибудь грязной больнице, почему бы не выносить за неподвижными?

Я за, подхватила Ахxо. Прямо ему дротиком в глаз! Хочу уехать в Тарусу и жить в избе. Ходить за скотиной. Утром на рынке предлагать творог. В чайной скорбеть о судьбе столетия. Говорят, что у тамошних шоферов удивительно голубые глаза.

Послушай, ты знала, что в нашей стране миллионы бездомных детей? Это огромная тайна большевиков. Дети переселенных народов кочуют в пустынных степях, вырастает дикарская раса. Мы как женщины века должны начать движение по усыновлению и удочерению несчастных. Пусть эти волчата почувствуют материнскую заботу. Я, например, готова им посвятить весь остаток дней. Катька, ты куда?

Оказалось, что Человековой надо идти играть. Она точно не знала, кого играть, но слышала, что какую-то английскую девушку. Вот, вспомнила, режиссер Оскар Уайльд. За мной заедут и повезут на «Мосфильм», нет-нет, в Моссовет; ну, в общем, не важно — что и где, а важно как! И, выжав последние капли из «Бифитера», упорхнула. И вот тут как раз и прозвучал волшебный звонок. Андрюша Каракуль приглашал на свой корабль, обшитый внутри дорогими сортами дерева.

Вся эта история была рассказана Тушинскому уже в плетеных креслах на борту «Собесского». Он выслушал ее с чрезвычайной серьезностью и даже с некоторой дозой драматизма, если судить по тому, как он хмурился, скалился и ломал сигареты. И лишь только при упоминании Человековой на лице его мелькнула симпатичная, хоть и хитренькая улыбочка. По завершении же рассказа воскликнул:

— Какая сволочь!

— Кто сволочь? — вздрогнула Ахxо.

— Да этот твой Марк!

— Янчик, он уже не мой. У меня теперь Гамзат.

— Кто он такой, этот твой Гамзат? — спросил он с неподдельным интересом.

— Янчик, он дитя. Юный поэт. Я хотела бы его усыновить, если бы у него не было большущей семьи в Нальчике.

Татьяна тут потрепала мужнин взлохмаченный чубчик.

— А ты бы, Янк, согласился усыновить какого-нибудь малыша с таким вот, как у тебя, чубчиком?

— Ты всерьез, Танька, говоришь? Без подгрёбок?

— Какие могут быть подгрёбки на такую тему?

— Конечно, я бы его признал как своего первого сына.

Тут на него обрушились шутливые, но основательные подзатыльники.

— Первого? А это как прикажешь понимать?

Он защищался локтями.

— Танька! Перестань! Ну мало ли что! Помнишь, как Асеев-то писал про Маяка: «Может, где-то в дальней, дальней Мексике от него затеряно дитя»?

Отмахнувшись от «избиений», он встал:

— Нет, какая все-таки сволочь этот Марк Аврелов! Выгнать женщин из дома, это ли не сволочизм?!

Надо сказать, что с этой точки зрения Яна Александровича никак нельзя было записать в разряд сволочей: он никогда не выгонял женщин, а уходил сам.

Похоже на то, что пострадать одиночеством в этот день удалось только Ваксону. Сначала он отправился на ялтинский почтамт, чтобы позвонить домой. Нужно было уточнить финансовую ситуацию. Он уехал в Одессу почти без денег, оставив домашним какие-то жалкие полторы сотни, которые удалось выцарапать в реперткоме в счет перевода армянской пьесы. Эти переводы с подстрочников кое-как еще помогали сводить концы с концами, однако выцарапывание денег в мрачном учреждении было изнурительней полухалтурной работы. На «Мосфильме», в Шестом объединении, обещали выплатить полторы тысячи за вторые поправки по сценарию. Из них семьсот надо будет отдать по неотложным долгам. С оставшейся суммой можно будет все-таки вздохнуть, однако когда эта мосфильмовская корова разродится — вот в чем вопрос. Там сейчас, в Шестом, Стожарова устроилась в редактрисы. Обещала нажать на корову, а вдруг забудет со своими бесконечными романешти? В Одессе с помощью Барлахского удалось подписать договор на переработку сценария Клопштока. Обещали через неделю выписать аванс. Значит, я могу получить там деньги по возвращении из этого роскошного путешествия. Если Фортуна не отвернется. Ну а если и там и сям эти выплаты застрянут; что тогда делать?

В писательской коммуналке народ думал, что Ваксон богат. Молодой еще человек, в том смысле, что не старый, а располагает уже трехкомнатной кооперативной квартирой, «Жигулями-2103», шмотки на нем исключительно фирменные, жена модница, дети как картинки; чего еще ему не хватает? Дачи в Переделкино? Подай заявление в Литфонд, глядишь, и выделят тебе пару комнат с террасой. Если, конечно, ну, так сказать, приблизишься к эталону советского писателя. Но он не хочет, товарищи, приближаться, потому что получает подпитку из зарубежья.

На самом деле над Ваксоном грязным пологом постоянно нависала нищета. Иногда среди ночи, чаще всего полпятого утра, просыпался в холодном поту. Где взять башлей? Как погасить ссуды? Как Ляле оплатить уроки фигурного катания? Хватит ли на питание, на весеннюю обувь, на летний отдых? Книги перестали издавать совсем. Вынуждают идти с протянутой рукой, бить челом в инстанциях. Не дождетесь, чехоморы! У кого еще из приличных людей можно одолжить? Ну не у Мелонова же! Последний недавно остановил его на углу. Послушайте, старик, я хочу вам сказать, что если прижмет, в том смысле, что если гады блокаду затянут, я могу вам ссудить порядка десяти «косых» без срока. Подчеркиваю, без срока.

И смотрит прохладным, но дружелюбным взглядом. Таким широким жестом проявляется вполне искренняя благодарность, и я ее могу принять: ведь это все-таки я воспитал для него вполне симпатичную женщину-мать. Спасибо, Вадим, в случае резких удушающих действий непременно обращусь к вам. Ведь мы соседи, говорит тот. Вот именно, мы соседи, близкие люди, говорит Ваксон. Закуриваем по сигарете. Дымки перемешиваются. Рукопожатие. Соседские приятельские отношения. Муж любовницы. Любовник жены. За их спинами поднимается заря Семидесятых — Ралисса Аксельбант!

Наконец его позвали в телефонную кабинку. Голос у Мирки был вполне миролюбивым. Не волнуйся, деньги из «Мосфильма» пришли. Это все благодаря Нинке. Она там нажала. Ты неплохо устроился, Ваксон: иметь такую любовницу, как Стожарова, это что-то. Этой Мирке довольно трудно объяснить непростое. Один раз застукала с Нинкой и теперь навсегда уверена, что мы любовники, а не друзья. Но хотя бы не мещанствует; да, это так.

Окрыленный финансовым успехом, он взмыл на ялтинский склон.

Он шел куда глаза глядят, но через час понял, что в ноги у него вселилась память о Ралиссе. За полтора года любви они были в Ялте по крайней мере три раза. А может быть, и пять раз, если припомнить автомобильные дела и полупьяные перелеты. Вот здесь он увидел, как Ралик стоит босая и вытряхивает из мокасин маленькие камешки. А вон на той террасе, среди азалий, под вечер мы взялись дуть массандровское игристое, и она над краем бокала смотрела на меня и показывала, как это должно быть при самой первой встрече, и я совсем от этого дурел, а она мне бормотала: «дождемся ночи».

Ночь тогда пришла лунная, возникла масса всевозможных теней и серебристых поверхностей. Мы шли с ней вон там, два уровня выше, вдоль территории санатория, и она неудержимо хохотала от этого, как говорят, «веселящего» шампанского, а он все старался ее отловить и целовать без конца, а имени даже и не спрашивать. Она наконец нашла подходящее место, парапет, где можно сесть и поднять ноги. Быстрым, почти одномоментным движением стащила с себя трусики и положила их в карман его пиджака. Они трахались, отделенные лишь тенью решетки от какого-то теннисного корта, и эти клетки на ней, на любимой «незнакомке», просто совсем уже доконали; вот там он действительно улавливал миги всеобъемлющей л-ви.

По завершении прелюбодеяния они стали спускаться вот по этому крутому асфальту, к парку, откуда доносился голос Кукуша:

Я много лет пиджак ношу,
Давно потертый и неновый.
И я зову к себе портного
И перешить пиджак прошу...

Вот тут, в тени кипарисов, они остановились, и он церемонно вернул ей то, что положено было в его карман.

— Это к вопросу о пиджаке. Как вас зовут, мадам?

Она:

— Как меня сейчас зовут, не знаю, а в будущем я буду мадам Ваксон.

Она смеется и бежит, чтобы он догонял. Волосы ее сильно взмахивают на ветру. Она не любит дурацких «начесов», всех этих «бабетт». Гриву стрижет до плеч. Причесывается гладко. Ё, в груди все тает от нежности.

Как-то раз зимой на набережной царил Царь Ураган. Они шли вдвоем под плащ-палаткой, которую им одолжил знакомый мент. Прижавшись, грели друг друга. Вон там, кажется, открыто. Зайдем, кирнем? За стойкой в одиночестве маячил бармен Сашок, представитель внесезонной местной аристократии барменов. Ралисса сбросила милицейский плащ и прыгнула на высокую табуретку. Ваксон обратился к бармену: «Сашок, можешь нам сделать джин-физ?» Не успел бармен приготовить «фирменный» напиток, который здесь подавали только своим, как в помещение вошли три мокрых шакала. Приблизились к Ралиссе и стали разглядывать ее обтекаемые линии. Сашок снял телефонную трубку. «Привет, подруга!» — сказал один из шакалов и положил ей руку на бедро. Она сбросила паршивую конечность. Все трое напружинились в нелепых, но страшноватых позах. Ваксон, не раздумывая, вынул из кармана редчайшую в СССР штучку, аргентинский пружинный нож; щелчок — и лезвие выскочило, чуть-чуть продрожав. Ралисса же извлекла из плечевой сумки свое личное оружие — газовый пистолет.

«Вот это парочка!» — воскликнул Сашок. Шакалов же и след простыл.

Вспоминая все эти сценки, Ваксон иногда садился на скамью, закрывал глаза и слегка подвывал своей беде. Ну что мне делать? Я не могу без нее. Почему она так легко меня предала; раз — и исчезла со своим крокодилом? Неужели совдепская дипломатия ее так прельстила? М-те

Ambassador Kochevoy. Мне трудно здесь жить вообще, а без нее совсем невозможно.

Однажды они сбежали на Чегет, Лиса Ралисса и Кот Ваксилио. Полдня простояли в очереди на единственный в ущелье лыжный подъемник и наконец поехали со скрипом и визгами. Над самым высоким местом подвески, а точнее над трехсотметровой пропастью со скалами на дне, они повисли. Подъемник остановился. Тяжелые лыжи тянули вниз. Цепочка казалась ненадежной. Холодный ветер основательно раскачивал люльку. И ничего нельзя сделать для спасения. Чудовищная ситуация. Конец жизни. Она, очевидно для того, чтобы отвлечь, засунула руку ему под свитер и пощипывала кожу. Он, очевидно с той же целью, держал в горсти ее ухо и читал Маяковского:

По морям играя носится
С миноносцем миноносица.
Льнет, как будто к меду осочка,
К миноносцу миноносочка.

И оба с понтом беззаботно смеялись на грани полнейшей истерики. И оба страшились, что первым (первой) полетит вниз любимый (любимая).

Так прошло двадцать с чем-то минут. После этого механизм заскрипел и дорога поехала. Ночью они спали, держа друг дружку в объятиях, и вдруг затрепетали, чтобы проснуться в слезах. Обоим привиделось, что второе сиденье в люльке — пустует.

Вот так и сейчас, шесть месяцев и одиннадцать дней-ночей он видит второе сиденье пустым. Неужто она ушла от меня навсегда, провалилась в пропасть?

Среди запланированных капитаном Каракулем гостей вдруг появился один, как всегда, внезапный. Влад

Вертикалов, юный, спортивный, взлетел по трапу прямо в объятия капитана.

— Андрюша, я здоров! Меня вылечили классные ребята, врачи из Наркоцентра!

— Значит, больше не пьешь? Поздравляю, дружище! — воскликнул Каракуль.

— Могу не пить, а могу и выпить. И снова не пить! Как все! Ну вот как Робка, например! Хочу молчу, а захочу — захохочу!

Каракуль мял его в объятиях, смеялся, а сам думал, что надо будет врачам сказать, чтобы не спускали с него глаз.

К вечеру гости плавучего литературного форума «Понт Евксинский» стали собираться на ужин в капитанском салоне. Кроме уже названных в ходе посадки на борт там были и другие персонажи: Юра Атаманов, например, Рюр Турковский, который снимал в Крыму, а точнее, в пещерах Чуфут-Кале большой эпизод своего фильма, Глад Подгурский с ассистенткой Кис, Энерг Месхиев с его величавой Гюльнар, композитор Джефферсон с композиторшей Ибатуллиной, ну и пр. Многие давно не виделись и потому, пользуясь такой счастливой оказией, болтали напропалую. Капитан временами заглядывал в салон, чтобы проверить, как размещаются гости вокруг большого стола, и улыбался с наслаждением при звуках этого густого литературного гур-гура.

Когда все более или менее уселись, в дверях с церемониальной значительностью выросла фигура капитана в парадном кителе с золотыми шевронами. Он поднял руку и заговорил.

«Лэдис и джентльмены, дорогие товарки и товарищи! Оргкомитет плавучего форума «Понт Евксинский» на борту теплохода «Ян Собесский» горячо и категорически вас всех приветствует! Мне поручено также объявить удивительный сюрприз. Нас почтила своим присутствием удивительная дама наших дней, которую мы и не ждали в сиянии наших лампад, Ее Превосходительство... ну, в общем, кое-кого прошу не падать! — он протянул руку за дверь и продолжил по-английски: — Your Excellency, be so kind and join us at our table!» Ведомая его рукой, в салон вошла Ралисса Кочевая-Ваксон. Все дамы ахнули: «Еще больше похудела!»

«Глазищи-сволочи сияют как!» — стали орать поэты. «Нет в мире более желанной бабы», — Турковский прошептал Месхиеву. И тот сверкнул, скрытно от величавой.

Меж тем средь общего кружения умов Ралисса все оглядывала салон, пытаясь обнаружить своего аманта; уж не залез ли он под стол? «А где же мой?» — глазами она Барлахского спросила. Тот так же мысленно ее обжег: его, мол, нет, ко мне готовься в койку!

Вдруг прояснилось: нет средь нас Ваксона. Все удивились: где же мелодрама? Куда он, черт, пропал? Небось в подвале «Вина и Напитки» страдает с одиночеством своим. И тут вошел Ваксон.

Увидев гриву, смесь пшеницы с медом, увидев губы, нежности ловушки, увидев грудь и очертанья бедер, он только руку к милой протянул. Она дрожала, поднимаясь с места, она страдала комплексом измены, она боялась, что он «плюнет в морду», а он ей только руку протянул.

Очень быстро, не говоря друг другу ни слова, они прошли по коридору к его каюте. Там в середине пространства лежал ее раскрытый чемодан. Значит, прямо сюда принесла команда, значит, по точному адресу. По-прежнему не говоря ни слова, они стремительно разоблачились и в этом пламенном разоблаченьи разоблачили бешеную страсть. Он руки положил свои на бедра дамы и тут же их отдернул: так много кочевало в этих бедрах открытого л-вью электричества. Она прильнула обнаженной грудью к его соскам и продрожала словно нимфа в контактах этих. Он положил ее в постель и сам склонился над любимым телом. И прошептал в уме из молодого Пастернака:

Как я трогал тебя! Даже губ моих медью
Трогал так, как трагедией трогают зал.
Поцелуй был как лето. Он медлил и медлил,
Лишь потом разражалась гроза.

И она под ним, изгибаясь и раздвигаясь вся шире и шире, забираясь пятками на его торс, повторяла про себя следующую строфу:

Пил, как птицы. Тянул до потери сознанья.
Звезды долго горлом текут в пищевод.
Соловьи же заводят глаза с содроганьем,
Осушая по капле ночной небосвод.

Она лежала, закрыв лицо ладонями, пока не услышала странные звуки. Сняла ладони с глаз и увидела, что он плачет. Сильный поршень ходит внутри, а снаружи плачет дитя. Мальчик мой любимый, как ты жил без меня, без этой предательской пи-ды? И сама расплакалась, сквозь слезы повторила то, что у них повелось с Коктебеля: «Не щади, не щади!»

Потом они долго шалили в постели, как дети: кувыркались, прокручивались вокруг оси, словно в воде, она забиралась к нему на спину и прыгала, как лягушка. Кого я вам напоминаю, сударь, скажите честно?! Она ждала, что он брякнет «проститутку Ралиску», но вместо этого сказал смешное: «Ты прыгаешь на мне, как горячая лягушка!»

Потом она сказала с любовной серьезностью: «Заходи теперь сзади, я покажу тебе британский изыск». Он содрогнулся от гнева и от похоти. Почему меня тянет к блядям, а из них к самой блядской? Она расположилась поперек кровати в обещанной позиции, а он встал сзади ногами на полу. Теперь вступай! Он вступил. Давай! Он дал. Теперь внимание! Он внял. Теперь, не теряя тебя, я опускаю свои стопы на твои и медленно выпрямляюсь. Держи меня за живот. Продолжай и вникай! Он продолжил и вник. Ты видишь, мы стоим теперь неразлучно, как двойная фигура на Первомайской демонстрации. Товарищ Брежнев осеняет нас своей заскорузлой клешней. А вот теперь я поднимаю нас обоих в полет. Крепко держи меня то за бедра, то за живот, то за грудь, но так, чтобы не разрушилась фигура полета. Я начинаю махать крыльями, сиречь любимыми тобой в. к. Мы уходим все выше и все дальше, и пусть они все провалятся к своим чертям. Мы завершаем свой полет в эмпиреях и там переходим к неистощимой нежности, то есть я переворачиваюсь лицом к тебе, мой кумир.

Он поносил свою летучую немного в охапке, но вскоре обессилел и расположил ее среди подушек и одеял. Приспел неизбежный вопрос:

— Это кто же тебя обучил таким полетам?

— Никто, — бойко ответила она. — Это я сама придумала, когда грезила тобой.

Было видно, что не врет. Он запускал ей пальцы в пшенично-медовые волны. Она целомудренно их ловила (пальцы) и обсасывала один за другим.

— Почему ты сбежала от меня, Ралик?

— Не знаю, — задумчиво ответила она. — И тогда не знала, и теперь не знаю. Скорее всего, хотела тебя от себя освободить. Но, может быть, также был и соблазн: Лондон, Блумсбери Плейс, образ Вирджинии Вулф... Между прочим, я завела там литературные связи. Они там все обалдели, когда советская послиха стала с ними водить знакомство.

Если кто-нибудь набирался, обязательно спрашивал: какой у вас чин, мэдам?

— А какой у тебя чин, мэдам? — спросил Ваксон.

— Майор КГБ, сэр, — бойко ответствовала она. — Первый отдел, секция орального секса, сэр.

Только сейчас они поняли, что теплоход пришел в движение и норовит покинуть створ ялтинского порта. В приоткрытое окно интенсивно входил исторический воздух влюбленных пар, от Гектора и Елены к Ваксону и Ралиссе через Ягайлов и Ядвиг.

По завершении заверения только что сделанного признания, сорри, сэр, любимая майор резво прыгнула к своему чемодану и извлекла оттуда два журнала, «Энкаунтер» и «Нью-Йоркер», в которых любитель современной литературы, и в частности жанра рассказа, мог найти творения некого Джона Аксельбанта. Судя по лексикону и стилистическому своеобразию, можно было представить, что автор провел добрую часть жизни на американском авианосце. Впрочем, связь с плавучими центрами сквернословия на этом и заканчивалась. Фабула и сюжетные повороты уводили читателя в советское алкогольное подполье.

Первый рассказ назывался Check Your Point, Charlie. Там опустившийся советский перебежчик бродит по Западному Берлину, пытаясь по надписям в сортирах найти следы своей возлюбленной. Второй рассказ под названием That's Hooey, построенный на игре разноязыких матерщин, повествовал о западном агенте, который привез в Москву сверхсекретное измерительное устройство, а потом продал это устройство за поллитра водки.

— Ралик, неужели это ты сама, да еще по-английски, крутосваренно так накатала, моя л-вь? — поражался Ваксон.

Она хохотала:

— Это не я, а Джон, который Аксельбант! И между прочим, с ним уже договор на книгу заключил «Рэндом Хаус», единственное издательство в Нью-Йорке, которое получает прибыль от серьезной литературы.

— И аванс дали проходимцу Джону?

— А как же! Отслюнявили пол-лимона. Теперь он может жить спокойно и даже подкармливать своих друзей, Вакси и Ралика.

Он подтащил ее ухо к своему рту:

— У нас тут за валюту расстреливают, мэм.

Она решительно опровергла:

— Это при Никите расстреливали, а при Брежневе просто дают десять лет. Так что успеем еще немного пое..ться. А может быть, и молодыми еще выйдем по УДО.

— Это что еще за японщина?

— Условно-досрочное освобождение.

— Лучше все-таки улететь вдвоем.

— Согласна.

Засим они крепко заснули в обнимку и не слышали даже, как в каюту вошла буфетчица с подносом, на котором среди прочего были шашлыки по-карски и бутылка «Нового света».

Проснулись они в девять по Гринвичу и в полночь Москвы. Съели все, что было на подносе, вплоть до вазочки аджики. Выпили пузырящегося в честь л-ви. Отправились гулять по плавсредству, он в пиджаке с Пикадилли, она в советских байковых шароварах и босиком. Все серебрилось под Луной; ну, в общем, описывать всего этого куинджи нет ни малейшей охоты: читатель нашего романа и сам знает, почем ночное серебро. Добавим только, что тиха была черноморская ночь. И вдруг дошел до их ушей какой-то галдеж умеренной громкости. Прошли по палубе несколько шагов и увидели, что широкий трап, спускающийся со шканцев к корме, усажен почти до предела участниками «Плавучего форума». На верхней ступеньке оказалось место, достаточное для двух задков, там и уселись.

— Поздравляю, к вам вернулся ваш идеал, — с неоправданной дозой ехидства сказала Ваксону знакомая дама.

— Премного благодарен, — ответил тот.

Галдеж, возникший по вопросу эмиграции, слегка утих, потому что «площадку захватил» самый информированный по щекотливым политическим делам Ян Александрович Тушинский. Он стал рассказывать, как встретился недавно в одном доме на «Соколе» с главным правительственным толмачом. Фамилии он не назвал, но все присутствующие поняли, что речь идет о Влажнодреве. Догадаться было нетрудно, хотя бы потому, что этот стильный молодой человек был вхож в их собственную художественную среду. Обстановка в том шикарном доме в тот вечер была дружелюбной и порядком хмельноватой, языки у всех развязались, и Влажнодрев не был исключением. Ему хотелось обратить на себя внимание присутствующих дам, и он стал рассказывать о недавнем визите американского президента Никсона.

Оказалось, что Никсон и Брежнев очень понравились друг другу; можно сказать — подружились. После завершения официальных переговоров оба лидера отправились на отдых в Крым. Вместе охотились в заповеднике «Красный камень». Настреляли немало специально подогнанной дичи. Потом кутили и рассказывали друг другу анекдоты, а Влажнодрев всегда сидел между ними. Потом поехали вместе в аэропорт, сидели вместе на заднем диване лимузина, а он, Влажнодрев, был между ними, как начинка сэндвича. Вот тут и произошел весьма интересный разговор, о котором можно рассказать, потому что тема вскоре будет известна всем.

— Послушай, Леонид, — обратился к нашенскому ихний. — Не можешь ли ты мне дать совет как выдающийся политический деятель нашего времени? Понимаешь, у нас приближаются выборы, и в этой кампании, как всегда, очень существенную роль будут играть наши евреи. Ты знаешь, сколько их у нас?

— Сколько, Дик? — заинтересовался наш, как будто он сам не знал.

— Шесть миллионов, то есть в два раза больше, чем в Израиле.

— Ай-я-яй, — покрутил головой генсек, но больше ничего не сказал.

— Конечно, это большой процент голосов, — продолжил «Дик», — однако их влияние через средства массовой информации, а то и просто в толпе, никакими процентами не измеришь. Спрашиваю тебя по-дружески: ты можешь помочь нашей Республиканской партии?

— Каким образом, Дик? — прокряхтел нашинский.

— Сейчас объясню, — оживился ихний. — Понимаешь, в Америке очень многим не нравится ваша политика в области еврейской эмиграции, или, как израильтяне это называют, репатриации. От вас течет туда слишком маленький ручеек, Леонид, большинство получают отказ. Вот если бы вы смогли превратить этот ручеек в стабильный поток, американцы бы поняли, что это произошло под влиянием наших переговоров и наших с тобой, Леонид, личных бесед. Результат выборов был бы в нашу пользу. Что ты скажешь по этому поводу?

Ответ пришел не сразу. Брежнев довольно долго молчал. Никсон, не скрывая напряжения, смотрел на него. Влажнодрев наблюдал генсека в зеркале заднего вида. Брежнев начал кехать и чмокать и наконец разродился:

— Ну что ж, Дик, — он произносил «Дык». — Берите евреев.

Счастливый Никсон тогда по-дружески его приобнял, для чего Влажнодреву пришлось пригнуться. Рассказав эту историю, что называется, из первых уст, или, как американцы говорят, from the horse's mouth, Ян Тушинский обратился к своим еще вчера сплоченным, а сейчас уже слегка отчужденным друзьям:

— Представьте, ребята, что сейчас начнется! Какое количество евреев, полуевреев и даже вовсе неевреев ринется под эту марку через рубеж! И среди нас найдутся желающие сквозануть в пресловутый «свободный мир». Мы должны сохранить наше творческое поколение!

Он сидел прислонившись к пилястру трапа и мог обозреть сразу все собравшееся ночное общество. Под интенсивным светом Луны все это имело слегка нереальный вид. Первым откликнулся на риторическое обращение общий любимец Гладиолус Подгурский.

— Что касается меня, то я первым отсюда свалю, — убежденно сказал он. — Все свое еврейство соберу по перышкам, авось четвертинка с маминой стороны наберется.

— Нет, Глад, тебе не удастся уехать первым, потому что первым уеду я! — воскликнул Генри Известнов, и все содрогнулись, потому что без этого гения не очень-то представляли Москву. Роберт схватился за голову и так мотал ею (башкой). Ян бил себя кулаком по колену. Нэлла из-под ладони смотрела в серебристое пространство и молчала, но видно было, что она потрясена. Ведь был с самого начала, с конца Пятидесятых стоял вместе с ними в контексте наступательного послесталинского искусства. Быть может, всем в эти моменты припомнилось Яновское:

Здесь разговоров нет окольных,
Здесь скульптор в кедах баскетбольных
Кричит, махая колбасой...

А что он тогда кричал, ребята? «Пошла бы она на йух, эта ваша смрадная революция!» — вот что он уже тогда кричал.

Никому тогда в самых дерзких мечтах не приснился бы отъезд, между тем он такие проклятия кричал, ставя под угрозу весь свой уральский исток. Роберт, между прочим, нередко размышлял о своем поколении — откуда эта дерзостность взялась? Казалось бы, бесконечные аресты и расстрелы отцов должны были породить рабов, а вместо этого появились парни с поднятыми воротниками; террор детерминировал протест.

— Довольно всех этих ужимок! — бомбил сейчас Известнов. — Придет к власти очередная свинья, и опять перед ним вилять? Хватит с меня! Ко мне в мастерскую недавно Сартр заезжал и сказал: «Вы великий сюрреалист!» Знаете, сколько по каталогам стоит «Взрыв», обосранный Хрущевым? Миллион сто тысяч франков!

Тушинский поднялся над трапом, тень его закачалась, ломаясь, над теплоходным белым хозяйством.

— Я протестую против отъездов! — воскликнул он.

Тут махнула на него прекрасною своей рукою Фалькон Татьяна, решившая, должно быть, разоблачать лукавого поэта со всею страстью друга и жены.

— Да ты опупел, Янк! Протестует против отъездов! Опять всех в зоне жаждешь запереть?!

— Молчи, дурища! — он ей ответил с ожесточением. — Тебе лишь бы меня унизить! Не понимаешь, что я пекусь о нашем поколении?

— Пекусь проездом, — хохотнул Турковский. — Между Гавайями и Таити, так что ли, Ян?

Поднялся хаотический гур-гур, и тут Кукуш взял аккорд на первоклассной акустической гитаре, привезенной ему все тем же Тушинским.

Я говорю ему шутя:
Перекроите все иначе!
Сулит мне новые удачи
Искусство кройки и шитья.

— Вот именно! — завопил Янк. — Новые удачи! Спасибо тебе, мудрый Кукуш! Эти мальчишки вокруг ни хрена не понимают! Им невдомек, что я им всем прокладываю дорогу на те же Гавайи, на те же Таити! Потерпите немного, и вы будете бороздить мир! Но только не уходите в глухую эмиграцию! Не опускайтесь до черного дна! Ведь там вас всякие «Голоса» и «Свободы» в свои лапы возьмут!

Ралисса тут, откинув назад свое медово-пшеничное, небрежно вопросила:

— А чем тебе не нравятся «Голоса» и «Свободы»? Они не врут.

И пошевелила обнаженной стопою.

— С тобою, Ралик, я надеюсь, мы еще поговорим на эти темы. Ну что вы хохочете, ослы? А теперь я хочу обратиться к твоему соседу слева. Ну что ты отмалчиваешься, Роб? Выскажись наконец, черт тебя побери!

— Послушай, Янк, тебе не кажется, что ты слишком сильно давишь? — сказал он сурово. — И особенно сильно ты давишь на меня, не замечаешь? Что я тебе — ученик, первокурсник, молчун? — он встал и, не глядя на своих соседок, спустился по трапу на овальное пространство палубы. Там он, словно актер в амфитеатре, повернулся лицом к публике. — Что касается эмиграции, то я хочу вам сказать, ребята, что я никогда не уеду. Никогда не оставлю своей страны... — сказав это, он на минуту замолчал, потому что вспомнил ночную зимнюю дорогу из дома отдыха ВТО в Старую Рузу. Он шел, скользя, к своей оставленной у обочины машине, а впереди ковыляли и матерились две пьяные девчонки. Вдруг одна из них полностью забуксовала и, увлекая за собой подружку, свалилась в заснеженный кювет. Хохот, вопли: «Ну, Людка, я издыкнулась!», «Ну, Томка, я уякнулась!» И лежа на спинах, глядя в небо, запели с романтическим чувством:

Смотри, какое небо звездное!
Смотри, звезда летит, летит звезда!
Хочу, чтоб зимы стали веснами!
Хочу, чтоб было так , было всегда!

Эта сценка часто возникала в его памяти, странным молодым образом волновала. Ну как он может уехать от тех ткачих, что сквозь дикую и подлую жизнь вот так поют его песни?

Потом он продолжил свое обращение к друзьям:

— Ребята, я не уеду, но те, кто уедет, останутся моими друзьями!

И вернулся на прежнее место, между Анкой и Рапиской.

И тут Барлахский сказал басовито:

— Вот это правильная позиция!

И некоторые, почти все, зааплодировали. Но другие остались со скрещенными на груди руками.

— Ну а вы, Антоша и Фоска, что скажете? — спросил Тушинский.

Притомившийся Андреотис слегка дремал на плече у Фоски. Прямой вопрос его разбудил. Он улыбнулся Фоске, и та улыбнулась ему. Потом они вдвоем прочли несколько строк, слагающихся в ответ:

Милая, милая, что с тобой?
Мы эмигрировали в край чужой,
Ну что за город, глухой, как чушки,
Где прячут чувства?
....
Куда-то душу уносили —
Забыли принести.
«Господь, — скажу, — или Россия,
назад не отпусти!»

Вот тут уж и Тушинский похлопал ладошками. Трудно сказать, о чем думал он «в глубине своей души», если там, в глубине, еще можно о чем-то смекалисто думать, но он догадывался, о чем говорят Антоша и Фоска во время долгих лесных прогулок вокруг Переделкино. Это все ради языка, говорит Антоша. Ради него я вхожу к тем и лгу то, что те хотят. Ради его волшебных или ошеломляющих звуков. Ради его фигур. Ты это понимаешь? А Фоска отвечает: это все понимают, мой друг, все люди из русской интеллигенции, если она еще существует.

Тушинский поворачивается к тому, чей ответ он заранее знает, к самому радикальному контрреволюционеру Ваксону, к коммунистическому отродью, ставшему белым.

— А ты, Вакса, что-нибудь скажешь? Или ты все уже сказал на Чистых прудах?

Примерно год назад, то есть меньше года после того, как растоптали и засрали весну в Чехословакии, в этой компании произошло неожиданное излияние чувств и идей. Был «мальчишник» в «гарсоньерке» Тушинского на Чистых прудах. Старались не говорить на политические темы, а Прага вообще была табу. Поднимали тосты, рассказывали анекдоты, которые, между прочим, с каждым годом становились все злее. Потом Тушинский передал Кукушу гитару, и тот сразу запел, воздев глаза в притворной печали:

Лежать бы Гусаку
В жаровне на боку,
Да, видимо, немного подфартило старику.
Не то чтобы хозяин пожалел его всерьез,
А просто он гусятину на завтра перенес.

И все тут, конечно, сразу же узнали портрет нового генерального секретаря компартии Чехословакии. Ржали-ржали, а потом Ян неожиданно серьезным тоном сказал, что он встречался с этим генсеком и нашел в нем настоящего преданного революционера. Тут же вспыхнул бурный, с треском, спор, и в нем прорезался Ваксон. Янк прав, Гусак — это настоящая революционная сволочь! Ян ударил ладонью по столу. По всей плоскости продребезжали ножи и вилки, а также опорожненные и близко стоящие друг к дружке рюмки. Постыдись, Вакс! Я познакомился в Булгарах с твоим отцом, настоящим революционером; он никогда бы не выразился, как ты! Савелий Ваксон восемнадцать лет провел в сталинских лагерях, но остался ленинцем! Надеюсь, ты отличаешь ленинизм от сталинизма? Ваксон в ответ тоже хлопнул по столу, но не так сильно. Только огурцы взбаламутились в литровой банке. Напрасно надеешься, Янк: никакой разницы между ленинизмом и сталинизмом нет. Красный террор начал Ленин. Он же придушил Учредительное собрание. Он же уничтожил все политические партии. Он же основал первый в истории концлагерь. Вся эта большевизна есть не что иное, как происки чертей. Ян вскочил и вылупил на него свои вроде бы гневные, то ли темно-зеленые, то ли светло-карие глаза. Что ты несешь?! Где ты набрался этого бреда? Ведь мы же все вместе очищали от сталинских пятен светлое знамя нашей революции! Ваксон выбрался из теснотищи застолья и пошел к выходу. В дверях обернулся, чтобы сказать: «За меня не расписывайся!» Кукуш крикнул ему вслед: «Вакс, подожди, я с тобой!» Интересно отметить, что Тушинский не затаил злобы против «белого» Ваксона. Через несколько дней он пригласил его к своему столу в ресторане ЦДЛ, весело рассказывал об островах Фиджи и делал вид, что на Чистых прудах ничего не случилось.

Теперь, год спустя, в ночном скольжении среди избыточного серебра, в некогда теплой компании друзей, сквозь которую вдруг подул будоражащий ветерок от внезапно приблизившейся границы, Ваксону вдруг напомнили о споре на Чистых прудах. Ну что он, заядлый «контрреволюционер», может сказать о возможностях эмиграции? Ему не хотелось отвечать на вопрос Яна, тем более что любимая легкими пожатиями его запястья как бы говорила: молчи!

— Я никуда не уеду, — неожиданного для себя сказал он. — Буду держаться, сколько можно. С какой стати все оставлять лжецам и бездарям? Надо все-таки бороться, ребята, за наши стихи и романы.

— Особенно за романы, — пропищала тут по-детски Ралиска. Хохот грохнул, как будто обвалилась этажерка книг. Роберт за ее спиной протянул руку и хлопнул Ваксона по плечу.

В это время на палубе послышались шаги и смех. Приближались Влад Вертикалов и капитан Каракуль.

— Теперь ты убедился, достопочтенный капитан Каракуль, сэр, — дурачился Влад, — что я могу пить, а могу и не пить. Я свободный человек, а вовсе не какой-нибудь абстинент. Весь мир принадлежит нам, свободным людям, включая Турцию. Ты можешь сейчас повернуть к Стамбулу?

— Ты, наверно, не заметил, старик, что мы уже прошли Стамбул, — отвечал капитан. — А сейчас мы идем по Мраморному морю.

«Кукуш, одолжи мне свою гитару!» — крикнул Влад. Через несколько минут он уже пел:

Ой, Вань, гляди, какие клоуны!
Рот — хоть завязочки пришей...
....
Послушай, Зин, не трогай шурина.
Какой ни есть, а он — родня...

И все сидящие на трапе стали слабеть от смеха, от выпитого, от споров и от сонливости — как-никак шел уже третий час.

...Каков этот Влад, он просто неподражаем... В этих его народных героях есть что-то зощенковское, обэриутское; верно?.. Ну вот скажи теперь: разве уедешь от этого всенародного бреда? Ведь мы же без этого маразма жить там не сможем... Где это там?.. Ну, в Новой Зеландии... Мы там все от тоски засохнем, сочинять не сможем на тех подстриженных ландшафтах... Правильно!.. Не скажите, братцы! Возьмите того же Влада: ведь у него открытый паспорт. Ездит когда хочет и на сколько хочет к своей Франсуазе, а глаз стал еще острее и ухо чутче к нашим маразмам; я прав?.. Эх, кореш, да если бы можно было так ездить, не надо было б никакой эмиграции... А ведь наши держиморды небось отрубят навсегда, без возврата; ты понял меня? все поняли меня?.. Согласен. Небось готова уже какая-нибудь формулировочка, рисунок клейма... Что-нибудь вроде: бывший советский гражданин, отринувший Родину, или, еще хлеще, совершивший трагическую ошибку на грани преступления... Ну ладно, хватит, идемте спать, ребята... С кем ты хочешь сегодня спать, моя ласка?.. Во всяком случае не с тобой, мой мужланище... Ребята, всем спать, ведь завтра нас ждет Сухум!.. И все никак не могли разбрестись по каютам, как будто еще чего-то ждали. И дождались: по шканцам прошел неслышный, но слегка пронзительный свист и все чуть-чуть встряхнулись, чтобы почувствовать текст:

Я Пролетающий-
Мгновенно-Тающий!
Take your place on the steps
И покатитесь в степь
С нашей вспышкой,
Всегда возникающей.

И все расселись как сидели, чтобы позировать то ли в первой, то ли в последней «коллективке» этого поэтического поколения. И в западной части небосвода полыхнула большая зарница — снимок сделан! После этой акции Неба все стало успокаиваться. Все стали засыпать прямо на ступенях большого трапа. Капитан Каракуль приказал вахтенным матросам накрыть всю компанию теплыми пледами, недавно полученными через прогрессивную итальянскую фирму «Ностра Виа». Всем приснилось сначала страшное, а потом умиротворяющее. В страшном показалось, что «Ян Собесский» попал в горловину страшного шторма, был там раскручен центрифугой перемешавшихся течений и влеком к угрожающим скалам.

В умиротворяющей части сна оказалось, что теплоход восстановил свой курс на Сухум, не потеряв ничего и никого из такелажа и пассажирского состава. Сухум оказался древним обиталищем философов Ликейской школы. В красно-коричневых скалах своих он проявлял галереи и арки пещерного града. Фигуры мужей и жен в белых скульптурных одеяниях простирали к нашим путникам руки. Тут все один за другим проснулись с улыбкой. Никто не помнил ничего. Шел первый год нового десятилетия.

1974
Исход

За три года, что прошли с момента той то ли где-то существующей, то ли просто совершенной «коллективки» (куда отлетают все наши снимки в контексте Вселенной и Мироздания?), протекло немало вроде бы текущих, но довольно странных событий. Прежде всего: началась интенсивная израильская эмиграция. Трудно было поверить, что советский монолит приоткрыл пока еще узкие, но во всяком случае вполне реальные щели. В эти щели ежедневно улетали самолеты, заполненные еврейскими — и не вполне еврейскими — семьями. Прямых рейсов в Землю обетованную не было; почему их не было, никто поначалу не мог понять. Потом стало ясно: Советский Союз после Шестидневной войны стал вроде бы игнорировать существование еврейского государства. Дипломатические отношения были прерваны в наказание за победу над Сирией, Иорданией и Египтом. Если и появлялись иногда новости из тех мест, то они относились только к одному аспекту: «Израильская военщина». В связи с этим во фрондерских кругах распевали издевательскую песенку Галича. В ней фигурировал некий мужчина, партийный выдвиженец, которому поручаются бесконечные выступления по актуальным вопросам. Он любит Мир и борется против Агрессии. Поет:

Израильская, — говорю, — военщина
Известна всему свету!
Как мать, — говорю, — и как женщина
Требую их к ответу!

Так вот, прямых рейсов в агрессивный край не было, и самолеты из Москвы улетали почему-то вбок: в Бухарест, в Вену и в Рим. Там различными западными и израильскими службами были устроены перевалочные пункты, где всех эмигрантов спрашивали, куда они хотят двигаться дальше. С этого момента «советские люди» с ошеломляющей ясностью понимали, что они стали «свободными людьми»: куда хочешь, туда и едешь.

В этих пунктах и центрах бывшие советские «деятели культуры» принимали решения о конечных пунктах назначения. Гладиолус Подгурский, например, выбрал Париж, потому что знал не менее трех сотен французских слов. Генри Известнов направился в Швейцарию, так как там, в Лозанне, один из гостей его мастерской на Трубной площади собирался устроить выставку его рисунков. Большинство же художественного народа устремлялось прямо в Штаты. Там они будут немедленно востребованы, там их ждут в Голливуде, в издательствах, в театрах, в худшем случае — на университетских кафедрах. Почти всем — с редкими исключениями — снились «нобелевки» и «оскарчики».

Однако право первого отсева Советский Союз оставлял за собой. Большой процент устремившихся в ОВИР получали от ворот поворот. Выдача виз тем, кто работал в «оборонке» или, как сейчас говорят, в «наукоемких» учреждениях, объявлялась «нецелесообразной». В другое время народ сразу бы заткнулся, остался бы посапывать в тряпочку, в Семидесятые он ответил движением «отказников». Чудо из чудес: в Москве на многолюдных улицах стали возникать пикеты протестантов под лозунгом «Отпусти, народ мой!». Высоколобые физики-отказники стали устраивать на своих квартирах международные научные семинары. На одном из таких мероприятий был замечен сенатор Тэд Кеннеди.

Однако главную крамолу выказывали современные художники земли российской. Выставки и вернисажи проходили почти еженедельно на чердаках и в подвалах. Однажды больше сотни растрепанных усато-бородатых устроили выставку а-ля пленэр на пустыре посреди новой застройки. Власть подтянула туда бульдозеры и спровоцировала варварский погром. Художники во главе с «Лианозовской группой» сдаваться не собирались, и вскоре в Измайловском парке вдоль дренажной канавы расположились со своими холстами не менее двух сотен художников. Начались занудные переговоры в партийных органах, и вдруг — о чудо! — для следующей массированной выставки был выделен павильон «Пчеловодство» на Выставке достижений народного хозяйства. Туда повалили многие тысячи москвичей и «гостей столицы». Милиция, выстроенная цепью от триумфальной арки до «пчел», всех любезно спрашивала: «Товарищи, вы к формалистам? Пожалуйте сюда!» В конце концов многие из ведущих художников отправились за лавровыми венками в суп буйабес туда, на Запад, о котором еще недавно Алик Городницкий пел: «Туманный Запад, неверный лживый Запад...»

Борьба «отказников» достигла своего апогея, когда группа молодых питерских евреев решила захватить самолет и перелететь на Запад. Увы, произошел какой-то сбой и все ребята оказались в тюрьме.

В конце концов в верхах возникла зернистая мысль. Основатель нашего государства Ленин Владимир Ильич в свое время сформулировал эту мысль таким образом: «...а врагов нашего государства будем наказывать высшей карой — лишением советского гражданства!» Именно тогда возник план высылки в Европу всех членов Вольфилы, академии «философов-идеалистов». Незадолго до этого почтенные мыслители еще обсуждали на своей сессии, является ли Ленин Антихристом. Большинство склонилось к тому, что на Антихриста вождь большевиков еще не тянет, однако легко может снискать себе славу его предтечи. И вот пришло подтверждение аксиомы: ночная облава, аресты, погрузка на пароходик-калошу, отплывающий курсом на Любек. Так возник «Корабль философов», одна из невероятных легенд социалистической революции. Вся школа русских экзистенциалистов была в одночасье выброшена вон.

Предполагается, что Ленин вообще-то был против высшей кары, он предлагал некоторое смягчение, то есть расстрел. Троцкий, однако, Лев Давыдович возразил: «Расстрел даст нашим врагам сильное идеологическое оружие. Высылка даст оружие нашим друзьям по подготовке перманентной революции. Все эти так называемые «философы» никому в Европе не нужны. Они будут там просто-напросто валяться в канаве и просить подаяние. Вот таким образом, Владимир Ильич, мы решим эту довольно серьезную проблему».

Не исключено, что и в Семидесятые годы кто-то близкий по демагогическим способностям к Троцкому как раз и вошел в ЦК с близкой идеей. Все эти наши так называемые диссиденты нужны империалистическим подрывным центрам только здесь, в СССР, неважно — на воле или в тюрьме. Оказавшись на Западе, они потеряют почти весь свой идеологический потенциал. Они там мало кому нужны, а с их мегаломанией тем более. Они погрязнут в трясине общества потребления, многие сопьются и взвоют от тоски по стремительно идущей вперед родине социализма. Что касается писателей, общеизвестно, что русский писатель не может творить вне родины; зачахнут! В ЦК, конечно, могли бы спросить хитреца: а как же Гоголь, Достоевский, Тургенев, Бунин, Мережковский, Алданов, Набоков? Никто там этого не спросил то ли по невежеству, то ли по собственной хитрости, близкой к хитрости хитреца. В общем, идея была принята во всех инстанциях и началась осторожная высылка, подчас сопряженная с техникой «выдавливания» — не на Восток, на Запад!

Однажды в первой половине Семидесятых, но ближе к середине, секретарь Союза писателей СССР, депутат Верховного Совета СССР и лауреат Государственной премии Роба Эр был приглашен зайти по неотложному делу к ответственному секретарю Союза писателей СССР и носителю секретного, но безусловно генеральского чина Юре Юрченко. В назначенный час Роберт явился и был секретаршами под белы руки проведен в столь знакомый ему начальственный кабинет с ампирными окнами, который вкупе с медлительным снегопадом вызывал прямо-таки ностальгические чувства.

При входе, помнится, мелькнула у приглашенного огорченная мыслишка в адрес приглашателя: «Жиреет Юрка и тяжелеет органами головы. Надо все-таки вытаскивать его на волейбол, как бывало». Юрченко слегка поднялся из кресла, и они обнялись, слегка похлопав друг друга по спинам, по очень крепкой и по очень пухлой.

— Роб, познакомься с Максимом Денисовичем!

Из кресла в глубине кабинета поднимался навстречу ему весьма значительный человек, которого звали как раз наоборот — Денисом Максимовичем — и чью фамилию и чин в кругах не полагалось произносить, хотя многие из приближенных знали его как генерал-полковника Вовкова. Роберт однажды уже видел этого генерала на концерте в Кремлевском Дворце съездов. Сейчас он выглядел как тогда, как будто на концерт собрался: темно-синий, явно сшитый по фигуре костюм, в галстуке булавка с камнем, накрахмаленные манжеты.

— Очень рад с вами лично познакомиться, Роберт Петрович. Вашими песнями очарован вместе со всей страной.

Они уселись в углу за столиком наполеоновской эпохи. Секретарши принесли любимый товарищем Юрченко кутузовский самоварчик, кузнецовский сервиз и бутылочку сталинского коньячку-с. Все уже в те времена курили вирджинский табачок, и потому смесь ароматов получилась изрядная. Заговорили, разумеется, о литературе, об энергичном подъеме так называемых «деревенщиков», а на самом деле, как считал Максим Денисович, просто настоящих патриотов, людей не только близких народу, но и возросших прямо из народа. Их, конечно, надо очень активно поощрять, чтобы не скатились к «солженицынщине».

Отсюда по вполне понятным причинам перекатились к писателям, страдающим недостатком патриотического гормона. Юрченко стал перечислять тех, кто «уехали»: Мандел-Коржев, Галлов, Сибирский, Мима Генбрун, Осип Гродский, Подгурский… Максим Денисович махнул холеной кистью с отманикюренными ноготками:

— Ну, на этих-то можно крест поставить. Пусть гниют там в своих палестинах.

— Как прикажете это понимать, Максим Денисович? — с некоторой жестковатостью спросил Роберт и решился посмотреть начальственному субъекту прямо в глаза. Зафиксироваться на несколько секунд. Решимость была вознаграждена: в глубине водянистых проявилась некоторая дзержинзновизна. Подержалась несколько секунд и смоталась в изчезающий клубочек. МД хохотнул:

— Вы, конечно, понимаете, что я говорю это фигурально. Ведь русский писатель не может творить вдали от родины. Вы согласны?

Роб усмехнулся и отвел глаза в сторону пыхтящего самоварчика.

— Ну, в общем.

— Знаете, друзья, сейчас мне придется заговорить о другом аспекте наших проблем. Поскольку мы обсуждаем все эти дела в тесном, смею сказать — дружеском кругу, я беру на себя смелость приоткрыть некоторые государственные секреты. Дело в том, что мы разработали план по окончательному излечению нашего общества от коросты пресловутой диссидентуры. В принципе, в этом направлении уже сделано немало успешных шагов. Можно сказать, что диссидентура дышит на ладан. Существует, однако, одна серьезная загвоздка. Все наши акции находятся под наблюдением колоссального разведывательного аппарата наших коллег из Лэнгли, штат Вирджиния, и там уже началась некоторая активность встречного характера. Вы, конечно, догадываетесь, что у нас тоже существует немалый разведывательный аппарат, нацеленный на них. Так вот, нам стало известно, что они взамен уходящей диссидентуры склоняются — цитирую — «к намыванию нового слоя оппозиции из писателей, работающих на грани лояльности». Хочу вам признаться, Роберт и Юрий, что я с удовольствием оставил бы писателей в покое, если бы коллеги из Лэнгли не вынуждали нас к ответным действиям. Вот я и пришел к вам, столпам нашей литературы, чтобы посоветоваться, что мы можем совместно предпринять. Уверен, что вы понимаете всю серьезность и щекотливость ситуации.

Он замолчал, откинулся в кресле и с облегчением вздохнул, как человек, освободившийся от тяжкой обязанности. Юрченко, явно довольный тем, что его назвали «столпом», наполнил рюмки коллекционным «Грэми»:

— У меня есть определенные тактические соображения, но я бы хотел, чтобы Роберт сначала высказался: ведь у него немало друзей может оказаться в этом «намытом слое».

Роберт хмыкнул. Каков, оказывается, друг: выдвигает вперед того, кому уже десять лет клянется в верности, а сам уходит в арьергард.

— Мне хотелось бы, товарищи, чтобы для начала были названы какие-то конкретные имена. Тогда мне стало бы ясно, что имеется в виду под «гранью лояльности». Иначе я не знаю, о чем говорить.

Два мощных босса обменялись взглядами, как бы уточняя, кто начнет. Согласились, что начать должен старший по званию. Максим Денисович заглянул в свою записную книжку.

— Ну вот, скажем, Аксён Ваксонов; что вы о нем думаете?

Роберт сразу не ответил. Начал тянуть, почему — самому неизвестно. Налил себе чаю. Положил ломтик лимона. Бросил пустую пачку «Мальборо», вытащил из кармана целую. Распечатал. Извлек одну из двадцати вредных штучек. Щелкнул зажигалкой. Несколько секунд смотрел на пламя. Подумал о свойствах огня. Прикурил и помахал зажигалкой, как в недалекой старине помахивали спичкой, чтобы загасить. И все это делал с задумчивым видом, как будто размышляет, что сказать.

— Кстати, что это за странное имя? Какое-то не очень русское, — поинтересовался МД и добавил с небольшим затруднением, но не без удовольствия: — Этимология довольно туманная.

— Разве? — удивился Роберт. — Аксён вообще-то старорусское имя, пришедшее к нам из Греции, как большинство русских имен. Насколько я знаю, означает «ценность», близко к «акции». Что касается фамилии, то она действительно звучит как-то по-иностранному. Ну вот как в Сибири оказались какие-то вроде бы иностранные Эры, а ведь э оборотное существует только в русском букваре, не так ли? Мы почему-то этого Ваксонова Аксёном не зовем, а кличем только по фамилии, или даже Ваксоном, ну, на американский манер, а то и Ваксой, шутливо...

— А Гринбергом вы его не зовете? — как бы мимоходом спросил высший чин и улыбнулся без всякой кровожадности. — Или, скажем, на американский-то манер — Бергом или даже Грином, как доллар?

Роберт простодушно улыбнулся:

— Вы немного, Максим Денисович, ошиблись с фамилией его матери. Она не Гринберг, а Гринбург. А доллары у нас в Советском Союзе не вращаются, не так ли?

Юрченко был поражен. Увальноватый Роба уверенно выигрывал у сетки и посылал сильные драйвы к дальней линии. На лице его партнера — не называть же противником такую государственную фигуру — пробегали еле заметные, но заметные тучки.

— Итак? — проговорил МД, точнее ДМ; ну, в общем, читатель знает.

— Хороший парень, — улыбнулся Роберт. Улыбка, конечно, относилась не к участнику, а к предмету разговора. — Мы все к нему очень хорошо относимся.

— Кто это «мы»? — вдруг с некоторой зловещинкой спросил МДДМ.

— Ну, наша компания.

— Ваша старая компания?

— Почему это старая? Пока еще не износилась.

— Роб! — воззвал Юрченко. — Ты что, не понимаешь, о чем идет речь?

— Признаться, не понимаю, — ответил Эр без всякой дерзости, но явно с некоторой насмешкой.

— И что же, Роберт Петрович, у вас нет никаких личных оснований не любить Ваксона, злиться на него?

— Нет.

Высокий чин улыбнулся с вальяжностью, что подошла бы и славянофильскому кружку Хомякова.

— У нас в русском языке существует какая-то двусмысленность со словом «нет». То ли это «нет — нет», то ли «нет — да».

— Нет — нет.

Высокий чин развел руками:

— Да ведь и в этом «нет — нет» сидит некоторая лукавость, батенька!

Все трое расхохотались, словно джентльмены в каком-нибудь Аглицком клубе. Извлечены были даже идеальные носовые платки. Чихнув в платок, старший генерал глянул на Эра зорким зраком:

— А вы роман «Вкус огня» еще не читали, Роберт Петрович?

— Это что же за роман такой? — удивился Роб Эр. (До сих пор мы не можем сказать с определенностью — хитрил Роберт или действительно еще не слышал о «нетленке» Ваксона.) — Отечественный или иностранный? С какого языка переведен? Название мне нравится. «Taste of the Fire»; звучит!

Генерал, как пишут в социалистическом реализме, «поигрывал лукавым взглядом».

— А я-то думал, что вся эта ваша компания уже прочла черновой вариант или побывала на чтениях. До меня роман еще не дошел, но я уже кое-что слышал. Говорят, что яркая антисоветская вещь вашего хорошего парня, Ваксона. Источник также утверждает, что там через весь текст проходит некий женский образ, напоминающий красавицу из высших кругов нашего общества; вот ведь незадача!

Роберт встал. Ну хватит уже хмычков и взглядиков. Он отошел к окну, за которым продолжалось кружение невинных снежинок. Выдохнул струйку дыма. Вернулся к столу, но не сел.

— Давайте, товарищи, поговорим начистоту. Я знаю, что вы продвигали меня в секретариат и в партком, и я за это вам премного благодарен. Однако это, как мне кажется, не налагает на меня обязательства топить своих друзей. Ваксонов — непростой человек. Его родители прошли через ад ГУЛАГа. Он выработал свою собственную концепцию современного романа, в которой нет места ни эзоповскому языку, ни умолчаниям. Политические инвективы, может быть, там и присутствуют, однако они играют второстепенную, если не третьестепенную роль. Роман, с его точки зрения, не может являться политической акцией. Все, что относится к акции, это всего лишь строительный материал романа. По отношению к роману есть только две политики — или он есть, или его нет...

Тут его прервал Юрченко. Губы его тряслись, а грудь колыхалась:

— Послушай, Роб, что за ересь ты несешь? Ведь мы тебя...

Его тормознула ладонь высшего чина. Сам чин, производя торможение сателлита, не отрываясь смотрел на человека, теряющего притяжение светил.

— Как я понимаю, вы говорите о «нетленке», Роберт Болеславович?

Попал в цель. Роберт дернулся. Значит, он знает, что я никакой не Петрович, что я не Эр? Ну что ж, ничего не остается, как только бить лоб в лоб.

— Удивлен вашими познаниями, Денис Максимович... — Не «Максим Денисович». Тот тоже чуть-чуть моргнул надменной мордой. — С такими познаниями вы запросто могли бы стать членом нашей компании.

Высший чин весело рассмеялся:

— Боюсь, что я действительно стану членом вашей компании, но разговаривать придется с каждым поодиночке.

Роберт губища свои распустил и выпятил угловатость, напоминая в этот момент мужскую фигуру с картины Пикассо «Девочка на шаре». Протянул высшему чину руку на выбор — пожимать или не пожимать.

— Прошу прощения, я должен быть сейчас в районной библиотеке; там чтения. Ведь я прежде всего поэт, а потом уже Секретарь.

Ручища волейбольного забойщика была принята двумя пухловатами лапками секретной службы. Что касается Юры Юрченко, то он остался без дружеского рукопожатия. Ну, бывает. Рассеянность.

Ночью в постели он рассказал об этой беседе Анке. Постарался ничего не упустить. Какая все-таки сволочь этот Юрка, вздохнула она. Надо отказать ему от дома. Ты же знаешь, он ненавидит Ваксу. Да и вообще всю нашу компанию. Нэлку, например, за неприступность. Кукуша за славу. Антошу за гений. Глада за то, что уехал. Всех, кроме Яна, должно быть. — Яна-то как раз особенной ненавистью. — А теперь и тебя за прежнюю дружбу.

Теперь меня лишат всех полномочий. Ну и черт с ними, с полными мочиями. Никогда не буду предавать своих, да и вообще классных ребят; таков наш кодекс с Юстасом. Раскрыли мои хорвато-литовско-троцкистские корни и теперь хотят этим шантажировать! Идиоты! — Почему, по своей мерке они не идиоты. Это ты по их мерке идиот. Выёбывается, мол, в гордого поэта играет, отказывается от квартиры на улице Горького! В общем, я люблю тебя, моя идиотина!

Квартиру они все-таки получили, и в назначенный срок. Шестикомнатную квартиру на Горького в таком очень солидном доме с закругляющимся фасадом; ну, все знают этот дом по соседству с Телеграфом. В Союзе писателей ему объяснили, что такая квадратурно-кубатурная квартира ему нужна для престижа. Вам придется, Роберт, принимать иностранных представителей. Да к тому же ведь и маловозрастная дочка теперь появилась, Марина-Былина Робертовна Эр; вот уж имечко, днем с огнем не придумаешь! Состоялось новоселье, на котором среди гостей присутствовал и Юрий Онуфриевич-говнюк, фамилию даже произносить не хочется.

1973
Обвал

Ваксона там не было по уважительной причине. С ним произошло нечто чуть ли не обвальное. После встречи на борту «Яна Собесского» они с Ралиссой были счастливы и неразлучны еще едва ли не полтора года. Потом она вдруг снова исчезла. Куда понесло теперь этого тщеславного Джона Аксельбанта? Неужели опять в Великую Британию? К своему послу-ослу? Что за таинственная страсть к предательству ее терзает? Ведь даже и объяснительной записки не оставила! Он стал швырять все, что под руку попадется. Где же оно, «шитье с оставленной иголкой»? Не было никакого шитья, а иголки, впившись в маленький пуфик, превратили его в модель дикобраза. И ничего похожего на «всю ее», если не считать на тряпье запаха ее подмышек.

Он запил и вскоре превратил их съемную и любовно убранную Раликом квартиру на Плющихе в сущий алкогольный бедлам. «Чувиху», как не раз он называл «послиху», вычеркнул в очередной раз из памяти. Не хватило соображения открыть ее парфюмерный ящик в комоде. Кабы он открыл оный ящичек, сразу бы бросилась в глаза открытка с изображением чудовищных ракет, с розовощеким ракетчиком и с надписью «На страже мира!», выпущенная почтовым ведомством ко Дню Советской армии, и тогда бы он смог прочесть послание, начертанное ее нервной рукой: «My Love, I'm splitting for a while. We have some serious problems with Veronikochka. Please, do not suspect me in any wrong doing. Be well and prudent. I'll be back soon. Your Ralik». Не сообразил, не открыл, не заметил, не прочел. Грязнуха-ревность, подпрыгивая с утра до ночи, как жаба, превращала его в безумца.

Однажды ночью, впрочем, открыл, когда выпиты были все отменные скочи и коньяки, а также ящик химического «Солнцедара», взялся за парфюмерию. Сейчас выдую все ее «шанели № 5» и «баленсиаги». Вышвырнул какую-то дурацкую открытку. Она спланировала по спальне и улеглась в пустой корзине для грязного белья. Стал открывать флакончики и дуть. С организмом происходило что-то чудовищное: то ли уползти куда-то хотел, то ли воспрять до вершин. Постоянно появлялась Ралисса Кочевая-Аксельбант — то из шкафа выйдет в бикини, то из ванной в норковой шубке, то из телевизора шагнет предельно обнаженной ногою, а то и из манускрипта материализуется вместе с куском предательски прекрасной летней ночи. Он выпивает последний флакон и мечется по квартире, умоляя не исчезать, матерясь, протягивает руки, но она исчезает одна за другой, и все пространство вокруг и внутри заполняется сонмищем плавающих белых пятен.

Он понимал, что дьявольски болен, что у него пожар сердца или, вернее, «делириум тременс» и что если сейчас не придет кто-нибудь из живых, ему конец. Бухнулся на тахту, начал набирать телефоны, которые почему-то отчетливо помнил. Молил о помощи, вопил, что дверь открыта; и потерял сознание.

Очнувшись, он увидел, что в креслах напротив тахты сидят трое: Роберт Эр, Анка Эр и неизвестный молодой человек. Он сначала не поверил в реальность этой компании и прикрыл глаза. Картинка померкла, но уши уловили разговор.

— Как она могла оставить его одного? — проговорила Анка.

— М-м-м, — ответил Роберт.

— Это вы о ком сейчас говорите? — поинтересовался молодой человек — Дмитрий, психиатр.

— О его бабе, — сказала Анка.

— О жене, — поправил Эр.

Он снова открыл глаза и кашлянул, чтобы не возникло неловкой ситуации. Ну вот, проснулся, улыбнулся Роб. Как дела, старик? Говновато, ответил пострадавший. Говновато, но нормально? Нет, ненормально. Не было никаких сил, чтобы переменить унизительно раскинувшуюся позу.

— Мухи белые у вас в глазах плавают? — спросил молодой человек.

— Пока не плавают, — ответил пострадавший и тут же поправился: — А вот опять поплыли. Но не так, как раньше. Скромнее.

— Это Дмитрий, — пояснила Анка. — Психиатр. Он Робку в свое время вытянул. Помнишь? Понимаешь?

— Помню. И понимаю. И всех. Всех благодарю. Надеюсь. На. На Диму.

— В больницу не хотите? — спросил врач.

— Нет.

Обнадеживающий симптом, подумал врач Дмитрий и стал вынимать из портфеля пузырьки с психотропными лекарствами.

— Здесь три рода средств. Немедленно начинайте прием. Строго следуйте схеме. Она вот на этом листке. Через неделю, если все пойдет по плану, перейдете на седуксен. Одна неделя — три раза в день. Вторая неделя — три раза в день. Потом по одной таблетке ежедневно. Затем по надобности, если появляется шаткость организма. Можно просто надкусывать таблетку. Разумеется, ни капли алкоголя. Нет, не навсегда, но на годы. Дайте вашему «изму» отдохнуть от ваших же эскапад. Потом можно будет время от времени потреблять скорее с гастрономическим, чем надрывным смыслом. Уточните у Роберта. Если что-нибудь возникнет тревожное, немедленно звоните мне. Вот мои телефоны.

— Или нам, Вакса, звони. Дребезжи, не стесняясь, — сказали супруги Эры. И улыбнулись ему. А он в этот момент из-за обнаженности нервной системы, не скрываясь, задергался в плаче.

— А лучше всего нам звони! — послышался женский голос, и в квартиру вошла целая семья: Мирра, бывшая Ваксон, ныне Мелонова, Вадим, то есть Вадик Мелонов, а также сын Ваксона Дельф, за эти годы почти уже достигший зрелого подросткового возраста.

Мирка сразу зорким оком окинула окружающую действительность и все немедленно поняла. Обменялась взглядами с Анкой и, конечно, тут же согласилась с этой вождихой писательских жен: «Как могла «та»?..»

— Откуда вы узнали? — спросил Ваксон.

— Да ты ведь сам ночью нам звонил, — ответила бывшая жена, и тут же совместно с вождихой они взялись за очищение «ваксоновских стойл».

Начав свою схему, Ваксон почти сразу успокоился. Дмитрий казался ему воплощением защиты. Деловой и вроде бы даже прагматически мыслящий специалист, он временами всех поражал неожиданными качествами. Вдруг, например, начинал читать наизусть стихи Нэллы Ахчо или обсуждать отдаленный по времени рассказ Атаманова. Оказывается — страстный, если не фанатичный, любитель художественной словесности.

Не хочется, в самом деле, обрывать рассказ об этом действительно позитивном герое нашего времени, но приходится. Через несколько месяцев после визита к Ваксону он отправился со своей семьей — женой, гимнасткой Первого Меда, и с шестилетней крохотулькой Светланкой-в-окне — отдыхать на озеро Селигер. Там, в заветной бухточке, Светланка, пыхтя как пароходик, плавала туда и сюда и не заметила, как, влекомая течением, оказалась в отдалении и над глубинами. До родителей долетел ее отчаянный крик. Бросив свои постоянные ласки, оба прыгнули в воду и поплыли стремительно туда, где чуть-чуть трепыхалась рожденная ими жизнь.

Оказалось, что дочка вдобавок к другим угрозам запуталась еще в сетях, которые там растянули какие-то гады-браконьеры. Когда родители подплыли, она, обессилевшая, уже наглоталась воды и стала тонуть. Дмитрий в ужасе рвал сети, вцеплялся в них зубами. Наконец ему удалось вытащить маленькое тельце и передать его матери. Мать со Светланкой под мышкой устремилась к берегу, даже не заметив, что сети не отпускают Дмитрия. Точка. Дочка спаслась.

Пока что лечение Ваксона шло своим ходом, давая вполне удовлетворительные результаты. По прошествии недели он стал выходить и посещать редакции, являя собой благоприятный портрет сдержанного московского денди.

1973
Лондон

Говоря о денди, трудно, конечно, не вспомнить Лондон. Там вы найдете немало людей, занятых в течение всей жизни только одним вопросом — как стать и как пребывать всегда настоящим лондонским денди. Советский посол в Великой Британии Семен Михайлович Кочевой как истинный марксист XX века долго и серьезно изучал этот вопрос. В нем было немало противоречий. С одной стороны, стиль денди с его свободной походкой вроде бы бросал вызов проглотившим аршин «тори», однако, с другой стороны, он явно чурался марксизма, не говоря уже о ленинизме, хотя бы потому, что тратил на свой образ жизни большие излишки денег, то есть паразитировал на организме пролетариата.

Оставшись без своей ненаглядной супружницы, кукуя в одиночестве своего особняка, что по соседству с Кенсингтонским парком, то есть одним из самых дендиозных районов столицы, Его Превосходительство принялся разрабатывать образ марксистского денди, иными словами антиденди. Первый случай продемонстрировать этот новый стиль предоставился во время дипломатического приема в Букингемском дворце. Все послы явились на ту традиционную церемонию в своих протокольных цилиндрах, и лишь Семен Михайлович щегольнул купленной на распродаже кепкой-восьмиклинкой. Все остальное было в пандан с головным убором: косовороточка навыпуск, ремешок, смятые в гармошечку сапоги. Королевское семейство, разумеется, постаралось не обратить внимания на сей эпатаж, однако все лондонские таблоиды украсились фотографиями новоявленного марксиста.

Начался превеликий скандал. Из Москвы полетели шифровки. ЦК и МИД запрашивали посла, почему он выпал из протокола. Как он себя чувствует? Не нуждается ли в отдыхе? С диппочтой пришло письмо от самого Андропова. Тот спрашивал: «Что с Вами, Михалыч? Почему вы пошли на такой дерзновенный вызов? Где ваша очаровательная жена? Почему она не появляется на приемах?..» С пачкой таблоидов в руках в его кабинет ворвалась шестнадцатилетняя Вероникочка: «Ты что, папка, вконец чокнулся на своем ленинизме? Съехал по фазе? Смотри, вот мамке стукну, она тебя тогда бортанет forever, jerk ты мудацкий, get it?»

Дитя просто неистовствовало, что напомнило послу ранние годы Ралиссы. Оно (дитя) издевательски совало ему в лицо «Дейли миррор», где на огромной фотографии все были люди как люди, в цилиндрах, и лишь один, съехавший папец, в таксистской кепке.

Товарищ Кочевой вызвал тогда из своего личного секретариата двух самых надежных, то есть опять все тех же Гарика и Марика. Приказал поместить бунтующее дитя под домашний арест. В школу не допускать. Школа, хоть и советская, была подвержена влиянию разнузданных лондонских улиц, где шляются типы из Челси и Карнаби-стрит и вставляют маргаритки в стволы гвардейской стражи. Сурово прозвучал его завершающий приказ: «Из личных апартаментов дитя не выпускать, пока не прочтет внимательно и до конца вдохновенную работу своего отца, то есть как раз своего отца, посла СССР — не хмыкать! — роман «Юный революционер из Симбирска», повествующий о подростковых годах нашего великого вождя».

Значит, так, ребята. На время домашнего ареста с матерью никаких контактов. Вот когда она к нам вернется, мы все вместе соберемся и обсудим положение в семье, включая и вас, пацаны. Она скоро вернется, увидите! Мне дали понять в Москве, что скоро ее антисоветского Ваксона посадят. И вот тогда она в слезах вернется к тому, кто всю жизнь ее оберегал, то есть к послу СССР.

Советские послы за рубежом почитаются как вельможи, а вельможам позволяются и некоторые чудачества. Кочевой, хоть отчасти и понимал, что дочка отчасти права, что он отчасти действительно малость «съехал по фазе», все-таки отчасти надеялся, что ему с его связями в теоретических и сугубо практических кругах отчизны отчасти позволят некоторые проявления революционной романтики. На всякий случай все-таки собирался в отъезд. Упаковывал собрания сочинений, связывал их по-революционному, жгутом. Сто семьдесят томов Маркса, двести семьдесят томов Ленина (Ульянова) и еще столько же Ленина (не-Ульянова). Собранные здесь, на чужбине, фотоальбомы этого собирательного характера вместе с друзьями троцкистского, бухаринского и сталинского (истинного) направлений позднее справедливо стали известны всесторонней чисткой с замазыванием чернилами или с прокалыванием глазниц. Также увязывал в шпагат книги своего собственного сочинения, двадцать восемь романов вдохновенной Ленинианы, дважды награжденной Ленинской премией. Обратно отправлялся специально к назначению приготовленный московским издательством «Прогресс» перевод этих томов на английский; никому из этих «денди» здесь не понадобились. Вот сволочи!

Он снял со стен избыточный состав Ленинианы, и в частности прекрасное масло художника Налбандяна, просто трогающую за душу картину «Ильич и зайцы» (за миг до уничтожения). Оставил над собственной неспокойной головой только бессмертную работу Бродского «Ленин перед завтраком читает «Правду» (за минуту до того, как кремлевский курсант войдет с подносом, на котором сосуд с морковным кофе и краюха ржавого хлеба; масло — отправить детям!).

Занимаясь этим нелегким трудом, он постоянно думал о собственных думах. Куда-то они поехали вбок. Мало обеспокоены кознями агрессивного блока НАТО. С нынешними думами трудно узнать самого себя, или, как незабвенный в отставке Никита Сергеевич говорил или до сих пор еще говорит: «Не узнаю теперь я сам себя, не узнаю Григория Грязнова». Это все она виновата, моя предательница ненаглядная! Вот за это ее и люблю, эту вечную самоволку!

Или самку волка?! Ни в коем случае нельзя забыть, нельзя оставить здесь кому-то чужому на потребу секретные фотоальбомы «Лиса Ралисса», где она по-всячески отражена: в вечерних платьях, у моря в бикини, серия «Душ», вся в счастливом забвении, обтекаемая водой, не слышит щелканья фотозатвора, а вот еще те, юношеские, они с Гарькой репетируют разные позы, а он через щель в ширме, под музыку «Идут-идут вперед народы!», щелк-щелк.

Этот олух царя небесного даже не догадывался, что Missis Ambassador уже неделю как в Лондоне. Прилетела немедленно после того, как личный советник Посла товарищ Игорь Полухватов (он же Гарик) дружеским взволнованным голосом сообщил, что дочь Вероникочка подверглась домашнему аресту. Он встретил ее в Хитроу и отвез в своем «ровере» в отель «Кенсингтон Парк», в полумиле от посольского компаунда. По дороге хриплым голосом, с хохотцом, с мимолетными прикосновениями к ее коленам он рассказал, как произошел «сдвиг по фазе» и в какую сторону он сейчас развивается. Ралисса поняла, что она прилетела вовремя и надо немедленно извлекать девочку из мрачного замка.

В номере отеля Гарик тем же дружеским и еще более взволнованным голосом пообещал ей, что через несколько часов Вероникочка будет с ней. При одном условии, конечно.

— При каком еще условии? — раздраженно спросила она.

— Ну, ты знаешь, — голос его осел.

— Когда ты избавишься от своей навязчивой идеи?

— Никогда, — ответил он еще глуше.

— Послушай, Гарька, ну что ты цепляешься за то, что у нас было черт знает когда. Ты же знаешь, что я нашла своего парня и мне кроме него никто не нужен.

Она стояла спиной к нему и смотрела в окно на зеленые поля Кенсингтона. Он сидел в кресле. Она передернула плечами. Он залепил себе рот своей нехорошей лапой. Молчи, молчи, ничего не говори.

На следующее утро он привез Вероникочку, и они сразу отправились в аэропорт. По дороге девочка-гордячка вдруг разрыдалась и уткнулась маме в плечо.

— О чем ты плачешь, моя кисочка? — спросила Ралисса.

— Мне папку дурацкого жалко, — пробормотала дочь.

— А меня тебе не жалко? — спросил товарищ Полухватов.

— И тебя немного жалко.

Ну и дела, подумала Ралисса, достала пачку «Данхилла» и курила, курила без конца.

1973
Подъем

Ваксон и сам не заметил, как подошел к финалу «Вкуса огня». Героиня по имени Алиса везет в своей машине то ли живого, то ли уже отошедшего возлюбленного, которого в последней части огромного романа называют Пострадавшим. Они достигают площади Красных ворот, когда хаотическое движение Москвы внезапно останавливается.

«...Все смотрели в разные стороны, в разные углы земли и неба, откуда, как им казалось, должно было возникнуть Ожидаемое: в тучах ли, за гранью ли крыш, в странной ли раковине метро... Мгновенная и оглушительная тишина опустилась на Москву, и в тишине этой трепетали миллионы душ, но не от страха, а от Близости встречи, от неназванного чувства.

Сколько это продолжалось, не нам знать. Потом все снова поехало».

Поставив точку, Ваксон навалил на последнюю страницу тяжелую кучу прочих. Потом сел на пол в позу лотоса и начал прочищать чакры, через «иду» к «кундалини» и обратно через «пингалу». Волнение улеглось, дыхание упорядочилось. И вдруг возникла убийственная мысль: вот сейчас о н и войдут и заберут все, как когда-то у Василия Гроссмана забрали. Опять все внутри затрепыхалось. Вскочил, положил рукопись в Ралискину хозяйственную сумку и помчался на проспект Мира, к Тане Павловой.

Таня была машинисткой «сомнительных» авторов; маленькая, худенькая, огромные серые глаза, вечная сигарета во рту или в пальцах. «Таня, я прошу вас, просто умоляю, отложите все и возьмитесь сразу за это! Не пугайтесь, тут по крайней мере две трети отпечатаны на портативке, вам будет легче работать. Да и почерк у меня понятный, кругловатый, не то что у Тушинского. Эту кучу необходимо в кратчайший срок превратить в четыре ваших безупречных экземпляра. Я буду у вас появляться как призрак занудности и забирать сделанное, потому что... потому что...» Она подняла пряди и открыла миловидное ухо, в которое он прошептал: «Опасно!»

У Тани среди ее клиентуры были свои фавориты, и Вакс относился к их числу. Вот уж кем-кем, но призраком занудности вас, мистер Ваксон, не назовешь, произнесла она по завершении своей невероятной по скорости работы. Она относилась к тем редким мастерицам, с которыми автор под бутылочку коньяку мог поговорить о собственных художествах. Нет-нет, Ваксик, о занудности говорить не приходится. Там все вот так, как вы мне сказали вот сюда — она показала свое правое ухо — «Онсапо!».

Собрав все экземпляры и завернув каждый в непрозрачный пластик, он стал думать о том, как переправить один экз в безопасное место за бугор. То, что произошло в начале Шестидесятых с классиком (не соц) реализма Гроссманом, глубоко отпечаталось в писательской среде. Органы пришли с ордером на арест не человека-автора, а романа человечьего. Забраны были не только экземпляры, но и обе пишущие машинки, и не только машинки, но и вся использованная копировальная бумага. Плод многолетнего труда пропал, как обещал товарищ Суслов, на двухсотлетний срок.

Итак. Смешно говорить о почте. Не смешно размышлять о диппочте. Однако нести вес «нетленки» в посольство — это очень и очень онсапо! Он думал, думал и наконец хлопнул себя по лбу: он отнесет этот вес к Мишке Славутской!

Названная особа вообще-то была Вильгельминой, однако за время ее советских мытарств она превратилась в маленькую быстроногую Мишку. Вот уж кому можно было довериться без сомнений, так это ей. Она была сокамерницей, а потом и солагерницей ваксоновской матери Жени Гринбург: мрачный набор первых месяцев 1937-го. Происходила она из интеллигентской берлинской среды и в молодые годы вполне естественно примкнула к Коминтерну. Когда власть в Германии взяли наци, многие комми бросились спасаться на лучезарный Восток. Заботливые органы НКВД постарались отправить их на самый восточный Восток, то есть на Колыму. Удалось уцелеть. После Сталина Мишка и ее колымский муж Наум получили полный пакет реабилитации, включая партийные пенсии и квартиру в Москве, на Профсоюзной улице.

Эта маленькая жилплощадь вскоре благодаря Мишкиному легкому характеру и великолепному двуязычию превратилась в своего рода международный клуб. Сюда в сопровождении Льва Копелиовича и Валли Орловой приходил нобелевский лауреат Генрих Бёлль. Однажды заехал с гитарой молодой бард из ГДР Вольф Бирман. Он попросил Мишку собрать побольше народу из нашей компании «новой волны». Собралось немало, все сгрудились вокруг стола со шпротами и баклажанами, а также и с разномастными бутылками, случайный набор которых — ну, скажем, соседство мартини с расхожей сивухой по два шестьдесят семь — удивил даже гэдээровского немца.

Молодой Вольф, который в Берлине выполнял одновременно две советские роли — Влада Вертикалова и академика Сахарова, всем вначале очень понравился. Все как-то сразу попали под обаяние его романтического трагизма, когда он под мощные аккорды своей гитары запел «Волчьи цветы». Кукуш со своей Любой и Нэлла со своим молодым Гамзатом переглянулись, а Андреотис и Эр показали даже большие пальцы. Увы, потом он заладил свою бесконечную сатирическую балладу под названием «Вольвоград», в которой рассказывалось о том, что коммунистические шишки ездят на великолепных «вольво», в то время как рядовые гэдэ-немцы вынуждены тарахтеть на своих пластмассовых «трабантах». Под монотонный деревенский ритм Вольф все поддевал аппаратчиков, да еще и заговорщически подмигивал советским единомышленникам.

«Ах, Вольф, — произнесла Ахxo, когда баллада в конце концов была закончена. — Вы талантливый человек, а почему-то вгрызаетесь в такую банальную ситуацию. Ну скажите, что вам дались эти партийные дешевки, все эти аппаратчики? Ну какого черта вы произносите эти непроизносимые по пошлости имена всех этих тельманов, ульбрихтов, тышей, пиков, или как их там? Да еще и поете эти имена, то есть выпеваете их звучание, мой друг? Почему бы вам не петь и дальше о своих цветах, о птицах, о лошадях, вообще о кружении жизни?»

Ахxo, как все читатели, должно быть, уже догадались, была непростой персоной. То она казалась Золушкой-замарашкой, то представала перед публикой в горделивости своего поэтического сана. Вот такой небожительницей она и взирала в тот вечер на Вольфа, а тот, слушая быстрый перевод Мишки, бросал на Нэллу пугливые взгляды. Он-то рассчитывал, что будут все свои, противники партбюрократии, а тут оказались еще и снобы. Кончилось все, между прочим, ко всеобщему удовольствию: Ахxo и Бирман станцевали совместный твист на одном квадратном метре пола. Мишка Славутская была счастлива. Вот именно к этой бывшей зэчке, а ныне хозяйке московского салона, приехал со своим бумажным багажом злокозненный Вакса. Там уже собирались гости. Разноязыкий говор доносился из гостиной. Вдвоем с хозяйкой они уединились на кухне, и он изложил ей свои проблемы: готов новый суперроман, стопроцентно непечатная в СССР «нетленка», о п а с н о, или, читая наоборот, о н с а п о, нужно переправить его за бугор; ты можешь это сделать, Мишка?

«Ваксик, на ловца и зверь бежит! Сиди здесь, я вас сейчас познакомлю».

Она быстро процокала каблучками в гостиную и почти сразу вернулась со «зверем». Им оказалась Шанталь Диттерних, молоденькая и такая же шустрая, как Мишка, пресс-атташе одной нейтральной страны. На все его вопросы она отвечала односложно, но как-то духоподъемно и убедительно: «Ноу проблем!»

— Значит, это возможно?

— Ноу проблем.

— И в скором времени?

— Ноу проблем.

— Не истлеет, не заржавеет, не подернется мхом?

— Ноу проблем.

Тут в прихожей возник сильный праздничный шум. Вакс и Шанталь вышли из кухни и стали свидетелями большого светского события, каковые не так уж часто происходят в «образцовом социалистическом городе». Славутских посетил собственной персоной не кто иной, как сам Ян Тушинский, судя по загару, только что прибывший из нижних широт. Вместе с ним вошла высокая девушка-англичанка, которая самозабвенно хохотала и повисала на Яне, как будто только что хватанула излишек шампанского.

И Ян тоже сиял. Оба они в этот вечер были стопроцентно счастливы. Он громогласно представлял свою пассию:

— Господа, знакомьтесь с Пенелоп! Она — славистка! Вакс, представься девушке. Мы встретились с ней на Тринидаде и Тобаго!

Рука славистки взмыла над ее головой, словно взлетающий лебедь. Ваксон подождал, пока она снизится к его губам.

Поцеловал великолепную кисть.

— Так все-таки где вы встретились: на Тринидаде или на Тобаго?

— Ну что ты все язвишь? — урезонил его Ян и тут же крикнул всем: — Господа, мы принесли целый бокс «Татинже»!

Ваксон и Диттерних вышли в темноватый двор многоквартирного дома. Чуть-чуть светились остатки ноздреватых сугробов. Пахло волнующей весенней грязью.

Среди затрапезного советского автотранспорта выделялся свежестью ярко-желтый «фольксваген». Она пригласила его в эту машину. Там он передал ей тяжелую папку с написанным на ней адресом калифорнийского адвоката.

— Я вам очень признателен, Шанталь, — сказал он и чуть потянулся, чтобы поцеловать ее в щеку.

— Не чичас, — строго сказала атташе.

Ё, неужели он доплывет, долетит, доползет по адресу? Неужели пробьется со всей ордой своих героев, с аритмией своих времен, с остранением своих пейзажей и замедлением стремительных сцен? Диттерних вела себя с такой уверенностью, как будто она ежедневно перетаскивает через границу постмодернистские романы отвержения. Во всяком случае, вполне очевидно, что она это делает не первый раз. Как жительница «свободного мира», да еще и дипломат нейтральной страны, она, должно быть, считает это своим вкладом в борьбу советских крепостных за свое освобождение. Для нас — это огромное, опасное, невероятное дело, для нее — просто легкая авантюра в реалистическом шпионском фильме; самое большее, чем она рискует, — это аккредитация в Советском Союзе. Так или иначе, «Вкус огня» начал свое существование. Бон вояж!

Сейчас надо было бы шампанского выпить за этот вояж, и я бы выпил, кабы не перестал пить и не сел бы на схему доктора Димы. А впрочем, что может пузырящаяся бурда добавить к тому состоянию трепета и восторга, которое возникает у автора после отправки заведомо запрещенного романа? Даже Ралиску забыл, где бы и с кем бы она ни болталась. Роман вытесняет привычное любовное счастье-страдание, изгоняет даже африканов-чертей-дизиаков ревности.

Он вернулся к Славутским и сел к столу рядом с Яном-СовОдиссеем и Пенелоп-Пенелопой. Кореш был уже основательно подшофе. Он жаловался, а это был первый признак того, что поплыл. Не могу больше с Танькой, не выдерживаю. Совсем поехала со своей диссидентщиной. Орет на меня — шпион, шпион! Усыновила сиротку-херувимчика, мальчика Родю; я был в восторге, расписался как отец. Так она, представляешь, Вакс, стала уже этого крошку восстанавливать против меня. У тебя плохой отец, Родион, он повелся с дурными людьми. Я просто счастлив, что встретил Пенни! Вот это дитя Западного мира, девчонка без комплексов!

Ты долго здесь будешь? — спросил его Ваксон. Ян в ответ хищновато улыбнулся. Где это здесь? Ну, у нас. Где это у вас? Ну, на четвертой от Солнца планете? Все трое расхохотались, Пенелопа, разумеется, с некоторым опозданием. Черт знает этого Янка, подумал Ваксон, иногда кажется — он свой, кореш. В другой раз думаешь — нет, не свой, типичная агентура. И как будто в подтверждение второго варианта Ян принялся рассказывать о своих планах. Здесь, в Москве, он разведется с Татьяной, а венчаться с Пенни они будут в Лондоне. Грэм Грин пригласил их после свадьбы погостить на его вилле в Антибе.

Да что это мы все обо мне и обо мне. Давай поговорим о тебе. Ты знаешь, я хотел у тебя увести твою красавицу, и если бы не Пенни... Ну ладно-ладно, не зверей.

Скажи, это правда, что ты закончил какой-то сногсшибательный роман, «Вкус свинца» или что-то в этом роде? Знаешь, кто мне об этом сказал? Один генерал с невидимыми погонами; понимаешь? Ваксон на это ответствовал: «Извините, Пенни, я не пью. Вернее, оно не пьет. Оно — тело. Закрыто на просушку. Да что ты, Янки, над этим романом мне еще горбеть и горбеть — по крайней мере два года».

Он гнал домой по почти пустым московским улицам. Какая красота — гнать по ночной Москве. Там где-то в романе, кажется, есть такой уголок вот с точно такой же фразой. Остановился на смотровой площадке Ленгор (давайте вместе надеяться, что они вернут себе изначальное имя — Воробьевы) и пошел к пустующему и заколоченному храму Живоначальной Троицы. Остановился, чтобы постоять несколько минут в тишине и помолиться. Вдруг осенило, что он не знает, как молиться за романы, вернее, за их безопасные пересечения хлябей земных и небесных. Прочел «Отче наш» — не помешает. Потом пропел то, что однажды слышал на рю Дарю, — «Боже правый, Боже крепкий, Боже бессмертный, помилуй нас», и на этом иссяк советский человек. А дальше пошла уже настоящая отсебятина. Боже, помоги моему отчасти невинному, отчасти греховному сочинению, именуемому далее «роман». Боже, не гневайся на автора романа: ведь мы живем на грешной земле. Дай мне поверить, Всесильный, что сочинительство все же не грех. Чем мы утешимся в этой тюрьме, если не будет романов?

Когда он подъехал к своему дому, на седьмом этаже восточной стены увидел светящиеся окна. Ну вот, о н и явились и шмонают сейчас по всем полкам, офицеры с невидимыми погонами, как сказал Янк. Собирают все, что можно унести: «Грани», «Континент», «22», «Стрелец», «Воздушные пути»... Перевязывают все шпагатом, по-марксистски. Выворачивая шею, он огляделся по сторонам. Гэбэшных машин вроде не видно. Очевидно, ждут за углом.

Надо куда-то сразу мотать, спасать оставшиеся три экземпляра. Поеду к Эрам на дачу, самое безопасное место. Может быть, там и закопать на участке до лучших времен, как это делает Аврелов?

Вдруг на седьмом этаже открылось окно, и он увидел на подоконнике тонкую фигуру любимой, о которой забыл из-за тревог с романом. Сгибом руки она подняла надо лбом волну медово-пшеничных. Затем поднялась к дальним углам длинная щетка с намотанной тряпкой. Что же это получается — бытовое обметание паутины, и попка мирно обтянута таким же овероллом, в каком она была в ту ночь, когда ей захотелось усесться на колени к тому, с кем была уже самовольно на «ты».

Забыв о романе, он помчался. Лифт, конечно, не работал. Взлетел на двоих, если не считать хвоста. Вбежал на одном дыхании, как будто не болел и одеколонов никогда не пил. «Ах!» — вскричала она, как будто только и ждала, чтобы разыграть мизансцену. Щетка летит в сторону, а уборщица падает в объятия квартиросъемщика. Гаснет свет. «Тише, тише, сумасшедший, в кабинете спит Вероникочка!» Он поднял ее на руки и отнес в безобразно скомканную за эти дни спальню. Пока раздевал и раскладывал ее под собой, не говорил ни слова. Сначала отдеру ее как следует, отдеру как негодяйку, как подлючку, а потом уж поговорим по-человечески. Она дергалась и шептала привычное и любимое «не щади, не щади». Пятками вжималась ему в бока. Потом вдруг разрыдалась примерно так, как он разрыдался на борту «Яна Собесского». Стала гладить его по волосам, ухватилась за оба его уха. «Милый, милый, мой любимый кот Василий!»

После экстаза, когда успокоились, она взяла с ночного столика открытку с доблестным ракетчиком, борцом за мир.

— Представляю, как тебя взбесила эта открытка; швырнул ее в корзину для белья!

Он покрутил открытку в полнейшем недоумении:

— Я первый раз это вижу. Ты не знаешь, Ралик, без тебя я впал в прострацию.

— Я кое-что знаю. Звонила сегодня Анке Эр. Славная баба, она мне кое-что рассказала про твою прострацию. Но самое главное — это то, что ты завязал...

— Самое главное — это то, что я дописал! Дописал «Вкус огня»! Представляешь?

— Вау! — воскликнула она на языке НАТО и запрыгала на постели среди скомканных одеял. — Давай мне рукопись, я сразу начну читать!

И тут он хватился. Три копии нетленного эпоса остались на заднем сиденье «жигулей». Любой человек может уехать на этой машине. Нет ключей? Любому человеку это не помеха. Он соединит проводки, и мотор заведется. Любой человек прочтет роман и пойдет стучать в гэбэ. Собственно говоря, любой человек может оказаться гэбэшником, который в жажде повышения притащит «Вкус» своим козлам. Любой человек, между прочим, может оказаться иностранцем, предположим, филологом-русистом. Он опубликует книгу под своим именем и огребет весь гонорар. С другой стороны, любой человек из всех возможных, согласно теории бесконечных чисел, может оказаться настоящим автором романа, Аксёном Ваксоновым. Он после встречи с любимой может хватиться, что роман под угрозой, натянуть джинсы на голую задницу и помчаться вниз, чтобы ахнуть от радости: никакой другой любой человек не подоспел; и роман цел!

1975
Ссыльный

Итак, начинаем с одной ночи лета 1971-го. Вернулся из ссылки Процкий. В либеральной Москве его встречали как триумфатора, хотя некоторые огосударствленные писатели с оттопыренной нижней губой выражали недоумение: кто такой этот Процкий? И что он такого особенного написал?

Ах так?! Нэлла Аххо вскакивала и приближала лицо к какой-нибудь надменной физиогномии, которая от нее чуть-чуть сторонилась, боясь плевка. Вы, значит, никогда о таком ничего не слышали, никогда не читали его стихов ни в «Правде», ни в «Комсомолке»? Ну тогда слушайте! Она читала:

Я обнял эти плечи и взглянул
На то, что оказалось за спиною,
И увидал, что выдвинутый стул
Сливался с освещенною стеною.
Был в лампочке повышенный накал,
Невыгодный для мебели истертой,
И потому диван в углу сверкал
Коричневою кожей словно желтой.
Стол пустовал, поблескивал паркет,
Темнела печка, в раме запыленной
Застыл пейзаж; и лишь один буфет
Казался мне тогда одушевленным.
Но мотылек по комнате кружил,
И он мой взгляд с недвижимости сдвинул.
И если призрак здесь когда-то жил,
То он покинул этот дом. Покинул.

Но это же просто гениально, восклицал либеральный народ. Это инкарнация Мандельштама! И все начинали

Василий Аксенов и Евгений Евтушенко

С ирландкой Джоан Батлер (Пенни) Евтушенко прожил 17 лет. Она родила ему двух сыновей. На даче в Переделкино

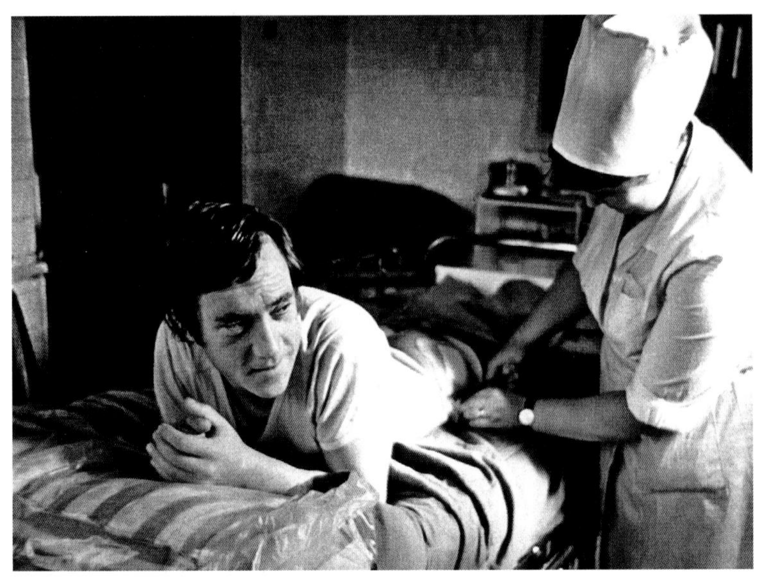

Врачи несколько раз кодировали Высоцкого от алкогольной зависимости

Андрей Вознесенский и Владимир Высоцкий

Ваганьковское кладбище 28 июля 1980 года. Похороны Владимира Высоцкого

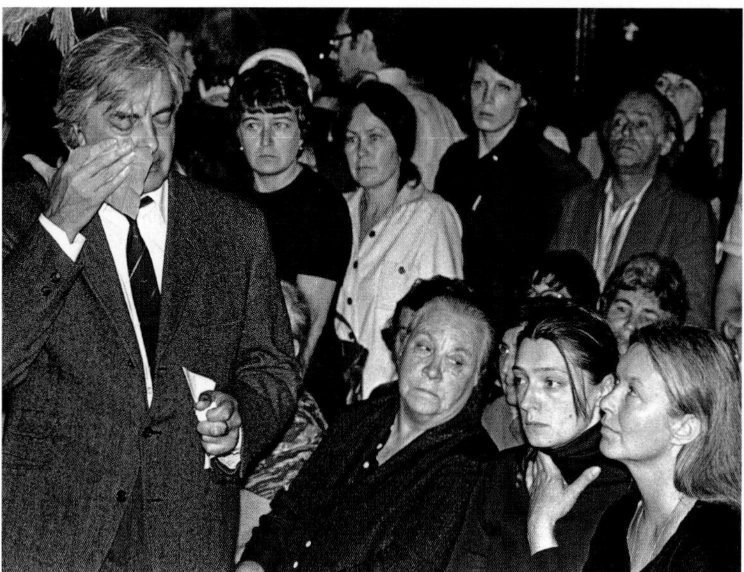

Прощание с Владимиром Высоцким. Марина Влади, Людмила Абрамова и Юрий Любимов

Знаменитое фото для обложки журнала «Огонек»: Евтушенко, Окуджава, Рождественский, Вознесенский

Роберт Рождественский и Василий Шукшин

Роберт с дочкой Катей

Семья, 70-е годы

Роберт на даче
в Переделкино
с женой, дочерьми
Катей и Ксенией
и собакой Боней,
1987 год

Алла Киреева, Катя Рождественская и ее муж Дмитрий Бирюков в Петрозаводске, на родине Рождественского, 1979 год

Муслим Магомаев (Эль-Муслим), Арно Бабаджанян, Рождественский

Роберт с женой Аллой на веранде в Переделкино, 1987 год

Одна из последних фотографий...

читать его строки, поскольку едва ли не каждый считал, что он (или она) хоть малую каплю добавили в его освобождение.

Плывет в тоске необъяснимой
Среди кирпичного надсада
Ночной кораблик негасимый
Из Александровского сада...

Или:

Джон Донн уснул. Уснули, спят стихи. Все образы, все рифмы. Сильных, слабых Найти нельзя. Порок, тоска, грехи, Равно тихи, лежат в своих силлабах...

Или:

В деревне Бог живет не по углам,
Как думают насмешники, а всюду.
....
Он изгороди ставит, выдает
Девицу за лесничего и, в шутку,
Устраивает вечный недолет
Объездчику, стреляющему в утку.

Или:

Наверно, тем искусство и берет,
Что только уточняет, а не врет,
Поскольку основной его закон,
Бесспорно, независимость деталей.

Или:

Навсегда расстаемся. Смолкает цитра.
Навсегда — не слово, а вправду цифра,

Чьи нули, когда мы зарастем травою,
Перекроют эпоху и век с лихвою.

Или:

Ночная тишь.
Вороньи гнезда как каверны в бронхах.
Отрепья дыма роются в обломках
Больничных крыш.
Любая речь
Безадресна, увы, об эту пору —
Чем я сумел, друг-небожитель, спору
Нет, пренебречь.

Или:

В Рождество все немного волхвы.
В продовольственных слякоть и давка.
Из-за банки кофейной халвы
Производит осаду прилавка
Грудой свертков навьюченный люд:
Каждый сам себе царь и верблюд.

«Огосударствленный» с досадой морщится. Ну и что такого? Ну, хорошие стихи, вот и все. И вы хотите сказать, что его за эти стихи упекли в ссылку? За это приписали к тунеядцам?

Нэлла Ахxо опять переходит в наступление. А вы хотите сказать, что за что-то другое? Может быть, он банку халвы украл? Занимался валютными операциями? Сутенерствовал на бульваре? Учтите, мы поэта так просто не отдадим! Весь мир объявит вам культурный бойкот! «Огосударствленный» страдальчески мычит. Ну что вы, Нэлла, ну вы же меня знаете: я никому зла не сделал. Я обожаю поэзию.

Послушайте, я могу записать его в свои литературные секретари. Он будет тогда защищен от дурацких законов.

Поэтесса отмахивается. Да ну вас! Ведь вы же не Джойс, чтобы нанимать Процкого на роль Беккета. «Огосударствленный» обижается. А чем я хуже Джойса?

И вот Яша Процкий входит в Дубовый зал писательского ресторана. Ему чуть за тридцать, а выглядит он на двадцать восемь. Он в английском пиджаке. Он вообще любит все английское. У него и поэзия с английским бризом. Мощный некогда чуб слегка засквозил. Пуза в ссылке не нажил.

Пока он идет от дверей к большому столу, за которым в его честь собралась группа шестидесятников, кое-кто из собравшихся мгновенно вспоминает его первый приезд в Москву. Это было в начале Шестидесятых, то есть когда ему было чуть-чуть за двадцать. Гудела компания «новой волны», и вдруг собутыльники вспомнили, что их — Яна Тушинского, Роберта Эра, Нэлку Аххо, Кукуша и Ваксона — ждут в старом здании МГУ на литературный вечер. Пойдешь с нами, Яков? А почему бы нет? Почему не пойти? И он с ними пошел, сильно уменьшив средний возраст группы.

Признаться, он немного струхнул, увидев забитый под потолок амфитеатр Коммунистической аудитории. В родном Питере его на такие ристалища не допускали. И тут Тушинский его представил. Ребята, у нас сегодня особый вечер: с нами пришел молодой гений Яша Процкий. Веснушки так побагровели, что казалось — воспламенится чуб. Он начал читать. Гудел, гудел, потом, позабыв обо всем, принялся орать, извергая стихи. В общем, он ребятам понравился.

Ваксону тут вспомнился и другой, сравнительно недавний эпизод с участием Процкого. После освобождения из ссылки он приехал в Москву для оформления каких-то документов. С ним вместе приехал Колька Сайман, один из главных «ахматовских сирот», поэт герметического наклонения. В те дни в Москве по клубам стал мелькать американский фильм «Some Like It Hot». Один знакомый пройдоха позвонил Ваксону и сказал, что эту ленту с Мэрилин Монро будут сегодня крутить в клубе на Малой Лубянке, дом 2. Поехали втроем. Питерские провинциалы трепетали от предвкушения. На узкой улице среди могучих мраморных блоков сталинского ампира стояла толпа безнадежно желающих. Пройдоха оказался до чрезвычайности хитер и провел всех своих. В гардеробной клуба сдали пальтуганы и получили номерки. Эва, сказал Ваксон, посмотрите-ка на номерки. И показал на свой. На нем крупными буквами была выбита красивая аббревиатура: КГБ. «Как вам это нравится, Яков?» — спросил Сайман. Процкий сначала побелел, а потом встряхнулся. Ради такой бабы я готов хоть в ад!

В общем, вот такие и подобные им эпизоды промелькнули перед шестидесятниками, пока Процкий матросской походочкой подходил к столу. А потом пошла гульба с провозглашением тостов, с чтением стихов и с распеванием кукушевских тропов и прежде всего того, что подсказано было впрямую Пролетающим:

Господи, мой, Боже, зеленоглазый мой!
Пока Земля еще вертится и это ей странно самой,
Пока ей еще хватает времени и огня,
Дай же ты всем понемногу и не забудь про меня!

И нам опять показалось, что всплыл Коктебель 1968 года, когда мы были едины.

Из Дубового зала, который иногда у нас называли «Рестораном для дубов», отправились все в Тушино, в мастерскую Синеуса Целикова, смотреть его новое полотно «Едоки арбузов». Синеус в этот час спал один, без жены и без знакомых, во сне полемизировал с деятелями МОСХа, которые все как один наступали на него с физиономиями «едоков арбузов». Он им якобы орал: «Хотите уничтожить — уничтожайте все, а также и самоуничтожайтесь!»

Тут загрохотали в оцинкованную дверь. Ну вот и они! Каждый художник должен знать тех, кто приходит в летнюю ночь, мосхатых. Глотнул оставшееся из четвертинки, встал в спартаковской футболке и с вафельным на голове. Взял в руку шпатель: больше нечего было взять. Ну, гады, берите меня, терзайте, рептилии!

За дверью стояла толпа людского народа. Из ЖЭКа, что ли, с понятыми? И наконец очнулся, или, как на собраниях говорят, прозрел. За дверью стояла симпатянская такая орда писателей и стихотворцев с привлекательными девушками в виде жен. Ну что: гнать всех прочь или пропускать по одному? Добро пожаловать, товарищи! Выпить что-нибудь принесли? Оказывается, в избытке! И даже закуси немало — гирлянды охотничьих сосисок. Все, бурно клокоча, влились в мастерскую и растеклись по отдельным холстам; такова наша публика! А Янка Тушинский, конечно, провозгласил:

О, запах туши и гуаши!
О, воздух ваших мастерских!

Как всегда, Синеусу очень понравились эти «уши» и «аши». Он даже трепачка оттяпал. А Янка на правах самого ближайшего потребовал, чтобы он еще спел что-нибудь про художников, ну хоть ту, на слова Глеба Горболевского:

А на дива-, а на дива-, а на диване
Мы лежим, художники.
А у меня и у моёва друга Вани
Протянулись ноженьки.

Кроме того, среди вторгшихся друзей один был иностранец, Артур Миллер, ростом не уступающий нашему «Тушинскому вору». С ним Янка приезжал третьего дня, чтобы продемонстрировать подпольную гениальность России. Артур тогда точно нацелился на «Едоков» и спросил, не продается ли. А сколько дадите? — прищурился Синеус, прикидывая, хватит ли на дубленку. Иностранец стал что-то говорить другу Янку, а тот переводил: вот ведь как наблатылкался друг, чешет спокойно то на одновском, то на друговском.

Вообще-то, говорил Артур Миллер, ваша картина, Синеус, в недалеком будущем может подскочить до высшего разряда цен на современное масло. Сейчас, конечно, она стоит немного, поскольку ваше имя не знакомо ни аукционерам, ни тем более коллекционерам. Надеюсь, вы понимаете, что я не собираюсь на вас нажиться. Понимаете или нет?

Да чего там, отмахнулся Целиков и подумал, что на дубленку, наверное, не хватит. Хватило бы на пару штиблет.

Артур Миллер продолжал. Мне нравится ваша комбинация сюрреализма и социальной сатиры, но больше всего я впечатлен вашим живописным мастерством. На первый взгляд я бы вам предложил пятнадцать тысяч, хотя и чувствую себя неловко — вдруг невольно окажусь обманщиком? Давайте сделаем так. За оставшиеся московские дни я посоветуюсь с местными американскими коллекционерами. Гарантирую, что ниже пятнадцати мы не пойдем.

Целиков Синеус всегда отличался математическими способностями, и потому он сразу сообразил, что предложенной суммы хватило бы на тридцать самых изысканных дубленок. Тушинский тогда ему шепнул: «Соглашайся на все, что он скажет. Честнее человека в западном театре нет». При чем тут театр, ума не приложу. Может, он там по реквизиту? Тогда он походочкой подмосковной шкоды приблизился к иностранцу и пролез своей неотдохнувшей еще рукою ему под локоток.

— Ну что, дядя Артур, на какой сумме сойдемся?

— Костаки с друзьями мне сказали, что вам надо пятьдесят грандов предлагать, мистер Целико. Сэр, — сказал Артур и как-то странно, неадекватно, взвихрил немалой своей лапой робкий, но нахальный хохолок мастера. — Сэ-тооу дубленок, маэстро; каково?

Мгновенного ответа не последовало, потому что Целиков наконец вычленил из толпы Яшу Процкого и, забыв про «Едоков» и сто дубленок, бросился к тому; они недавно вместе пили. Да, было дело, на Гоголевском бульваре вошли в клевую компанию и пили нагретый кагор из госпитальной грелки. В общем, пили ворованное зелье, и Яков не подкачал.

Чтобы долго тут не рассусоливать на тему «Едоков арбузов», нам надо сразу уточнить некоторые свершившиеся в недалеком будущем факты. Синеус не купил ни одной дубленки. Артур Миллер открыл на его имя счет в «Чейз Манхэттен». Мастер вскоре эмигрировал вместе с новой женой из числа дам, участвовавших в ту ночь в знаменитом «Купании каналий».

Название купаний возникло по прямой от канала Москва — Волга, сооруженного горсткой энтузиастов и армией заключенных в Тридцатые годы. Купались там голышами до рассвета, когда стали потихоньку облачаться. Подошедших мильтонов во главе с капитаном Скворцовым угостили чем бог послал. Поэт Тушинский спел с ними песню «Хотят ли русские войны, спросите вы у тишины, спросите у больших полей, спросите у жены моей». «Так я им и ответила! — воскликнула тут Татьяна Фалькон-Тушинская. — Пошли бы вы все на йух!» Купили пескарей у ночных браконьеров, поджаривали на угольках. Разговаривали по-разному: кто задушевно, кто скандально. Барлахский, например, все время повышал голос:

— Вот Процкого тут у нас Лермонтовым называют. Если он — Лермонтов, то кто тогда я?

Яков между тем доверительно беседовал с Робертом и Яном. В отличие от мощного гула и грома, которые он исторгал во время публичных стихотворных чтений, в обычной речи он был изрядно неуклюж: слегка заикался, подмемекивал, а в качестве междометия не вполне адекватно использовал «нет».

— Похоже на то, — нет? — что мне в Питере больше не жить, — нет? — вот такая — нет? — ситуёвина.

А Роберт — напоминаем — в непростых диалогах частенько начинал заикаться.

— Ппочему ты тттак думаешь, ссстарррик?

И лишь речь Тушинского обладала горациевской ясностью.

— Давай-ка, Яша, определимся: как ты представляешь свое будущее?

Получалось так. Ленинградские органы, похоже, сформулировали свою политику по отношению к амнистированному Процкому: давить и гнуть, травить, всячески унижать, не давать никаких возможностей для мало-мальски реальных заработков, вести дело обратно к ссылке, а то и к чему-нибудь похуже. Что остается ему делать при таком ретивом соседе? В Москву перебираться? Никто его тут не пропишет, он останется — нет? — практически вне закона. Да ведь и здешние — сиречь центральные органы — далеко от невских-то не ушли в смысле поэтических тунеядцев. Получается так, что единственный путь для реинкарнированного Мандельштама — это перевалить за бугор. В Израиль? Нет, он все-таки не хотел бы сворачивать в Израиль. Ведь он все-таки русский поэт. Зззнаете, ссстарики, это все равно кккак если бы Пастернаку предложили бы еххxать в Израиль. Яша, ты мог бы хоть с некоторой точностью определиться, куда ты хочешь?

Он хочет, оказывается, в Англию. И между прочим, предпринимал уже некоторые — нет? — не очень-то удачные попытки. Из Англии одна за другой приезжали англичанки. Подавались заявления на брак, фиктивный, конечно, в... как правильно, загс или закс? На все эти заявления был отрицательный ответ. Что это значит? Как можно отклонить заявление на брак от двух холостых персон разного пола? В конце концов по повестке его пригласили в гэбэ. Там с ним разговаривал хам, майор Азиатов. Учти, Процкий, сказал он ему, ни одна твоя английская блядь не получит разрешения на брак с тунеядцем в нашей колымаге — он оговорился — в колыбели революции. А между прочим, все эти так называемые «бляди» имеют пи-эйч-ди, степень, по славянский филологии.

Ну, в общем, — нет? — он решил тогда пройти по израильской стороне лезвия — нет? Как ему все-таки еще недавно советовал Янки.

Нашли там родственницу, тетю Малку Мордехаевну Песлехович из города Здерот. Он подал заявление в ОВИР. И вдруг невероятное — отказ! Такого у них уже целый год не было. Значит, что-то личное против него затевается, от чего у нормальных людей слабеет вегетативка. Идет сам к майору Азиатову. Ксандрий-твоюмать, ты что же, плать, загубить решил нового Лермонтовича? Гэбэшники, между прочим, любят такую феню диалога. Ты сам, Яшка-гадский, виноват, плать, в своей гуёвской судьбине. Ни одного блядского дня без иностранцев прожить не можешь. От меня теперь помощи не жди, гуй бродячий. Давай, шиздецович, записывайся к генералу!

Уже два месяца прошло, а генерал его не принимает. А между тем стукачи-топтуны уже захезали все парадное. Подбрасывают в ящики письма, — нет? — вроде бы от диссидентов: «Яша, возглавь Союз борьбы против большевизма!» Прямо в дом ему приносят журнал «Грани». Ну, в общем, братаны-поэты, к нему подбирается новый шиздец, как бы выразился майор Азиатов.

Все трое замолчали. Занималась заря. Девы литературы плыли в розовеющих водах навстречу первенцу счастья электроходу «Леонид» с его позывными «Широка страна моя родная».

Роберт закурил сотую небось за сутки сигарету.

— Из всего этого нашего простого советского бреда я только одну выловил здравую идею: переезд в Москву. Яков здесь попадет в нашу среду, и мы будем его заслонять своими широкими. Прописка дело сложное, но не безнадежное. Я беру это на себя. Почти уверен, что протащу негласный позитив через Секретариат. Очень важно обеспечить большую весомую публикацию Якова в «Юности». Воображаете, старики, какой будет эффект: несколько страниц стихов Процкого трехмиллионным тиражом! Вот таким образом мы можем сохранить большого поэта для нашей культуры! Ты где остановился, Яша?

— У Ваксона.

Роберт покосился в ту сторону, откуда доносился плеск и переливчатый смех подвыпивших дам.

— На «Аэропорте» или на Плющихе?

— На Плющихе, — Процкий улыбнулся. — В обществе Мадам Аксельбант и Мадемуазель Вероникочки.

Роберт протянул ему свою визитную карточку.

— Если захочешь, можешь и к нам перебраться, на улицу Горького, возле Телеграфа. Пока что тащи стихи.

Вместе отберем цикл для «Юности», если не возражаешь. Ну, всего. Пора и в койку, — и двинулся к дороге, где ждала его новенькая «Волга» с шофером.

Как хочется домой, думал он, пока шел. Никогда прежде не постигал ценности семейного лона. Ворчливая моя Анка, как я тебя люблю! Ритка-с-сигаретой, как славно с тобой покурить на кухне и обсудить литературный расклад.

Дочуры мои плюшевые и губастенькие, как ваш собственный отец; одна седлает твое плечо, другая увенчивает колено — нет ничего дороже вас! Кот Дорофей, избравший семейство Эров из глубины космических миров, кто превзойдет тебя в степенности походки? Брр-фрр-мао, прощай, моя молодость! Пришла пора усталости от богемного карнавала. Теперь я вижу естество свое в коллекционировании книг, литографий, нотных листов, оригинальных гравюр и тяжеленьких предметов письменного стола...

Тушинский смотрел ему вслед, пока он не скрылся в предрассветном тумане.

— Отяжелел наш Роб. Еще недавно похож был на баскетболиста, а теперь смахивает на тяжелоатлета. Грустно.

Процкий внимательно заглянул ему в глаза.

— Я вижу, Янки, тебе не очень-то — нет? — нравится его план с «Юностью»; я прав — нет?

Тушинский пожал плечами:

— Почему же? План хорош. Теперь все зависит от тебя. Если примешь этот план, станешь советским поэтом. Если уедешь, тебя назовут «отщепенцем, совершившим ошибку на грани измены Родине». Вообще-то я знаю, с кем надо поговорить о твоем отъезде. Есть такой московский бонвиван с колоссальными связями, Василий Романович Житников. Если дашь добро, я рискну.

У Процкого была странноватая привычка. Если возникала сложная ситуация, он брался рукой за подбородок, прикрывал указательным пальцем рот и начинал маячить вокруг, слегка постанывая. Так он поступил и на этот раз.

От канала поднимались развеселые дамы, и с ними непонятно по какой причине сияющие счастьем Ралисса и Ваксон. Процкий перестал мычать при взгляде на свою хозяйку. Откуда взялось это чудо, эта Сударыня Вечный Соблазн? Она выжимала свои волшебные волосы и заматывала их в короткую, но толстенную косу.

— Здорово побесились! — восклицала она.— Здорово, но хватит! У всякой бесовщины есть свои пределы! Она не вечна! — слегка повисла на плече поэта.— Поехали домой, генюша, рубать редиску!

С другого плеча его ухватила Нэлка Аххо.

— Яшка, хочешь, я отдам тебе мою корону? — и сняв со своей головы маленький тазик, водрузила его на питерскую плешь. Влекомый двумя прелестницами, он обернулся на Тушинского. Тот стоял на берегу вместе со своей женой Татьяной. Завернушись в пляжные полотенца, они вели какой-то диалог и обменивались жестами, словно сенаторы Рима.

— Добро! — крикнул Процкий. — Янки, добро!

Ян помахал ему в ответ: дескать, понял; добро так добро. На этом завершилось историческое для литературы «Купание в канале».

1970-е
Забугорье

Через два месяца Процкий вылетел в Вену, где его встречали проф. Чарльз Профессор и английский поэт Одэн. Можно сказать, что именно с того дня начался исход советской богемы и фронды. В течение всех оставшихся Семидесятых не проходило недели, чтобы в Москве не проносился истерический слух об отъезде того или другого представителя послесталинского ренессанса. Вместе с ними отбывали люди, имеющие к ним прямое или косвенное отношение. Например, с Генри Известновым уехала всей Москве небезызвестная и великолепная Нинка Стожарова. А до этого, оказывается, никто не знал, что их соединяет давний и глубокий шансон-романс. Никто не подозревал, что скульптор, которого по жесткости материала можно было сравнить только с Бенвенуто Челлини, питал к своей девушке столь сентиментальную привязанность.

В общем, Нинка бросила свою высокоинициативную должность в Шестом (самом либеральном) объединении «Мосфильма» и отправилась вслед за Генри в Нью-Йорк — делить его лавры. Вообще-то Генри охотно бы отдал ей весь избыток «славы и богатства» — ему самому ничего не надо было, кроме ежедневной бутылки виски, — если бы было что отдавать. Произошла довольно типичная для Америки история. Выставка миниатюр Известнова на Манхэттене оказалась сенсацией сезона. Пока она шла в галерее Ланкапа, то есть в течение месяца, к ней не зарастала народная тропа. Скульптор даже устал от хвалебных статей. Фигура его привлекала всеобщее внимание здешних. «Генри, почему вас так зовут, на наш манер?» — поинтересовался в интервью ведущий обозреватель твердых искусств Клопсток и был просто потрясен, узнав, что родители так назвали будущего сюрреалиста в честь председателя ГПУ Генриха Ягоды.

Потом выставка кончилась, и все затихло. Никаких заказов, ноль предложений, сто нолей интереса; как будто кто-то основной, вроде ЦК, решил: получил свое и вали! Он все рассчитывал на свои крупные формы, но они где-то то ли застряли, то ли были конфискованы большевиками, во всяком случае от них ничего не осталось, кроме не очень-то высококачественных фотографий, которые никого на Манхэттене, ну буквально никого не интересовали.

А Нинка между тем ради спасения генюши, а честно говоря — убегая от постоянного мрака, поступила официанткой в ресторан «Жар-птица». Там она и увидела сидящего как ни в чем не бывало, как будто в ВТО или в Домжуре, Рюра Турковского. Тот уже давно к ней «клинки подбивал», а тут прямо весь запылал, как моногамный Казанова. Короче говоря, они почти мгновенно уехали на Западное побережье, в предместье Голливуд.

И там их постигла одна к одному с Известновым участь американского успеха. Он стал там крутить свою недавнюю ленту под названием «Астероид Евразия», и все эти Де Ниро, Скорсезе, Черутти и Ломбарджини пришли в неописуемый восторг: браво, Рюр! Ты открываешь новую страницу — «Кино Турковского»! И прямо вслед за этим последовала зона непробиваемого молчания. Рюрик стал тогда водить такси, а Стожарова, еще веря в свою звезду, устроилась в ресторан «Станиславский».

Забегая на десяток лет вперед, можем сказать, что там, в этом кабаке, она и подцепила реального американского мужа Вильсона Кука, владельца отелей «Вестерн», и облагодетельствовала своих творческих знакомых, проживающих в Америке.

Почти одновременно с Турковским в Голливуд прибыл самый респектабельный сценарист Москвы господин Мелонов. Ему больше повезло, чем другим, хотя бы потому, что он довольно легко изъяснялся по-английски. Будучи лучше других сведущ по части современных «носителей», он привез несколько кассет со своими работами и без всякой помпы распространил их не в «звездной» среде, а среди киноагентов. В результате два его новых сценария были куплены могущественной продюсерской группой «Тетрагон». Получив солидную сумму, он купил дом и автомобиль; или наоборот. Затем выписал из Израиля свою семью: жену Мирру Ваксон, ее дочь от первого брака Лялю, ваксоновского сына, зрелого подростка Дельфа, и общего ребенка, четырехлетнюю Нюрочку. Вообразите себе сентиментальный накал встречи Мирки с Нинкой Стожаровой: ведь последняя в прямом смысле участвовала в воспитании мальчика. Забегая еще немного вперед, мы можем сказать, что юноша Дельф с удивительной привязанностью следил за судьбой своего непутевого папаши. Пристрастился, например, обсуждать с ним по телефону вихри «русского рока», так что отчиму оставалось только покряхтывать при виде счетов AT&T.

Далеко не все «отщепенцы» жаждали из Вены проследовать прямым курсом в США. Иных, и далеко не всегда стопроцентных евреев, магнитило государство Израиль. Вот, например, Герман Грамматиков с большим трудом насчитал в себе одну тридцать вторую часть еврейской крови, и тем не менее он принял активное участие в «Войне Судного Дня»: форсировал в составе «русского батальона» Суэцкий канал, окружал египетскую 5-ю армию, допрашивал пленных офицеров, из которых большая часть кумекала по-нашенски.

Среди отъехавших в Израиль немало также оказалось и тех, кого еще недавно называли «физиками-лириками». В нашем повествовании один такой мелькнул на канатном спуске к Львиной бухте; молодой доктор наук по кличке ФУТ, Федор Улялаевич Трубской. Едва он подал заявление на отъезд, как на него стали наседать особисты. Что же вы, русский аристократ — а в жидовское царство собрались? А он, оказывается, не аристократ был, а казак, так что подобные вопросы были неуместны. Тогда ему просто отказали как лицу, допущенному к курчатовским тайнам.

Он ушел в отказ и однажды на подпольном семинаре пожаловался сенатору Кеннеди. Тогда его внесли в список травмированных советскими беззакониями. В общем, совместно вытащили этого ф-л из глубокой задницы, как он когда-то вытаскивал Грамматикова.

Президент Республики Карадаг ФИЦ тоже свалил. В Израиле учил детей плавать, а подростков сопротивляться ногами. Ежедневно звонил красавице Колокольцевой в Страсбург, где та работала в аппарате Европейского союза. В конце концов телефонный долг вырос до такой суммы, что его пригласили в суд. Вместо явки он отбыл в бесконечное путешествие на своем мотоцикле. Малолегальным образом пересекал границы стран, пробавляясь малоприятным трудом. Наконец прибыл в Страсбург, где познакомился с супругом своей феи, бароном де ла Клош. По прошествии недели, в отсутствие жены и в присутствии шофера, барон указал ФИЦу, то есть Феликсу Ивановичу Цейтлину, на дверь. Покинув стильный мэзон, ФИЦ сочинил «Балладу изгнания» и завербовался во французский Иностранный легион. Он был послан в Куру (Французская Гвиана) охранять периметр ракетного полигона. С тех пор там и обретается.

Пришла пора вспомнить и о нашем теснейшем друге, Гладиолусе Подгурском. Он всегда старался вырваться вперед и пребывать в авангарде. В возрасте двадцати лет он напечатал в «Юности» повесть о молодости, о любви и об осенних лужах под названием «Хроника времен Анатолия Гладилина». Был колоссальный успех, за который его впоследствии стали называть «нашей Франсуазой Саган». И вот теперь, после множества книг, изданных в СССР, он первым из советских писателей отчаливает навсегда.

Он прибыл в Париж совсем без денег. С ним была семья — жена Даша и двенадцатилетняя дочка Китти. С удивительным легкомыслием он предполагал, что все само собой как-нибудь уладится. Сначала показалось, что все вот таким образом и пойдет — с легкими поворотами, с московскими жестами, когда можно вдруг, ни с того ни с сего, пробарабанить по столу, или, скажем, с обращением «Дорогие товарищи!», которое повергало всех присутствующих на пресс-конференции в состояние полной растерянности. Кое-какие средства все-таки появились в виде вознаграждений за интервью и комментарии на актуальные события, что дало возможность снять квартиренц на окраине, однако никаких договоров и авансов за этим не последовало.

Глад начинал уже вроде как впадать в прострацию, как вдруг все переменилось и в полном соответствии с его ожиданиями все как-то само собой уладилось. Ему предложили стабильную должность в парижском филиале «Свободы» с приличной зарплатой и с вполне приличными бенефитами в соответствии с трудовым кодексом Пятой республики.

К этому времени стала уже понемногу формироваться среда новой «парижской ноты». Он оглянулся: ёлы-палы, дорогие товарищи, посмотрите, что делается — вчерашняя пустыня наполняется жизнью. Вот идет в молодежной курточке аксакал Сталинградской битвы Виктуар Платонов, а из-за другого угла навстречу ему выдвигается с тростью в железной руке главный редактор журнала «Архипелаг» Вольдемар Емельянов, а рядом с ним поспешает и заместительница, еще совсем недавно арестованная за протест на Красной площади поэтесса Натали Горбани, а на третьем углу заседает в кафе вольноотпущенник из Потьмы, наш бородатый Сартр, Андрей Донатович, что успел уже основать альтернативный орган «Пунктуация», а в глубине бульвара на авеню Рапп, вальяжно поддерживая друг друга под локоток и плавно жестикулируя свободными дланями, появляются наши классики, Александр Гинзбург-Голицын и Жорж Шалимов, прямо из грозившей ему Москвы через Франкфурт, где занял уже кресло главреда злокозненных «Граней», а мимо быстрыми изящными походками, увлеченные актуальными мемуарами, проходят вчерашние зэки, лидер бунтующей молодежи Вова Жуковский и Алик Гинденбург, в честь которого когда-нибудь переименуют Парк культуры имени Горького — в общем, сцена постепенно наполняется.

Интересно, как себя чувствуют на парижском бульваре те ребята, что после крытки сюда приехали или прямо из зоны, думал Глад. Сам он чувствовал себя в общем-то нормально, ну, в целом совсем неплохо, ведь компания подобралась на славу. Изредка, правда, становилось не по себе, когда улавливал, что московские органы информации клянут его теперь как клеветника и «зоологического антисоветчика». Это как же прикажете понимать, дорогие товарищи?

1975
Суши-бар

В Америке словесно-культурная диаспора начинала кучковаться, естественно, вокруг Якова Процкого. Тот, как всегда бледно-молочный, с пятнышками и жилками, как и ожидалось, после довольно скудных европейских осанн прибыл из Старой в Новую Англию, где гостеприимно открылись перед ним ворота бесчисленных кампусов.

Прежде всего он осчастливил твердыню Мичиганского университета, город Анн-Арбор, где сразу попал в жаркие объятия академической четы Чарльза и Добродеи Профессор. Несколько слов об этих удивительных молодых людях.

От рождения к русским делам они не имели никакого отношения, однако поступив в МУ, очень сильно заторчали на русской литературе. В аспирантские годы в собственном гараже (на две машины) они основали издательство «Орбис» и выпустили комплект маек с нагрудным слоганом: «Russian Literature Is Better Than Sex». Их захватила судьба этой уникальной словесности. Во-первых, «кириллица», плетущаяся в арьергарде латыни как последыш греков. Во-вторых, беспрерывные цензурные удушья, нередко завершающиеся прямым удушением авторов. В-третьих, удивительная сопротивляемость, дерзостная борьба, плевки в кувшинные рыла властей предержащих.

Открылась масса возможностей извлечь из заброшенных и забытых кладезей удивительные тексты начала века и Двадцатых годов, иными словами — соединить разрушенную большевиками цепь модернистской традиции, собрать развалившиеся кубы и другие сферы авангарда. Вокруг Профессоров собралась до чрезвычайности активная группа молодых американских славистов. Они обеспечивали не только русские репринты, но и качественные переводы на английский. О Чарльзе и Добродее заговорили в вузах по всему периметру, от берега до берега, от озер до островов. На них посыпалась куча малых и больших грантов, в результате чего им удалось купить большущее строение кантри-клаба на окраине Анн-Арбора. Вот там-то «Орбис» расцвел вовсю!

Надо сказать, что они занимались не только историческими раритетами, но с не меньшим рвением и советскими писателями, «работающими на грани лояльности». Время от времени они совершали большие наезды в Советский Союз. Всегда брали с собой трех своих маленьких сыновей, какую-нибудь бабушку, сестер и братьев, среди которых выделялся баскетболист Билл, активистов и активисток, свято веривших в то, что русская литература — это нечто лучшее, чем секс; хотя и тот неплох.

Всегда навещали и заваливали подарками Надежду Яковлевну Мандельштам. Посещали также многочисленные московские кухни, где шел постоянный обмен политическими и абсурдистскими анекдотами. В кухнях также прополаскивались неясные литературные новости: кто что написал, у кого что «зарубили», какие в связи с ситуацией созревают планы. В частности, однажды у Копелиовичей встретились с Ваксоном и впервые услышали о романе «Вкус огня». Он пришел, между прочим, со своей новой женой, которая шутливо представилась как Джон Аксельбант. Много позже стало известно, что красавица не шутила.

Между тем на кухне «Орбиса» в Анн-Арборе стали собираться авторы из «отщепенцев», в частности поэты Лев Бизонов и Алекс Флёров, а также любимец Набокова молодой прозаик Саша Ястребков. Этот последний довольно надменно посматривал на Яшу Процкого, а тот время от времени снисходительно клал руку на Сашино мускулистое плечо. Ходили слухи, что один бросает другому вызов по части нобелевских лавров.

Процкий довольно долго жил в «Орбисе»; занимал там мансарду с ванной комнатой. По вечерам, когда в просторной ливинг-рум возжигался телевизор, он спускался и оседал на третьей ступеньке лестницы. Чарльз нередко ловил в его глазах странное отсутствующее выражение. Между тем там (в глазах) бегали огоньки, роднящие их (глаза) с табло Нью-йоркской фондовой биржи. Быть может, у русских поэтов всегда было так, думал уроженец штата Иллинойс. Можно представить себе Лермонтова сидящим на какой-нибудь кавказской скале и соображающим, куда пойти: закутаться ли в бурку, в обход ли повести отряд, по тылам Шамиля, или наоборот — облачиться в ярко-красную рубаху и белую фуражку и помчаться в лобовую атаку на чеченские завалы?

В конце концов Процкий вычислил все до конца и свалил в Нью-Йорк-Сити, где снял «инглиш бэйзмент» в районе Сохо. Купил автомобиль, чтобы ездить из дома в его излюбленные коннектикутские и массачусетские колледжи, где вел семинары за весьма приличное вознаграждение. Он очень гордился той быстротой, с какой он овладел искусством автомобилевождения. Однажды, через неделю после получения водительского ай-ди, когда в Лос-Анджелесе вдруг появился Ваксон (подробности этого визита, надеемся, выплывут позже), Яшка собрался тут же катить собственноручно через все соединенные общей судьбой и географией штаты. К счастью, кто-то его отговорил. Вам кажется по карте, что это недалеко, но это очень далеко, доктор Процкий. В Америке его нередко называли доктором, на что он вздрагивал и отбивался шуткой: «Show me your tongue!»

Вообще-то он временами грустил по оставленной родине и особенно, конечно, по плоскостным гармониям Санкта, на одном из островов которого он собирался когда-нибудь умереть...

Ни страны, ни погоста
Не хочу выбирать.
На Васильевский остров
Я приду умирать...

Но больше всего грустил по московско-питерской кодле, которая его обожала до истерического всхлипа «Наш Моня гениал!». А если уж говорить о кодле, то из нее больше всего ему вспоминались те, с кем он купался в канале

Москва — Волга, особенно Ралик Аксельбант-Кочевая-Ваксон. Все ему тогда сострадали, кроме этой девушки, которая не сострадала, сострадая своему Ваксе.

Прошло не более двух лет, и Яша Процкий стал на Манхэттене непререкаемым экспертом по русской литературе. Временами он объявлял творца номер два, но не по стихам, а вообще, по прозе. Вот, например, прибыл в Новый Йорк забубенный Фьюз Алехин. Он был на родине известен как автор лагерных баллад, но по этому жанру в Нью он не прохилял. Была также у него повестуха о торговле спермой в столице мира и социализма, и вот по этому жанру на суаре у Татьяны Яковлевой-Розенталь доктор Процкий объявил его «Доницетти русской прозы». До Моцарта все же недотянул, поскольку место было уже занято.

Довольно часто в НЙ заезжал Ян Тушинский: то за мир, то за гуманизм. Всякий раз они встречались и шли поужинать в соседний с Процким японский ресторанчик. Там сидели вдвоем во всей комнате, тихо беседовали о разном, выделяли что-то слишком искривленное или слишком распрямленное. Ян уже почитал Якова как эксперта и иногда жаловался ему на какой-нибудь скандал; ну, скажем, на появление какого-нибудь очередного антисоветского свинства. Процкий кривовато улыбался: разве может быть антисвинское свинство? И оба смеялись. Ян передавал ему приветы и письма от родителей. Иван Евсеевич Процкий по-прежнему работал замдиректора железнодорожного Дома культуры Северо-Западного куста. Мама Лия Борисовна в Пятидесятые годы была известна как дамский мастер по прическам. Несколько лет назад она вышла на пенсию и прически делала только избранному кругу своих клиенток в выгородке из китайских ширм и кафельной печки их просторной, но единственной комнаты. Яша глотал слезы и даже сжимал обеими руками свое большое горло. Только здесь, в грубом коммерческом городе, столь непохожем ни на Лиговку, ни на набережные Невы, он понял, что любовь к родителям выражает большую часть его души.

Ян протягивал руку через столик и пожимал мягкое плечо своего, можно сказать, протеже.

— Яша, я обещаю тебе, что ваша встреча состоится. Ну, нужно только слегка ублаготворить Василия Романовича, то есть сделать то, о чем мы прошлый раз говорили, ну, как раз, когда говорили о тщеславии Ваксона; вот и все. А сейчас, дружище, почитай мне что-нибудь из своих последних циклов.

Яша сглатывал густые слезы почти хронической простуды и начинал читать сначала тихо, а потом все выше, вызывая мелкое дребезжание японского хлама:

В те времена в стране зубных врачей,
Чьи дочери выписывают вещи
Из Лондона, чьи стиснутые клещи
Вздымают вверх на знамени ничей
Зуб Мудрости, я, прячущий во рту
Развалины почище Парфенона,
Шпион, лазутчик, пятая колонна
Гнилой цивилизации — в быту
Профессор красноречия — я жил
В колледже возле главного из Пресных
Озер, куда из недорослей местных
Был призван для вытягиванья жил.
Все то, что я писал в те времена,
Сводилось неизбежно к многоточью.
Я падал, не расстегиваясь, на
Постель свою. И ежели я ночью
Отыскивал звезду на потолке,
Она, согласно правилам сгоранья,

Сбегала на подушку по щеке
Быстрей, чем я загадывал желанье.

— А теперь ты почитай что-нибудь, Янки. Что-нибудь из старого, а? Знаешь, мне сейчас будет в масть что-нибудь из твоей классики. Почитай из «Братской ГЭС» — нет?

Тушинский начинал читать из этого монстра, которым десять лет назад пытался отмазаться от «Преждевременной автобиографии». Черт его знает, этого Яшку, думал он, может быть, ему как раз нужна такая советская ностальгия.

....
Вроде все бы спокойно, все в норме,
А в руках моих детская дрожь,
Я задумываюсь: по форме
Мастерок на сердечко похож.
Я конечно в детали не влажу,
Что нам в будущем суждено,
Но сердечком своим его мажу,
Чтобы было без трещин оно.
Чтобы бабы сирот не рожали,
Чтобы хлеба хватало на всех,
Чтоб невинных людей не сажали,
Чтоб никто не стрелялся вовек.
Чтобы все и в любви было чисто
(а любви и сама я хочу),
Чтоб у нас коммунизм получился
Не по шкурникам — по Ильичу.
....
Пусть запомнят и внуки и внучки,
Все светлей и светлей становясь,
Этот свет им достался от Нюшки
Из деревни Великая Грязь...

Процкий слушал, держась за свой подбородок и стеная слегка. Когда Тушинский выдохся, он сказал ему:

— Послушай, Янки, ну как ты мог наворотить такую паскудную советчину? Ведь ты поэт — нет? Где твои знаменитые рифмы? Влажу — мажу? Рожали — сажали? Боже мой, ну почитай мне про снег! Ведь ты же снегом был славен! Ну — нет?

И Ян тут же менял пластинку:

А снег повалится, повалится,
И я прочту в его канве...

И далее старался без всяких «Ильичей». А в ответ сквозь хлюпанье наплывали приметы влажных берегов.

Выползая из недр океана, краб на пустынном пляже
Зарывается в мокрый песок с кольцами мыльной пряжи,
Дабы остынуть, и засыпает...

И так без конца, чуть ли не до утра, забыв про все обоюдные козни, долдонили и долдонили в пустом японском суши-баре, а буфетчик Долдони только и успевал не забывать менять кассетки в машинке своей под прилавком.

1975–1980
Крути-крути

Роберт Эр давно уже стал замечать за собой некоторую раздвоенность жизни, от которой страдал. Все-таки еще совсем недавно он полагал себя непременным членом «оттепельного» авангарда. Более того, одним из заводил. Решив вступить в партию, он собрался там как бы представлять послесталинских идеалистов, а получалось так, что он то и дело вроде бы ловил себя на том, что вместе с ним партаппаратная задница (ну, скажем, в образе того же Юрки Юрченко) как бы оседает в глубь авангарда.

Это еще полбеды. Свои и чужие. Чужие и свои. Две маски. Быстрая перемена двух личин. Однако появляется что-то еще, третье. И это третье опять же делится на постоянно делимые образины: «свои, но чужеватые», «чужие, но свойские», «чужеватые чужие», «свойские свои»; дальнейшее — мельканье. И явный дискомфорт, или, как говорили тогда, «вегетативка».

Перед «чужими, но свойскими», например, было ему как-то неловко демонстрировать свойчество богемы, а перед «своими, но чужеватыми» было неловко садиться в номенклатурный автомобиль. Особенно малоприятно как-то получалось, когда в каком-нибудь сборище, ну, скажем, на концертах, сходились малоофициальные поэты и вполне официальные певцы и композиторы. Или вот, например, зимний сезон в Доме творчества «Малеевка». Приближается Новый год. Как организовать праздничный стол — вот головная боль и для Роберта, и для Анки. Ну, скажем, гармонируют ли друг с другом Ваксоны и Бокзоны. Во-первых анекдотическое сходство фамильных окончаний. Это, впрочем, может помочь — будем все время хохмить на эту тему. Но все-таки, кто такой Эммануил Бокзон с его мужественным баритоном? Записной певец Армии и Флота, носитель бесценной патриотической идеи, исполнитель половины песен на слова Роберта Эра.

Об этом, товарищ,
Не вспомнить нельзя.
В одной эскадрилье
Служили друзья.

И было на службе
И в сердце у них
Огромное небо —
Одно на двоих.

А кто такой Ваксон, сердешный дружище Вакса? Человек под строгим наблюдением, автор подозрительного романа.

Малеевка вообще-то, товарищи, — это райский сугроб! Там миролюбиво ярится морозное солнце. Писатель там нагнетает картину просто при помощи ледяных слов; путем перечисления. Эту крамольную идею вшептывал Ваксон в любимое ухо во время прогулки. А девчонка их Вероникочка дергала его за капюшон парки и требовала: «Перестаньте шептаться!» Он повторяет громко то, что только что произносил тихо. Надо считаться с этой милейшей персоной: все-таки дочь бывшего посла.

По идеально расчищенным снежным дорожкам навстречу Ваксонам идет семья Эров. Солнце бьет последним в лицо, а первым греет зады. Может быть, Эры ослеплены, ничего не видят? Может быть, Ваксоны думают, что Эры их чураются? Эры тормозят. Ваксоны тоже.

— Привет!

— Привет!

— Вы где, ребята, встречаете Н. Г.? — спросил Роберт.

— Здесь притулимся, — ответил Ваксон. Ралисса держала его под руку и задирала нос. Все-таки бывшая жена бывшего посла.

— Может, сядете за наш стол? — Роб подтолкнул друга. — Давай, Вакса, причаливайте!

Вероникочка локотком, на манер голливудских кокеток, подтолкнула старшую дочь Эров, свою ровесницу:

— А ты, Полинка, с предками будешь?

Та посмотрела на нее с отрепетированной надменностью и ничего не ответила.

Тогда вмешалась младшая крошка:

— Она будет, будет! Со всеми нами, с предками, будет сидеть как миленькая. И даже ее Тим будет с нами!

Все, конечно, расхохотались на «предков».

— Благодарим за приглашение, — с наигранной величавостью проговорила Ралик. — Мы им, конечно, воспользуемся. Не так ли, Вакс?

— Охотно, — тут же подтвердил Ваксон. — Итак, до вечера, любезные Эры.

Стали расходиться на не очень-то широкой снежной аллее. Вероникочка, расходясь с Полинкой, довольно громко шепнула:

— Вот увидишь, кадрану твоего Тимофея!

Полинка за наглость такого рода столкнула ее в сугроб. Ну, променада семей продолжалась.

— Ты что, с ума сошел, Роб? — шепотом возмутилась Анка. — Зачем ты их пригласил? Ведь с нами будет Бокзон! Да и вообще, к чему это? Неужли ты не понимаешь, что мы расходимся с Ваксом?

Она дергала его за рукав, чтобы отвечал. Но он молчал. Подбежала и тоже дернула младшая дочь:

— Папок, забрось меня на сугроб!

Нас просят, мы делаем. Теща Ритка, не выпуская изо рта сигареты, делает снимки своей «Практикоматкой». Идиллия!

После боя кремлевских курантов и брежневского чмоканья вся публика в колонном обеденном зале Дома творчества повернулась к популярнейшему Бокзону — «Эммануил, осчастливьте!». Певец с его неподвижной черной шапкой волос, с лицом, будто слепленным из папье-маше, и прямой несгибаемой статью спины прошел меж столов на маленькую сцену, где его приветствовало трио музыкантов. Ралисса подумала, что он похож на часового Букингемского дворца. Ваксон сразу понял, о чем она подумала, и улыбнулся ей. Вдвоем они были похожи на светскую пару иностранцев: мадам — декольте, месье — в лоснящемся такседо.

Боксон скорее понравился им, чем нет. Во всяком случае, отвращения не вызвал; это факт. Он так запросто начал беседу:

— Послушай, Вакс, у нас тут был спор в музыкальной среде о твоих сочинениях. Одни говорили, что лучшая вещь — это «Затоваренная бочкотара», а вот мне, например, больше нравится «Затоваренная стеклотара»; а вот вы, Ралисса, как считаете?

Замаскированный под Ралиссу Джон Аксельбант тут же сострил цитатой из Козьмы Пруткова:

— «Мне нравятся больше обои», — сказал он и выбежал вон».

Боксон поднялся на сцену с такой прямотой, что некоторые уже выпившие убоялись, как бы не опрокинулся назад. Благополучно приблизился к микрофону.

— С Новым годом, товарищи писатели, а в основном сопровождающие персоны! — все расплылись в благодушии, которое, как известно, распространяется до двух пятнадцати утра. После этого — анархизм. — Мы с Робертом подготовили для вас сюрприз. Песня «Притяжение земли»!

И он запел своим героическим баритоном:

Там горы высокие,
Там реки глубокие,
Там ветры летят,
На проселках пылят.
Мы — дети романтики,
Но самое главное,

Мы — дети твои,
Дорогая Земля-а-а...

— Браво, Роб, — сказала Ралисса и посмотрела через стол прямо в глаза. — Это, может быть, лучшее твое певческое.

Анка для отвода своих глаз потянулась к Ритке с сигаретой за огоньком.

Вернулся Бокзон, спросил не без волнения:

— Ну как?

— Здорово, Бок, — сказал Ваксон. — Хорошо, что космическое, а не патриотическое.

— Недавно в Кремле ее пел, — похвастался лауреат премии Ленинского комсомола. — Все там рассупонились, а Сам даже выжал слезу.

Тут оркестр заиграл американщину, танец «крути-крути», и ринулась в бой вся писательская молодежь. Вот преимущество этого танца — идет без прикосновения рук, а потому не парами можно танцевать, а трио. Вот так и Полинкин «бойфренд» Тимофей, высокий и спортивный, самым лихим образом отплясывает сразу с двумя барышнями — с «герлфрендихой» своей, а заодно и с Вероникочкой, которая привносит в этот танец кое-какие лондонские тонкости.

Анка напрягалась-напрягалась, но потом все-таки предложила Ралиссе вариант светской беседы:

— Знаешь, Ралик, мы на прошлый Новый год с Мелоновыми тут сидели. Помнишь Мирку? Сейчас они в Штатах.

— Ну как они там? — и Ралиска одним махом перескочила поближе к Анке. Сидя вплотную, обе фемины стали сильно курить и отбрасывать назад волосы.

Бокзона пригласила к себе компания Героя Советского Союза Гофмана, известного тем, что, зависая над Берлином, он сообщал по радио: «Внимание, Берлин, тебя бомбит ГСС Гофман!» Образованные пилоты по этому поводу острили: «Ну вот, опять пошла гофманиана!»

Роберт подмигнул Ваксону:

— Пошли, старик, разыграем пирамиду.

Тот тут же встал:

— Какую хочешь фору?

Они спустились в подвал. Там зеленели два превосходных бильярдных стола. Роберт прикрыл дверь и повернул ключ в замке.

— Слушай, Вакс, я хочу с тобой поговорить на одну важную для меня тему. — Роберт разбил пирамиду и положил кий. — Скажи мне, Вакс, ты веришь в социализм?

Ваксон присел на край стола.

— Верил когда-то. То больше, то меньше, но окончательно избавился от этой заразы после 1968-го. Советский социализм — это массовый самообман.

— А Ленин?

— Что Ленин?

— Но Ленин-то ведь — это анти-Сталин; не так?

— Чепуха. Сталин — это ультра-Ленин; вот и все. В принципе Ленин — это первый бес революции.

В больших глазах Эра промелькнуло мимолетное страдание.

— Ну расскажи мне, Вакс, почему так плох Ленин!

Ваксон издали, через весь стол по диагонали, под щечку, положил свояка в лузу. Вздохнул. Почесал заросший затылок. Приблизился к другу:

— Ты же знаешь, Роб, что мой отец почти выработал весь свой срок — пятнадцать лет лагерей и три года ссылки. Казалось бы, можно было прозреть, но этого не произошло. Ленин — по-прежнему его кумир. Еще в 1919 году перед отправкой на Южный фронт их коммунистический батальон удостоился встречи с мессией черта. Он выступал перед той юной деревенщиной, обещал им лучезарное царство трудящихся. Всех очаровал, а Савелия особенно, потому что тот сподобился сфотографироваться рядом с вождем. И вот теперь, пройдя через ГУЛАГ, он продолжает твердить: «Ленин был хорошим человеком, он шел к социалистической демократии, он любил народ, обладал гуманизмом, мудростью! Сталин — вот кто гад, вот кто предатель революции!» Я ему говорю: «Отец, ответь: кто разогнал Учредительное собрание? Кто придушил всех соратников по борьбе, все небольшевистские партии революции? Кто прихлопнул все газеты? Кто спустил с цепи Дзержа? Кто развязал массовый красный террор, залил кровью Кронштадт, Ярославль, Крым? Кто приказал применить против тамбовских мужиков химическое оружие? Кто рассылал приказы: вешать, вешать, вешать! Кто ввел «военный коммунизм», обрек миллионы на голодную смерть? Кто, наконец, впервые в истории создал структуру концентрационных лагерей?» На все эти вопросы мой бедный отец отвечал однозначно: «Брехня! Чепуха! Не болтай глупости!» Вот так, Роб: уже три поколения загипнотизированы этим гадом.

— Ты так и говоришь — гадом? — с глубокой мрачностью спросил Эр.

— Да, я так и говорю! — с некоторой рисовкой ответил Ваксон и сам себя одернул: — Ну как, скажи, еще его назвать?

Возникло молчание. Сверху доносились ритмы «крути-крути» и взрывы смеха разных компаний. Спокойно обходятся без нас, подумал Роберт. Прервал молчание:

— И все-таки социализм у нас построен; ты согласен?

— Да, с этим я согласен, — быстро ответил Ваксон. — Иначе никак и не назовешь это блядство.

Эр зашагал по бильярдной, почему-то пролез под столом и, сидя на корточках, вопросил:

— Но ведь ты же не будешь отрицать, старик, что социализм рождает некоторые исторические преимущества, возвышает человеческий дух?

— Это чем же он его так заботливо возвышает?

— Ну хотя бы снижением меркантилизма. Видишь, какой каламбур — возвышение путем снижения! Но если всерьез, ведь ты же не можешь не согласиться, что Запад погряз в меркантилизме, а мы нет. И Америка, и Европа одержимы деньгами, а у нас вот этого не наблюдается. Или почти не наблюдается. Чем еще ты можешь это объяснить, если не духовными принципами нашего общества?

— Отсутствием денег, — простенько так ответил Ваксон. — У нас ведь нет денег вообще, разве ты этого не замечал? То, что мы называем деньгами, по сути дела мелкие такие сертификаты, выданные государством на пропитание. Народ у нас жаждет не этих с понтом денег, а предметов, которых почти нет в округе, то есть дефицита.

Роберт вздохнул:

— Боюсь, что ты прав, старый. Скажи, ты сам к этому пришел или кто-нибудь тебя упропагандировал?

— Старик, я сам до этого допер.

— Ну и какие у нас впереди радужные перспективы?

— Это общество обречено. Самой радужной для нас перспективой была бы разборка, полный демонтаж.

Роберт встал.

— Пожалуй, ты прав. Только это уже не при нас. Лет сто еще этот колхоз протянет.

Он снова составил пирамиду и не глядя ее развалил. Шары разлетелись по разным лузам. Ну и будем тянуть. Возделывать свой огород. Такова наша судьба. Где твой огород, мой вольтерьянский друг? В «Останкино». В моей еженедельной программе «Документальное кино». Ты бы знал, Вакса, как меня заваливают письмами, требуют ответа на вопросы. Ну что ж, крути-крути, Эр! А меня вот не тянет во властители дум.

1977
Человекова

В конце Семидесятых собралась в отъезд и заслуженная артистка РСФСР Екатерина Человекова с трехлетним сыном Денисом Антоновичем Андреотисом. Этому событию предшествовала плохо организованная жизнь Человековой. Внимательный читатель, должно быть, заметил, что в начале десятилетия она едва ли не выпала из творческого круга. После коктебельской фиесты 1968-го у нее обнаружился чуть ли не гомерический аппетит к спиртному. Хлестала Катюха взахлеб и, к сожалению, банку не держала. Антоша, бедный, не ахти какой завсегдатай злачных мест, умаялся ее искать по трапецоидному маршруту клубных, по профессиям, заведений: ЦДЛ, Дом кино, Домжур, Архитектор, ВТО. Она удирала от него то с кем-нибудь «из наших» — ну, например, у Тушинского на Чистых прудах обреталась с неделю, ну, в Тбилиси летала с композитором Чурчхели, а то и с «ненашими» якшалась, с практически незнакомыми трудящимися.

Зависимость от бузы у нее уже приближалась к критическому уровню. Однажды Антоша ходил взад-вперед по Сиреневому бульвару ранним-ранним утром; в окрестностях дома Человековой. Он жаждал до слез, до бурных рыданий ее увидеть, однако не плакал, бубнил стихи:

....
Я деградирую в любви.
Дружу с оторвою трактирною.

Не деградируете вы —
Я деградирую.
Был крепок стих, как рафинад.
Свистал хоккейным бомбардиром.
Я разучился рифмовать.
Не получается.
……………….
Семь поэтических томов
В стране выходит ежесуточно.
А я друзей и городов
Бегу как бешеная сука,
В похолодавшие леса
И онемевшие рассветы,
Где деградирует весна
На тайном переломе к лету…
Но верю я, моя родня,
Две тысячи семьсот семнадцать
Поэтов нашей федерации
Стихи напишут за меня.
Они не знают деградации.

И вдруг увидел — под скамейкой лежит девчонка на боку, худа, как чахленькая змейка, бормочет: «Не хочу в Баку…» Это была Человекова. Он вытащил ее на поверхность. Усадил на скамейке. Кофточка ее была распахана, висела клочьями. Под правым глазом и в левом углу рта надулись синяки. Башка несчастной падала на грудь и булькала словами: «Меня какие-то трое… трахали… тащили на самолет… в Баку… лупили в лицо…» Волна сострадания вдруг поднялась в нем трагическим Вагнером. Поднял ее, невесомую, на руки, остановил такси: «Давай в Переделкино! Двойной тариф!»

На даче его жена Фоска Теофилова кушала кофе со сливками, когда он вошел с Человековой на руках.

— Где ты нашел этого женского выродка? — вскричала она.

— На Сиреневом, под скамейкой, — ответствовал он. Фоска действовала очень решительно.

— Ты что, Катька, совсем охерела?! Ну-ка, вставай на попа! Держись за меня и за Антона! Двигай нижними! Не ягодицами, а конечностями. Никто тебя ни в какой Баку не тащит! Тащим в ванную!

Они недавно получили от Литфонда три комнаты и веранду в дачном доме с куском тайги. Правительство в последние годы стало поэтов увещевать дарами и наградами. Недавно в Кремле, в том же зале, где неистовствовал Хрущ, вручали им ордена. На кой черт мне нужна эта бляха, думал Антон. Лишь бы Катька оклемалась, перестала водку жрать. А та о водяре даже не заикалась. Лежала день-деньской на диване в его кабинете, закутавшись в пледы. Прекрасными оклемавшимися очами зырила то в окно, то в телевизор. А он ее кормил и в сумерках выводил гулять по аллеям соцреализма. Бубнил стихи. Через полгода она забеременела.

Боже, что я натворил, все острее и острее думал Антон по мере увеличения живота. Фоска возвращалась из города, где заседала в репертуарных комиссиях, а также проводила в жизнь проекты сложноватых и тревожащих книг, расчесывала волосы Катьке-дуре, заплетала их в косы, говорила ей что-то симпатичное, однако грубоватым баском. Человекова лицом Идиота смотрела на живот, то есть с острейшим состраданием. Антоша вспоминал свои ранние стихи:

Сидишь беременная, бледная.
Как ты переменилась, бедная.
Сидишь, одергиваешь платьице,
И плачется тебе, и плачется...

За что нас только бабы балуют
И губы, падая, дают,
И выбегают за шлагбаумы,
И от вагонов отстают?
....
И от Москвы до Ашхабада,
Остолбенев до немоты,
Стоят, как каменные, бабы,
Луне подставив животы.
И, поворачиваясь к свету,
В ночном быту необжитом —
Как понимает их планета
Своим огромным животом.

И вот наконец свершилось: в Одинцовском роддоме явился в свет Денис Антонович. С кулечком этим Екатерина, все еще в амплуа дурочки, была привезена на дачу Андреотиса. Здесь она попросила созвать заседание тройственного союза.

— Фоска и ты, Антошка, — сказала она неожиданно взрослым и умным голосом. — Я хочу вам сказать, чтобы вы не беспокоились. Денисочку запишу на свою фамилию и без указания отца.

— Да ты что, Катька, рехнулась, что ли? — возопила Теофилова. — Нет, ты слышишь, Антоша, что она изобрела? Отвечайте оба, кто отец инфанта? Вот так и записывайте — Денис Антонович Андреотис!

И тут все трое разрыдались в счастливом варианте.

Интересно, что данный младенец привнес в жизнь актрисы Человековой дух творческого возрождения. Все ее маниакально-депрессивные оргии ушли в прошлое и были забыты. В театре на нее не могли нарадоваться: бралась за любую работу и в конце концов выдвинулась на ведущие роли — Нина Заречная, Зоя Космодемьянская,

Любовь Яровая и пр. Приезжие заграничные режиссеры жаждали ее заполучить для своих абракадабристых амплуа, и вот из-за этой-то жажды и возникла очередная кризисная ситуация в жизни Кати Человековой.

В Голливуде высокие лбы задумали ремейк толстовского «Воскресения», и вдруг кто-то им сказал, что лучшей Катюши Масловой, чем Катюша Человекова из Москвы, в мире не сыщешь. Толпа людей из «фабрики снов» явилась в суровую столицу мира и прогресса, чтобы сделать кинопробы. Сняли Катю на разные пленки и форматы и ахнули: молва права! Тут же ей был представлен договор на три миллиона плюс страховки и бенефиты. Актриса от счастья стала вращаться и подпрыгивать. А я-то думала, товарищи американцы, что вы меня для экономии фрахтуете. Кэтти, ответил ей продюсер Праухвоуст, прошу вас запомнить на будущее: Голливуд не заинтересован в экономии, Голливуд заинтересован в прибыли.

Те, кто не знаком с временем Семидесятых, никогда, очевидно, не поймут сути дальнейшего советского конфликта. Ну, казалось бы, в чем дело? Пусть девушка берет «бабло» и ликует. Должен признаться, что даже мы, продравшиеся сквозь то десятилетие, до конца этого не понимаем. Почему Минкульт встал на дыбы? Почему все могущественные носорожьи структуры, вроде ЦК и КГБ, уперлись рогом? Вроде бы им было бы выгодно для общей-то великой цели продвигать советскую актрису к вершинам благоденствия и славы, ан, оказывается, мы чего-то не понимаем; выпускать Человекову в Голливуд нельзя!

Итак, контракт повис в воздухе, да и весь проект накренился. Над Катей нависли нахмуренные брови режима. Сдавайтесь, дорогуша, иначе никаких ролей больше не получите. Вот вам бумага, вот перо, пишите своим буржуазным покровителям: не согласна с вульгарной трактовкой великого русского классика. Роль проститутки идет вразрез с нашей идеологией.

Антоша и Фоска ей говорили: плюнь на них и поедем все отдыхать в Народную Республику Болгарию. Она долго стояла молча в роли оскорбленной добродетели. Стояла долго анфас, потом повернулась в профиль. Потом наконец высказалась. Нет уж, я лучше уеду в государство Израиль. С Дениской? — ахнула Фоска. Конечно, с ним, куда же я без Дениски. Насовсем? — ужаснулся Антоша. Нет, не насовсем. Ненадолго. Оттуда перееду в Америку. Вот туда уже насовсем.

Прошла пара месяцев напряженной борьбы за визу под прицелом иностранных корреспондентов, и вот наконец они все едут в Шереметьево для участия в ритуале разлуки. Антоша целует своего такого родного мальчика-губастика. Фоска борется с потоком слез. Друзья по театру и по кино вытирают глаза. Одна лишь Человекова держит достоинство, потому что «человек — это звучит гордо!». Она уходит по коридору в валютную зону. Оборачивается, смотрит на стенку провожающих за стеклянной стеной. Поднимает правую руку, пальцы раздвинуты в дерзейшем жесте — V for Victory! Антоша шепчет ей вслед строки, которые сложатся только в будущем:

Деклассированные вурдалаки
Уподобились комарью.
Ты мне снишься во фраке,
Дирижируешь жизнь мою!
....
И какой-то восторженный трепет
Говорит тебе: «Распахнись!»
Возникающий ветер треплет
Взмахи твоих ресниц.
....

Когда же лапы и ручки
Рукоплещут, как столб водяной,
Ко мне повернешься лучшей,
Главной своей стороной.

Истерика охватывает ее только в салоне самолета.

Останкино
Суровый год

Десятилетие Семидесятых от начала и до завершения прошло под лозунгом «зрелого социализма». В этой главе нам вместе с нашим Робертом Эром придется совершить хронологический скачок в завершающий период «зрелости». Без всякого бахвальства мы можем сказать, что Роберт благодаря своей постоянной работе на телевидении в роли ведущего регулярной программы «Документальное кино» стал для огромной массы телезрителей настоящим «властителем дум».

«Останкино» — город в городе, двадцать восемь тысяч персонала, башня полукилометровой высоты с рестораном «Седьмое небо»; ну что там говорить — настоящий город тоталитарного будущего!

Интересно, что тоталитарщина царила в «Останкино», как и во всей Москве, только на поверхности. При малейшем углублении персона попадала в бурнокипящую нашу житуху, в которой терялись все ориентиры и оставалось только жаждать, чтобы перед тобой оказался некто умный, спокойный, знающий, честный, в общем, хороший парень, а еще точнее — поэт Роберт Эр, лауреат премий, депутат Моссовета, секретарь СП СССР, телевизионный близкий родственник всего народа.

Впервые пригласил Роберта на эту должность всесильный и очень сильный в смысле партийной принципиальности государственный деятель Лапин Сергей Георгиевич. Эр долго на эту тему с ним беседовал. Ради этих бесед главтелевик СССР отключался от всех и приказывал никого к себе не пускать, даже китайцев. Один только личный заместитель Мамедов Энвер Назимович мог зайти на пять минут и перекинуться парой реплик. Иногда, впрочем, Георгиевич приглашал Назимовича побыть, чтобы расширить сферу конфиденциальности.

Речь шла о том, что не надо бояться цензуры. Люди, которые верят друг другу, должны сами себя цензурировать именно с точки зрения этого доверия. Роберт, расскажи Назимовичу свой главный постулат. Вопрос прост, говорил Эр, в том смысле, что он не очень уж сложен. Наша структура построена на основе социалистической справедливости. Если бы она еще была бы построена на индивидуальном доверии, мы бы горя не знали. Каждый должен стремиться создать вокруг себя круг нормальных, хороших, в общем, классных парней. Вот в этом вся суть. Говорить серьезно, не размазывать и не врать. Вот это здорово, восхищался Лапин. Запретных тем нет! Главное — создать свою надежную аудиторию!

Эр стал постепенно внедряться. Вот, например, ужасающая тема для всего народа — развал колхозной системы. Как можно об этом говорить всерьез? Как можно показать глубинность, если не окончательность, кризиса? Как можно избежать обвинений в клевете, если повсюду царствуют коррупция и алкоголизм?

Роберт со своей командой документалистов, режиссеров и операторов, приезжает в хозяйство Героя Социалистического Труда Альберта Эрастовича Каулса. Пересекаем край полного развала со смурным подмигом окружающих дегенератов. И вдруг оказываемся совсем в другой стране, в своего рода социалистической Канаде. Альберт Эрастович — крепкий прибалтийский мужикан, хмуроватый, сосредоточенный, но не лишенный склонности и к крепкой шуточке, а то и к этнически смешанному матерку, в общем, он всем приезжим показывает, как тут надо хозяйничать.

У него тут, ну, в комплексе его полевых бригад и предприятий, чего только нет — даже своя корпоративная авиация. Если надо по делам слетать в Ригу, в Ленинград, а то и в Томск, надолго не задерживаемся. Даже и в зарубежные капиталистические связи вступаем на предмет повышения рентабельности. Вот полюбуйтесь, Роберт Петрович, нашим головным предприятием по выпуску различных сортов макарон: все это воплощено по контракту с итальянским гигантом.

Роберт под камерами своих операторов смеется: «Это что же, Альберт Эрастович, у вас тут остзейский макаронный барон появился?» Товарищ Каулс поднимает бокал. Давайте выпьем нашего доброго сидра за развитие регионального социализма!

Иной раз диспуты эровской программы поворачиваются от огромных хозяйств к сугубо личным проблемам отдельных трудящихся. Вот, например, токарь Точечный без всякой агитации, а просто по рабочей ухватке стал вырабатывать тройную норму труда. Получалось так, что он стихийным порядком в месяц вырабатывал две тысячи пятьсот рублей, а на руки получал пятьсот, то есть пятую долю. Рабочий диспут, собравшийся в тот день вокруг Роберта, был горячий. Вспоминали «стахановское движение», Точечного называли «выскочкой». Этот последний приходил в неистовство. Я вырабатываю две тысячи пятьсот не потому что орден хочу, а потому что иначе не умею. Лучше бы распознали, кто так сильно унижает с заниженной зарплатой.

Роберт, который наслаждался непринужденкой подобных бесед, подсел к пианино и исполнил фрагмент из песни Высоцкого:

Служил он в Таллине при Сталине,
Теперь лежит заваленный:
Нам жаль по-человечески его...

Работяги даже рты раскрыли: вот это свобода творчества!

Еще один пример общественной деятельности товарища Эра. Всякий знает на Герцена кинотеатр «Повторного фильма». Ну а напротив в ЖЭКе сформировалась ячейка старых комсомолок. Трудно было понять, кто они — чекистки или троцкистки; во всяком случае они требовали установления перехода и светофора. Разве не ясно, товарищ администрация, что мы ежедневно подвергаем себя риску, переходя без светофора густо заполненную автомобилями улицу имени Герцена? Вот и недавно пострадала под колесами бесшабашной «Волги», спеша без светофора на кинофильм «Юность Максима», реабилитированная партийка Сильва Василенко, человек неспокойной души. Недавно устроили вечер памяти Сильвы, то есть ностальгический просмотр неспокойных душ. Девушки в ее честь пели незабываемую песню из кинофильма:

Тучи над городом встали,
В воздухе пахнет грозой...
....
За счастье народное бьются
Отряды рабочих бойцов...

В этой эксклюзивной программе все камеры получали безлимитное снабжение импортной пленкой. Операторы активно снимали удивительную встречу Роберта Эра с энтузиастками былой поры. Очень рады, девушки, довести до вашего сведения, что благодаря Роберту Петровичу Моссовет принял решение об устройстве безопасного перехода с тремя сменами цветной сигнализации. Мы очень также рады, что следующий почин тоже глубоко взволновал наш актив. Расскажите мне про этот почин, попросил товарищ Эр. Речь шла о весьма габаритном лифте 1913 года. Вселившийся в лифт товарищ Попенков ежедневно в восемь вечера входит в него с семьей и вносит предметы домашнего обихода. Там он проводит безмятежные ночи; ну как вам это нравится? Нечего придираться: так или иначе, в восемь утра лифт уже чист и готов к использованию высокоэтажными жильцами. Роберт Петрович, вы как депутат должны пояснить нашим активистам, что лифт может понадобиться любому жильцу в любой час жизни. И даже в области ритуальных услуг.

В тот день, когда в жизни советского телевидения разыгралась весьма серьезная драма, Роберт приехал в «Останкино», чтобы завершить работу над серьезным документальным проектом о выдающейся труженице колхозов Марии Степановне Шолор. Юной девушкой после ветеринарного института она была прислана в захиревший колхоз Саратовской области. Чтобы задержать молодую специалистку, ее «выбрали» в председатели. И тут она стала выказывать твердые черты своего характера. Райком заставлял убогое хозяйство держаться на пшенице, однако Мария Степановна решительно настояла на повороте к мясо-молочной продукции. В результате в течение полутора десятков лет произошло чудо сродни прибалтийскому «региональному социализму».

Роберт собирался доказать в новом фильме, что главная причина решительного поворота держится даже не на технологической перемене, а на подборе людей.

Окруженный своими хорошо подобранными людьми, он прокручивал ролик за роликом, когда вдруг в монтажной послышался характерный звонок из секретариата Лапина. Через две инстанции Роберта соединили с большим телепартийцем. Тот попросил его как можно быстрее прийти. У нас чепэ, Роберт; ты нужен до крайности.

В принципе, уже целую неделю вся телевизионная, а вместе с ней и вся агитproповская структура работала в режиме форс-мажор. Дело в том, что неделю назад группа «Дельта» взяла и обесточила дворец афганского президента Амина, а вслед за ней несметные сухопутные и воздушные полчища Сороковой армии по просьбе партии, правительства и широких народных масс НРА заняли Кабул, Герат, Джелалабад и вкупе с ними горные перевалы этой суровой страны.

Телевидение СССР очень плотно и пафосно освещало развитие событий. Собкоры высаживались вместе с войсками, носились на уазиках по округам, хотя на кой ляд далась такая приближенность — никто не мог сказать: отовсюду поступала одна сплошная идеологическая брехня, можно было и на базовых участках отснять с тем же успехом.

Между тем «Останкино» напоминало боевые штабы огромных мировых конфликтов. Десятки мониторов покрывали стены оперативных центров, и оттуда на десятках языков для всего мира неслась безобразно лживая околесица. Лапин, Мамедов, Кравченко, Каверзнев, Корнилов и десятки их приближенных то и дело собирались вокруг своих излюбленных овальных столов и подолгу оттуда не расходились. Ведущие основных программ обязательно приглашались принимать в таких заседаниях непосредственное участие. Роберт Эр не был исключением. Наоборот, он не раз ловил на себе взгляд Лапина.

Заметив ведущего документалиста, главный бонза, казалось, излучал значительное удовлетворение: дескать, наши все здесь, Робка здесь, можно начинать.

На прошлом заседании произошло странное происшествие. В ответ на поток советских газетных, радио-, телевизионных и телетайпных материалов, связанных с Афганистаном, в западной прессе по обеим сторонам Атлантики стали мелькать странные намеки на то, что кое-где в советских СМИ кем-то из числа руководящего состава начинают распространяться реплики, осуждающие действия Советской армии. Лапин, прочитав эту новость из «белого ТАССа», колючими глазами стал обводить свой актив. Все, кого касался этот взгляд вечно мрачноватого слуги империи, недоуменно пожимали плечами. Лапин в конце концов закрыл папку с материалами и отбросил ее в сторону. Он тоже слегка пожал плечами: какие еще могут быть «реплики» в рядах неумолимой сплоченности?

По завершении совещания Роберт выходил из кабинета вместе с тассовцем Поживаловым.

— Ну что, Владлен, ты скажешь про эти реплики? Откуда взялся этот вздор?

— Это не вздор, — ответил опытный по части лжи. — Это очень важная деза, подпущенная самыми закрытыми секторами двух разведок.

— Преувеличение, — отмахнулся Роберт.

Поживалов внимательно на него посмотрел и больше этой темы не развивал.

Через неделю в том же огромном кабинете собралось по крайней мере в три раза больше народу. Вокруг овального стола сидели в два ряда чины телевидения, знакомые Роберту аппаратчики ЦК и незнакомые чины ГБ. Народ помоложе подпирал стены. Все были очень серьезны. Начал Лапин:

— Товарищи, за эти дни контрразведка провела в нашей структуре очень глубокое расследование. Выявлен документ, который передавался по телетайпу на английском языке. Сейчас мы с ним ознакомимся, прошу внимания.

На нейтральном фоне монитора, показывающего войска на марше, войска на бронетехнике, войска, прибывающие на «вертушках», хлопкоробов социалистического Афганистана, митинги солидарности, торжественные встречи, плененных повстанцев-моджахедов, футбол на стадионе в Кабуле... на этом фоне звучал бесстрастный голос останкинского диктора. У него был безукоризненный английский, однако чувствовалось, что говорит коренной москвич из института военных переводчиков: «...In the zones of resistance the occupying forces of the Soviet Army has chosen the tactics of the scorching land... On the other hand the totalitarian party of Babrak Karmal keeps up strangling any attempt to start negotiations...»

По прошествии четверти часа Лапин выключил голос и погасил экран.

— Ну что, Винокуров, переведешь? — спросил он молодого человека, сидящего напротив него по прямой через стол. Молодой человек с гладко причесанной на пробор головой и с маленькими усиками нервно барабанил пальцами по столу. Он смотрел на пальцы и не решался поднять головы. Молчал. Вдруг Роберту пришло в голову, что это как раз тот самый Винокуров, который как-то работал с каким-то переводом для его программы и в перерывах с каким-то не особенно натуральным хохотом рассказывал «брежневские» анекдоты. Кажется, это именно его голос покрывал только что антисоветским текстом агитпроповскую сводку новостей из Афганистана.

— Ну так что же, Винокуров, — с удивительным миролюбием повторил свой вопрос товарищ Лапин и открытой ладонью потыкал в сторону Винокурова. Было ясно, что третья попытка превратится в бешеный взрыв; такими именно пароксизмами товарищ Лапин был известен в боевых отрядах ЦК.

Винокуров побагровел, взъерошил левой пятерней свою башку, вытащил из нагрудного кармана очочки, хотя читать, вроде, было нечего, и тут, вроде бы ободрившись и приняв какое-то решение, начал переводить наизусть:

— «...В зонах сопротивления оккупационные силы Советской армии выбрали тактику выжженной земли. С другой стороны, правящая тоталитарная партия Бабрака Кармаля продолжает душить любую попытку переговоров...»

— Так, так, — кивал Лапин и вдруг загремел на всю кубатуру: — А что вас побудило заняться такой антисоветчиной, Винокуров?!

Все теперь уставились на молодого, не более тридцати лет, Винокурова. В нем ощущалось какое-то связующее звено с героем литературы XIX века. Нечто маниакальное поблескивало в очочках. Лапин продолжал греметь:

— Откуда вы беретесь с вашей достоевщиной, господа винокуровы? Страна стоит с открытым забралом перед лицом огромного международного заговора, а вы очерняете свою родину, наши деяния?

Роберт был совершенно ошеломлен происходящим. Одиночки, волей или неволей бросавшие вызов массовой революции, всегда его потрясали. И чаще всего они почему-то были связаны с вооруженными силами. Один такой, похожий на Винокурова, если не сам Винокуров, в клубе Дома офицеров во Львове никак не мог угомониться. Там поддатые выпускники-офицеры музицировали с поющими девушками: «Лягут синие рельсы от Москвы на Чунцин», «Мы ушли, ковыляя во мгле», по-русски и по-английски, «Марш дроздовцев», ёлы-палы, Honky Tonk Train

Blues, а особенно старался вот этот похожий на Винокурова; старался пропеть до конца «На смерть юнкеров».

Сейчас, взгромоздив огромное свое плечо, он смотрел из-за него на «лишнего человека» социализма. Тому начали задавать вопросы из разных секторов огромного овального стола. Возраст, национальность, происхождение, состав семьи, взыскания, состоял ли в партии, где и с какими поручениями пребывал за границей, имеются ли вредные привычки, был ли под судом... Винокуров, не спеша, отвечал на все вопросы и временами застывал как будто бы в неснимаемой маске тоски. Лишь один раз у него в глазах промелькнуло что-то индивидуальное, связанное с Робертом. Какая-то еле заметная усмешечка: дескать, видишь, как я вляпался.

Лапин не вторгался в этот допрос, что-то писал, снимал телефонную трубку, вешал ее. Лицо его иной раз искажалось гримасой отвращения. В частности, оно исказилось таким образом, когда его зам генерал Мамедов потащился на выход, как обезвоженный зебу. Сейчас спрячется за своей ширмой и вкатит в мускул полную дозу. Мамедов вернулся крепким строевым шагом, в глазах его играли молнии. Он облокотился обеими руками в стол и склонился в сторону Винокурова:

— Ну что вы тут мямлите, Винокуров? Отвечайте четко: кем, где и когда вы были завербованы?

Винокуров ответил четко:

— Никем, нигде и никогда.

— Перестаньте вилять! — гаркнул Мамедов.

Винокуров пожал плечами и смолчал.

Несколько человек вокруг стола одновременно подняли руки и заговорили. Все любопытствовали узнать, каким образом в сознании Винокурова возник такой странный план — опровергать нашу советскую доктрину на английском языке, да еще при помощи такой дерзновенной отсебятины. Все уже понимали, что переводчику грозит по меньшей мере принудительная психотерапия, а в самом грозном случае — политическая статья и большой срок тюремного заключения.

Вдруг слово взял Роберт Эр:

— Послушайте, дружище Винокуров, я вас помню. Ведь вы специалист высшего класса. С какой стати вам вдруг пришло в голову высказывать все эти идеи по-английски?

Винокуров опустил голову и тихо произнес:

— Я больше не мог этого вынести.

— Чего вы не могли вынести? — раздраженно спросил Лапин. Огромные очки у него на переносице увеличивали его глаза. Казалось, глаза действительно хотят знать секрет Винокурова.

— Я больше не могу вынести того, что происходит с моей страной. Сергей Георгиевич! Роберт Петрович! — он резко махнул рукой, как будто парился на дуэль. — Я много думал об этой ужасной тлетворной ситуации, в которую мы попали. Я решил, что каждый, у кого есть возможность хоть как-то высказаться, должен высказаться. Пусть это будет хоть абсурд, тащи абсурд. Пусть будет хоть матерщина, ослепи хоть матерщиной! Мы не можем быть роботами! Больше мне сказать нечего.

Винокуров замолчал. Закрыл глаза. Он, конечно, знал, что его ждет. Собрание раскачалось. Люди переговаривались друг с другом парами и группами. Лапин перебросил записку Эру, в правоту которого он всегда верил. Записка гласила: «Что ты думаешь о нем?» Он быстро черкнул ответ: «Он думает, это — главное!» Лапин подозвал Мамедова, сказал ему что-то на ухо. Тот с досадой ударил себя кулаком в ладонь, однако повернулся к «лазутчику империализма» и рявкнул в прежней интонации:

— Винокуров, вы свободны!

— Как прикажете понимать? — спросил возмутитель спокойствия. Он ничего не понимал и даже протянул вперед запястья, как будто предлагая их для наручников.

— Совещание закончено! — объявил Кравченко.

Все стали вставать: кто с каменными лицами, кто с усмешками, в общем, с какими-то неадекватными сдвигами кадрового состава. В открытые двери теперь можно было увидеть четверых персонажей из конвоя.

— Вас отвезут домой, — сказал Винокурову владыка «Останкино». — Где живете?

— На Бескудниковом, — ответил переводчик. Лицо его страстно и мучительно скукожилось, как будто жаждало уткнуться в какой-нибудь темный паучий угол своего жилья.

Вот так странно завершился этот эпизод идеологической войны конца Семидесятых. Тень Винокурова исчезла со столичного горизонта. Ходили слухи, что его упекли на отсидку его вечного греха. Согласно другим слухам психиатрическая помощь с ее чрезмерным аминазином навсегда превратила в «овощ» этого некогда блестящего офицера. Третий вариант: Лапин и Эр с помощью своих дружков-либералов из аппарата ЦК просто-напросто отправили Витю Винокурова на алма-атинское телевидение, где он впоследствии принял участие в бурных событиях среднеазиатской перестройки.

1978
Рты

К концу Семидесятых в Тимирязевском районе столицы возник на радость трудящимся огромный стоматологический центр. Главное его помещение с двумя сотнями кресел напоминало футуристическую дистопию, некий микросборочный цех. Кошмар подтверждался лозунгом Брежнева: «Здоровье каждого — это здоровье всех!».

В день после открытия там оказалось только трое пациентов — писатель среднего поколения Аксён Ваксонов и два писательских юниора, Олеха Охотников и Венечка Проббер. Сидели они все вместе в первом ряду. Многостаночник д-р Даудов сделал всем троим глубинные уколы в десны и ушел завтракать в ожидании желаемой анестезии. Писатели тихо сидели, изредка деревенеющими ртами исторгая жалобы на цензурные службы большевиков. Олеха и Венечка практически ставили под вопрос возможность возникновения их писательского поколения. Хотят задушить в колыбели, жаловался бородач Олеха. Или выдрать все зубы, стонал Проббер, оставить один язык, чтоб ж-пу лизал. Как ты думаешь, Ваксончик, что нам делать с нашей дерзновенностью?

— А черт его знает, — ответил Ваксон. — Признаться, руки опускаются в этой стылой луже. Впору, ей-ей, бежать на какой-нибудь остров, чтобы там открыть свободный неподцензурный русский журнал.

— Послушай, Вакс, а почему на остров какой-то мы должны смываться? — воскликнул европеец Проббер из латышских стрелков. — Почему прямо здесь не начать нам свободный журнал или, скажем, альманах?

— В конце концов, мои предки с Колчаком воевали, — как-то не очень адекватно заявил Охотников.

— А мои мерзавцы тамбовских повстанцев газировали! — дерзновенно вскричал Проббер.

Подошедший после завтрака д-р Даудов громко скомандовал:

— Закрыть рты! Молчать! Всем троим! Открыть рты! Молчать!

Так родилась идея первого в истории советской литературы неподцензурного альманаха «МетрОполь».

1974
Целесообразность

У идеи этой был и предтеча. Году так в 1973—74-м на даче у патриарха Валентина Катаева зашел разговор о том, что его детище «Юность» в его отсутствие как-то стало выдыхаться по части нахождения новых имен и, по-комсомольски говоря, «новых путей». Присутствовали Эр, Тушинский и Ваксон. Кто-то из этих троих сказал:

— А почему бы не открыть новый журнал?

Тут же кто-то еще из присутствующей четверки предложил:

— Давайте с ходу придумаем название!

А следующий кто-то без проволочки выдал:

— Журнал будет называться «Трап»; помните, братцы, ночь на борту «Яна Собесского»?

Катаев сказал, что без ЦК нечего даже и пробовать, и взял на себя соединиться с членом Политбюро и секретарем по культуре П. Н. Диомидовым. В непостижимо короткий срок все сошлось, и могущественный товарищ пригласил инициаторов к себе на Старую площадь. В назначенный день все явились в чистых рубашках и даже при галстуках.

Этот фрукт Петр Нилыч был отличим от других членов Политбюро своими темными очками, которых не снимал. О нем ходила почтительная легенда, что былде стахановцем-горновым в Магнитогорске и повредил там у домны свое зрение; ради повышенных результатов литья. Он сидел в своем кабинете величиной с баскетбольную площадку. При виде классика́ Катаева протрусил чуть ли не до дверей с вытянутыми руками. По ходу дважды оглянулся, как будто ждал мяча.

— Как я рад вас видеть, дорогой Валентин Петрович, в такой великолепной форме!

Полуобнял за плечи Тушинского и Эра.

— А вот и наши лауреаты! Да-да, не удивляйтесь: все уже утверждено. Поздравляю от всей души!

Ваксону просто подал руку и быстро ее вынул.

— Прошу вас, садитесь, товарищи.

Все уселись в кресла вокруг низкого столика с экземплярами периодической печати. Беседа началась. Говорил Катаев, вслед за ним Тушинский. Журнал «Юность» за восемнадцать лет своего существования сумел подняться до трехмиллионного тиража. При всем хорошем, что он дал, он все-таки стал слишком массовым; уповает на стереотипы. Между тем интеллектуальная часть нашей молодежи жаждет увидеть новый печатный орган писателей, осуществляющий новаторский эксперимент. В отсутствие такового они идут наобум то в одну редакцию, то в другую, получают от ворот поворот и, что греха таить, нередко скатываются в самиздат. Вот почему мы обращаемся в Центральный комитет с предложением открыть параллельно с «Юностью» новый журнал, предположим, под названием «Трап», что символизирует подъем на новую высоту. Эксперимент должен быть в наших руках.

Все сказанное было изложено на трех листах машинописи. Ваксон вынул эти три листа из своей папки и передал их члену Политбюро. Принимая эти три листа, Диомидов внимательно посмотрел на передающего. Что-то знает обо мне, подумал передающий. Позднее он убедился, что был прав. Диомидов быстро прочел машинопись и отложил ее в сторону.

— Сердечно благодарю вас, товарищи, за вашу инициативу. Я передам документ в Секретариат и расскажу товарищам по Политбюро о нашей дружеской беседе. Я абсолютно согласен с вашей точкой зрения и почти уверен, что инициатива будет поддержана. Думаю, что мы можем уже поздравить друг друга. Журналу — быть!

Он встал и пожал руки писателям в следующей очередности: Катаеву (с чувством), Тушинскому (доверительно), Эру (как партиец партийцу), Ваксону (любезно).

Окрыленные, как стая осенних гусей, писатели покинули кабинет и замешкались в приемной. Произошло неожиданное: Тушинский рванул обратно к могущественному товарищу.

— Петр Нилыч, можно у вас украсть еще три минуты? Буквально три! — повернулся к братьям-писателям: — Валентин Петрович, Роб, Вакс, подождите меня пять минут! Буквально пять! — и прикрыл за собой дверь.

Оставшаяся троица уселась на диване в приемной. Ждали не три минуты и не пять, а все пятнадцать. Точнее, семнадцать с половиной. По прошествии этого времени Ян выскочил из кабинета, сияющий и четырежды окрыленный: «Лечу! Лечу!» Оказалось, что Диомидов дал ему «добро» на поездку в Америку.

Четверо вышли из здания ЦК и медленно пошли вниз по Театральному проезду в сторону отеля «Метрополь», стильный пожилой джентльмен и трое сорокалетних парней с некоторыми следами излишеств на чуть-чуть припухлых лицах. Решено было зайти в «Метрополь» и выпить шампанского в честь нового журнала. В главном зале с его колоссальным арнувошным потолком было полутемно и пусто. Обслуживание еще не производилось, однако Ян Тушинский был тут же узнан и для почтенной компании был прислан разбитной официант Сергей-Сельдерей. Ян распоряжался. Тащи «Новосветского», у нас праздник! Какой праздник? Двойной, вернее, тройной, а может быть, и четверной! Обедать не будем. Тащи горячих калачей и икры, икры, икры; пусть будет черная, черт с ней! Вот так получился стильный «завтрак с шампанским» — восторг большими глотками, хруст на зубах и в руках, умащиванье свежайшей зернистой. Значит, все получится, все сложится, как задумано, значит, взлетим по «Трапу» на шканцы и с «Трапа» взорлим уже над самими собой!

Катаев прищурился на Тушинского: «А вы мне напоминаете, Янк, меня самого в Двадцатые годы. Олеша мне однажды сказал: «А вас, Старик Собакин, я вижу, все уже здесь знают». Вот так же я тогда в этом зале распоряжался, как вы сейчас».

Подняли тост за «Трап». А может быть, старики, назовем журнал «Вверх по трапу», в том смысле, что не вниз, не в сортир, а на капитанский мостик?! Что за экзальтация такая дурацкая, думал каждый, кроме Тушинского. Экзальтация шла от него. Возможно, в тот день он казался себе чародеем социализма. Вот нет ни хрена вокруг, одно убожество, а хлопнешь в ладоши, и сразу все появляется — головокружительное, ублажающее, хрустящее! Вот хлопнешь еще раз, и в глубине «мирискусничества» появляется ведомая расторопным Сергеем-Сельдереем дева-мечта, томная, слегка презрительная, «бессонницей томима, усталая от грима».

После того как Ян куда-то отчалил с Человековой, великолепная компания рассыпалась. За Катаевым приехала его машина. Ваксон и Эр вышли на волю и пошли к метро. Присели в сквере возле Большого театра. Ну, что ты думаешь? Не знаю, может быть, что-то получится. Трудно поверить, что о н и, т е, дадут нам журнал; так высказался Ваксон. А я боюсь, что Янки своей экзальтированностью все развалит; так предположил Эр. Я вот сегодня смотрел на него и думал: какой странный, хлопотливый такой, суетливый восторг вокруг собственной персоны он демонстрирует. Они оба тут стали хохотать и долго не могли успокоиться: смешинка в рот попала.

Примерно через месяц после «исторического дня» все метропольские восторги разошлись по воде, как будто кто-то пёрнул в лужу. Катаеву позвонил помощник Диомидова и грустным полуинтеллигентным голосом сообщил невеселую весть: товарищи в Политбюро сочли ваше предложение, дорогой Валентин Петрович, не-це-ле-сообраз-ным. То есть небезарбузным, нецельнокрамбабасным, несоораспрекрустным.

Еще через полмесяца Старик Собакин вдребезги разругался с вернувшимся из Америки Яном Тушинским. Оказалось, что тот, не ставя никого из соучастников в известность, пишет какие-то письма в инстанции, в которых сообщает оным инстанциям, каким журнал «Трап» будет замечательным распространителем ленинских идей о литературе.

1979
МетрОполь

В общем, с партией, ребята, лучше не связываться, ибо благими намерениями вымощена дорога в ЦК КПСС; так сказал своим новым молодым друзьям тертый калач Ваксон в 1978-м. Если уж создавать акцию неподцензурности, нужно все делать своими руками в контексте скромности средств. Нужно сделать двенадцать экземпляров альманаха, но не больше. Почему? Потому что если больше чем двенадцать, то нам могут вменить нелегальное распространение нежелательных, то есть нецензурированных текстов. К копировальным машинам нам не подобраться, потому что в СССР они все под замком и под охраной бронированных подразделений дивизии имени Дзержинского. Значит, надо простонапросто сделать три закладки по четыре копии на обыкновенной пишмашинке.

Олеха и Венечка сообщили, что клич об альманахе уже вброшен в литературные массы. Отклики приходят ежедневно. Желающих сомкнуться больше, чем сторонников невмешательства. Давайте сначала определим редколлегию. В нее войдут два наших молодых героя, Охотников и Проббер. Их будут поддерживать испытанные борцы, члены Союза писателей с известными именами — Ваксон, Битофт и Расул Режистан. Все дают рассказы, мощную прозу из «ящиков стола». Кто у нас дальше в списках? Олеха, называй примкнувших. Гони их гуртом. Итак: Миша Кричевский — проза, Шуз Жеребятников — лагерный псевдофольклор, Мастер Цукер с пухленьким пирогом очередной непечатной выпечки, поэтесса Линда Залесская, чьи стихи разрозненными стайками порхали по самиздату, ее муж старикан Чавчавадзе Жорж, известнейший и увенчанный переводчик поэтов Кавказа и в то же время ярчайший непечатный поэт, а вот и самый молодой, «красивый двадцатидвухлетний» автор повести о питерских юнцах Васюша Штурмин, еще один Вася, философ русского авангарда Рябинкин, псевдодетские поэты, а на самом деле неообэриуты Юра Тапир и Женька Брейн, бывший юморист, а ныне кафкианец Грэг Аркадьев, сторож-дворник Донского монастыря, христианский мыслитель Вадим Камышатников с его «Предрассветными этюдами», неприкаянный театральный человек Юлий Невзорозов с его «Четырьмя темпераментами», Боря Бахтин, племянник М. М. Бахтина и автор блестящей «Дубленки», что в самиздате объявляли как парафраз «Шинели», из которой, как известно, мы все вышли, ну и Левка Кржижановский, поэт, полуподпольщик и ультрадиссидент, прославившийся связями с Британским посольством, куда он обычно заезжал в багажнике дипмашины... пока все.

Подумав, члены редколлегии пришли к выводу, что эту ораву непризнанных и оскорбленных надо еще укрепить несколькими именами авторов, «работающих на грани лояльности», то есть официальной фрондой. Отловили Антошу Андреотиса; дашь стихи для дерзновенного альманаха? Конечно дам, тут же ответил тот и немедленно представил подборку, сквозь метафизику которой высветилась жутковатая станца:

Над темной молчаливою державой
Какое одиночество парить!
Завидую тебе, орел двуглавый,
Ты можешь сам с собой поговорить.

Потом отправились к Нэлке Аххо. Красавица наша к тому времени прошла через грандиозный любовный тайфун, который завершился браком с художником Гришей Мессерсмитом. Теперь она жила с ним в огромной чердачной студии, уставленной копировальными станками и коллекцией старинных граммофонов. Нэлка, красавица, впустишь народ? Входите, мальчики, входите всей толпой! Гришка, которого в Москве величали «королем богемы», уже раскидывал по средневековому столу небьющиеся тарелки. Ему помогал Скворцов, бывший милиционер, а ныне а с с и с т е н т. Давайте первый тост за Нэлку и Гришку! Давайте второй тост за ваш чердак! Давайте третий тост за отмену цензуры! И наконец — четвертый тост за альманах «МетрОполь»! (Теперь, надеемся, читатель понял, откуда взялось это гордое имя.) И Аххо тут же сообщает, что ее вкладом будет эпическая поэма «Много собак и Собака». Там действие происходит на Диоскурийском побережье, а действует там слабоумный и немой Шелапутов. И тут же заюлила, затявкала Ингурка. Там же под открытым прикрытием Пруста проживала и хозяйка, мадам Одетта. Была ли у Шелапутова какая-нибудь родина, роднее речи, ранящей рот? Ну и так далее: отставник Пыркин, девочка Кетеван, некий Гиго, втуне едящий хлеб и пьющий вино, и наконец — большой старый пес цвета львов и пустынь, с обрубленными ушами и хвостом, с обрывком цепи на сильной шее, Собака! (Забегая вперед, мы скажем, что поэма сия оказалась чистейшим перлом этого альманаха.)

На очередном заседании редколлегии выплыл к обсуждению парадокс Влада Вертикалова. Человек сей пребывает в «Одной Шестой» в роли некоронованного короля и непровозглашенного кумира. Любая шахта прервет смену и поднимет своих из штрека, если заявится Он. И все чумазые приземлятся на зады и будут сиять на него незамазанными глазами, как бы говоря: «Пой нам, Владка, пока не пожрал нас метан!» Парадокс же заключается в том, что официально в Совдепии он не признан ни как Король, ни как Кумир. И вообще он здесь не существует как Бард. Ни одной афиши из себя не выдавила страна, ни единой пластинки, ни одной типографской страницы текстов. Трудно понять, отчего неприязнь такая возникла, почти непонятна она, как вирусный грипп. В общем, «метрОпольцы», мы должны его объявить!

Ваксон и Битофт как два самых авторитетных приехали однажды к Владу на Малую Грузинскую. Он открыл им дверь, трезвый. Заметив, что и друзья пришли без пузыря, благодарственно улыбнулся. Ну, давайте кофейком оттянемся и подымим за милую душу. В квартире чувствовалась рука Франсуазы, стиль Левого берега Сены. Сама стилистка отсутствовала; вот и хорошо — поговорим всерьез; без социалистов.

На столе подмечена была пишмашинка «Оливетти» и ворохи бумаги, чистые и уже запачканные.

— Ты что, Влад, бумагу стал марать?

Обменялись многозначительными взглядами. Вертикалов хохотнул с хитроватеньким дружелюбием:

— Да вот роман пишу о пропащих душах.

— А как называется?

— Да так и называется — «Чувихи»!

Затем перешли к делу. Пригласили его участвовать в «МетрОполе». Влад весь задымился вслед за своей сигаретой. Притащил из спальни чемодан своих текстов. Давай, братва, выбирай! Возились долго, отобрали девятнадцать, и все — шедевры! Ну вот хотя бы «Рыжая шалава»:

Что же ты, зараза, бровь себе подбрила,
Для чего надела, падла, синий свой берет?
И куда ты, стерва, лыжи навострила?
От меня не скроешь ты в наш клуб второй билет!

Знаешь ты, что я в тебе души не чаю,
Для тебя готов я днем и ночью воровать!
Но в последне время чтой-то замечаю,
Что ты мне стала слишком часто изменять.

Если это Колька или даже Славка, —
Супротив товарищей не стану возражать.
Но если это Витька с Первой Перьяславки, —
Я ж тебе ноги обломаю, в бога душу мать!

Или вот еще один пример шедевральности, текст «Лечь на дно», который стал частью поэтического эпиграфа альманаха:

Сыт я по горло, до подбородка.
Даже от песен стал уставать.
Лечь бы на дно, как подводная лодка,
Чтоб не могли запеленговать.

....
Не помогли мне ни Верка, ни водка.
С водки — похмелье, с Верки — что взять?
Лечь бы на дно, как подводная лодка,
И позывных не передавать!

Год спустя, когда секретариат МО СП душил «МетрОполь», первый секретарь Феликс Кузьмец зловещим тоном зачитал этот текст, вроде бы намекая, что бесцензурный альманах участвует в подводных маневрах НАТО.

В общем, народный бард Влад Вертикалов, несмотря на свою исключительную индивидуальность, стал активным членом радикальной литературной группы. Часто приходил с гитарой в однокомнатную на Аэропортовской, где Охотников устроил штаб альманаха. Давай, братки, споем, и они вслед за ним пели то смешное:

Опасаясь контрразведки,
Избегая жизни светской,
Под английским псевдонимом
«Мистер Джон Ланкастер Пек»,
Вечно в кожаных перчатках,
Чтоб не делать отпечатков,
Жил в гостинице «Советской»
Несоветский человек... —

то до отчайности прискорбное:

Сколько веры и лесу повалено!
Сколь изведано горя и трасс!
А на левой груди — профиль Сталина,
А на правой — моя Франсуаз.
Анфас.

Ваксон сначала не решался предложить еще кого-нибудь из старых друзей для укрепления «МетрОполя». Ну, в частности, Яна Тушинского. Все-таки появление такого имени в оглавлении заставит гужеедов трижды подумать, прежде чем душить. С другой стороны, это имя вызовет массовый исход «самиздатчиков». Сразу же завопят: «Тушно и партия — близнецы-братья! Потянет нас всех в эти ё-аные инстанции. Нет уж, живите без нас!»

Однажды морозной ночью в дачном поселке Красная Вохра члены редколлегии, обсуждая этот вопрос, прогуливались по скрипучим укатанным аллеям. Громко говорили обо всем, ничего не боялись. Полная открытость была одним из главных принципов альманаха. Не будем ничего скрывать, а то припаяют нам заговор. Наша открытость — это ответ на их открытую слежку. Вот посмотрите — черные «Волги» и ондатровые шапки повсюду открыто за нами следуют. Вот и сейчас они мимо нас проплывают и посматривают из-за стекол с гнусноватыми улыбками. А дача, которую Ваксон и Ралисса снимают здесь у семьи режиссера-невозвращенца, вообще находится под постоянным строгим наблюдением. Соседка, бабушка Фруктозова, которой по ночам не спится, докладывала им, что «ондатровые шапки» в их отсутствие даже входят в дом. Очевидно, они придерживаются установки на открытое психологическое давление. Что ж, при всем гомерическом неравенстве сил нам нужно отвечать адекватно — полной открытостью.

В частности, во время той ночной прогулки открыто дебатировался вопрос: приглашать или нет основных китов Шестидесятых? Вот ведь тот же Тушинский, ведь мы даже не можем перед ним поставить условие — пресечение каких бы то ни было связей с партией. Ведь он даже не представляет себе, как можно быть в литературе без его постоянной игры внутри партии. А все-таки, ребята, почему бы не позвонить у его ворот, почему бы не войти, не поставить прямо это условие, ведь мы ничего не скрываем.

Они остановились у добротно сколоченных ворот. Звонок приглашал — нажать. Приглашали также зайти уходящие под ворота следы «бенца». Битофт достал из кармана серебряный рубль. Ну, давайте, братва, подбросим «плешивого»? Бывший флотский офицер не стеснялся в выражениях. Подбросили, вышло — зайти. Ваксон нажал звонок. Молчание. Еще звонок, еще. На десятый звонок послышались увалистые шаги. Приоткрылась калитка. «Яна Александровича дома нету. Уехамши в Латинскую Америку, точнее на «пылающий континент». Из глубины соснового участка доносилась негромкая, но несколько вертлявая песня: «А снег идет, а снег идет, И все вокруг чего-то ждет. За то, что ты в моей судьбе, Спасибо, снег, тебе...»

Так и ушли несолоно хлебавши, то есть не предъявив условий, к себе на дачу изменника родины. Там Ралисса уже завершала сервировку ужина. Ну что за женщина, вздохнули все конспиранты «открытости». Вот хотя бы ради одной такой женщины стоит вести борьбу с чудищем обло, озорно, стозевно и лаяй. И впрямь, ей уже подходило к сорока, а она все выглядела девчонкой, особенно в этом обтягивающем черном свитерке и в широких твидовых брюках. Она считала своим долгом кормить всю эту «метрОпольскую» приснобратию и с ними всегда присаживалась, выпивала и принимала участие в дебатах, и никто из присных, кроме одного, не знал, что за столом в образе неотразимой женщины сидит уже довольно известный западный писатель, постоянный автор «Нью-Йоркера» и «Энкаунтера» Джон Аксельбант.

Начали говорить о Роберте Эре. Вот этот, пожалуй, больше пользы бы принес, чем предыдущий. У Робки есть свой кодекс «Хороших парней». Для него и для покойного Юстаса — Царствия ему Небесного! — партия хороших парней всегда была важнее партии коммунистов. Но все-таки он член КПСС, не так ли? И не только это, но еще и депутат Верховного Совета СССР! Вы не понимаете, он просто вельможа этой страны.

А все-таки он не робок, этот Роб, вдруг сказала Ралисса и пустила под потолок струйку дыма. Он может вдруг отбросить все и прийти к неожиданному решению. Муж следил за ней весьма серьезным взглядом. Ей-ей, продолжала она. Хотите, я с ним поговорю? Ну, конечно, не просто с ним, а с ним и с Анкой. Без нее он не приходит ни к каким решениям.

Расул Режистан, этот полностью обрусевший махачкалинец, сохранивший все-таки плавную кальянную жестикуляцию, высказался в том духе, что Роберта вроде бы не надо втягивать. Это будет какая-то провокация, ребята, если мы будем его тащить. Он еще может нам помочь со своими «хорошими ребятами», если закуют в железа́.

Остался еще один серьезный кандидат для включения в «союз бесноватых» — ну конечно, великий и непревзойденный Кукуш Октава. Нет, он не пойдет к нам, сказал Ваксон. Почему? Хотя бы потому, что т е о н и хотят, чтобы он вступил в «МетрОполь». Что за абсурд, Вакса, спросила Ралик. Он сам мне рассказал. Дело в том, что на него насели т е о н и. Вы знаете, что Шура, его старший сын, настоящий системный хиппи. Кукуш купил ему однокомнатную на Кутузовском, и там как раз вся эта «система» и засела. На них была облава, нашли то ли реальные, то ли подброшенные составы, ну а после этого начался шантаж родителей. В общем, эти субчики вышли на Кукуша и стали его давить. Сначала пустились в славословия: дескать, вы, товарищ Октава, за истекшие годы поднялись на высший уровень нашей культуры. Ваши песни поет вся страна. Поверьте, Кукуш, мы тоже их поем. И тут же запели: «Возьмемся за руки, друзья, чтоб не пропасть по одиночке». Кукуша чуть не стошнило от их вокала. Они ему говорят: «Вот опираясь на эту вашу бессмертную песню, мы к вам пришли с неприятной новостью. Ваш сын Шура арестован органами милиции и прокуратуры. Его обвиняют в содержании наркотического притона. Мы в это не верим, но вы понимаете, что может прокуратура сотворить с вашим юнцом. Мы бы хотели обсудить это с вами по-товарищески, если и вы к нам проявите доверие. От вас мы многого не хотим, просто надеемся, что вы, с вашим фронтовым и партийным авторитетом, повлияете на писателей из «МетрОполя». Ну просто чтобы вы вступили в эту группу и как-то остерегали бы их от непродуманных действий. Согласны?»

Кукуш, конечно, сразу же отказался. «Товарищи» приуныли. Жаль, жаль, дорогой Кукуш, что вы нам не доверяете. Все-таки мы постараемся развеять мрачные тучи, собравшиеся над вашей семьей. Шура будет освобожден. Отправьте его на время подальше от Москвы, ну, предположим, к тетке в Ереван. И никому, пожалуйста, не рассказывайте о нашей беседе; никому, кроме ближайших друзей; лады?

Пока Ваксон рассказывал историю Кукуша, все члены редколлегии с примкнувшей к ним кулинаршей Ралиссой, изготовившей для сегодняшнего стола феноменальный пирог с вязигой, только лишь переглядывались: всем было ясно, кто стоит за этой безобразной композицией. По завершении рассказа все чокнулись и запели народное:

Коммунисты поймали мальчишку,
Затащили к себе в кагэбэ.

Ты признайся, кто дал тебе книжку,
Руководство к подпольной борьбе.

Ты зачем совершал преступления,
Клеветал на наш радостный строй?
Брать хотел я на вашего Ленина,
Отвечает им юный герой.

Восстановим республику павшую,
Хоть чека и силен, как удав,
И Россия восстанет уставшая
Посреди человеческих прав...

И так дальше, тридцать пять куплетов.

Между тем в чердаке на бывшей Поварской, ныне Воровской, в будущем опять Поварской, была выработана художниками альманаха, Мессерсмитом и Боровским, пресловутая «эстетика нищеты». В двух словах она состояла в следующем. Всего набралось больше тысячи машинописных страниц. Решено было наклеивать по четыре страницы на каждой стороне больших ватманских листов. Обложки были сделаны из листов картона, покрытых так называемой «мраморной» бумагой с разводами. Каждый из двенадцати экземпляров был снабжен завязками из ботиночных шнурков. Символом альманаха стал рисунок, составленный из трех старинных граммофонов с раструбами. Каждая штука весила восемь килограммов и отдаленно напоминала фолианты догутенберговской эры.

Решено было устроить вернисаж в честь завершения работы, то есть, по сути дела, в честь выпуска в полном числе тиража — двенадцать штук. Намечено было и место — кафе «Ритм» на Миуссах с его неизгладимым запахом мокрых тряпок и пельменных кастрюль. Шуз

Жеребятников предложил приволочь на вернисаж дюжину красивых чувих (по числу приглашенных академиков): они наверняка изгонят оттуда совдепскую вонь. Надо вообще попытаться максимально изгнать оттуда совка, так сказал Шуз. Директор там мой френд, пояснил он, попытается, коста-брава, тем более что и сам, между нами, собирается в отвал. А кто еще собирается, спросили Шуза. Тот дернулся, после чего пожал плечами. Между прочим, я собираюсь вместе с моей кошкой и невестой, сказал Мастер Цукер, и не делаю из этого ни малейшего секрета.

Пока суд да дело, решили устроить дачную вечеринку в доме Ваксонов. Ралисса обзвонила всех имеющихся в наличии жен и распределила обязанности по доставке и готовке. Фолиант разместили в открытом виде в углу отапливаемой веранды. Там и собралась толкучка альманахопоклонников. Среди них, между прочим, находились атташе по культуре американского посольства Рэй Бенсон и советник французского посольства Ив Аман. Их машины отдыхали внутри огороженного участка, в непосредственной близости к дому. К концу пиршества среди предотъездной суеты никто и не заметил, как по одному экземпляру «изделия» было уложено в багажники машин названных дипломатов. Провожая сначала американца, потом француза, Ваксон вспоминал отправку «Вкуса огня». Роман путешествовал очень долго, чуть ли не полгода, но потом все-таки весомой штукой плюхнулся на газон перед домом Ленарда Шройдера, калифорнийского адвоката; словом, доехал по адресу. Бог даст, и эти «изделия», еще более объемные и весомые, за полгода-то по адресам доплывут, то есть причалят к берегам «Орбиса», окруженного волнообразными полями для мичиганского гольфа, и к высоким дубовым дверям с начищенными медными ручками и набалдашниками XVIII века поблизости от парижской гостиницы «Пон-Руайяль».

Оказалось, что мировая почтовая система за истекшие пару лет прошла через процесс значительного и очистительного улучшения. Уже через неделю русскоязычные радиостанции начали передавать сенсационную новость о появлении на Западе неподцензурного альманаха, а его авторов стали называть «Плеядой «МетрОполя». Гэбуха опять лопухнула, а может быть, и не лопухнула, а самым коварным способом всех, куда надо, затянула, чтобы разматывать до конца.

Так или иначе, борьба гигантского Голиафа и кучки микроскопических Давидов началась. Вернисаж не состоялся. Кафе «Ритм» было закрыто на санитарную обработку, в результате которой совковые запахи удалось сохранить в их неприкасаемости, прошу прощения, в их девственной воньце. В Союзе писателей стали проходить одно за другим секретариатские совещания, на которые приглашались (выборочно) «метрОпольцы» и (опять же выборочно) подвергались выворачиванию рук. Это выворачивание продолжалось едва ли не бесконечно, пока жертвы к нему не привыкли. Ну что ты будешь делать, что за народ эта русская интеллигенция, ну как можно привыкнуть к выворачиванию рук, а вот надо же, выходят после выворачивания, надевают пиджаки, бормочут: «Хорошего мало, но привыкнуть можно».

После этого власти предержащие выворачивание отменили. Вместо этого стали применять «пиллоризацию». Вы спросите, а это еще что за зверь? Мы отвечаем: «пиллор» — это позорный столб, он стоит на людном перекрестке, к нему сыромятными ремнями привязывается трепещущая жертва, каковая осыпается плевками со стороны пересекающихся и завихряющихся толп честно́го народа. Тут, говорят, произошла одна неувязка.

Оргсекретарь СП товарищ Юрченко, объезжая позорные столбы, выразил неполное удовольствие: «Какое-то у нас, товарищи, получается своего рода средневековье. Заплевали жертвам все лица. Плевки свисают с кончиков носов, капают с ушей. Неужели нельзя надеть им на головы плевконепроницаемые мешки? Ведь не сталинщина же у нас сейчас, не брегоговинщина!» В общем, гильдия литературщины готовилась к фундаментальному растерзанию сочинителей-цеховиков.

1978–79
ЧК КГБ

Однажды утром на Плющихе зазвонил телефон. Вопрос повис на губе.

— Кто говорит?

— Кагэбэ!

Ралик прикрыла ладошкой ту часть трубки, что с дырочками.

— Почему эти сволочи так рано звонят?

Дело в том, что два тела Ваксонов-Аксельбантов, валяясь в постели, только начинали утреннее сближение.

— Нам бы хотелось с вами поговорить, товарищ Ваксонов.

Теперь уже данный товарищ прикрыл трубку, чтобы шепнуть любимой:

— Сослагательное наклонение их до хорошего не доведет.

— Не могли бы вы к нам зайти тут неподалеку, в гостиницу «Белград»? — спросили органы.

Ралисса держала у уха отводную трубочку:

— С вещами приглашают или просто так?

Голос генерал-майора ее слегка урезонил:

— Да ладно вам, Ралисса Юрьевна!

Ваксон, чтобы прикрыть разыгравшуюся л-вь, тут же заговорил по-деловому:

— Нет, в гостиницу к вам я не пойду, потому что к этому разряду уж никак не отношусь.

— К какому еще разряду?

— Ну, к тому, что вызывается в гостиницы. Если хотите поговорить, приходите к нам.

Майор, который сопровождал генерала, тут же откликнулся с некоторой ноткой энтузиазма:

— Отлично! Идем!

— Нет-нет, — Ваксон умерил его прыть. — Приглашение не означает, что надо немедленно вваливаться.

Майор по-юношески захлебнулся. Генерал мрачновато уточнил:

— Завтра, что ли?

Опять вмешалась Ралик:

— Послезавтра. И не в такую рань, как сейчас. К полудню приходите.

За оставшиеся сутки Вакс и Ралик объездили весь центр, посещая клубы творческих союзов, завтракая где-нибудь там, обедая и ужиная, шутливо, по-дружески переговариваясь с массой народа, официантками, швейцарами, шоферами, унося оттуда пакеты с кое-какими припасами (магазины в столице родины опять опустели). За ними все время двигались две серые «Волги». Уголовные рожи смотрели то в тыл, то в бок. Стояла, вернее трепетала, сильная сухая жара. Легчайшее ярко-коричневое эрмесовское платье в pendant трепетало на Ралиссе. Посетили всех членов редколлегии и нескольких авторов. Прогулялись по набережной Москва-реки с Рэем Бенсоном. Зашли на чашку кофе в посольство Франции. Короче говоря, создавали впечатление активнейших персон с множеством знакомых и находящихся всегда в центре общественной жизни.

В назначенный день явились двое. Один, пожилой, с клочковатыми остатками растительности, был в легкой тенниске, но в плотненьком кардиганчике, чтобы не простыть где-нибудь на сквозняке. Второй, молодоватый и даже статный, в щегольском сером костюме, осматривал стены, особенно портреты Хэма, Камю, Пастера и Солжа; осматривал с подчеркнутым любопытством. Пришли не с пустыми руками: генерал извлек из своего портфеля бутылку джина «Гордон», майор — из своего — треугольный брусок бельгийского шоколада. Подчеркивалась вроде бы простая, но почему-то не полностью понятая публикой истина: контакты с органами вовсе не означают недосягаемости импорта. Ко всему этому остается только добавить, что лица сотрудников были запечатаны характерным клеймом полнейшей нелегитимности.

Ваксон провел их в кабинет. Уселись в кресла. Ралисса принесла кофейник и вазочку с крекерами. Уселась между двумя представителями. Генерал воровато опустил глаза. Майор при близости ее колен слегка задохнулся от полноты чувств.

— А ведь я, между прочим, Ралисса Юрьевна, был близко знаком с вашим батюшкой Юрием Игнатьевичем, — сказал генерал.

— До или после? — поинтересовалась она.

Тот несколько растерялся:

— Что вы имеете в виду?

Она принялась ему разъяснять самым светским образом. Ведь папенька мой, вернувшись со спецзадания за рубежом, был взят и отбухал семь лет. Вот мне и интересно, в какой период его жизни вы с ним общались — до или после? Или, может быть, даже во время исполнения срока наказания?

Генерал вздохнул почти в том же ключе, в каком майор всхлипнул при виде Ралиссиных колен.

— Ох, и наломали мы дров!

— Кто это мы, позвольте узнать?

Она внимательно в своих почти невидимых очочках вглядывалась в генерала. Тот как-то в духе героев «Тихого Дона» с горечью махнул рукой.

— Да не мы, а они.

Ралисса не очень-то адекватно и даже вроде бы с некоторой грубостью расхохоталась. Поднабралась манер от Татьяны Фалькон-Тушинской. Генерал вопросительно посмотрел на того, с кем, собственно говоря, и пришел говорить: дескать не пора ли избавиться от супружницы? По выражению ваксоновской челюстной физиономии он понял, что такая пора не настанет.

— Ну что ж. Вы, конечно, догадываетесь, по какому поводу мы к вам пришли?

— Догадываюсь, — кивнул Ваксон. — Не догадываюсь только — почему создание литературного альманаха вызывает такое внимание со стороны государственной безопасности.

Генерал в старомодной манере, то есть почти как в кино, махнул на него рукой: дескать, что, мол, вы, батенька — какие там альманахи. Майор с высокомерным хмычком задрал башку, выказывая пренебрежение всякими там альманахами. Оказалось, что они совсем по другому и в действительности по серьезному делу, ну, в общем, давайте сразу начистоту — мы прочли ваш роман «Вкус огня». Произнеся, не без удовольствия, титул ваксоновского детища, генерал слегка откинулся, явно для того, чтобы выявить ваксоновскую реакцию на эту удивительную новость. Майор зеркально повторил это движение.

Ваксон и Ралисса выразили не очень сильное, но все-таки удивление. Как же, мол, это так: никто не читал, а вы прочли? Вроде бы все экземпляры под нашим контролем. Да и вообще, как это все получается: роман еще не вышел, а вы его читаете без разрешения автора? Как это так получается, товарищи офицеры?

Генерал сделал своей щедро пигментированной кистью правой руки некоторые тормозящие движения. Не надо, не надо так наивно хитрить, Аксён Савельевич. Ведь вы профессионал с в о е г о дела, а мы профессионалы н а ш е г о дела. И не подозревайте, пожалуйста, никого из ваших друзей. Они как раз отказались от сотрудничества с нами по этому вопросу. Так что нам остается только говорить по факту. Книга у нас. Мы ее прочли. Это сильный роман. К сожалению, не только сильный, но и язвительный, косвенно трагический, возможно, но в прямом смысле антисоветский.

— Косвенно трагический! — воскликнула Ралисса. — Как это здорово сказано!

Генерал досадливо покосился на нее, в то время как майор благосклонно улыбнулся не вполне сдержанной женщине.

Генерал продолжал:

— Нам известно, что наши коллеги из Лэнгли (штат Вирджиния) делают ставку на ваш роман. Если он выйдет в свет, они постараются раздуть шумиху под стать «Архипелагу ГУЛАГ» Александра Исаевича Солженицына. Вы сами понимаете, что если это произойдет, нам придется с вами попрощаться.

— В каком смысле? — быстро спросил Ваксон. Ни с того ни с сего в памяти промелькнул салат-бар студенческой столовой в университете Беркли: бобы, сельдерей, морковь.

Генерал не стал уточнять. С минуту он сидел молча, глядя на автора романа вот именно «косвенно трагическим» взглядом. Потом произнес:

— Я не уполномочен говорить о смысле вашего возможного отсутствия. Обратитесь в коллегию комитета.

— Лично? — он представил себе, как стоит перед коллегией, босой, но в пальто.

Генерал досадливо поморщился. Меньше всего он ожидал, что Ваксон начнет паясничать в таких тугих для него обстоятельствах.

— Так что, произойдет это или не произойдет?

Ваксон наконец собрался с мыслями.

— Послушайте, генерал, я абсолютно согласен почти со всеми вашими оценками «Вкуса огня», за исключением одной. Да, вы правы, роман получился и сильный, и язвительный, и косвенно трагический, но отнюдь не антисоветский. Роман вообще не может быть антисоветским по определению. Антисоветским может быть памфлет, но роман не памфлет. Иначе и «Тихий Дон» у нас будет считаться антисоветским. Политика — это вообще не главная струя романа, она — это просто-напросто строительный материал. Должен вам признаться, что я опасался подпасть под такую классификацию и потому вообще воздерживался даже от малейшей мысли о его возможной публикации...

— На Западе? — уточнил генерал.

Ралик тут опередила своего Вакса.

— Ну не на Востоке же! — воскликнула она. — Восток зловещ!

— Интересно, что вы имеете в виду, говоря о зловещем Востоке, Ралисса? — вполне по-светски поинтересовался майор. Он явно восхищался великолепной женщиной. Та среди выпущенного ее пунцовыми губами дымка помахала совершенством своей руки.

— Конечно Ирак, конечно Иран, Сирию, наконец.

— Но ведь не нашу все-таки страну, Ралисса, не так ли? Уж ведь мы все-таки не зловещи, как считаете?

— Да что вы, что вы, майор! Как вам такое в голову могло прийти при нашей-то конституции, при нашем-то передовом учении народов, или как это артикулируется?

— А как вы определили мое воинское звание, Ралисса? Ведь я действительно майор.

— А у вас, майор, на плечах-то просвечивается, разве вы сами не наблюдали?

Майор был в полном восторге: она с ним явно кокетничала.

Генерал, у которого еще ярче просвечивало на плечах, явно был не в восторге от выступления Ралиссы.

— У нас, Ралисса Юрьевна, все можно опубликовать — теоретически, а практически время пока что не пришло. Согласны, Аксён Савельевич?

Тот с минуту смотрел на генерала очень негостеприимным взглядом, потом произнес:

— Ну, давайте договариваться, генерал. Я высказался, теперь говорите вы!

Недурно, недурно, подумал генерал. Ловушка приоткрылась, только неизвестно, кто кого туда гонит — КГБ Ваксона или наоборот — хитрый, сильный, опасный враг шельмует наше беззащитное бюрократическое сообщество.

— Ну что ж, давайте так. Вы зарекаетесь печатать «Вкус огня», а мы обещаем вам ни на йоту не вмешиваться в ваши дела...

Майор тут бросил не очень-то любезную реплику:

— Если вы только еще какую-нибудь... сочинение... злокозненный какой-нибудь... напишете, каким-то образом...

Ралисса была в восторге:

— Ну, ну, что кого... она, оно, он... Завершайте же, товарищ майор!

Генерал постучал костяшками пальцев по столику.

— Итак, подводим итоги. Вы нам обещаете не публиковать «Вкус огня», а мы обещаем не чинить вам никаких препятствий ни в публикациях, ни в экранизациях, ни даже в путешествиях. Наблюдение за вами будет снято, а вы, надеюсь, не будете разглашать содержание нашей беседы. Скрепляем рукопожатием.

При этом рукопожатии, подумал Ваксон, он захлестнет вокруг моего запястья стальной хвост игуаны. Все-таки пожал. Рука была вяловатой: игуана, как видно, дремала. Чекисты встали и начали не торопясь, разглядывая картины и портреты, продвигаться к выходу. В коридорчике генерал на несколько минут задержался с Ваксоном. Майор остановился в дверях с Ралиссой.

— Этот Джон Аксельбант из «Нью-Йоркера» вам не родственник?

— Кузен, — тут же ответила она ничтоже сумняшеся. Майор смотрел довольно откровенным взглядом.

— У меня есть билеты на премьеру в «Современник»; не хотите?

— Нет, — сказала она.

— А хоккеем не интересуетесь, СССР — Чехословакия?

— Нет.

— А вы вообще-то, Ралисса, теннисом не увлекаетесь?

— Нет.

Между тем генерал вел какую-то более заёбистую игру.

— А вы знаете, Аксён Савельевич, вот ваш там в романе-то персонаж, так выпукло изображенный, ну, этот Чанков-то, который вроде бы там под видом гардеробщика, что ли, ну, вы помните, конечно, так вот: он ведь до сих еще у нас работает, дошел до больших чинов.

Говоря это, он думал: не зря ли я все это плету, ведь могу в некоторой степени посеять недоверие... Ваксон весьма отчужденным образом пожал плечами.

— Не знаю, генерал, о ком вы говорите. Чанков — это просто собирательный образ. Если уж вы занимаетесь романами, я бы вам посоветовал не искать прямых прототипов.

В дверях и на лестничной клетке возникла некоторая неуклюжесть. Ралик слетала в гостиную и вернулась с чекистскими дарами. Весьма благодарны за столь элегантные презенты, однако мы не пьем крепких напитков и не едим сладкого шоколада. Ну что вы, что вы, Ралисса, ведь это просто от чистого сердца, ну, в общем — символически. Нет уж, вы возьмите это с собой, а то ведь пропадет добро — джин испарится, шоколад засохнет. А у вас там кто-нибудь явно не откажется.

Тут вдруг подошел лифт и из него вышли две сияющих персоны, двадцатилетняя Вероникочка и ее «бойфренд», чемпион Олимпийских игр по прыжкам с шестом. Потрясенные появлением столь знаменитой личности, незваные гости забрали свои дары, быстро, пятками вперед, прошли в лифт и освободили место действия.

Вечером за чаем литературное семейство стало обсуждать, можно ли верить бойцам невидимого фронта. Ну почему же нельзя, сказала Вероникочка, вот я, например, почти на сто процентов верю нашему Полухватову. У Саши Доброскока была по этому поводу своя позиция: не верить никогда и ни при каких обстоятельствах. Внедренные в команды, такие типы только мешают ребятам достигать высоких показателей. Ваксон гадал: где эти б. н. ф. смогли украсть экземпляр? Может быть, ночью в квартиру пробираются, пока мы все спим. Ралисса была уверена, что копия украдена за границей. Недавно на приеме в Спасо-хаус Эванс шепнул ей, что «Вкус огня» стал появляться в манхэттенских издательствах. Слямзить там ничего не стоит. Это у нас все ксероксы под замком, а там спокойно за полчаса можно отщелкать копию; никто и не заметит.

Прошло совсем немного времени, и чекисты стали их нагло и почти открыто обманывать. По переулку теперь шастали топтуны в характерных шляпенках. За ваксоновской «Ладой» и за ралискиным «ровером» то и дело увязывалось вполне отчетливое сопровождение. Мерзостные гады то и дело протыкали шины. Но самое гнусное нарушение договора состояло в том, что они неслышно давили Ваксона по всем направлениям: набор книги рассказов в «Совписе» был рассыпан, новый фильм «Аэросказ» положен на полку, совместный проект с итальянцами прикрыт, визу аннулировали.

Однажды Ралисса зашла в «Книжную лавку писателей», и там ее поприветствовал рослый мужикан в брежневской шляпе и в габардиновом плаще. Стоял, видите ли, с раскрытым томом; эдакий книголюб. Она разозлилась и в зеркало мельком заметила, что это ей к лицу — злость, вызов, решимость.

— Ну что, майор, все хреновиной своей занимаетесь?

— Подполковник, — поправил он ее.

— За обман, что ли, звезду получили?

— Полноте, мадам Ралисса, как так можно?! — он издевательским взглядом очерчивал ее плечи, талию, бедра, но говорил все-таки в режиме полушепота. Тогда она громким голосом, чуть ли не криком пошла его обдирать на весь магазин:

— Вы обещали не чинить нам никаких препятствий, а ваши стукачи прослушивают квартиру, а топтуны ни на минуту нас не отпускают, прокалывают шины! Вы топите все проекты Вакса, объявляете его невыездным! Учтите, кто вы там, полковник или генерал, если это не прекратится н е м е д л е н н о, мы соберем пресс-конференцию!

Агент — фамилия его, между прочим, звучала на родственный рязанский манер: Брянчин — перепугался, потек потцом, шляпу сдвинул на нос, воротником прикрыл выю, зашептал куда-то в сторону, вроде бы к полному собранию сочинений Салтыкова-Щедрина:

— Ралисса, перестаньте, прошу вас, я все объясню. Давайте выйдем на улицу.

На улице шляпа куда-то исчезла — то ли он выбросил ее куда-то по ветру вниз по Кузнецкому, то ли он ее растворил какими-то химическими реагентами. Теперь мужикан выглядел сравнительно пристойно.

— Ралисса, поймите, это не мы вас доводим, это другая группа, та, что по «МетрОполю»; у нас с ними постоянные стычки. Наше руководство как раз мне поручило обратиться к вам с предложением о выезде за границу. Жалко, конечно, терять такую красавицу, как Ралисса Аксельбант, но другого выхода мы не видим. Ваше с Ваксом пребывание здесь может привести к такому конфликту, что небо с овчинку покажется.

Теперь уже пришла очередь Ралиссы впасть в замешательство. Она копалась в сумочке, как будто что-то-не-знаю-что искала там. Наконец вытащила пачку сигарет и стала щелкать пальцами перед носом подполковника.

— Дайте! Дайте же!

— Что? Что? — он почему-то долго не мог догадаться, чего требует дама. Наконец дошло, и вытащил зажигалку. Она с наслаждением прикурила. Он усмехнулся.

— Чувствуете вкус огня?!

Она хохотнула:

— Брянчин, вы меня удивляете!

— Откуда вы знаете моё фамилиё?

Непростая личность, думала она, глядя на грубоватое, малость набрякшее лицо.

— А мне вас в ЦДЛ буфетчица показала. Мир тесен, ваше благородие, особенно в Москве. Скажите, а Сазанович-то в курсе ваших сегодняшних предложений?

— От него и идет, — сказал Брянчин. — Можно сказать, что это личная идея генерала Сазановича, которого вам тоже, наверное, буфетчица показывала, правда? Кстати, он просил меня передать от него подарок вашему мужу.

И он протянул ей толстый том собрания сочинений Курта Воннегута. Открывался он фотографией автора, невероятным образом похожего на Аксёна Ваксонова. Что это за дикость, думала она, пролистывая дальше. Вслед за титульным листом и всякими техническими данными появилось предисловие под заголовком: «Сигнал предостережения».

— Передадите адресату? — спросил Брянчин. Он тоже теперь дымил, да и не всякий там фирменный хлам, а настоящий обкомовский «Казбек».

— Растет наша Охранка! — воскликнула Ралисса, взяла книгу и перебежала улицу к своему «роверу», опять припавшему на заднюю левую.

Возвращаясь слегка назад, к тем зимним еще неделям, когда экземпляры «МетрОполя» отправились один к брегам Америки, другой — к холмам Франции, мы можем вспомнить тот день, вернее ночь, когда все это разразилось. В даче на Красной Вохре Вакс и Ралик уже миловались под звуки Генри Парселла, когда над калиткой загремела сигнальная колотушка. Он схватил пугач, она каминные щипцы; трах-х-х, выскочили на крыльцо. Над калиткой подпрыгивали выпученные глаза литературной молодежи. Легко узнавались очи Охотникова, Пробера и Васюши Штурмина. В голосах их звучала какая-то итальянская драма: «Чепэ! Чепэ!» Хозяева побежали открывать по снежной дорожке, он в шлепанцах, а она, между прочим, босиком.

Оказалось, что парни час назад прослушали на VOA выступление общего друга Чарли Профессора. Успели записать на кассетку; вот она. Зазвучала почти русская речь двухметрового янки:

«...Издательство «Орбис» только что получил неподсензурная альманах «МетрОполь», устроенное группой русский писатели...» и так далее с упоминанием фамилий. Выступление завершилось довольно решительным заявлением: «Мы имеем намерение так быстро как возможно напечатать этот литературный документ, а позднее в инглиш».

На следующий день прошумело бурное собрание авторов. Возможность напечататься в знаменитом американском «Орбисе» кружила головы. Каждый в душе полагал, что это его первый шаг к Нобелевской премии. Вслух многие интересовались, будут ли платить гонорары. Смотрели на Ваксона, как будто он был главным бухгалтером. Тот пояснял: на большие деньги не рассчитывайте — издательство университетское, почти нищее. Левка Кржижановский тут же спросил: ну на джинсы-то хватит? Ралиска, бурно хохоча, всех заверила, что на джинсы-то всем хватит, и даже круглый и увесистый Жорж Чавчавадзе не останется без «техасских панталон», как называл джинсы Набоков.

В разгаре бурного веселья и джинсового предчувствия на дачу перебежчика позвонил первый секретарь Московского отделения СП СССР Феликс Кузьмец. Попросил Ваксона. Когда-то они были приятелями в толпе шестидесятников. Критик Кузьмец в начале десятилетия напечатал статью под заголовком «Четвертое поколение», отчеканив таким образом новый литературоведческий термин. Говорили, правда, что этот термин первым употребил другой критик, Макаров, но ведь это не так уж важно — правда? — важно, кто первым запатентовал изобретение. Так или иначе, к концу десятилетия Кузьмец основательно прибавил в теоретическом и политическом весе. Постоянно выступал с ключевыми докладами в глубоко партийном духе и наконец был выдвинут на нынешний номенклатурный пост. «Послушай, Вакс, ты вроде там какой-то подпольный журнальчик основал, так, что ли? — спросил Кузьмец с наигранной небрежностью, сквозь которую пробивалась некоторая административная ярость. — Нет, говоришь, не подпольный? Свободный, говоришь, неподцензурный? Интересно, интересно, кто это тебя к таким подвигам надоумил? Ну вот что, приходи-ка ты завтра в Правление к трем часам, вместе с Битофтом, Режистаном и этими вашими молодыми, и не забудьте принести экземпляр. Что-что, не можете завтра прийти? С авторами должен обсудить? Со всеми авторами? Полная демократия, говоришь? Да ты, Вакс, в своем ли уме? Тебя вызывает руководство, а ты... ты...» И брякнул трубку.

На третий день вызванные товарищи все-таки пришли в Правление. Принесли тяжеленную штуку альманаха. Размерами и своими мраморными разводами она напоминала могильную плиту на баптистском кладбище.

— Поосторожней обращайтесь, — предупредил членов Правления Охотников.

— А что может случиться? — спросил главный редактор журнала «Сельская жизнь», который, твердо следуя по стопам Маркса, молодые писатели называли «Идиотизмом».

— А вот на стопу тебе упадет, тогда узнаешь, — пояснил ему Проббер.

Уселись все за длинный стол: «метрОпольцы» с одной стороны, правленцы, включая скрытно-особистов, — с другой. Начались споры: подпольщина это или не подпольщина. Наши тут с ходу подсекли Кузьмеца. Какая же это подпольщина, если первая штука была доставлена в Госкомитет по делам печати?

— Когда доставили?! — завизжал тут Кузьмец.

Режистан в великолепной манере прежнего персидского двора объяснил, что альманах был доставлен в ГКДП сразу по завершении работы. Задержка была вызвана нехваткой шнурков, пояснил Битофт. Страна переживает временные трудности с ботиночными шнурками. Кузьмец зашипел:

— Ерничаете? Хитрите? Учтите, все вскроется!

И вот тут-то Вакс одной фразой внес смятение в правленческие сердца:

— Зачем визжать, зачем шипеть, мы писатели и вы писатели, вы нас защищать должны, а не потрафлять некомпетентным органам.

Первое заседание на этом закрылось, однако вслед за ним последовала череда других изнуряющих заседаний, а также конфиденциальных бесед с выворачиванием рук и вполне отчетливыми угрозами со стороны «некомпетентных органов». Наконец было открыто общее собрание московских писателей, на котором было выражено 94,5-процентное осуждение «малопривлекательных попыток расколоть наш союз при помощи полуподпольного альманаха». Самое яростное осуждение выразил поэт Младшинов, который назвал подобное альманашество «порнографией духа». Забылся человек и сплагиатил метафору у Антоши Андреотиса. В ответ «метрОпольцы», не надеясь на партийную печать, давали интервью иностранным журналистам и устраивали развеселые вечеринки с участием таких, например, писателей, как Генрих Бёлль. Ведущие газеты мира освещали события так называемой «траншейной войны» в советской литературе. И все это сквозь идиотический вой заглушек возвращалось в советские пределы на волнах «рупоров», то есть русскоязычных радиостанций «зоологического антисоветизма».

1979
Административное

Между тем приближался ключевой момент всей кампании, секретариат Московского отделения, за которым должны последовать административные меры.

— Ну и чем все это кончится? — спросил Кукуш. Он шел по аллее и разминал в пальцах свою привычную сигарету «Прима» без фильтра. Советские сигареты приходилось всегда разминать, чтобы через табак проходил дым, или сразу выбрасывать, если табак выпадал.

— Боюсь, что плохо кончится, — произнес Роберт. Он шел, слегка пружиня медленный шаг, засунув руки за пояс джинсов; сущий ковбой.

— Не исключено, что даже очень плохо, — сказал замминистра Королев. Он смотрел в светлое вечернее небо над Переделкино, в котором уже появлялись светлейшие светляки. Иногда подставлял ладонь под снижающийся крохотный геликоптер. Свет выключался еще до посадки.

Трое уже целый час гуляли по отдаленным аллеям писательского поселка и обсуждали «эту историю». Ребята прут напролом, отрицают все компромиссы. Говоря «ребята», кого ты имеешь в виду? Охотникова, Пробера, Режистана, Битофта, ну и конечно Вакса. Это он все затеял, Кукуш? Не думаю. Скорее, это молодые ребята затеяли, а Ваксу выдвинули вперед как слона. А вы не думаете, Роб, Кукуш, что это все задумано, чтобы разбежаться за бугор? Исключено, народ хочет жить в своем языке, в конце концов. А мадам? Кого ты, Толь, имеешь в виду? Ну, Её Неотразимость; у нас в кулуарах говорят, что она, будучи послихой, завела себе колоссальные связи в Нью-Йорке и на «Передовой посадочной площадке», то есть в Британии. Кукуш, в частности, рассказал об одной любопытной встрече. Едва он кое-как уладил проблемы беспутного Шуры, отослав того к тетке в Ереван, как его пригласили к генсеку Большого Союза Мокею Егоровичу Шаркову. В обширном кабинете, чуть в стороне от генсекского стола, рядом с бюстом Анри Барбюса сидел третий участник беседы, средних лет вельможа в костюме с иголочки и с брильянтами в запонках и галстучной заколке. Кукуш сразу сообразил, откуда прилетела роскошная птица.

Речь, разумеется, зашла о «МетрОполе». Третья фигура благосклонно поблагодарила Кукуша за нежелание присоединиться к сомнительной группе. Вы поступили как коммунист. Мокей Егорович сказал, что приближается финал всей этой вздорной кампании. Намечено заседание правления Московского союза. Пятьдесят наших надежных товарищей встретятся с пятью главарями-экстремистами. А ведь они, эти пятеро, считаются вашими друзьями, Кукуш. Хорошо было бы как-то повлиять на эту гоп-компанию. Предостеречь их от резких высказываний. Это дало бы нам возможность свести к минимуму намеченные административные акции.

Королев, который во время этого рассказа ограничивался только короткими вопросительными репликами, приостановился и сказал, что не верит в минимальные административные акции. Скорее всего в высших инстанциях... Он продолжал говорить что-то резкое, не замечая, что его голос заглушается ревом идущего на посадку во Внуково пассажирского лайнера. Когда самолет пролетел, Роберт попросил своего старого друга:

— Можешь, старый, повторить про эти акции?

Поэт-дипломат безнадежно махнул рукой.

— Да что там говорить, в определенных кругах готовится погром неформальной литературы. Произойдут обыски, конфискация книг и аресты, да-да, аресты заводил, отправки в Потьму или на поселение в Сибирь. Кукуш, не верь этому Шаркову, он лицемер. А уж чем наша служба за рубежом будет запудривать новый позор, ума не приложу...

Эр положил руки на затылок и в этой его излюбленной позе, свидетельствующей о раздумье, пошел дальше по Серафимовичу в сторону пересечения с Горьким. Он уже улавливал намеки на драконовские меры в том случае, если «метрОпольцы» не забздят, не покаются, не отдадут альманах в заботливые руки цензуры. Не раз говорил на секретариатах, что мы вступаем в новую эру, что старые методы больше не применимы, что мы развалимся, если вернемся к сталинщине... Однажды Юрченко его спросил:

— Вот ты все время говоришь «мы вступаем... мы развалимся, если...», скажи, кого ты имеешь в виду под «мы»?

— Под «мы» я имею в виду Советский Союз, — ответил он.

Юрченко прицелился своим чекистским прищуром.

— Ты, значит, допускаешь, что Советский Союз может развалиться?

Роберт отвернулся к окну, чтобы не видеть противной заплывшей морды. Пробормотал:

— Все может когда-нибудь развалиться, и Советский Союз не исключение.

— Ну ты даешь! — возмущенно воскликнул оргсекретарь. — Да как ты можешь так...

Роберт не дослушал идиотских восклицаний, пошел в другую комнату и там стал стоять с ладонями, сцепленными на затылке. Они жили теперь на четырнадцатом этаже в новом доме на Новом Арбате, и ему не нравились там низкие потолки.

После смерти Юстаса он стал ощущать дефицит дружбы. Приближалось полсотни возраста, и с каждым годом он ощущал, как распадается их молодой союз. Янк все реже появляется для «душеспасительных толковищ», все с большим рвением колесит по всему миру, превращаясь в какого-то конягу утопического социализма. После того как они расплевались с Танькой Фалькон, распались и наши межсемейные узы. А Глад? Наш развеселый Гладиолус? Ну как можно в это поверить — из «Московского комсомольца» перепрыгнуть в парижское бюро Радио Свобода? Вообрази, вот он своим бодрейшим шагом идет к тебе, повторяет свои неизменные хохмочки: «Боба-Роба, пойдем по-бабам или в пинг-понг перекинемся?» Невообразимо! Антоша со своей замкнутой кольцеобразной видеомой «Мать-мать-маТь-ма-Тьма...» примкнул к «МетрОполю». Увел орду своих скрымтымным-поклонников, отделил их от прежних восторженных лужниковцев, от нас, застрявших в Шестидесятых апофеозах. В другую сторону ушла Нэлка, вернее, ее увел туда Гриша Мессерсмит — на чердаки художников. Вот там, на чердаках, очевидно, и возникла идея «МетрОполя», где же еще — ведь не в стоматологической же клинике. Вот поэтому она и сама присоединилась к бунтарям.

А почему же ты не вспоминаешь о себе, полностью Роберт и не совсем Эр? Ведь ты и сам от них ушел, от прежних, признайся, Роб! Ты в партию ушел от них, от беспартийной богемы, от фронды, которую грязной шваброй отхлестал Хрущев. Ты потащился совсем в другую сторону, почти столь же немыслимую для всех, сколь и Радио Свобода. Разве так судьбу берут за лацканы? Неужели ты всерьез хочешь перестроить партию? Она тебе не уступит. У нее могут быть только два статуса: статус убийств и статус лжи. Она исторгнет тебя.

Мы не договорили этого до конца, стали отмахиваться. Пропустили тот миг, когда «хорошие парни» стали качаться, когда наша дружба пошла наперекосяк. И это был 1968-й. Коктебель. Что-то было не так. Как Влад орет в своей песне: «Эх, ребята, все не так, все не так, ребята!» Ваксон как-то точнее держался, чем ты. Он орал на каждом углу о партийных преступниках. И так ты стал дрейфовать в сторону от Вакса.

Ты не успел опомниться, как оказался полностью в другой компании. Тебя стали раскладывать на ноты. Твой слог оказался нотным — как будто ты всегда, еще с детских времен военно-музыкального училища, держал в голове популярную музыку этого времени:

Не надо печалиться,
Вся жизнь впереди!
Вся жизнь впереди!
Надейся и жди!

А Ваксон тут же в рассказе об утке прицепил к последней строчке утиный хвост: «Вся жизнь впереди, только хвост позади».

Итак, ты среди других, спокойных, материально преуспевающих. У тебя и у самого немало накапливается лишних деньжат. Тебе вообще-то больше нравятся композиторы: уравновешенный народ. Певцы чуть-чуть сдвинуты в сторону, ну, скажем, Ваксона или, скажем, в сторону Барлахского. Конечно, вегетативка и у певцов подчас играет, однако у них все-таки нет противоречий с государством. Вот это тебя и гнетет, Роб. Как можно быть в полном согласии с таким государством?

В последнее время он стал записывать в блокноты различные строчки — «на будущее»:

...Сними нагар с души, нагар пустых обид...
...Дрожал от странного озноба, протестовал...

...Жаль, не хватило малости какой-то, минут
каких-то...
...Есть эхо... притяжение... опасное баловство...
...Ау! Не отзовусь... Меня не будет...
...Кто-нибудь другой пускай провоет то, что я
не смог...
...Жил в это время... пылали проклятья его
и скрижали...
...Он заканчивается, долгий, совесть продавший век...
...Длинный тоннель метро, привычная злоба дня...
...И лежала Сибирь, как вселенская плаха...
...Стихи прошли, а стыд за них остался...
...Интересное время, уйди, над Россией метелями
не гуди...
...Над Россией сквозь годы-века шли кровавые облака...
...Помогите мне, стихи. Слышать больно. Думать
больно...
...Он кричал: «Я еще не хочу умирать!»...
...Как долго в гору; за что же так быстро с горы?..
...Длинный откат шелестящей волны...
...Других я различаю голоса, а собственного голоса
не слышу...
...Было холодно так, что во рту замерзали слова...
...Мы, познавшие Эрмитаж и Бутырки, сдающие
вахты или пустые бутылки...
...Дым от всего, что когда-то называлось моей судьбой...
...Этот витязь бедный никого не спас...
...Из того, что довелось мне сделать, может,
наберется строчек десять...
...Останьтесь, прошу вас, побудьте еще молодыми...
...Истра-река. Быстро-то как!..
...Все мы гарнир к основному блюду, которое
жарится где-то там...
...Жил я впервые на этой Земле...

Кто знает, может быть, из этого блокнота взрастет когда-нибудь новая книга стихов. За это время власть может снова стать каменной, и его поставят к позорному столбу под надписью: «Поэт, предавший свой собственный оптимизм!»

Быть может, для того, чтобы не дать им окончательно окаменеть, надо сейчас выйти из партии и вступить в «МетрОполь»? На это у него не хватит сил. Но что еще можно сделать, чтобы уберечь всех этих наших безумцев — Битофта, Режистана, друга Ваксона, девушку нашу Аххо, Чавчавадзе, Листовскую, молодого Охотникова, молодого Проббера, молодого Штурмина, всех остальных? Он не может ничего сделать, только лишь не участвовать в удушении. Вы все, читающие хроники этих дней, должны все-таки понять, что его младшей дочери не было тогда и восьми лет...

Прогулка закончилась. Трое вернулись на дачу Эров. Там их ждал Григ Барлахский, похожий на слегка похудевшего борца сумо. Перед ним на столе стоял наполовину опустошенный графинчик. Рядом сидели Анка и Ритка, дымили с такой интенсивностью, как будто старались его прикрыть.

Григ закатал рукав куртки на левой руке. На предплечье засыхала багровая язва ожога. Это результат встречи с чекистом Брянчиным, пояснил он. Неужто пытали, всплеснула руками Ритка, которая прекрасно помнила времена, когда пытали. Ну, до этого п о к а ч т о не дошло, усмехнулся усатый и лысый самурай с хвостиком на затылке. Пока что просто проверяли мужские качества. Мы с этим хмырем сожрали полтора килограмма коньяку. Пришел с бутылками и с комплиментами. Пытался вербовать, чтобы стучал на Ваксона. Для его же пользы, то есть для ваксоновской пользы, чтобы не сорвался, а то ведь неизвестно, чем все кончится. Ведь вы же знаменитый разведчик, Григ Христофорович, ну вот и мы ведь все-таки разведчики; вот почему и тянет нас к вам родственное чувство. Да как ты смеешь, говорю ему, Брянчин-гуев, сравнивать себя со мной? Я через минные поля полз в разведку, а ты в кабаках сидишь, спиртное жрешь, следишь за поэтами. Тогда он оголяет свое предплечье. А вот давайте проверим мужские качества. Есть такая лажа среди пиратов: вплотную сближаются предплечья соперников и между ними всовывается горящая сигарета. Я эту нечеловеческую муку знал еще со времен десанта в Керчи, но и Брянчин, надо сказать, смог продержаться, пока не сгорела сигарета. Корчил морды лица, но не вопил.

— О чем там у вас шла речь перед этой пыткой? — спросил заместитель министра иностранных дел. Барлахский довольно долго молчал и смотрел на великолепную селедку, просвечивающую сквозь неописуемо зеленый лук. Потом промолвил:

— Об административных мерах воздействия.

Отрывки из стенограммы, сделанной Олехой Охотниковым во время четырехчасового заседания расширенного секретариата Московского отделения СП СССР.

Грибочуев: Это распространение самиздата, то, что вы делаете!

Мишатников: Это почему вы в предисловии пишете «штука литературы»? Это оскорбительно. Что же, великий Блов штуки пишет? Остафьев — штуки? Растутин — штуки? Вот рядом со мной великий поэт сидит, Исай Егоров, он что же, тоже штуки пишет?

Барышников: А вы уверены, что об этом вашем альманахе еще не пронюхали иностранцы?

Ваксон: Знаете, сколько в Москве иностранцев? Сто тысяч...

Кузьмец: Мы выставили этим товарищам четыре позиции, чтобы они не скользили по наклонной плоскости, намазанной мылом. Первая. У них там есть политическая ошибка, граничащая с преступлением. Они заявили, что в СССР есть группа гонимых писателей. Вторая. Чтобы не вмешивались шакалы, западные журналисты. Третья. Чтобы в сборнике не участвовали диссиденты. Четвертая. Чтобы нам не предъявляли ультиматум. Мы ультиматумов не боимся. Лорда Керзона не испугались! Короче говоря, мы предложили им руку, но Ваксон ее оттолкнул… Он мне позвонил и в резкой форме сказал, что пожалуется на меня Брежневу. Я не успел сказать, что ему надо жаловаться Картеру.

Ваксон: Через Брежнева к Картеру, что ли?

Кузьмец (шипит, как кухонный кот): Вот вы и заговорили, Аксён Савельевич, на своем языке…

Ваксон: Во всяком случае, не на твоем языке, Феликс.

Кузьмец: А вот, товарищи, какие тут вообще предстают перед нами языковые перлы (читает тексты Вертикалова, Жеребятникова и Ратмира). Вот как он описывает Всесоюзную выставку достижений народного хозяйства: «Быка с мудями вы лепили!» Прошу прощенья у представителей прекрасной половины рода человеческого.

Корнелия Броневая (единственный представитель прекрасной половины рода человеческого в зале парткома): Как произносится: вы лепили или вылепили?

Кузьмец: В целом в альманахе присутствуют четыре основных направления: 1) приблатненность; 2) изгильдяйство над народом; 3) сдвинутое сознание; 4) секс… В целом зловещая картина.

Ваксон: Интересно, почему Кузьмец все делит на четыре? (осторожные смешки).

Октава (шепотом): Вакса, перестань!

Охотников: Секретариат старается столкнуть нас лбами. Говорят о каком-то «миллионе Ваксона», о его «далеко идущих планах». Нас хотят представить конформистами и приспособленцами.

Грибочуев: Я вам скажу как сталинградский комбат: это антисоветская пропаганда. Если альманах выйдет на Западе, надо будет поставить их... ммм... лицом к народу. Пусть ответят, и пусть летят их головы.

Кузьмец (Ваксону): Вы принесете в Союз все ваши экземпляры?

Ваксон: Нет.

Кузьмец: Почему?

Ваксон: Потому что пропадут.

Шурьев: Уверен, что альманах будет напечатан на Западе. Меня поражает аполитичность наших писателей. Под маской аполитичности может и какая-нибудь гадина к вам войти и начать размахивать кулаками. Среди нас могут появиться открытые провокаторы. Вот почему, Ваксон, вы стоите в стороне от классовой борьбы?

Корнелин: ...Одумайтесь! Откажитесь от саморекламы и шумихи!

Куняшин: ...Их стихи осложнены болезненной мизантропией, комплексом неполноценности. Бахтин паразитирует на Гоголе. Ваксон иронизирует над темой воспитания человека; злая нехорошая ирония... Альманах пронизан сионизмом!

Барышников: ...Пышное название «МетрОполь» скрывает политическую диверсию против страны и КПСС. Недаром среди участников нет ни одного члена партии. ...Надо пересмотреть обоймы едущих за границу, где они развращаются и попадают на идеологические крючки. Предупредить иностранную комиссию! Почему хороших поэтов не посылают? Почему нет гордости советского человека?

Кузьмец: ...Где гарантия, что господин Жеребятников не повезет информацию о нашем собрании в свой Израиль?

Ваксон: Зачем вы распускаете слухи и грязно треплете альманах?

Кузьмец: Мы бережем нервы наших людей. Ефрейторова вызвали в МГК и просили не ходить на ваш вернисаж. Любовного — в Министерство культуры. С Антошей Андреотисом беседовал Юрченко. Октаву как коммуниста мы призываем не идти на вернисаж. Ситуация там создана пошло-лукавая, и тот, кто создал, встанет перед собранием и ответит!

Кочевой: ...Говорить о литературе — это значит говорить о политике. Вы все с высшим образованием и читали Ленина. Некоторые считают, что в альманахе нет ничего антисоветского. Я против такой размазни. Если литератор пишет, что человек — скотина и сволочь, это глубокая антисоветчина. Мы, коммунисты, будем яро протестовать. Я писатель, но я также и партработник, и кадровый дипломат. Нечего раздудониваться, требую жестких мер. Нечего хихикать, товарищи!

Гуляшин: Вопрос Ваксону. Ты понимаешь, Вакс, что будет, если альманах попадет на Запад? Я слишком уважаю тебя, чтобы верить, будто ты не понимаешь.

Шопцов (реплика Битофту): Вы помните наши беседы на предварительных встречах? Я вас тогда спросил: «Вы нам верите, Андрей?» А вы ответили: «Лично вам я верю, но в то, что вы говорите, не верю». Как вы прикажете это понимать?

Битофт: Я вам не приказываю.

Кузьмец: ...Горлышко литературного процесса уже, чем мешок прогресса. Мы имеем лучшую литературу в мире по честности, по нравственной высоте. А вот прочитав этот альманах, видишь какое-то исчадие ада.

Битофт, Режистан, Охотников, Проббер, поосторожнее с Ваксоном. Он ведет себя не как литератор, а как политический лидер. Всем понятно, что вы не прозрачны, как стекло, Аксён Савельевич.

Ваксон: Дело шьешь, Феликс?

Кузьмец (шипит как кухонный кот): С тобой все-е-е будет хорош-ш-ш-о-о-о! (поворачивается к Охотникову). А что это ты там все пишешь, Олексей? Один такой Исаевич все писал да писал на правлении и оказался ре-зи-ден-том! Зачем ты это делаешь, сибиряк?

Охотников: Чтобы память о вас сохранить для потомков.

(Собрание продолжалось четыре часа.)

1980, июнь
КрАЗ

Однажды летней ночью по пустынному Володимирскому тракту спешила на запад ярко-желтая «Лада» с двумя разнополыми человеками внутри. За рулем сидел «непрозрачный» мужик, рядом с ним дремала очаровательная бабенция. Они возвращались из городища Булгары, где посещали Савелия Терентьевича Ваксонова, ветерана ГУЛАГа и орденоносца имени Ленина.

Так получилось, что эта давно запланированная поездка через гущу почти непроходимой Руси (отсутствие бензина и почти полное отсутствие дорог) совпала с некоторыми событиями международного масштаба. Однажды на дачу в Красной Вохре приехал итальянец Джанни Кальдофони, большой жуир и гурман, в общем, эпикуреец. Кроме этих черт характера у него была и другая характеристика — профессор русской литературы. Когда-то он принимал Ваксика и Ралика в своем доме в Милане, а теперь и сам пожаловал. Бьенвеню, или как ее там — бьенвентуда?

Черт тебя принес, Джанни, сердилась Ралисса. Теперь мне целую неделю от плиты не отойти. Сама тем временем готовила свое коронное блюдо — маслята с грудинкой и с припущенными овощами. Вакс и Джанни тем временем за кухонным столом распивали бутылку тосканского вина и говорили о русских книгах в Италии. «Книга твоей покойной мамочки, нашей дорогой Евгении, идет нарасхват», — сказал итальянец. И обвел указательным пальцем кухонный потолок. Потом вынул из кармана пиджака маленькую табличку и написал на ней лиловатым мелком: «Мондадори» готовит «Вкус огня». И тут же салфеточкой стер написанное. Потом стали болтать, перепрыгивая с темы на тему: ливанская война, европейский футбол, новый фильм Феллини, очередная премия Процкого, папаша Ваксона Савелий Терентьевич... и вот на нем немного задержались. Мне нравится твой Савелли, сказал Джанни, с ним очень здорово говорить о Бухарине. Подумать только, он лично знал Николая! Вакс улыбнулся. Воображаешь, теперь уже и он стал что-то записывать из своего прошлого. Как интересно! — вскричал Джанни. Опомнившись, тут же очертил пальцем кухонный потолок. Да пошли бы они все в жопу, так откликнулся Вакс на этот сигнал предосторожности.

Итальянец бухнул обоими волосистыми кулаками по столу: «Эта чертова красоточка-интеллектуалочка! Я сдохну от голода из-за ее возни!» Вскочил, обхватил Ралика за плечи и стал оттаскивать ее от плиты. С некоторым эротическим подтекстом, да, не без этого. «Ну-ка, тащи сюда все твои специи!» Через пятнадцать минут благоухающее блюдо созрело.

По прошествии трех дней из Булгар позвонила племянница. Она сказала, что Дед Савелий впал в меланхолию.

Очень хочет тебя видеть. Сможешь приехать? Они плюхнулись в «Ладу» и за ночь, меняя друг друга за рулем, одолели семисоткилометровое расстояние. Увидев их в Булгарах, Савелий просиял. Казалось, что черная меланхолия быстрыми спиральками улетучивается из его ноздрей и ушных раковин. Взяли удочки и пошли на берег Волги. Там бывший боевик эсеровского отряда, а затем красноармеец коммунистического батальона, а потом строитель социализма, выдвинутый в правящую номенклатуру, а потом осужденный на смерть шпион и вредитель, а потом помилованный, но осужденный на пятнадцать лет лагерей и три года ссылки, а потом, по прошествии этих годков, реабилитированный ветеран партии и кавалер ордена Ленина, там он рассказал, что с ним произошло за последние дни.

Через день после встречи Вакса и Джанни, о которой он ничего не знал, ему позвонил первый секретарь Булгарского обкома и попросил срочно приехать; машина послана. У персека ждал его прибытия еще один немаловажный человек, глава республиканского КГБ генерал Шуралиев.

— Савелий Терентьевич, за вашими мемуарами охотится империалистическая печать, — печально сказал генерал. Персек покивал своей густо-курчавой головой. — Принеси-ка ты, Савелий Терентьевич, свое произведение к нам и передай это мне прямо в руки, которые, обещаю, тебя не подведут. Они, руки мои, руки бойца и нефтяника, баяниста и садовода, а главное, руки коммуниста и депутата Верховного Совета СССР, положат твой опус вот в этот сейф, в который ни один агент империализма не сумеет пробраться; что скажешь?

Савелий некоторое время сидел молча и без движения; так он когда-то сидел в НКВД перед началом избиений. Потом поднял голову и ошарашил двух булгарских шишек упорной голубизной своих глаз; кивнул.

Шишки вздохнули, явно не без облегчения.

— А сколько экземпляров вы произвели? — спросил Шуралиев.

— Один, — твердо сказал Савелий. — Пишу от руки, без копирки.

— Ну вот и тащи его сюда, — сказал персек. — Мы тебе верим. Ведь ты наша гордость, Савелий Терентьевич. Ты Перекоп штурмовал, лично встречался с великим Лениным и с... ммм... с другими вождями нашей партии.

Савелий встал. Шишкам показалось, что старик жаждет поскорее завершить это презренное интервью, что его слегка мутит от презрения к ним. И есть за что, подумали оба, но не поделились своими мыслями. Старик тоже старался не разглагольствовать. Он спешил домой, чтобы перепрятать второй экземпляр.

На прощание Шуралиев все-таки постарался завершить этот разговор на более выигрышной для себя и для своей организации ноте:

— Как же так получилось, Савелий Терентьевич, что вы такой преданный ленинец, а воспитали такого антисоветского сына?

Савелий не удостоил его и взглядом, а только лишь проговорил:

— Я своего сына не воспитывал, поскольку в лагерях сидел. Это вы его воспитывали, гражданин начальник.

Едва он завершил свой рассказ, как поплавок задергался. Похоже было, что попалась щука. Он вскочил и, шлепая босыми ногами, повел ее по отмели, аккуратно подкручивая катушку спиннинга.

«Ну, все, — сказала Ралисса. — Этот акт завершен. Нужно сматывать удочки».

Через три дня печеную щуку добрали за завтраком. К концу завтрака подоспели родственники с пирогами и старые друзья с коньяками. Завтрак плавно перешел в обед. Только после этого Ваксик и Ралик отправились восвояси, в «Столицу Счастья». Ночью проезжали через Владимирскую область. Ралисса часто меняла кассеты, чтобы водитель не задремал. В тот ключевой момент Луи Армстронг как раз пел Dream, A Little Dream Of Me. Впереди на пустынном шоссе появилась огромная темная глыба. Она приближалась.

1980, та же ночь
Ку-ку

А в этот час беспечное общество поэтов всех возрастов, считая от десяти до девяноста, до отказа заполнив всю квартиру Роберта и Анны Эров на четырнадцатом этаже одного из типовых небоскребов Нового Арбата, отмечало праздник — День поэзии. В отличие от ранних Шестидесятых, когда к этому дню кучи анархо-поэтических смогистов стекались к памятнику Маяку, где орали, стараясь перекричать друг друга, свои клочковатые вирши, а иногда даже сжигали чучела официального авангарда, Тушинского, Андреотиса и Эра, в этот раз все было организовано цирлих-манирлих: концерт в Центральном Доме пионеров, возложение венков к памятнику «лучшему талантливейшему нашей социалистической эпохи» и, наконец, презентация альманаха «День поэзии» в новом огромном книжном магазине: апофеоз!

И только лишь на неофициальной вечеринке у Эров полностью развязались галстуки, а с ними и языки, каждый орал свое, многие брали других за лацканы, чтобы задать сакраментальный вопрос: «Если Процкий — это новый Мандельштам, то я тогда кто?!» Окна были открыты настежь во всех комнатах, и подвыпившая Анка все время кричала супругу: «Роба, следи, чтобы никто не вывалился!»

Признанной звездой сборища была молодая женщина, исключительно похожая на Цветаеву, та же челка, те же странные глаза; прошу любить и жаловать, уже знакомая нам лауреатка Юнга Гориц! Она читала:

Мне восемь лет, и путь мой так далек!..
И мы в трамвай не сядем ни за что —
Ведь после бани мы опять не вшивы!
И мир пригож, и все на свете живы,
И проживут теперь уж лет по сто!
И мир пригож, и путь мой так далек,
И бедным быть — для жизни не опасно,
И, Господи, как страшно и прекрасно
В развалинах мерцает огонек.

Юноши, окружавшие ее, аплодировали и старались прикоснуться к ее плечам, а она оглядывалась, пытаясь понять, где затерялся ее муж, эстонский поэт Леон Коом. «Роб, ты не видел Левку?» — крикнула она хозяину квартиры и официальному президенту праздника. Тот, донельзя веселый в эту ночь, изображал фотомодель в различных ролях: то Мэрилин Монро, то Эрнесто Че Гевару. Недавно он привез Полинке из Японии массу превосходной фотоаппаратуры, и вот сейчас она вместе с ее женихом Тимофеем и младшей сестренкой Маринкой-сардинкой занималась тем, что на Западе называется photo opportunity. Услышав вопрос Юнги, он пожал богатырскими плечами и так был запечатлен в мгновенном снимке.

И вдруг все в этой толпе услышали «Ку-ку». Звучал голос Коома. Где он? Где он? Юнга в панике бросилась на голос. В гостиной все раздвинулись, все повернулись к широкому, открытому настежь окну, и за окном, словно в скоморошном театре, проявилось лицо Коома, залепленное пьяным счастьем. Клик-клак, клик-клак — два кадра. Этот молодой человек принадлежал к числу тех, у кого улыбка не сходит с уст, то есть к тем, кто носит маску паяца. Вот и сейчас трудно было понять — ликует ли он в самом деле или под маской стынет от ужаса. Пальцы его, вцепившиеся в карниз, похожи были на гипсовую лепку. Кто-то, высунувшись из соседнего окна, увидел, что ноги Коома, словно сами по себе, отчаянно дергаются, пытаясь за что-нибудь зацепиться на бетонной стене.

«Ку-ку!» — повторил он.

Юнга не решалась приблизиться к окну. Раздвинув руки, она старалась и других не подпустить. Позже она рассказала, что у Леона и раньше были приступы суицида, которые она пресекала с осторожностью укротителя змей. Вот и сейчас она приступила к отчаянному заклинанию: «Левочка, Левочка, я тебя люблю, люблю, как птаху небесную! Лягушечка моя теплокровная, обожаю тебя, забирайся ко мне! Ползи ко мне, моя жужелица ненаглядная, эстонская!»

Роб, Григ Барлахский и шестовик Доброскок осторожно подбирались к окну, чтобы перехватить его кисти рук. Над подоконником на мгновение мелькнул башмак Коома. Мелькнул и исчез.

«Ку-ку!» — торжествующим и ликующим голосом снова вскричал поэт и разжал пальцы. Голова сразу исчезла. Следом за ней ухнул ужас, словно кто-то могущественный спешил на помощь, но на мгновение опоздал. Трудно сказать, что чувствовали все, но перед Робертом то ли на миг, то ли на гим явилось нечто, похожее на скорбный зрак.

1980, июнь
КрАЗ, продолжение

С каждой минутой в сумерках летней ночи на Владимирском шоссе приближающаяся темная глыба приобретала конкретные черты: грузовик-тягач КрАЗ; громада с еле заметными подфарниками. Он ехал медленно, а за ним на той же низкой скорости следовали три мотоциклиста.

— Что за странная процессия, — успел произнести Ваксон. Когда их разделяло не более чем метров сто, КрАЗ пересек осевую, скатился на полосу встречного движения и включил колоссальный свет. В тот же момент оставшиеся на своей полосе мотоциклы включили свой колоссальный свет, и таким образом водитель ярко-желтой «Лады» был полностью ослеплен.

— Это конец! — успела воскликнуть Ралисса.

Описывая мгновенные, пролетающие клик-клик события, писатель, как нам кажется, не должен торопиться. Наоборот, он должен полностью использовать ОПОЯЗовский, а точнее, изобретенный В. Б. Шкловским «метод замедления». Так и сейчас, за долю мгновения от гибели, мы попытаемся рассказать, как это все развивалось. Ваксон, полное имя Аксён Савельевич Ваксонов, полурусский, полуеврей, человек с небольшими советскими данными, не обладал также и какими-нибудь исключительными водительскими качествами. Он не знал, что в таких предгибельных случаях делать. Столкновение с тяжелым советским металлом было неизбежно, а при попытке отвернуть его ждал глубокий кювет и серия беспомощных кульбитов с ударом о сосны и взрывом бака. И вдруг словно кто-то другой взял его руль. Он мощно выкрутил до отказа направо. Вслед за этим мгновенно выкрутил руль налево и до конца утопил педаль газа. С неистовым ревом по самой кромке кювета «Лада» проскочила мимо КрАЗа. Не менее километра его машина неслась на своей максимальной, если не сверхмаксимальной скорости.

Потом он стал тормозить, выехал на асфальт и остановился. Ралисса, почти без сознания, висела на его плече. Они обернулись. То ли сумрак успел за эти секунды основательно рассеяться, то ли зрение их обострилось, но они отчетливо увидели далеко позади, как КрАЗ с его эскортом без всяких огней уходят за поворот.

После этого обоих стала трясти адреналиновая буря. Вот тут их можно было бы кончить без всякого сопротивления, однако никто из убийц не появился. Быть может, буря захватила и эту сволочь. Прошло еще несколько минут. Трясущимися руками Ралисса вытащила из сумочки упаковку седуксена. Они проглотили по две таблетки. Буря затихала. «Съезжай с шоссе при первой возможности», — прошептала она. И вытащила из сумочки еще кое-что успокаивающее, а именно револьвер «Глок», который ей удалось в свое время вывезти из Лондона.

Он двинулся. Она, не выпуская револьвера, все время смотрела назад. Вскоре они свернули на мягкую от пыли проселочную дорогу. Через час въехали на территорию большого колхоза. Занималась заря. Молча летела над окрестными поймами стая египетских гусей. Ваксон остановился на задах колхозного клуба, где, казалось, незадолго прошел Мамай. Все было беспредельно засрано скотом и людьми.

Они задернули шторки и разложили сиденья. Тесно прижавшись, заняли горизонтальную позицию. Стали целоваться; никогда так сладко не целовались, а ведь целовались немало! Весь адреналин переместился теперь в их нижние этажи. Действие адреналина совместно с седуксеном на фоне колоссальной л-ви вдруг вознесло их на небеса, где какой-то знакомый голос с тихой печалью произнес: «Берегите ваши лица, Собирайтесь за границу! Be careful, please, Я защитник Ралисс».

1994
Финал

Роберт сидел в старом плетеном кресле в густой тени своего самого старого дуба. Сидел, положив ногу на ногу, держа в одной руке сигарету, в другой зажигалку. Иногда он забывал про сигарету, и она оставалась нетронутой между пальцами правой руки. Хватившись, он чиркал зажигалкой и некоторое время держал ее перед собой: ему нравился щедрый язык огня, трепещущий над его левым кулаком. Наконец прикуривал; дым «Голуаза» наполнял его гортань и бронхи, напоминая о прошлом. Не отрываясь, он смотрел на калитку своего сада и все ждал, когда она откроется и появится Полпред. Ожидание Полпреда довольно часто посещало его во время тех пауз, что он называл «отключками» и которые, возможно, были просто короткими провалами в сон. Он знал, что делать, если Полпред действительно появится. Он возьмет тогда свою трость и пустит ее, словно дротик, в цель. Полпред, однако, не появлялся, хотя мог появится в любую минуту.

В последние месяцы болезни Роб сильно исхудал и издалека в тени старого дуба мог показаться молодым человеком. Волосы до сих пор не поседели, двумя черными крылышками они свешивались по обе стороны пробора. Никаких намеков на плешь не наблюдалось. Губы как были сочными африканскими пришлепками, так и остались. И только приблизившись, можно было увидеть, что нижняя прискорбно отклячена.

— Ну вот видишь, вот так он и сидит здесь день-деньской. Сидит, молчит. Временами кажется, что спит с открытыми глазами.

Анка шла от калитки к дому с неожиданным гостем, Яном Тушинским, только что прилетевшим из Оклахомы, где вдруг из громовержца «мира во всем мире» заделался скромным учителем квакерского колледжа.

— Он меня-то помнит? — спросил Ян с некоторым излишком трагизма в голосе. Впрочем, что может быть трагичнее, чем забвенье Яна?

— Он всех помнит, — сказала Анка и, помолчав, добавила: — Но не всегда.

Подхватив по дороге с газона два «режиссерских» стула, они приблизились к спящему и уселись напротив.

Роберт в это время вплывал в пространство сверкающего моря. Он не знал, что его здесь ждет, тепло ли здесь или холодно, то есть — Исландия это или Крым, или здесь соединились оба острова, оплота странствующих. Странно как-то все это получается, думал он, прожил уже шестьдесят два года, а не знал о летательных свойствах тела. Все казалось, что нужны крылья и мотор — «пламенный», кажется? — или в крайнем случае раздутый ветром нейлон, а вот ведь прекрасно обхожусь без всего этого постороннего — вишу над бухтой, напоминающей ту нашу, Сердоликовую, и вот начинаю снижаться, то есть сосредоточиваться на ней. Собравшиеся там знакомые смотрят то ли вверх, то ли вдоль по пространству, во всяком случае на приближающегося Роба Эра. Во всяком случае там собрались те, с кем выпадало жить, включая даже и обоих отцов. Матери, кажется, там еще нет, однако не стоит беспокоиться — появится. Посмотри, как сблизились Вертикалов и Юстинаускас; при некоторых поворотах кажется, что они срослись. Кеннеди Джон движется к ним в манере слепца, протянув вперед руки и быстро перебирая пальцами. Спускаюсь, спускаюсь, спускаюсь, сел. Оказывается, галька раскалена добела, оказывается, она излучает блаженство. В ладони лягушечкой прыгает камень с дыркой, куриный бог. Ты по какому резону снизился здесь, Робаэр? Я жажду понять, кого я любил всю мою жизнь. Постой, постой, Робаэр, ведь сейчас протекает процесс вхождения под Покров Богородицы, а там в саду тебя ждет гость; нет, нет, не Полпред, а Друг.

Он открыл глаза и увидел Яна, курящего «Риттенмайстер».

— Откуда, брат?

— Из плоской земли.

— А, я там бывал. Там попы поют псалмы в ритме быстрого блюза и хлопают себя по ляжкам.

— Это верно. А ты замечал, что половина населения там усаживается для созерцания закатов?

— А здесь мы ни черта не видим вокруг, кроме сосен, да самолетов.

— Пойдемте в дом, мальчики, — предложила Анка. — Роба, давай я тебе помогу.

— Не надо, Анка. Я сам. Янк, пошли засадим шампанского!

Пошарил рукой у ствола, нащупал свое оружие, тяжелую трость, которую мог иногда заводить за голову и напрягать, как копье. Приподнялся. Не смог. Еще раз приподнялся. Наполовину смог. Встал с третьей попытки. Опираясь на трость, двинулся к дому. Временами подгибалась правая нога. Анка шла чуть сзади, готовая во всякую минуту его подхватить. Тушинский встал, но некоторое время не двигался, глядя им вслед. Когда Роберт вскарабкался по крыльцу, он быстро подошел и по привычке прыгнул через четыре ступени. Роберт юмористически хмыкнул: дескать, когда-то и я так мог. Тушинский слегка устыдился и чуть-чуть подсел. Подставил Робу свое левое плечо.

— Ты отлично топаешь, дружище; лучше, чем я думал.

Опять бестактность.

Роберт шагнул было через порог, но тут какая-то неведомая сила — не исключено, что зловещий Полпред — швырнула его вниз, затылком в сад, вернее, в черную дыру Апокалипсиса.

Его уложили на первом этаже, в гостиной, на твердой скамье. Вся вновь потрясенная семья двигалась вокруг, то ровно, то стаккато — Анка, старческая Ритка, младшая двадцатидвухлетняя дочка Марина-Былина и старшая красавица Полина, и примчавшийся из города Тимофей, а вместе с отцом три внука Роберта — Гор, Афоня и Емельян. Телефон на длиннющем проводе был вынесен на крыльцо. Он беспрерывно звонил: переполошились друзья. Ян, сидящий на крыльце, прерывал звонки и накручивал медицинские номера в Москве, особенно часто в Склиф. Он кричал: «С вами говорит поэт Ян Тушинский! Мой друг поэт Роберт Эр — без сознания! Высылайте «скорую»! В Переделкино — срочно!»

Узнав про Переделкино, московские телефоны отсылали его в Одинцово, а там телефоны «скорой» категорически не отвечали. Полина взяла у него аппарат и отошла с ним к дубу, под которым еще недавно сидел Роберт. У нее были какие-то особые номера, по которым надо звонить, когда ваш отец теряет сознание. Увы, и по этим телефонам трудно было чего-то добиться: шел уже третий час, а «скорая» не появлялась.

Калитку дачного участка, равно как и ворота, держали настежь. То и дело появлялись люди, пытающиеся помочь. Среди них случались и врачи, но что они могли поделать без капельницы и респиратора? Вообще что можно было сделать с этой полуразвалившейся советской медициной? Все, однако, надеялись, что в конце концов что-нибудь получится. Роберт далеко не первый раз собирался отдавать концы, но всякий раз его как-то вытаскивали.

Первые признаки болезни у него появились пять лет назад. Вернее будет сказать, что пять лет назад он впервые пожаловался на тошноту, головные боли и кратковременные затемнения сознания. В поликлинике Литфонда ему тут же записали в карточке классический писательский диагноз: «игра сосудов». Роберт все чаще падал в обмороки то на заседании, то в ресторане, на улице, в такси, в самых неожиданных местах. Невропатологи говорили, что нужна томография, но надежного аппарата тогда в России не было. Различные другие исследования давали врачам возможность предположить, что в лобной части головы нарастает доброкачественная опухоль; в настоящий момент она достигает размеров куриного яйца. Именно она давит ему на мозг и пережимает сосуды. В один из светлых периодов он написал о ней стихи «Неотправленное письмо хирургу».

...Однако не слишком печальтесь, доктор.
Не надо. Вы ведь не виноваты.
Давайте вместе с вами считать,
Что во всем виновата странная курица,
Которую кто-то когда-то вывел
Лишь для того, чтоб она в человечий мозг
Несла эти яйца-опухоли...

Полина, а за ней и все домашние заметили, что у отца изменился взгляд. Он стал вопросительным; постоянный вопросительный ужас.

В это время в городе появился их старый друг-француз, Алан Московит. Он сказал, что обеспечит и оплатит пребывание и операцию Роберта в самой лучшей парижской клинике. Семья приободрилась: начали собирать документы и покупать валюту. Пока что отца положили в лучшую московскую клинику, в реанимационную палату. Он лежал среди умирающих. Не мог есть. Полинка от него не отходила. Позднее она вспоминала: «...Он лежал высохший и беспомощный... Эта реанимационная палата была прямым путем на кладбище... Тяжелые диагнозы, тяжелый запах...»

Наконец все было готово: документы, визы и билеты. Роберта одели в пальто и вязаную кепку. В короткие моменты погрузок и переносок он дышал воздухом Москвы, и всем было понятно, что он прощается навсегда. Однако произошло не совсем так. В парижском госпитале в первый же день он прошел обследование на всех имеющихся тогда в мире аппаратах. Перед операцией его посадили на укрепляющие средства и специальную диету. Он окреп так быстро, как будто его организм жаждал окрепнуть. Операция, как сейчас говорят, «прошла в штатном режиме». Анка и Полинка сидели сбоку от кровати в его боксе. «Откуда такая качка? Меня так качает», — говорил он обычным шепотом. Через несколько месяцев они вернулись в Москву, увы, чтобы через несколько недель вернуться в Париж. Нужно устранить осложнения, в частности поставить дренаж, чтобы предотвратить повышение внутричерепного давления. На этот раз, опять же стараниями месье Московита, его устроили в один из лучших военных госпиталей; решающим другом тут уже оказался министр иностранных дел. И вдруг в один из счастливейших дней в ее жизни Полинка увидела, как по коридору госпиталя ковыляет на костылях, но в полный рост ее худющий, бритый наголо, со шрамом поперек этого бритого пространства папочка, и никакого Алена Делона нельзя было поставить с ним рядом! Господи, как я была счастлива, вспоминает она.

С каждым днем шаг его становился тверже, он стал выходить на улицу и бродить по маленьким базарчикам. Все понимал и отвечал на вопросы. Снова вернулись в Москву, на этот раз навсегда. Женщинам казалось, что они победили смерть. Ему так не казалось. Он начал снова писать стихи, но в каждом стихотворении прощался с видимой жизнью. Эти его стихи считались лучшими, потому что они были лишены его прежней счастливой патетики, но исполнены трагизма.

Как живешь ты, великая Родина Страха?
Сколько раз ты на страхе возрождалась из праха!
Мы учились бояться еще до рожденья.
Страх державный выращивался, как растенье.
....
Мы о нем даже в собственных мыслях молчали
И таскали его, будто горб, за плечами.
Был он в наших мечтах и надеждах далеких.
В доме вместо тепла. Вместо воздуха — в легких!
Он хозяином был, он жирел, сатанея...
Страшно то, что без страха мне гораздо страшнее.

Иные читатели, увидев в суматошных газетах начала Девяностых новые стихи Роберта, хмыкали: вот как перестроился товарищ Эр, больше уж радужных лучей не видит, больше на чернуху тянет, клеймит прошлое. Они не знали, что о конъюнктуре тут стыдно говорить, что развал Совдепа просто совпал с трагическим концом поэта, что поэт прозрел посреди собственных затмений, он понял, что если «человек рожден для счастья, как птица для полета», то только уж не в пределах земного чирикanья. Образы ада шли за ним по пятам, и не было Вергилия, чтобы дать руку.

Постскриптум

Когда в крематории мое мертвое тело начнет гореть, Вздрогну я напоследок в гробу нелюдимом. А потом успокоюсь и молча буду смотреть, Как моя неуверенность становится уверенным дымом. Дым над трубой крематория, дым над трубой. Дым от сгоревшей памяти, от сгоревшей лени. Дым от всего, что когда-то называлось моей судьбой И выражалось буковками лирических отступлений... Усталые кости мои, треща, превратятся в прах. И нервы, напрягшись, лопнут. И кровь испарится. Сгорят мои прежние страхи и нынешний страшный страх. И стихи, которые снились и перестали сниться. Дым из высокой трубы будет плыть и плыть. Вроде бы мой, а по сути вовсе ничей... Считайте, что я так и не бросил курить, Вопреки запретам жены и советам врачей. Сгорит потаенная радость. Уйдет ежедневная боль. Останутся те, кто заплакал, те, кто останутся рядом... Дым на трубой крематория, дым над трубой... Представляю, какая труба над адом!

Больничные образы юдоли людской соединялись в его воображении с образами разваливающегося СССР.

Колыхался меж дверей
Страх от крика воющего:
«Няня! Нянечка, скорей!
Дайте обезболивающего!»
....
Делают ученый вид
Депутаты спорящие...
А вокруг страна вопит:
«Дайте обезболивающего!»

В литературных журналах стали иногда появляться статьи о «новом периоде» Роберта Эра. О периоде раскаяния и мудрости. Старая интеллигенция обсуждала этот феномен. Постмодернисты-чернушники только хмыкали и отмахивались. «Новым русским» до всех этих дел вообще не было никакого дела. А он все писал свои прощальные стихи и читал их по вечерам родным и близким:

Тихо летят паутинные нити.
Солнце горит на оконном стекле...
Что-то я делал не так;
Извините:
Жил я впервые на этой земле.
Я ее только теперь ощущаю.
К ней припадаю
И ею клянусь.
И по-другому прожить обещаю,
Если вернусь...

Но ведь я не вернусь.

— Перестань, Робка, ну перестань себя до срока отпевать! — покрикивала на него Анка. — Ты посмотри, какой ты снова стал красивый, прямо как киногерой! Я в тебя снова влюблена!

Полинка сидела потупив глаза и прикусив губу. Она ненавидела «новые стихи»: видно было, что Роберт не поверил в свое выздоровление — в каждом стихе он прощался с живыми.

— Это вовсе не заупокойная, — возражала умная Марина-Былина. — Это просто новая фаза трагической поэзии. У всех поэтов бывали такие периоды и длились годами.

Полинка молчала. Она ненавидела «новую фазу». Когда отец окончательно грянул в обморок, младшая прибежала к старшей. «Пойдем, Робе плохо!» Они сидели вокруг него, держали пульс, умоляли глотать какие-то таблетки, но он явно уходил все дальше от них и только иногда вздрагивал, произнося: «А?.. А?..» Лишь одна отчетливая фраза слетела с его уст в эти часы ожидания «скорой»: «Девочки, я вас люблю...»

«Скорая» наконец приехала. Врачом на ней оказалась внучка Брежнева. Несмотря на такое родство, она оказалась настоящим профессионалом: выгнала всех из гостиной, поставила Роберту «подключичный катетер», полчаса применяла всякие реанимационные меры, и только после этого покатили в Склиф. И вся семья помчалась следом, одержимая только одной страстной идеей: «лишь бы довезли!» Казалось, что если вовремя довезут, он снова уйдет от смерти. Этого не случилось. Семь раз склифовские врачи «заводили» останавливающееся сердце, но на восьмой не смогли: Роберт Эр отчалил. Через восемнадцать лет после Юстаса Юстинаускаса. Через четырнадцать лет после Влада Вертикалова. Поэзия притихла.

За день до этого грустного дня в Москву из Калифорнии прилетели Ваксоны. После развала «великого-могучего» они стали здесь бывать ежегодно, а то и чаще. Исторические треволнения, похоже, предлагали им какой-то новый поворот, не менее крутой, чем эмиграция 1980 года в Америку. Все книги Аксёна Ваксонова стали теперь издаваться в Российской Федерации; пусть на паршивой бумаге, с аляповатыми обложками, но все-таки именно с теми текстами, из-за которых у него были недоразумения с государственной безопасностью СССР. Супруга его, неувядающая Ралисса, произвела еще большую сенсацию на родине, чем ваксоновские прежде запретные публикации. В первоклассном переводе с английского стали один за другим выходить сборники рассказов некого Джона Аксельбанта. Всех поражало удивительное знание советского быта и психологии совка. Псевдоним был вскоре раскрыт на программе «Взгляд». Джон оказался хорошо известной в Москве красавицей Ралиссой. С тех пор она стала печататься на родине под именем Ралисса (Джон) Аксельбант.

В Шереметьево она по обыкновению набрала кипу московских газет. Дома за ужином, устроенным Вероникой, она вытащила из кипы «Коммерсантъ» и сразу наткнулась на ужасную новость: «После продолжительной тяжелой болезни скончался знаменитый советский поэт Роберт Эр. На протяжении нескольких десятилетий он считался одним из лидеров поэтического поколения шестидесятников... Гражданская панихида состоится завтра в «Доме радио» на Малой Никитской...» Охнув, она закрыла лицо руками.

— Что с тобой? — вскричал Ваксон.

Она перебросила ему газету.

— Боже мой, — прошептал он, глядя на маленький портрет старого друга с незнакомым удивленным взглядом.

В тяжеловесном сером доме сталинского стиля был великолепный обширный холл, стены которого до потолка были покрыты панелями красного дерева; студия звукозаписи. В центре его возвышался гроб, покрытый горой цветов. Толпа скорбящих стояла в молчании. Звучала траурная музыка.

Ваксон и Ралисса вошли в зал и сразу стали частицами толпы. Несколько минут стояли у стены, пока не увидели поблизости от возвышения группу стульев, на которых сидели с измученными лицами женщины Эровской семьи — Анка, старуха Ритка, Полинка, Маринка и вместе с ними ближайшие подруги наших дней — Любка Октава, Фоска Теофилова, Танька Фалькон-Тушинская, Нэлка Аххо, Юнга Гориц, новая жена Тушинского юная Даша и прилетевшие на прощальную церемонию Милка Колокольцева из Женевы и Катька Человекова из Нью-Йорка. Ралисса, быстро лавируя в толпе, приблизилась к ним и поцеловала Анку. Кто-то из женщин подвинулся и уступил ей полстула, где она и притулилась. Ваксон начал медленно дрейфовать по направлению к замеченным в толпе Кукушу и Барлахскому. Издалека ему кивал Антоша Андреотис.

Вспомнилась обложка «Огонька» трехгодичной давности. На ней среди белоснежных сугробов стояли четыре лидера поэзии: Ян, Антон, Кукуш и Роберт. Мороз явно зашкаливал за тридцать, и все четверо были в огромных меховых шапках и туго закрученных ярких шарфах. Внутри журнала была напечатана направляющая пылкая статья Тушинского. Ваксон прочел ее в университетской столовой, и его малость затошнило. Со своей фирменной велеречивостью автор гвоздил тех писателей и художников, кто бросил родину, кто прельщен был «джинсами и долларами». Они выбрали Радио Свобода в то время, когда мы дрались на баррикадах за настоящую свободу для нашей родины. Каждый из нас сражался до конца, потому что слышал, как рядом стучит поэтический автомат его товарища. И мы одерживали победы. Одну за другой. Это верно, подумал тогда Ваксон, одну за другой: то государственную премию, то орден к советскому празднику.

Ладно, сейчас об этом надо забыть, вымести все слежавшееся в закоулках прошедшего. Окна открыть и сильным движением все вымести вон. Ради Робы, ради его светлой памяти. Он жил в окружении всяких, но сам был всегда чист. Он писал немало пьес, где главным инструментом были пустые литавры, но нередко, оказавшись в одиночестве, он брал основные аккорды: «Мы судьбою не заласканы, / Но когда придет гроза, / Мы возьмем судьбу за лацканы / И посмотрим ей в глаза». И никто вокруг не спрашивал: почему он не обласкан судьбою? Что это значит? Все продолжали приплясывать и чрезмерно жестикулировать и замирали лишь на миг, когда над похмельем зависал Пролетающий-Мгновенно-Тающий.

Пять лет назад, в конце 1989-го, Ваксон и Ралисса впервые после изгнания приехали в Москву. Никто их тогда сюда не звал, они оставались персонами нон грата, лишенными советского гражданства, предателями, укрывшимися на замаскированных под университетские кампусы базах ЦРУ. Только один человек дерзнул — посол США Джек Матлок, проживающий с женой Ребеккой в великолепном особняке Спасо-хаус в Арбатском околотке, возле Собачьей площадки. Там и поселили его личных гостей, в комнатах наверху, где ванные были в полтора раза больше спальни. Там они и прожили десять дней под двойной охраной — спецслужбистов СССР и морпехов США.

Старый друг драматург Юлиан Греку устроил вечеринку в честь подозрительной четы. Позвонил Роберту, который в то время занимал следующие посты: Секретарь Союза писателей СССР, Председатель иностранной комиссии Союза писателей СССР, Председатель правления Центрального дома литераторов, депутат Моссовета, член Бюро МГК КПСС, ну и так далее.

— Послушай, старый, — сказал ему Юлиан, — у меня будут гости, Ваксон с Ралиссой. Если придешь, будем рады. Ну а если не сможешь, все пойму.

— Да ты что, Юл? — возмутился Эр. — Чтобы я не пришел повидать Ваксу? Гори все огнем, обязательно придем вместе с Анкой!

Всю эту шумную вечеринку Ваксоны просидели рядом с Эрами на продавленных греческих диванах. Роберт, как всегда, много курил. Политические хохмы не подхватывал, но смеялся вместе со всеми. Фотографировались с Ваксой, обняв друг друга за плечи. В целом Роберт выглядел очень грустным; задним числом можно подумать, что он уже тогда чувствовал приближающуюся грозу.

Вел панихиду Ян Тушинский, и делал он это с безупречным тактом и с подлинной глубочайшей грустью. Он приглашал людей сказать слова прощания, а в промежутках читал стихи Роберта.

Мы цапаемся жестко,
Мы яростно молчим
Порою — из пижонства,
Порою — без причин.
....
Ошибок не прощаем,
Себя во всем виним.
Звонить не обещаем.
И все-таки звоним.
....
Боюсь я слов истертых,
Как в булочной ножи...
Я знаю: он прочтет их
И не простит мне лжи!

Вот так он обозначил масштаб их дружбы и дальше продолжал:

Мне гидролог говорит:
— Смотри, глубина сто девяносто три! —
Ох, и надоела мне одна,
Неменяющаяся глубина!..

Тушинский обращается ко всем гидрологам, полярникам и радистам, людям их молодости, со стихами Эра «Восемьдесят восемь»:

Разговор дальнейший был полон огня:
«Милая, пойми человека!
(«Восемьдесят восемь!») Как слышно меня?
(«Восемьдесят восемь!») Проверка».

Он выстукивал восьмерки упорно и зло.
Днем и ночью.
В зиму и в осень.
Он выстукивал, пока в ответ не пришло:
«Понимаю, восемьдесят восемь!..»
....
Эту цифру я молнией шлю.
Мчать ей через горы и реки...
Восемьдесят восемь! Очень люблю.
Восемьдесят восемь! Навеки.

Играл рояль. На возвышение поднимались друзья Роберта композиторы-песенники. К микрофону один за другим подходили певцы: Бокзон, Эль-Муслим, Балуев, Эдита, Валентина... Звучало то, что можно было бы назвать «массовой лирикой» умирающего Советского Союза, то, что сделало Роберта Эра народным поэтом:

«Луна над городом взошла опять...»
«А это свадьба, свадьба, свадьба пела и плясала...»
«Вы не верьте в мою немоту...»
«Сладка ягода в лес поманит...»

«Покроется небо пылинками звезд,
И выгнутся ветки упруго.
Тебя я увижу за тысячи верст.
Мы — эхо,
Мы — эхо.
Мы долгое эхо друг друга...»

«Как тебе сейчас живется, вешняя моя...
странная моя?»
«Песни главные есть в судьбе любой: колыбельная
и поминальная...»

«Видно, много белой краски у войны...»
«Не думай о секундах свысока...»

«Я прошу, хоть ненадолго,
Грусть моя, ты покинь меня!
Облаком, сизым облаком
Ты полети к родному дому,
Отсюда к родному дому...»
«И живу я на земле доброй за себя и за того парня...»
«Если со мною случится беда, Грустную землю
не меряй шагами...»
«Такие старые слова, а как кружится голова...»
«Светло и торжественно смотрит на них огромное
небо, одно на двоих...»
«Не только груз мои года, мои года — мое
богатство...»
«Дайте до детства плацкартный билет...»
«Смотри, какое небо звездное...»

Ваксон медленно передвигался в толпе, чтобы увидеть профиль Роба. Он ловил на себе странные взгляды. Многие при виде него обменивались шепотками; что-нибудь, по всей вероятности, вроде: «Смотрите, Ваксон пришел. Ну и ну, вот это да». Здесь было много «гвардейцев» развалившейся Империи: космонавты, например, творцы различных секретных «изделий», бонзы агитпропа и дезинформации, лауреаты Сталинских и Ленинских премий, солисты Большого балета и чародеи фигурного катания... ну, в общем, читатель, припомни сам, на ком держался в пучинах времени коммунистический кашалот. Все они привыкли считать Роберта Эра одним из основных «преторианцев», и увидеть среди скорбящих «антисоветчика» Ваксона было для них курьезом. Некоторые протягивали ему руку — например летчик-испытатель, дважды Герой

СовСоюза Захар Гуллай, — и он ее пожимал. Иных он не узнавал, но все-таки пожимал руки, хотя прекрасно отдавал себе отчет в том, что персона может оказаться «нерукопожатной». Так, не узнав, он пожал руку журналисту-международнику Эдуарду Микелию, и только потом вспомнил некоторые эпизоды, связанные с временами «холодной войны».

Однажды, в период наведения телемостов, он увидел Микелия на talk-show Тэда Копола. Шел разговор о свободе слова и распространения печати. Кто-то спросил Микелия, продаются ли в Москве основные органы западной печати. Тот, ничтоже сумняшеся, ответствовал, что на каждом углу. К сожалению, они успехом не пользуются среди населения. Он как-то упустил из виду, что среди диспутантов находится многолетний московский корреспондент «Вашингтон Пост» Боб Хайзер. Глядя ему прямо в глаза, Боб сказал: «Shame on you, Edward». И вдруг — о чудо из чудес! — лицо профессионального брехуна стало заливаться краской стыда.

Итак, пожимаем лапу профессионального брехуна. Они, кажется, дружили. Во всяком случае, дружили детьми. Помнится, он говорил про этого: «Эдька, конечно, работает на государство, но все-таки он хороший парень». А самое главное состоит в том, что он все-таки покраснел, когда его пристыдили на TV. Ради Роба отпустим ему грехи. Здравствуй, старик.

Хуже обстоит дело с другой персоной, которая издалека то и дело бросает на Ваксона эдакие свойские взгляды. Одутловатый толстяк, жидкие волосы зачесаны плотно назад, подстриженные усики и баки — полностью неузнаваем! Единственная что-то напоминающая деталь его обличья — это светло-серый костюм. На лацкане какая-то золоченая медалька. Из нагрудного кармана выглядывают очочки на цепочке; чтобы не потерялись.

Костюм свисает обширными кулуарными складками; значит, похудел за последнее время; писатель, что ли?

Тот начал медленно дрейфовать к Ваксону. По дороге останавливался переброситься репликами с кем-нибудь, улыбался, иногда вроде даже похохатывал; вообще вел себя скорее как на коктейле, чем на панихиде поэта.

Наконец сблизились.

— Приветствую вас, — сказал незнакомец, и тут Ваксон узнал его по голосу: да ведь это же не кто иной, как Юрий Юрченко, многолетний оргсекретарь Союза писателей СССР! Чем сейчас занимается этот человек, некогда клеймивший его за диссидентские взгляды? Уже и союзов этих не существует, ни социалистического, ни писательского; из мощной организации, руководимой верным сыном партии Юрием Онуфриевичем Юрченко, произросло несколько хилых союзиков, склочничающих друг с другом из-за предметов офисной мебели.

Он вспомнил рассказ Роберта об одном эпизоде, который позволил ему навсегда зачислить Юрченко в разряд «хороших парней». Это было в одной из стран «народной демократии», то ли в Польше, то ли в Чехословакии, в общем, в Татрах. Они спешили с делегацией в автобусе по извилистой дороге. Ночью на полном ходу въехали в заболоченное озеро и перевернулись. И вот товарищ Юрченко вовсе не заказал себе самоварчик с бутылочкой, а напротив — всю ночь вытаскивал пострадавших и среди прочих вытащил хорошенькую журналистку, которая стала его верной подругой.

— Вы надолго к нам? — спросил он Ваксона.

В это время выступал Олжас Сулейменов. В микрофоны шла его речь: «Роберт как никто другой из своего поколения был поэтом Великого Государства. Поэтому, наверное, и не перенес его гибели».

— Вы к нам надолго? — повторил вопрос Юрченко.

— Надолго, — ответил Ваксон.

— Вот это хорошо, — Юрченко одобрительно притронулся к его локтю. — Вы знаете, Аксён Савельевич, мы тут устраиваем широкомасштабное мероприятие, Сахаровские чтения. Не хотели бы принять участие?

Раньше на этом круглом лике при помощи прищура глаз и брюзгливо оттопыренной губы всегда торжествовала маска еще не до конца высказанной мощи, в том смысле, что все еще впереди и мало вам не покажется. Теперь обалдевший Ваксон в новой юрченковской мимике улавливал подобострастие.

В течение нескольких минут молчания звучал Шопен.

— Так что скажете, Аксён Савельевич? — напомнил ему свой вопрос Юрченко.

— Ничего, — только и ответил он и стал отдаляться в сторону тех стульев, где сидели их женщины, чтобы поцеловать Анку, Ритку, дочерей и взять за руку Ралиссу: приближался час окончательного прощания.

Тушинский стоял над гробом, закрыв лицо своими длинными ладонями. Потом опустил ладони и стал читать стихи Роберта из «трагического цикла»:

Ах, как мы привыкли шагать от несчастья
к несчастью...
Мои дорогие, мои бесконечно родные, прощайте!
Родные мои, дорогие мои, золотые, останьтесь,
Прошу вас, побудьте опять молодыми!
Не каньте беззвучно в бездонной российской общаге.
Живите. Прощайте...
Тот край, где я нехотя скроюсь, отсюда не виден.
Простите меня, если я хоть кого-то обидел.
Целую глаза ваши.
Тихо молю о пощаде.
Мои дорогие. Мои золотые.

Прощайте!
Постичь я пытался безумных событий причинность.
В душе угадал...
Да не все на бумаге случилось.
Волга-река. И совсем по-домашнему: Истра-река.
Только что было поле с ромашками...
Быстро-то как!..

Радуют не журавли в небесах, а синицы в руках...
Быстро-то как!..
Да за что ж это, Господи?!
Быстро-то как...

Только что, вроде, с судьбой расплатился, —
Снова в долгах!
Вечер в озябшую ночь превратился.
Быстро-то как...

Я озираюсь. Кого-то упрашиваю, как на торгах...
Молча подходит Это. Нестрашное...
Быстро-то как...
Может быть, что-то успел я в самых последних
строках!..

Быстро-то как!
Быстро-то как...
Быстро...

Люди, всевозможные, оставшиеся, поднимались к возвышению, медленно обходили гроб, целовали покойника — мужчины в скрещенные на груди руки, женщины в лоб. Ваксоны все еще двигались в низинах, приближались: Ваксон впереди, Ралисса за ним.

И вдруг он почувствовал Присутствие Роберта. Оно, Присутствие, раскрывалось навстречу ему с удивительным дружеским чувством, словно объятие. Как будто бы оно, обнаружив его в этой толпе, открылось навстречу ему с радостным удивлением и любовью. Оно, Присутствие, при всей его невидимости, почти физически соприкоснулось с ним, словно говорило: старик, оставь хоть на миг эту внешнюю физику, просто почувствуй, как радостно видеть тебя в этой толпе прощания и прощения, хоть все это может и испариться в следующий миг, старик.

На выходе из Дома радио, на ступенях, он привлек к себе Ралиссу:

— Скажи, ты почувствовала его Присутствие?

— Да, — еле слышно прошептала она и уткнулась ему в плечо.

21 мая 2007
В. Аксенов

Содержание

Авторское предисловие

Книга первая

ВАСИЛИЙ АКСЕНОВ

ТАИНСТВЕННАЯ СТРАСТЬ
роман о шестидесятниках

Издатель ЗАО «Издательство Семь Дней»
125993, г. Москва, Волоколамское ш., д. 4, корп. 24
Тел. 753-4141

Редактор
Н. В. Нечаева

Консультант
А. Б. Киреева

Корректоры
Н. В. Королева, Г. В. Ляшенко, Л. В. Шаховская

Редактор проверки
Т. Б. Смиренская

Координатор
А. В. Гнатюк

Дизайнер
Е. В. Сереченко

Компьютерная верстка
О. А. Донецкова

Обработка иллюстраций
В. М. Чиж, М. Б. Артюхин, С. А. Гольцев

Бильд-редактор
С. А. Сизова

Фотоматериалы предоставлены:
ИТАР-ТАСС, РИА НОВОСТИ, Russian Look, Fotobank, Fotolink,
Валерий Плотников, Генриетта Перьян,
из архивов Киры Менделевой, Аллы Киреевой,
Зои Богуславской, Музея истории Москвы

Подписано в печать 17.09.2009.
Формат 60x90 1/16. Печ. л. 37 + 3,5 вкл. Бумага офсетная № 1.
Печать офсетная. Гарнитура ITC Букман.
Дополнительный тираж (3-й завод) 25 000 экз.
Заказ № 2435

Отпечатано в ОАО «Типография «Новости»
105005, Москва, ул. Ф. Энгельса, д. 46